W9-CJX-487

LAND DER BIBEL

Aus dem Englischen
übertragen von
Joachim Rehork und
Gertraude Wilhelm

Genehmigte Lizenzausgabe für
Bechtermünz Verlag im
Weltbild Verlag GmbH, Augsburg 1997

Landkarten: Nicholas Harris, Zoë
Goodwin
Umschlagmotiv: Mauritius Bildagentur
Kleine Bildmotive: Mauritius Bildagentur
Umschlaggestaltung: Studio Höpfner-
Thoma, München
Gesamtherstellung:
Druckerei Appl, Wemding
Printed in Germany
ISBN 3-86047-786-2

BILDATLAS DER WELTKULTUREN

LAND DER BIBEL

John Rogerson

BECHTERMÜNZ VERLAG

INHALT

Dritter Teil: Die Schauplätze

CHRONOLOGISCHE ÜBERSICHT

	3000 v. Chr.	2000 v. Chr.	1000 v. Chr.	900 v. Chr.
SYRIEN PALÄSTINA TRANS- JORDANIEN	Protokanaanäische Periode Bet-Jera-Kultur Besetzung Kanaans durch die Akkader Einwanderung der Kanaanäer (Kanaaniter) Die Region ist durch kleine Stadtstaaten charakterisiert, z.B. Arad, Jericho, Megiddo	*1750–1550* Abraham, Isaak und Jakob; Wanderung israelitischer Stämme nach Ägypten ab ca. 1500 Kanaan unter ägyptischer Herrschaft *ca. 1390–1340* Amarna-Briefe: Niedergang der ägyptischen Machtstellung in Kanaan *ca. 1190* Ansiedlung der Philister in der südlichen Küstenebene *1200–1020* Israelitische Landnahme und Zeit der Richter Saul ca. 1025–1000	David ca. 1000–970 Salomo ca. 970–928 Unterwerfung der Philister durch David, Eroberung Jerusalems; Bau des Salomonischen Tempels Reichsteilung in Juda und Israel beim Tod Salomos ca. 924 Eindringen des ägyptischen Pharaos Schischak (Sheshonq I.) in Juda und Israel *Herrscher Judas* Rehabeam ca. 930–910 Abija ca. 910–908 Asa ca. 908–867 *Herrscher Israels* Jerobeam I. 928–907 Nadab 907/906 Bascha (Baesa) 906–883	Herrschaft Omris über Juda und Moab. Widerstand Elijas gegen Ahab und Isebel Salbung Jehus durch Elischa *Herrscher Judas* Joschafat (Josafat) 870–846 Joram 851–843 (Mitregent seit 851) Ahasja 843–842 Atalja 842–836 Joasch 836–798 *Herrscher Israels* Omri ca. 882/81–871 Ahab 871–852 Joram 851–842 Jehu 842–814
	Keilschrifttafel (ca. 2900 v. Chr.) aus Mesopotamien	Tonmaske aus Hazor (14. Jh. v. Chr.)	Der Salomonische Tempel (10. Jh. v. Chr.)	
ÄGYPTEN	2920 Beginn der dynastischen Periode: *1. Dynastie* 2920–2770 2360 Bau der ersten Stufenpyramide (in Sakkara)	*15. Dynastie* (Hyksos) 1640–1532 *Amarna-Periode* 1352–1333 *19. Dynastie* Sethos I. (1304–1290) Ramses II. (1290–1224) Merneptah (1224–1214) ca. 1300–ca. 1220 Unterdrückung der Hebräer. Auszug aus Ägypten	Schischak (Sheshonq I., 944–923)	Salmanassar III. (859–824) Adadnirari III. (810–782) Schlacht von Karkar 853 Ahab tritt der Koalition gegen Salmanassar bei
MESOPOTAMIEN	2900–2340 Frühe dynastische Periode, charakterisiert durch Stadtstaaten, z.B. Ur Erweiterung des semitischen Einflusses durch Sargon von Akkad (2340–2198) 2160–2000 Erneuerung des sumerischen Einflusses in Lagasch und Ur	Ausdehnung der babylonischen Herrschaft über weite Teile Mesopotamiens unter Hammurabi (1792–1750) Gründung des Neuassyrischen Reichs durch Tiglat-Pileser I. (1112–1074), das bis 609 v. Chr. besteht		
ÄGÄIS ANATOLIEN IRAN		ca. 1600–1450 Partieller Einfluß des Althethitischen Reichs in Mesopotamien und Syrien ca. 1450–1200 Großhethitisches Reich		

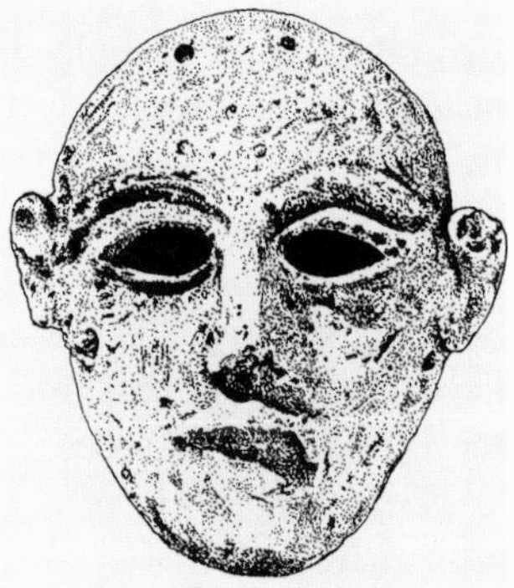

00 v. Chr.	600 v. Chr.	200 v. Chr.	100 v. Chr.	100 n. Chr.
Adadniraris III. Sieg über Aram-Damaskus bringt für Juda und Israel eine Periode des Wohlstands ca. 760 Amos' Prophezeiungen gegen religiöse und soziale Mißstände ca. 750 Hosea ca. 735 Jesaja 722/21 Fall von Samaria (Israel) 701 Eindringen Sanheribs in Juda *Herrscher Judas* Usija (Asarja) 785–733 Jotam (Mitregent) 758–743 Ahas 743–727 Hiskija (Hezekias) 727–698 *Herrscher Israels* Joahas 814–800 Joasch 800–789 Jerobeam II. 789–748 Menahem 747–737 Pekachja 737/736 Pekach 735–733 Hosea 733–723	Unter der Regierung von Manasse Abhängigkeit Judas von Assyrien Necho tötet Josia (609) und beherrscht Juda bis 605 Eroberung Jerusalems durch Nebukadnezzar 597 und 587 Zerstörung des Tempels 587 540/539 Rückkehr aus dem Exil 516 Weihung des neuerbauten Tempels 332 Beginn der hellenistischen Herrschaft *Herrscher Judas* Manasse 698–642 Amon 642–640 Joschia (Josia) 640–609 Joahas 609–608 Jojakim 608–598 Jojachin 597 Zidkija (Zedekia) 597/596–587	198 Beginn der Seleukiden-Herrschaft über Palästina 167 Schändung des Tempels und Verbot der jüdischen Religion durch Antiochus IV. Beginn des Makkabäer-Aufstands *Hasmonäische (makkabäische) Herrscher* Judas Makkabäus 167–161 Jonatan 161–143 Simon 142–135/134 Johannes Hyrkanus I. 135/134–104 Aristobulus I. 104–103 Griechische Herrscher von Syrien/Palästina (Seleukiden) Antiochus III. 223–187 Seleukus IV. 187–175 Antiochus IV. 175–164	63 Einzug des Pompeius in Jerusalem Beginn der römischen Periode ?6/4 Geburt Jesu *Hasmonäerherrscher* Alexander Jannäus 103–76 Alexandra 76–67 Aristobulus II. 67–63 Herodes der Große 40–4	28/29 Öffentliches Wirken Jesu 30 Kreuzigung und Auferstehung 66–73 1. Jüdischer Krieg gegen Rom und Zerstörung des Tempels (70) *Söhne des Herodes:* Philipp 4 v. Chr.–34 n. Chr. Herodes Antipas 4 v. Chr. – 39 n. Chr. Agrippa I. 4 v. Chr.–44 n. Chr. *Römische Statthalter von Judäa* Valerius Gratus 15–26 Pontius Pilatus 26–36
Tiglat-Pileser III.: assyrisches Relief aus dem 8. Jh. v. Chr. 	Alexander der Große in der Schlacht von Issus, Detail eines Mosaiks	Zitadelle von Herodium, erbaut von Herodes dem Großen 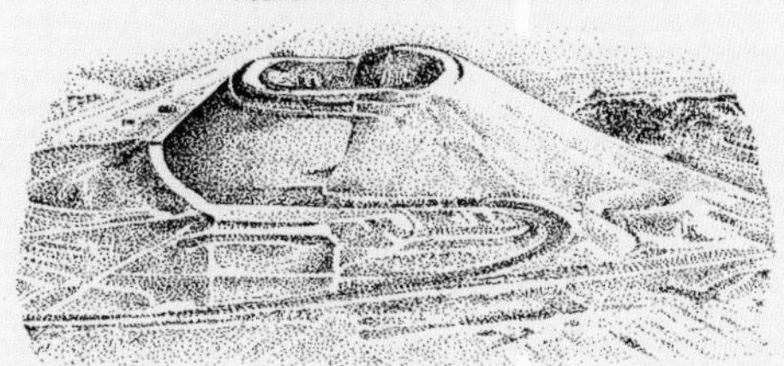		Die Menora aus dem Tempel wird nach dem Fall Jerusalems 70 n. Chr. im Triumph durch Rom getragen, Detail vom Titusbogen
Taharka (690–664) Necho II. (610–595)	Ägypten unter persischer Herrschaft 525–404, 343–332 Ägypten unter Alexander dem Großen 332–323 und unter den Ptolemäern Gründung von Alexandria 332 Ptolemäus I. 304–284		Kleopatra VII. (51–30), unterstützt Marc Anton im Kampf gegen Augustus (Octavian).	
Tiglat-Pileser III. 745–727 Salmanassar V. 727–722 Sargon II. 722–705 Sanherib 705–681 Fall von Ninive 612 Nebukadnezzar II. 605–562	Eroberung Babyloniens durch den Perserkönig Kyrus (540/539)			
ca. 650 Gründung des Medischen Reichs	Kyrus (559–529) gründet das Reich der Perser und Meder Alexanders Sieg über Persien bei Issus (333 v. Chr.) öffnet ihm Syrien, Palästina und Ägypten		52 Pompeius wird Diktator 45 Sieg Caesars über Pompeius 44 Ermordung Caesars Augustus 30 v. Chr.–14 n. Chr.	*Römische Kaiser* Tiberius 14–37 Caligula 37–41 Claudius 41–54 Nero 54–69 Vespasian 69–79 Titus 79–81 Domitian 81–96

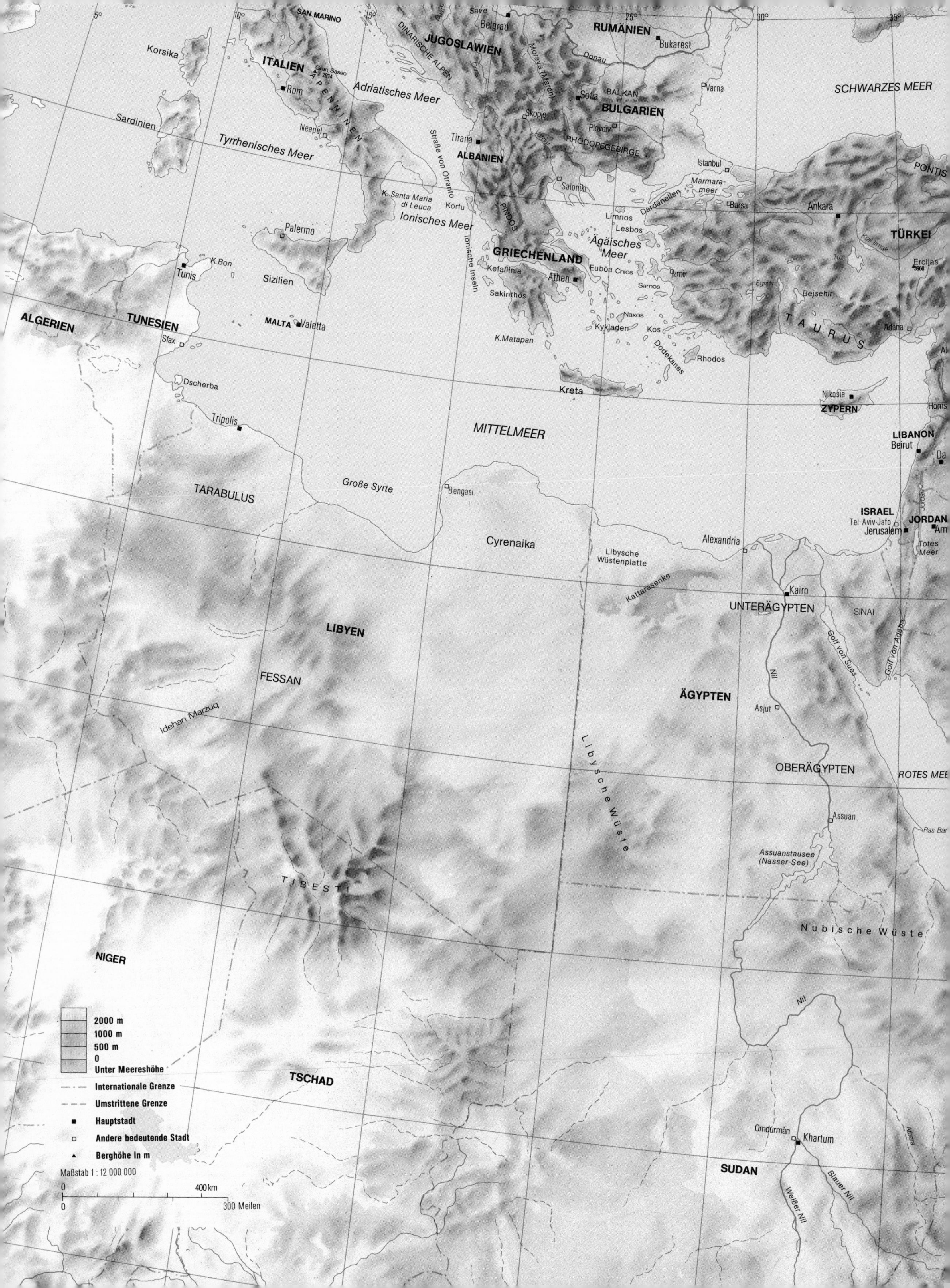

SAN MARINO
Korsika
ITALIEN
Gran Sasso 2914
Rom
APENNINEN
Adriatisches Meer
Sardinien
Neapel
Tyrrhenisches Meer
JUGOSLAWIEN
DINARISCHE ALPEN
Save
Belgrad
RUMÄNIEN
Bukarest
Donau
Morava (March)
Sofia
BALKAN
BULGARIEN
Varna
SCHWARZES MEER
Skopje
Plovdiv
RHODOPEGEBIRGE
Tirana
ALBANIEN
Straße von Otranto
Istanbul
Marmarameer
Saloniki
Bursa
Dardanellen
Ankara
PONTIS
K. Santa Maria di Leuca
Korfu
Ionisches Meer
PINDOS
Limnos
Lesbos
Ägäisches Meer
TÜRKEI
Palermo
Ionische Inseln
GRIECHENLAND
Kefallinia
Euböa
Chios
Izmir
Athen
Samos
Sakinthos
Ercijas 3960
Tunis
K.Bon
Sizilien
Bejsehir
ALGERIEN
TUNESIEN
MALTA
Valetta
Naxos
Kykladen
Kos
TAURUS
Adana
Sfax
K.Matapan
Dodekanes
Rhodos
Dscherba
Kreta
Nikosia
ZYPERN
Tripolis
MITTELMEER
LIBANON
Beirut
Große Syrte
Bengasi
TARABULUS
ISRAEL
Tel Aviv-Jafo
Jerusalem
JORDAN
Cyrenaika
Alexandria
Libysche Wüstenplatte
Totes Meer
Kattarasenke
Kairo
UNTERÄGYPTEN
SINAI
LIBYEN
Golf von Sues
Golf von Aqaba
FESSAN
Nil
ÄGYPTEN
Asjut
Idehan Marzuq
Libysche Wüste
OBERÄGYPTEN
ROTES MEE
Assuan
Ras Bar
Assuanstausee (Nasser-See)
TIBESTI
Nubische Wüste
NIGER
Nil
2000 m
1000 m
500 m
0
Unter Meereshöhe
TSCHAD
Internationale Grenze
Umstrittene Grenze
Hauptstadt
Andere bedeutende Stadt
Berghöhe in m
Omdurmân
Khartum
Maßstab 1 : 12 000 000
SUDAN
0
400 km
0
300 Meilen
Blauer Nil
Weißer Nil
5°
10°
15°
25°
30°
35°

40°
45°
50°
55°
60°
65°
70°
UDSSR
Elbrus 5633
KAUKASUS
Tiflis
Kura
Baku
Sevan
Karakum
Amu Darja
Ararat 5165
Araks
KASPISCHES MEER
KOPPE DAGH
Atrak
35°
Murat
Vansee
Tabris
Rezaijeh
Tigris
Maschhad
PAROPAMISUS
Hari
ELBURS
Demawend
Teheran
AFGHANISTAN
Mosul
Zab al Kabir
Zab as Saghir
Ghom
Dascht e Kawir
Al-Mawsil
MESOPOTAMIEN
Dijala
SAGROSGEBIRGE
Isfahan
IRAN
Harut
Farah
Khasch
Bagdad
IRAK
Tigris
Zard Kuh 4547
Schur
Dascht e Lut
Dascht i Margo
Helmand
30°
Euphrat
Syrische Wüste
Ahwas
Kharsan
CHAGAIHÖHEN
Basra
Abadan
Kuh-e-Hazaran 4420
Dascht i Tahlab
Schiras
PAKISTAN
KUWAIT
Kuwait
Mand
An Nafud
Qeschm
Straße von Hormos
Dascht
25°
Persischer Golf
BAHRAIN
Manama
KATAR
Ad Dauha
Golf von Oman
Ad Dahna
Abu Dhabi
Maskat
Rijad
SAUDIARABIEN
V.A.R.
OMAN
Nafud ad Dahi
20°
Rub al Khali
ARABISCHES MEER
Dahlak-archipel
15°
HADRAMAUT
Sana
(Arab. Rep.) JEMEN
(Demokrat. VR.) JEMEN
Kobar Sink
Aden
Golf von Aden
Sokotra
INDISCHER OZEAN

VORWORT

Man könnte fragen: Warum ein neuer Atlas zur Bibel? In der Tat gibt es bereits einige gute, auf neuesten Erkenntnissen beruhende Atlanten zu diesem Thema, und doch hat der hier vorgelegte Band seine besondere Berechtigung. Die anderen Atlanten sind in der Regel eher historisch als geographisch orientiert: Sie befassen sich mit der Geschichte Israels und der Entfaltung des Christentums und bieten zu jedem Zeitabschnitt Karten der entsprechenden Ereignisse. Demgegenüber besitzt dieses Buch einen mehr geographisch ausgerichteten Aufbau. In seinem Hauptabschnitt - dem Teil 3 - wird das Heilige Land von Region zu Region behandelt, die wichtigsten biblischen Geschehnisse werden dem Leser so in geographischer, nicht historischer Ordnung nahegebracht.

Wegen der primär geographischen Sicht ist die Zielsetzung auch eine andere als bei den herkömmlichen Atlanten, die in der kritischen Rekonstruktion alt- und neutestamentlicher Geschichte ihr legitimes Anliegen sehen und sich dabei aller wissenschaftlichen Forschungsmethoden, einschließlich der Archäologie, bedienen. Hier wird dergleichen nicht angestrebt. Ich habe mich vielmehr bemüht, die geographischen Gegebenheiten zu erhellen, wie sie die Verfasser der Bibel vor Augen hatten. So fügt sich beispielsweise der Bericht von Simson, der die Stadttore von Gaza nach Hebron trägt (Richter 16,1-3) in einen bestimmten geographischen Rahmen, ganz unabhängig davon, ob man den Bericht selbst für glaubwürdig hält oder nicht.

Die Intention, die geographischen und topographischen Schauplätze der Heiligen Schrift zu beleuchten, entspricht einem modernen Trend in der Bibelforschung, solche Geschichten als eigenständige Erzählungen zu würdigen. Das bedeutet aber keineswegs, daß der Band für den historisch Interessierten ohne Wert ist. In Teil 2 findet sich ein kurzer und bewußt der gängigen Tradition folgender Abriß der biblischen Geschichte, jeweils ergänzt und vertieft durch herkömmliche historische Karten. Daran schließen sich ausgewählte Darstellungen biblischer Episoden von mittelalterlichen und neuzeitlichen Künstlern an, gewissermaßen als Kontrapunkt zu der eher trockenen Behandlung des topographischen Kontextes in Teil 3. Viel Sorgfalt wurde auch darauf verwendet, aufzuzeigen, wie das Land in der biblischen Ära ausgesehen hat.

Der Atlas richtet sich demnach an drei Zielgruppen: an Bibelleser, die nie in Israel waren und sich eine Vorstellung von dem historisch-geographischen Hintergrund der Erzählungen machen möchten; an Israel-Touristen, denen zur Vor- bzw. Nachbereitung ihrer Reise an einer detaillierten Beschreibung der einzelnen Regionen und der dort spielenden biblischen Episoden gelegen ist; schließlich an Wissenschaftler und Studenten, gleich, ob sie sich mit den literarischen, historischen, topographischen oder ökologischen Aspekten der Bibelkunde befassen.

Daß das gesamte Land der Bibel hier unter der Bezeichnung Israel zusammengefaßt wird, geschieht lediglich der Einfachheit halber und will nicht als politische Aussage verstanden sein. Wo das heutige Israel gemeint ist, bezieht sich der Name auf das durch den Waffenstillstand von 1949 festgelegte Staatsgebiet. Soweit möglich, wurde für moderne Orte in Israel die hebräische, für moderne Orte auf arabischem Territorium (gemäß der Grenzziehung von 1949) die arabische Namensform benutzt - allerdings mit wichtigen Ausnahmen: Bei allen biblischen Stätten wurde die biblische Namensform beibehalten, so daß beispielsweise El-Khalil weiter als Hebron, Beitin als Bet-El und Scheilun als Schilo erscheint. Auch in diesem Fall ist zu betonen, daß dies aus rein praktischen Erwägungen geschieht und keinerlei politische Stellungnahme impliziert.

Zum Schluß möchte ich all jenen danken, die - und sei es nur indirekt - zum Entstehen des Buches beigetragen haben. Zu nennen wären Menschen unterschiedlicher Nationalität, deren Bekanntschaft und Freundschaft ich zu schätzen lernte: Juden, Araber, Armenier und Auslandsbriten. Mein erster Aufenthalt in Jerusalem vor nunmehr dreißig Jahren stand unter der Leitung von Hochwürden L. J. Ashton, heute anglikanischer Bischof von Zypern und der Golfregion, damals aber rangältester Kaplan der Royal Air Force in Habbanija, Irak. Dieser Besuch weckte nachhaltig mein Interesse an der biblischen Geographie und zog weitere Reisen nach sich. In den letzten fünf Jahren haben mich meine Studenten vom Institut für Biblische Altertumskunde an der Universität Sheffield regelmäßig auf meinen Studienfahrten nach Israel begleitet und mir wertvolle Anregungen für weiterführende Studien gegeben. Ich möchte auch die zahlreichen nützlichen Hinweise erwähnen, die mir mein Berater und früherer Lehrer Professor F. F. Bruce gab. Und nicht zuletzt sei meinen Lektoren des Verlags in Oxford gedankt. Sie waren stets verständnisvoll und entgegenkommend.

Vorbemerkung zur deutschsprachigen Ausgabe:
Die Bibelzitate sind der *Züricher Bibel* entnommen. Die Schreibung der biblischen Personen- und Ortsnamen (auch in den Bibelzitaten) folgt der im *Ökumenischen Verzeichnis der biblischen Eigennamen nach den Loccumer Richtlinien* festgelegten Form. Heutige hebräische und arabische Ortsnamen erscheinen in gemäßigter deutscher Transliteration. In den Karten und Ortslisten wurden die folgenden Abkürzungen verwendet:

Apg.	Apostelgeschichte	Lev.	Levitikus (3. Mose)
1. Chr.	1. Chronik	Luk.	Lukas
2. Chr.	2. Chronik	1. Makk.	1. Makkabäer
Dan.	Daniel	2. Makk.	2. Makkabäer
Deut.	Deuteronomium	Mal.	Maleachi
Eph.	Epheser	Mi.	Micha
Est.	Ester	Mark.	Markus
Ex.	Exodus (2. Mose)	Mat.	Matthäus
Ez.	Ezechiel (Hesekiel)	Nah.	Nahum
		Neh.	Nehemia
Gal.	Galater	Num.	Numeri (4. Mose)
Gen.	Genesis (1. Mose)	Obad.	Obadja
Hab.	Habakuk	Offb.	Offenbarung
Hag.	Haggai	1. Petr.	1. Petrus
Hebr.	Hebräer	2. Petr.	2. Petrus
H. L.	Hoheslied	Phil.	Philipper
Hos.	Hosea	Phlm.	Philemon
Jak.	Jakobus	Ps.	Psalm (en)
Jer.	Jeremia	Richt.	Richter
Jes.	Jesaja	Röm.	Römer
Joh.	Johannes	Sach.	Sacharja
1. Joh.	1. Johannes	1. Sam.	1. Samuel
2. Joh.	2. Johannes	2. Sam.	2. Samuel
3. Joh.	3. Johannes	Spr.	Sprichwörter (Sprüche)
Jos.	Josua		
Jud.	Judas	1. Thess.	1. Thessalonicher
Klgl.	Klagelieder	2. Thess.	2. Thessalonicher
Koh.	Kohelet (Prediger)	1. Tim.	1. Timotheus
1. Kön.	1. Könige	2. Tim.	2. Timotheus
2. Kön.	2. Könige	Tit.	Titus
Kol.	Kolosser	Tob.	Tobit (Tobias)
1. Kor.	1. Korinther	Weish.	Weisheit
2. Kor.	2. Korinther	Zef.	Zefanja

ERSTER TEIL

DIE BIBEL

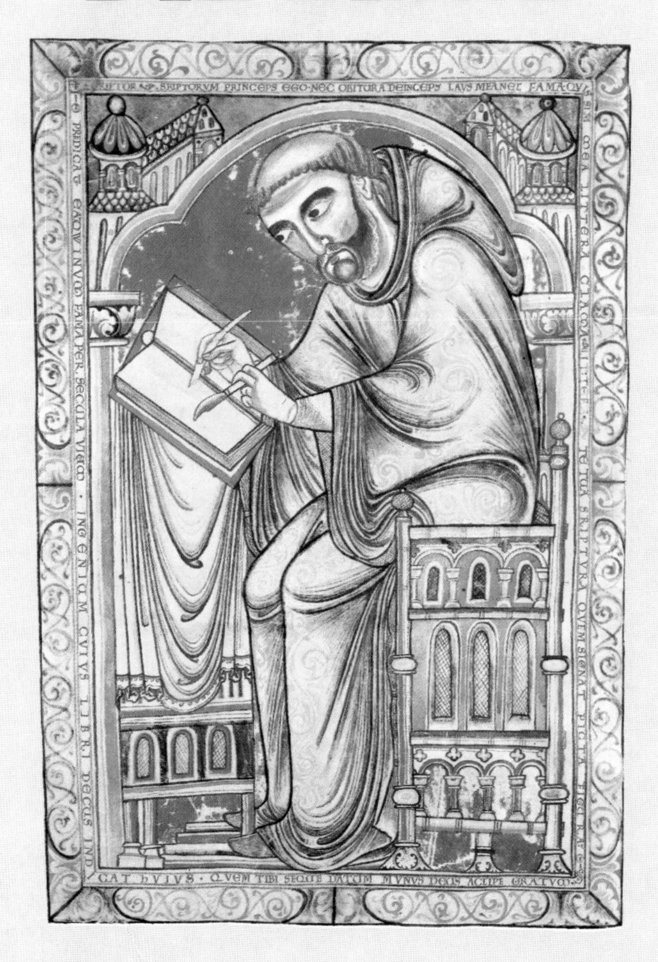

AUFBAU UND TRADIERUNG

Man hat die Bibel den am wenigsten gelesenen (aber meistverkauften) Bestseller der Welt genannt. Wahrscheinlich wurde sie in mehr Sprachen übersetzt als jedes andere Buch, und ihre jährliche Absatzrate durch Bibelgesellschaften jeglicher Schattierung beträgt im Schnitt elf Millionen komplette Exemplare, zwölf Millionen Exemplare des Neuen Testaments sowie über 400 Millionen Broschüren und Einzelblätter mit Textauszügen. Natürlich machen erst moderne Druckverfahren und Vertriebsmethoden solche enormen Zahlen möglich. Doch bereits vor der Erfindung des Buchdrucks in Europa im 15. Jahrhundert besaß die Bibel eine bei weitem größere Verbreitung als andere Bücher. Darüber hinaus lag den Bibel-Produzenten dermaßen an ihrer schriftlichen heiligen Überlieferung, daß man die Hebräer des Altertums geradezu als »Volk des Buches« bezeichnet hat. Dieser Charakterisierung sei hier eine zweite hinzugefügt, die wesentlich unserem Anliegen zugrunde liegt: Sie waren auch ein »Volk des Landes«, nämlich des Landes der Bibel. Beides – Buch und Land – sind miteinander verknüpft, und eines der Hauptziele des vorliegenden Atlasses ist es, dem Leser das »Buch der Bücher« dadurch verständlicher zu machen, daß wir ihm das Land nahebringen.

Entstehungsgeschichte

Spätestens seit dem 4. Jahrtausend v. Chr. war in der Alten Welt die Kunst des Lesens und Schreibens bekannt. Anfangs verwendete man grobe Bildzeichen, die man schließlich zu Symbolen vereinfachte, die als Silbenzeichen, nicht – wie die Buchstaben unserer heutigen Alphabete – als Einzellaute gelesen wurden. Weil aber Silbenschriftsysteme zwischen 300 und 600 Zeichen erforderten, beschränkte sich die Schriftkenntnis zuerst auf einige wenige berufsmäßige Schreiber und Vorleser. Alphabete

Rechts: Diese Miniatur aus einer französischen Handschrift des 12. Jahrhunderts zeigt den Evangelisten Markus, wie er – vom Heiligen Geist inspiriert – sein Evangelium verfaßt. Die Eckmedaillons schildern Episoden aus seinem Leben.

Unten: Das Alte und Neue Testament beinhalten eine Sammlung von 66 Büchern verschiedensten Sujets: Schöpfungsgeschichte, Rechtstexte, Handbücher für Priester, Geschichtsdarstellungen, Psalmen, Sprüche, Liebesgedichte, Prophetische Bücher, Evangelien und Briefe. Obwohl im Neuen Testament die Evangelien am Anfang stehen, sind doch viele der Briefe früher geschrieben.

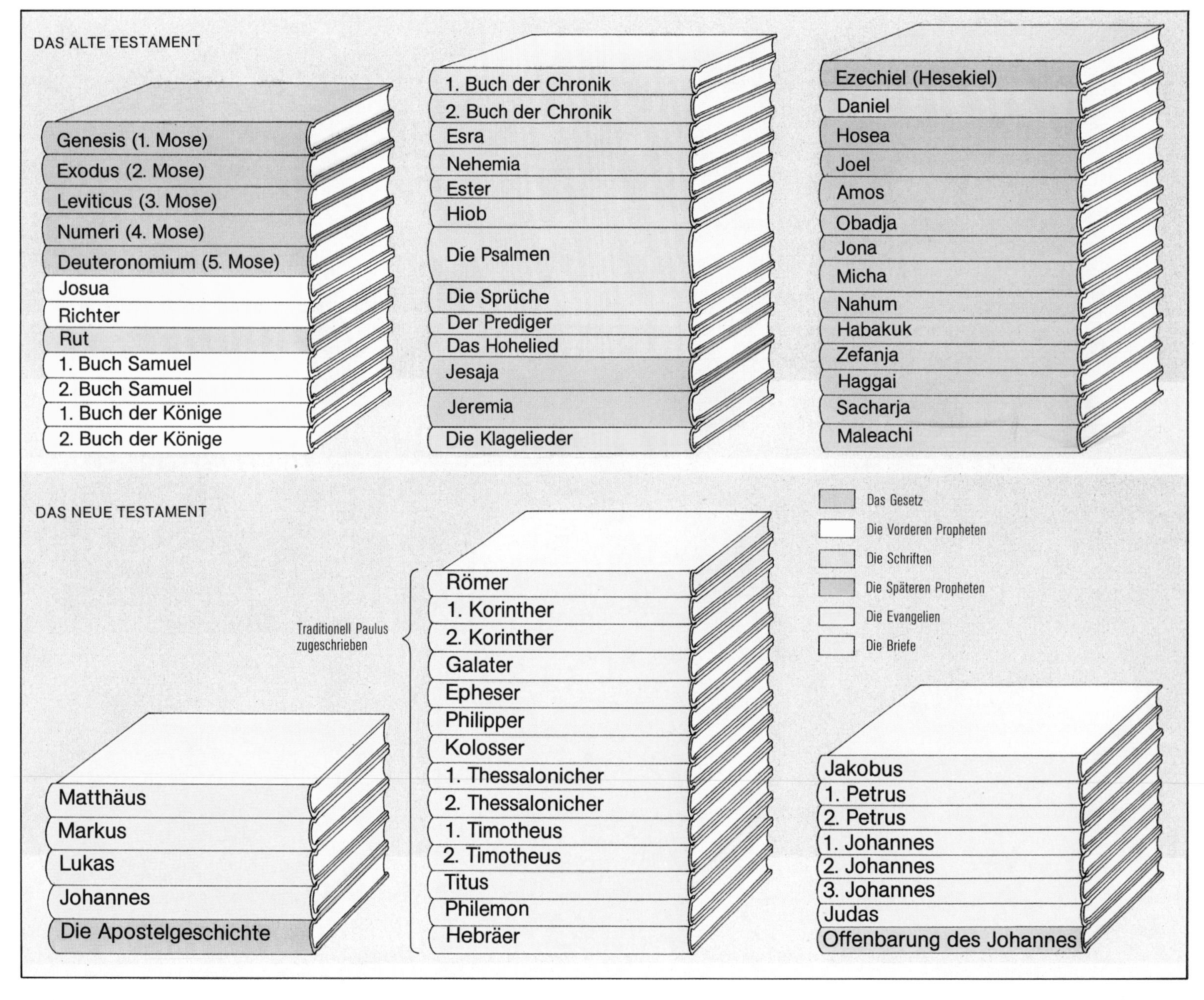

WE
DRIC

Die frühen Schriftformen

Die Erfindung der Schrift ist eine der großen kulturellen Leistungen der Menschheit, vergleichbar vielleicht den revolutionierenden Computer-Technologien von heute, die in aller Welt Daten in Sekundenschnelle zugänglich machen können.

Die ältesten Schriftformen (seit dem 4. Jahrtausend v. Chr.) waren Silbenschriften, d. h. sie drückten die Silben (nicht die Laute) der Wörter aus. Die Zeichen für die Silben selbst hatten ihren Ursprung in piktographischen Darstellungen von Gegenständen, wobei diese jedoch bald vereinfacht wurden. Nehmen wir beispielsweise an, wir besäßen im Deutschen ein Schriftzeichen, das einen Ball abbildet und damit den Lautwert »Ball« hat, sowie ein Zeichen für einen Ast (und somit den Lautwert »Ast«), dann könnten beide Zeichen nebeneinandergesetzt das Wort »Ballast« wiedergeben.

Es war für die Hebräer von nicht geringem Vorteil, daß zur Zeit, als ihre schriftliche Tradition einsetzte, das syllabische System (das mindestens 300 verschiedene Zeichen erfordert) durch ein Alphabet ersetzt worden war, das mit nur 22–32 Zeichen auskam. Die Einführung des Alphabets in der zweiten Hälfte des 2. vorchristlichen Jahrtausends erweiterte die Möglichkeiten der schriftlichen Aufzeichnung erheblich.

Für Laien ist es oft überraschend, daß man im Hebräischen hauptsächlich die Konsonanten schreibt, während die meisten Vokale nicht erscheinen. Tatsächlich aber fällt es ziemlich leicht, eine Schrift lesen zu lernen, welche die Vokale wegläßt. Die hebräische Bibel bezeichnet allerdings die Vokale durch ein System von Punkten und Strichen, das in den ersten nachchristlichen Jahrhunderten dem konsonantischen Text hinzugefügt wurde.

Rechts: Diese Tafel von Jamdat Nasr (Irak), etwa 2900 v. Chr., weist auf den piktographischen Ursprung der Silbenschrift hin.

Unten links: Nach der Rückkehr aus dem Babylonischen Exil (587–539 v. Chr.) soll Esra bei den Israeliten die aramäische Schrift eingeführt haben, die ihrerseits auf das phönikische Alphabet zurückging. Das Phönikische stand auch Pate für das griechische Alphabet, aus dem (vermittelt über das Etruskische) unser römisches Alphabet hervorging.

Unten: Schreiber des assyrischen Königs Sanherib, wie sie während einer Schlacht die Beute und die Gefangenen auflisten (von einem etwa zwischen 704 und 681 v. Chr. datierten Fries). Sie benutzten die keilförmige Silbenschrift.

Lautwert	Früharamäisch	Frühgriechisch
’	𐤀	𐤀 𐤀
b	𐤁	
g	𐤂	
d	𐤃	
h	𐤄	𐤄 𐤄
w	𐤅	
z	𐤆	𐤆 𐤆
h	𐤇	
t	𐤈	𐤇
y	𐤉	𐤉
k	𐤊	𐤊
l	𐤋	𐤋
m	𐤌	𐤌
n	𐤍	𐤍 𐤍
s	𐤎	
‘	𐤏	𐤏 𐤏
p	𐤐	𐤐 𐤐
s	𐤑	𐤑 𐤑
q	𐤒	
r	𐤓	𐤓
sch	𐤔	
t	𐤕	𐤕 𐤕

Unten: Ein Tintenfaß aus römischer Zeit. Im Altertum wurde Tinte sowohl auf pflanzlicher Grundlage wie auf der Basis von Eisensulfat hergestellt. Sie war nicht unbedingt flüssig, sondern konnte ebensogut ein Pulver sein, in das ein angefeuchteter Griffel getaucht wurde.

Oben: Der sogenannte »Kyrus-Zylinder« berichtet, wie Kyrus II. der Große, König der Meder und Perser, 540/39 v. Chr. Babylon einnahm. Von großem Interesse ist der Satz: *Mögen alle Götter, die ich in ihren alten Wohnsitz wiedereingesetzt habe, täglich Bel und Nebo um ein langes Leben für mich bitten ...* Dies stimmt überein mit dem Edikt des Kyrus (zusammengefaßt in Esra 1,1 ff. überliefert), das den Juden die Rückkehr nach Jerusalem und den Wiederaufbau des Tempels gestattete.

Links: Das Rylands-Fragment (III. 458) der griechischen Übersetzung des Deuteronomiums 25, 1-3 aus der ersten Hälfte des 2. Jahrhunderts n. Chr. belegt, daß es zu dieser Zeit zumindest von der Thora eine griechische Version gab.

Unten: Eine Inschrift vom Tempelberg in Jerusalem, die besagt: [Eigentum] *des Hauses der Posaune.*

in der uns jetzt geläufigen Form kamen nicht vor der zweiten Hälfte des 2. Jahrtausends in Gebrauch – etwa zu der Phase also, da nach überwiegender Auffassung Moses die Kinder Israels aus Ägypten nach Kanaan führte.

Umstritten ist die genaue zeitliche Einordnung der biblischen Patriarchen oder »Erzväter« Abraham, Isaak und Jakob. Eine der gegenwärtig verbreiteten Ansichten verweist sie in die Spanne zwischen 1750 und 1500 v. Chr. Doch wie dem auch sei – ursprünglich gab man im Altertum die Erzählungen vom Leben und Wirken dieser biblischen Gestalten mündlich weiter. Man spricht daher von mündlicher Überlieferung. Gleiches gilt wahrscheinlich für die meisten anderen Berichte über die Frühzeit der Israeliten bis hin zu den Jahren König Davids (um 1000 v. Chr.). Das bedeutet keineswegs, daß die Israeliten zuvor keine schriftlichen Aufzeichnungen besessen hätten. Es ist nur so, daß die Erzählungen, die wir etwa in den biblischen Büchern Genesis (1. Mose), Exodus (2. Mose), im Buch der Richter sowie im 1. Buch Samuel finden, eine ganze Reihe von Anhaltspunkten dafür enthalten, daß es sich um ursprünglich mündliche Tradierungen handelt, die erst nachträglich schriftlich fixiert wurden.

Die Regierung der Könige David und Salomo schuf in Alt-Israel die gesellschaftlichen Voraussetzungen für das Aufblühen der Schreibkunst, und tatsächlich begann man vom 10. Jahrhundert an, aus gesammelten schriftlichen und nachträglich niedergelegten mündlichen Überlieferungen jene Teile des Alten Testaments zu formen, die wir als »Gesetz«, hebräisch *Thora (Genesis* bis *Deuteronomium* [1.-5. Mose]) sowie als »Erste« oder »Vordere Propheten« (die Bücher *Josua* bis *2. Könige*) zu bezeichnen pflegen. Das Auftreten der »echten«, »klassischen« Propheten im 8. Jahrhundert gab dem Gestaltungsprozeß der Bibel neue Impulse. Auf der Basis jüngster Forschungen nimmt man an, daß Schüler der einzelnen Propheten mündliche Äußerungen ihrer Lehrer festhielten, ja daß diese Propheten regelrechte Schulen gründeten, die für einen großen Teil der damaligen literarischen Aktivitäten verantwortlich zeichneten.

Nach dem Fall Jerusalems und den Deportationen nach Babylon (597 und 587 v. Chr.) gab es in Israel manch bittere Gewissenserforschung, um die Ursachen der Katastrophe zu ergründen. Die Israeliten wurden mehr und mehr zum »Volk des Buches«, und wahrscheinlich geschah es während des Babylonischen Exils (587-539 v. Chr.), daß die sogenannten »Älteren«, »Ersten« oder »Vorderen Propheten« (die bereits erwähnten Bücher *Josua* bis *2. Könige,* d. h. die Schilderungen der Geschichte Israels von der Landnahme bis hin zum Exil) als »deuteronomistisches Geschichtswerk« etwa ihre heutige Form erhielten und daß die *Thora* (das Gesetzeswerk, das aber auch die Darstellung der Urgeschichte, der Patriarchenzeit und des Auszugs aus Ägypten umfaßt) gleichfalls vor der Vollendung stand. Auch der als »Spätere Propheten« bekannte Abschnitt (Jesaja, Jeremia, Ezechiel sowie die 12 »Kleineren Propheten«) näherte sich gegen Ende des 6. Jahrhunderts seiner Fertigstellung. Nach diesen beiden ersten Hauptstücken – dem Gesetz (der *Thora*) und den Propheten *(Nebiim)* – enthält die jüdische Bibel noch ein drittes: die »Schriften« *(Ketubim).* Zwar findet sich auch in diesem Teil Material, das bisweilen recht alt ist (dies gilt beispielsweise für einige Psalmen sowie für manche Abschnitte des Buchs der Sprüche), doch umfaßt er andererseits auch die jüngsten Elemente des Alten Testaments, nämlich das Buch Ijob (Hiob) und das des »Predigers« *(Kohelet, Ekklesiastes).*

Gegen Ende des 2. Jahrhunderts v. Chr. war das Alte Testament, so wie wir es aus gängigen Bibelausgaben kennen, im wesentlichen komplett, mochten auch die Bücher eine etwas andere Reihenfolge haben als die von uns gewohnte. Die Texte waren auf Pergamentrollen geschrieben, und tatsächlich bedeutet das Wort, das im Neuhebräischen »Buch« heißt (und das auch moderne Bibelübersetzungen durch »Buch« wiederzugeben pflegen), im biblischen Hebräisch nichts anderes als »Rolle« bzw. »Schriftrolle«. Als schließlich das Christentum aufkam, lag das Alte Testament längst nicht mehr nur auf Hebräisch vor, sondern es gab bereits eine griechische Fassung für die im hellenistischen (ptolemäischen) Ägypten lebenden Juden, die einige Abweichungen vom uns bekannten Bibelwortlaut enthält. So fällt etwa der Jeremia-Text erheblich kürzer aus als in modernen Übersetzungen, die meistens auf dem hebräischen Originalwortlaut beruhen, der ja überliefert ist. Weiterhin lassen die hebräischen Manuskripte, die sogenannten »Schriftrollen vom Toten Meer«, die in Chirbet Qumran entdeckt wurden, erkennen, daß es zu Beginn des christlichen Zeitalters eine ganze Anzahl verschiedener Versionen des Alten Testaments gegeben haben muß. Dies geht auch daraus hervor, daß eindeutige Zitate alttestamentlicher Texte im Neuen Testament bisweilen mit keiner uns bekannten Fassung des Alten Testaments übereinstimmen.

Für die christliche Urkirche war die Bibel zunächst das Alte Testament in seiner griechischen Version zuzüglich einiger Schriften, von denen keine hebräische Fassung mehr vorhanden ist und die von zeitgenössischen Herausgebern evangelischer Bibeln daher als Apokryphen bezeichnet werden. Nicht anders als beim Alten Testament verhält es sich beim Neuen. Abermals wurden die ältesten Teile zunächst mündlich tradiert, beispielsweise die Leidensgeschichte sowie Berichte über Aussprüche und Taten Jesu. Ab etwa 50 n. Chr. begannen die einzelnen Gemeinden Briefe zu sammeln, die ihnen führende Köpfe der jungen Christenheit, insbesondere der Apostel Paulus, geschrieben hatten. Als ein abgeschlossenes Ganzes wurden sie den Evangelien und der Apostelgeschichte hinzugefügt. Diese letztgenannten Schriften wiederum müssen, obwohl sie auf älterem mündlichen und schriftlichen Material beruhten, irgendwann zwischen 70 und 90 n. Chr. abgefaßt worden sein. Somit lag das Neue Testament in der uns vertrauten Form wohl gegen Ende des 1. Jahrhunderts n. Chr. vollständig vor.

Bibelhandschriften und -übersetzungen

Bemerkenswert an der Bibel ist, daß wir von ihr so viele antike Handschriften besitzen. Im Vergleich dazu sind Dramen, Geschichtsdarstellungen und philosophische Abhandlungen aus dem alten Griechenland oft nur in einer Handvoll von Manuskripten überliefert. Sie entstanden Jahrhunderte nach dem Tod der betreffenden Autoren, obwohl auch sie natürlich von älteren Handschriften abkopiert wurden, die letztlich auf die Originalfassung zurückgehen, aber inzwischen verloren sind. Von der Bibel dagegen – und insbesondere vom Neuen Testament – existieren Handschriften, deren Zahl in die Tausende geht. Das älteste bekannte Bruchstück des Neuen Testaments ist das Rylands-Fragment des Johannesevangeliums, das man gewöhnlich in die Zeit um 150 n. Chr. datiert, doch auch umfangreichere Teile des Johannesevangeliums und der Paulusbriefe liegen uns vor, die nur wenig jünger sind (entstanden gegen Ende des 2. Jahrhunderts). Sie waren auf Papyrus geschrieben und fanden sich in Ägypten, dessen klimatische Verhältnisse die Erhaltung dieses Materials ganz besonders begünstigen. Aus dem 4. Jahrhundert n. Chr. stammen Unzial-Handschriften, die den größten Teil des Alten und Neuen Testaments in griechischer Sprache enthalten. Die berühmtesten davon sind der *Codex Sinaiticus* und der *Codex Vati-*

Der Codex Sinaiticus

Diese aus dem 4. Jahrhundert n. Chr. stammende, in Unzialen verfaßte griechische Pergamenthandschrift enthält einige Abschnitte aus dem Alten Testament, das vollständige Neue Testament sowie zwei weitere Schriften: den Barnabas-Brief und Teile des »Hirten des Hermas«. Der deutsche Gelehrte Konstantin von Tischendorf fand das Manuskript 1844 im Katharinenkloster am Fuße des »Berges Sinai«, konnte es aber erst 15 Jahre später in Besitz nehmen. Er machte es Alexander II. von Rußland zum Geschenk, in den 30erJahren wurde es dann von der Sowjetunion an das British Museum in London verkauft. (43 Blätter der Handschrift befinden sich heute unter der Bezeichnung *Codex Friderico-Augustanus* in der Universitätsbibliothek Leipzig.) Der vierspaltige *Codex Sinaiticus* wurde wahrscheinlich in Ägypten kopiert und weist Korrekturen von Schreibern des 6. und 7. Jahrhunderts auf. Zusammen mit dem um 350 (wohl ebenfalls in Ägypten) entstandenen *Codex Vaticanus* war er richtungsweisend für spätere Textfassungen des Neuen Testaments.

Konstantin von Tischendorf (1815–1874)

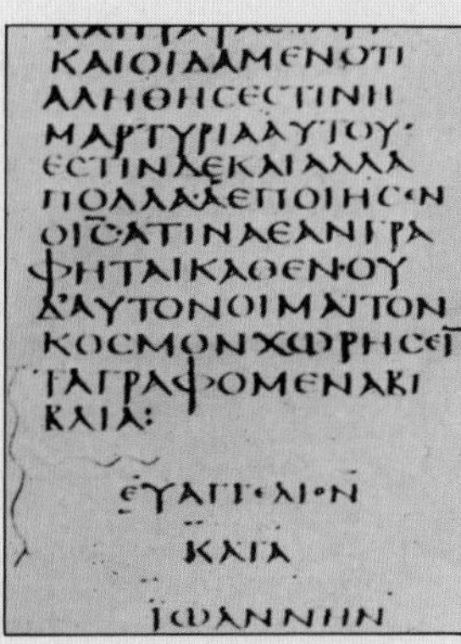

Ganz oben: Der *Codex Sinaiticus* in ungebundenem Zustand. Die Form des Codex (»Buch«) für die heiligen Schriften war charakteristisch für die Christenheit, während die Juden an den Schriftrollen festhielten.

Oben links: Mit Hilfe der Ultraviolettstrahlung entdeckte man, daß im *Codex Sinaiticus* das Johannesevangelium ursprünglich mit Vers 21,24 endete und nicht mit 21,25. Ein späterer Schreiber strich das nichtbiblische Schlußstück, das auf 21,24 folgte, um den letzten Vers und ein neues Schlußstück hinzuzufügen.

Oben: Die Bibliothek des Katharinenklosters.

Unten: Luftbildaufnahme des Katharinenklosters. Das Kloster liegt 1528 m hoch. Kaiser Justinian I. ließ es auf Bitten griechischer Eremiten Mitte des 6. Jahrhunderts erbauen. Es wird noch immer von griechischen Mönchen bewohnt, die hier eine der bedeutendsten Handschriftensammlungen der Welt hüten. Viele der Felsenhöhlen in der Umgebung, in denen einst vor allem Einsiedler lebten, sind allerdings heute verlassen.

canus. Wie die Bezeichnung andeutet, befindet sich der letztgenannte heute in der Vatikanischen Bibliothek in Rom. Der Name des *Sinaiticus* dagegen geht darauf zurück, daß diese Handschrift 1844 von dem Leipziger Professor Konstantin von Tischendorf im Katharinenkloster am Fuß des Jebel Musa auf der Sinaihalbinsel entdeckt wurde (*siehe Seite* 18/19). Diese und andere Manuskripte haben bereits eine äußere Gestalt, die unserer Buchform recht nahekommt (das lateinische Wort *codex* bedeutet an sich »Buchenscheit«, dann [beschriftetes] »Holztäfelchen« und schließlich [hölzerner] »Buchdeckel«, »Buch«), und wie es scheint, bevorzugten namentlich die Frühchristen diese Form, während die jüdische Gemeinde nach wie vor an Schriftrollen festhielt.

Da das Neue Testament nur handschriftlich kopiert werden konnte, schlichen sich unvermeidlich Fehler ein. Welcher Art diese im einzelnen waren, läßt sich hier nicht detailliert auflisten. Ein gutes Beispiel bietet indessen das Vaterunser. In seiner Version bei Lukas (11, 2-4) ist es kürzer als bei Matthäus (6, 9-13). Weil man jedoch beim

Unten links: Das Rylands-Fragment (Johannes 18,31-33; 37-38) entstand um das Jahr 150 und beweist, daß dieses Evangelium im frühen 2. Jahrhundert in Ägypten verbreitet war. Der Vergleich mit dem großartigen Anfang des Matthäusevangeliums von Lindisfarne *(rechts)* dokumentiert die künstlerischen Fortschritte, welche die Bibelkopisten in den sechs oder sieben dazwischenliegenden Jahrhunderten gemacht hatten.

Oben und links: Das 1945 in Nag Hammadi in Oberägypten entdeckte Thomasevangelium ist ein Beleg dafür, daß schriftliche Sammlungen von Aussprüchen Jesu unabhängig von den anderen Evangelien in den ersten beiden nachchristlichen Jahrhunderten im Umlauf waren. Obgleich Thomas nicht die vom Neuen Testament wohlvertraute Hauptrichtung vertritt, wirft sein Werk doch einiges Licht auf die Ursprünge der Evangelien.

Oben: Die erste Seite des Thomasevangeliums.

Links: Handschriften in der Bibliothek von Nag Hammadi, in der sich das besagte Evangelium befindet.

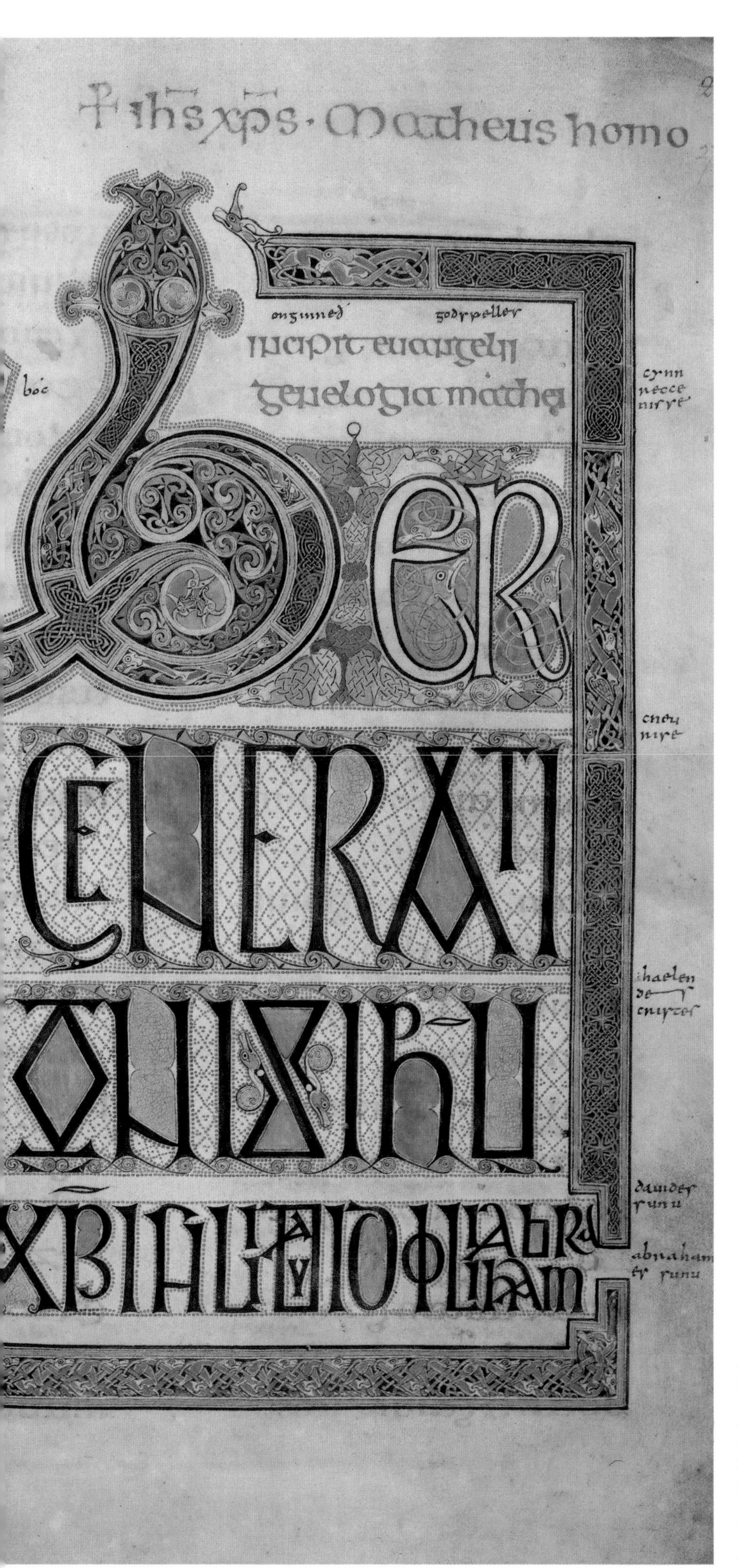

Beten die längere Form (bei Matthäus) bevorzugte, erlagen Kopisten immer wieder der Versuchung, die Lukas-Version durch die Matthäus-Version zu ersetzen – sei es aus Absicht, sei es aus purer Nachlässigkeit. Ein anderes Beispiel, das hier anzuführen wäre, sind die Worte, die Jesus bei Lukas bei der Darreichung des Kelches spricht. Sie finden sich in der Schilderung des Letzten Abendmahles. In der kürzeren Fassung (Lukas 22, 17–19) segnet Jesus zuerst den Kelch und dann das Brot. Die längere Version (19 b–20) enthält noch einmal Segensworte über dem Kelch, und vielleicht hat man es hier mit einem Versuch zu tun, diese Passage mit dem Matthäus-Text in Einklang zu bringen. Nachdem unter anderem in Alexandrien und Antiochien bedeutende Zentren christlichen Gemeindelebens und christlicher Gelehrsamkeit entstanden waren, unternahm man vermutlich dort Versuche, den Text des Neuen Testaments zu standardisieren, mit dem Ergebnis, daß sich regionale Texttypen herauszukristallisieren begannen. Allerdings handelt es sich bei dieser Feststellung nur um die relativ grobe Vereinfachung eines im Grunde komplizierten Sachverhalts.

Doch wie erheblich die Unterschiede zwischen den griechischen Handschriften des Neuen Testaments auch sein mochten – die lateinische Bibelübersetzung *(Vulgata)*, die Ende des 4./Anfang des 5. Jahrhunderts der Kirchenvater Hieronymus schuf, gab der Kirche eine kanonische Textform, die jahrhundertelang (wenn auch ihrerseits mit gewissen Modifikationen) maßgeblich blieb. Eine andere berühmte Bibelübersetzung entstand gleichfalls im 4. Jahrhundert n. Chr. In gotischer Sprache abgefaßt, war sie das Werk eines arianischen Gotenbischofs namens Wulfila (gräzisiert: Ulfilas), der unter Verwendung germanischer Runenzeichen eine eigene Schrift entwickelte. Eine kostbare Kopie seiner Evangelienfassung mit silbernen und goldenen Buchstaben auf purpurrot eingefärbtem Pergament (daher *Codex argenteus* »Silberner Kodex«) wurde im 6. Jahrhundert in Oberitalien geschaffen. Von dort gelangte sie nach Deutschland und dann – mit anderer Beute des Dreißigjährigen Krieges – 1648 nach Schweden, wo sie heute in der Bibliothek der Universität Uppsala aufbewahrt wird.

Die für den deutschen Sprachraum maßgebende Lutherbibel (*siehe Seite* 22) entstand in den Jahren 1521–1534, fast zeitgleich mit der englischen Übertragung von Tyndale und Coverdale (1526–1535), von der die *Authorized Version* (auch als *King James' Version* bezeichnet) von 1611 eine Überarbeitung darstellt. Im deutschsprachigen Gebiet nahmen später Bibelgesellschaften Einfluß auf die Textgestaltung der Übersetzungen, so seit 1760 die Cansteinsche, seit 1812 die Württembergische Privilegierte Bibel-Gesellschaft. Immer wieder suchte man die Lutherbibel dem zeitbedingten Sprachwandel anzupassen. 1931 kam die auf die Bibelübersetzung Zwinglis (1529) zurückgehende Zürcher Bibel heraus. Katholischerseits gibt es in Deutschland das Katholische Bibelwerk (1933 als Katholische Bibelbewegung gegründet), in Österreich das Österreichische Katholische Bibelwerk (gegründet 1965) und in der Schweiz die Schweizerische Katholische Bibelbewegung (seit 1935). Selbstverständlich beschränken sich Bibelübertragungen nicht auf Deutsch und Englisch, sondern man spricht heute von Übersetzungen in insgesamt mehr als 1100 Sprachen bzw. Dialekte. Allerdings fehlt mancher modernen Bibelfassung, so sehr sie auf neuesten Erkenntnissen beruhen mag, jenes volltönende Pathos, das zwar vielleicht nicht mehr ganz heutigem Geschmack entspricht, aber doch den eigenartigen, unvergänglichen Reiz so altbewährter Übersetzungen wie der Martin Luthers oder der *Authorized Version* ausmacht.

Martin Luther: Reformator und Bibelübersetzer

Unten: Martin Luther nach dem Gemälde (1543) Lucas Cranachs d. Ä. Obwohl der Reformator auf den späten Porträts als kräftiger, wohlbeleibter Mann erscheint, war seine Gesundheit seit der Klosterzeit geschwächt, und er erlag schließlich einem alten Herzleiden.

Als Martin Luther am 31. Oktober 1517 seine berühmten 95 Thesen am Portal der Schloßkirche zu Wittenberg anschlug und anschließend in deutscher Sprache unter das Volk verteilte, setzte er das Zeichen zum praktischen Durchbruch der Reformation. Ende April 1521 wurde Luther dann auf seiner Rückreise nach Wittenberg vom Reichstag zu Worms, wo er dem Kaiser Rede gestanden hatte, im Auftrag des sächsischen Kurfürsten Friedrichs des Weisen zum Schein überfallen und entführt. Zweck dieses Manövers war es, den unter Bann stehenden Reformator aus dem Verkehr zu ziehen und damit vor seinen Feinden in Sicherheit zu bringen. Luther ließ sich einen Bart wachsen, legte die Mönchskutte ab und wurde zum »Junker Jörg«, als der er auf der Wartburg bei Eisenach lebte. Im Dezember 1521 begann er hier das Neue Testament aus dem Griechischen ins Deutsche zu übertragen, damit es jedem Lesekundigen zugänglich würde. Er vollendete sein Werk in der erstaunlich kurzen Frist von elf Wochen, im September 1522 wurde es mit Illustrationen aus der Werkstatt Lucas Cranachs d. Ä. veröffentlicht *(Septembertestament).* Bereits 1523 gab es nicht weniger als zwölf Nachdrucke an verschiedenen Orten. Die Übersetzung des gesamten Alten Testaments dauerte weitaus länger – nämlich zwölf Jahre, von 1522–1534. Die ersten fünf Bücher (der *Pentateuch*) kamen jedoch schon 1523 heraus, und von da an erschien jedes zweite oder dritte Jahr ein neuer Abschnitt, wenn Luther den Text auch bis zu seinem Tod 1546 immer wieder überarbeitete. Seine Bibel wurde nicht nur zur Grundlage der Reformation, sondern trug durch ihre weite Verbreitung auch wesentlich zur Herausbildung der neuhochdeutschen Sprachform bei, wobei zahlreiche seiner Wortneuschöpfungen in den generellen Sprachgebrauch eingingen.

Die Bereitstellung einer muttersprachlichen Bibel war ein wichtiges Anliegen der Reformation, und Luther fand rasch Nachfolger. In England gründete sich die offizielle anglikanische Bibel *(The Authorized Version* und *The Revised Version)* auf die Übersetzung von Tyndale, Coverdale und Rogers.

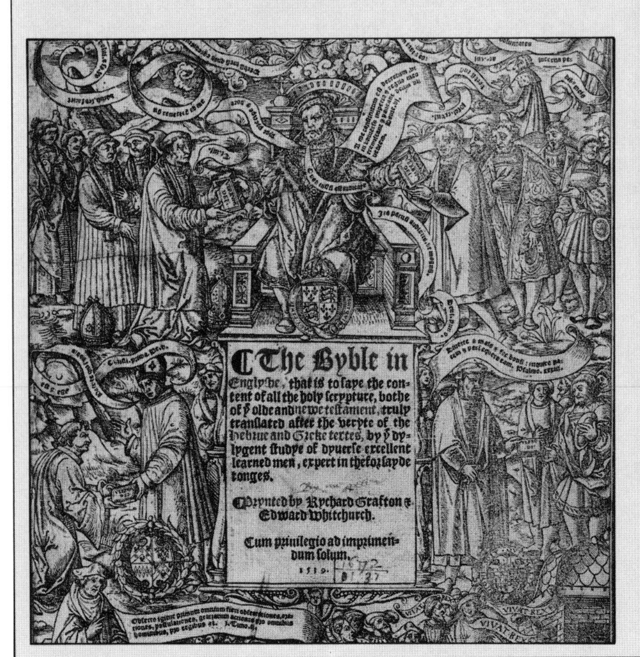

Oben: Luthers Reformgedanken wurden durch eine päpstliche Bulle im Juli 1520 verdammt. Die Übersetzung des lateinischen Texts lautet: *Bulle gegen die Irrtümer Martin Luthers und seiner Anhänger.*

Links: Titelblatt der ersten vollständigen deutschen Bibel (1534).

Links außen: Die englischsprachige »Große Bibel« von 1539 beruhte auf dem früheren Werk von Tyndale, Coverdale und Rogers. Tyndale hatte an seiner Übersetzung des Neuen Testaments von 1524–1525 in Wittenberg gearbeitet. Der Holzschnitt der Titelseite zeigt Heinrich VIII., wie er das Wort Gottes dem Erzbischof Thomas Cranmer und dem Sekretär Thomas Cromwell überreicht.

ZWEITER TEIL

DIE BIBLISCHE GESCHICHTE

HISTORISCHER ABRISS

Die Patriarchen: Abraham, Isaak und Jakob

Im Buch Genesis (1. Mose) 12, 1–3 beginnt die Geschichte der Hebräer damit, daß Abraham den Ruf Gottes erhält, seine Vaterstadt zu verlassen und in das Land zu ziehen, das der Herr ihm zeigen werde. Laut Genesis 11, 31 f. stammte Abrahams Sippe aus Ur in Südmesopotamien (manche Gelehrte halten allerdings ein weiter im Norden gelegenes Ur für Abrahams Geburtsstadt) und hatte sich in Haran niedergelassen. Genesis 12 handelt von einer langen Wanderung Abrahams von Haran nach Ägypten, auf der er in Sichem und Bet-El Station machte, um schließlich (so Genesis 13, 3) nach Bet-El zurückzukehren. Im übrigen geben Abrahams Lebensdaten noch immer Anlaß zu erbitterten Kontroversen. Das Spektrum der Ansichten reicht von einem Zeitansatz um 1750 v. Chr. bis hin zu der Auffassung, Abrahams Persönlichkeit verschwimme im Zwielicht altersgrauer Vergangenheit und die mit seinem Namen verknüpften Geschehnisse spiegelten in Wirklichkeit Zustände, wie sie sehr viel später herrschten, nämlich zur Zeit der israelitischen Monarchie (vom 10. Jahrhundert an), oder auch erst nach dem Babylonischen Exil (d. h. nach dem 6. Jahrhundert).

Abgesehen von Abrahams Strafexpedition gegen die Koalition der fünf Könige (Genesis 14), verlegen die Erzählungen über Abraham und Isaak das Leben dieser Patriarchen ausschließlich nach Bet-El, Sichem, Hebron und Beerscheba. Daß Abraham seinen Knecht Elieser aussandte, um für seinen Sohn Isaak eine Frau zu suchen (Genesis 24), bringt abermals Nordmesopotamien ins Spiel und schlägt gleichzeitig eine Brücke zu Jakob, der vor dem Zorn seines Bruders Esau nach Haran floh. Die Jakobsgeschichte wiederum endet mit der Josefs-Episode: Josef wurde von seinen Brüdern nach Ägypten verkauft, wo er es zu höchsten Würden brachte. Später zwang Hunger Jakob und seine Sippe, ihrerseits in Ägypten Zuflucht zu suchen.

Der Fruchtbare Halbmond
Hauptmerkmal der Region, in der sich im Altertum Babylonien, Assyrien, Aram (Syrien), Israel sowie die Königreiche östlich des Jordantals konstituierten, ist der Gegensatz zwischen fruchtbaren Landstrichen und Wüste. In Babylonien und Assyrien bestimmten die Flüsse Euphrat und Tigris mit ihren Nebenläufen die Ertragsfähigkeit des Bodens, in Israel und Syrien hing sie von der Regenmenge und von Quellen ab. Da die menschlichen Siedlungen auf fruchtbaren Boden angewiesen waren, kam Israel eine Art Brückenfunktion zwischen den mächtigen Reichen Ägypten im Südwesten und Assyrien sowie Babylonien im Norden und Osten zu.

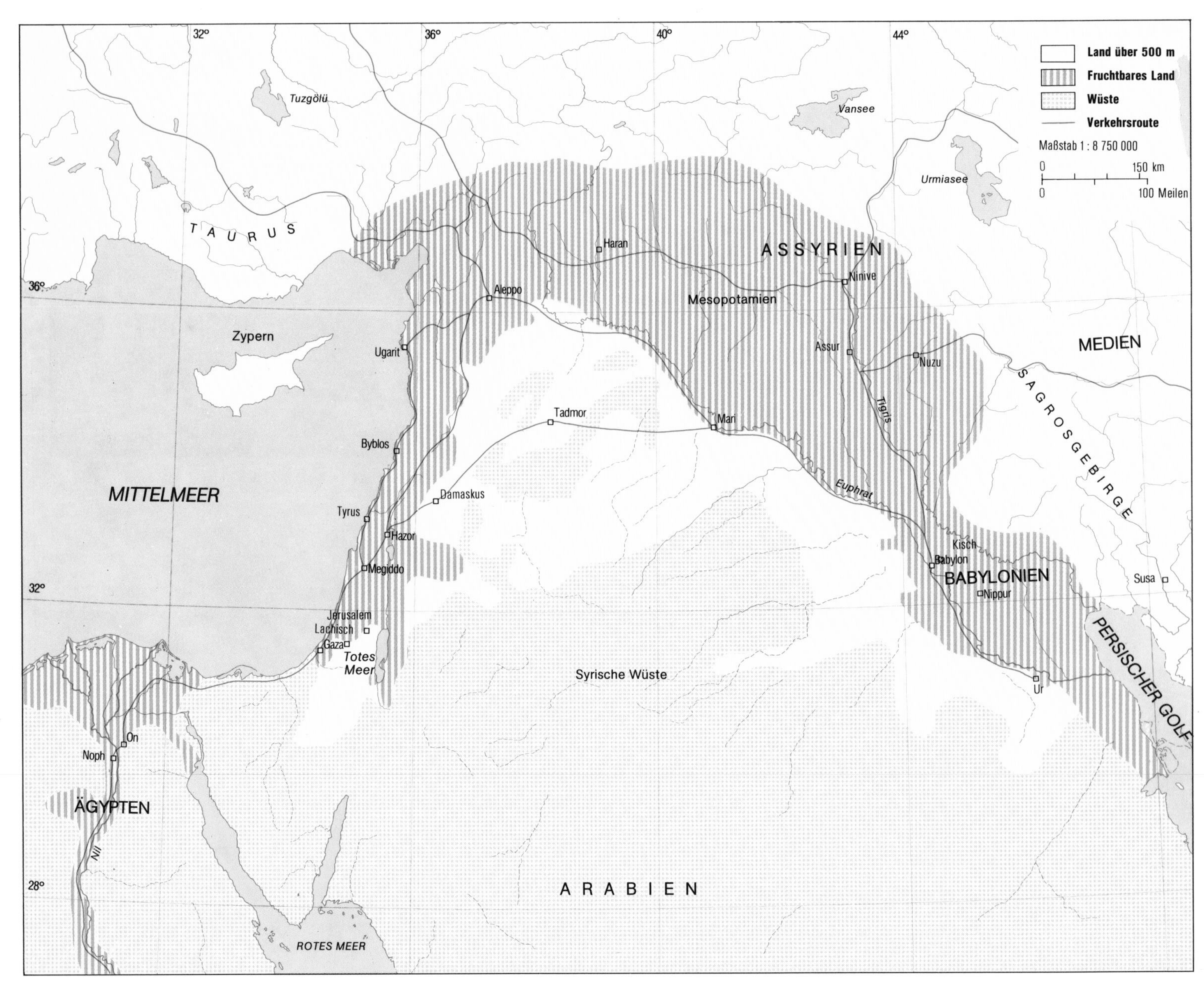

In ihrer endgültigen Form enthalten die Patriarchenerzählungen mehrere wichtige theologische Aussagen: die Verheißung des Landes Kanaan an Abraham und seine Nachkommen, das Wunder, daß Sara Abraham in hohem Alter noch einen Erben schenkte, und die nicht minder wunderbare Errettung Saras, Rebekkas und Josefs aus großer Gefahr. Außerdem wird klar erkennbar, wie das spätere Volk Israel mit seinen unmittelbaren Nachbarn verquickt war und sich doch von ihnen abhob. Im weiteren Verlauf der Ereignisse verlieren sich Charaktere wie Lot und Esau in Randbereiche, und es zeigt sich immer deutlicher, daß es Abraham, Isaak und Jakob sind, die im Zentrum der göttlichen Gnadenerweise stehen.

Nicht selten bezeichnet man die Patriarchen als »Halbnomaden« oder vergleicht sie mit heutigen Beduinen. Derartige Vergleiche sind allerdings äußerst fragwürdig. Wenn wir nicht die Patriarchenerzählungen von vornherein für unglaubwürdig erklären, müssen wir es einfach hinnehmen, daß Abraham als Stadtbewohner geschildert wird, der seine Heimat aufgab. Natürlich dürfte er sein Leben den Verhältnissen angepaßt haben, die er auf seinen Wanderungen antraf, und Kanaan hatte im 2. Jahrtausend v. Chr. vermutlich ein anderes Gesicht als heute. Doch davon abgesehen, sollte man wohl besser schlicht zugeben, daß über das Leben der Patriarchen herzlich wenig bekannt ist, statt fruchtlose Spekulationen anzustellen.

Vom Auszug aus Ägypten bis zur Landnahme in Kanaan (um 1300 – um 1100 v. Chr.)

Die Ereignisfolge Auszug aus Ägypten-Wüstenzug-Sinaiwanderung-Landnahme fassen wir hier zusammen, weil die einzelnen Geschehnisse so ineinandergreifen, daß sie nicht voneinander zu trennen sind. Dabei können wir keineswegs behaupten, daß die Bibel vom fraglichen Zeitabschnitt ein unproblematisches Bild entwirft. Bei oberflächlichem Lesen stellen sich die Dinge folgendermaßen dar: Die zwölf Söhne Jakobs (die Stammväter der späteren zwölf israelitischen Stämme) kommen nach Ägypten, wo ihre Nachfahren in Sklaverei geraten. Sie verlassen daher (vermutlich zur Zeit des Pharaos Ramses II.) geschlossen das Land und ziehen durch die Wüste. Unterwegs erhalten sie am »Berg Sinai« ihr Gesetz, und schließlich erkämpfen sie mit Waffengewalt Wohnsitze in Ammon und Gilead östlich des Jordan sowie den größten Teil der Gebiete am Jordan-Westufer (zu den betreffenden Regionen *siehe Seite* 202 ff.).

Eingehender betrachtet, ergeben sich jedoch Anhaltspunkte für einen wesentlich komplexeren Gang der Ereignisse, ohne daß sich indessen daraus ein eindeutiges Bild zusammensetzen ließe. In der Tat sind gegen den eingangs skizzierten Ablauf eine ganze Reihe von Einwänden erhoben worden. In mancher Hinsicht widersprechen allerdings auch diese Einwände einander, und wenn wir

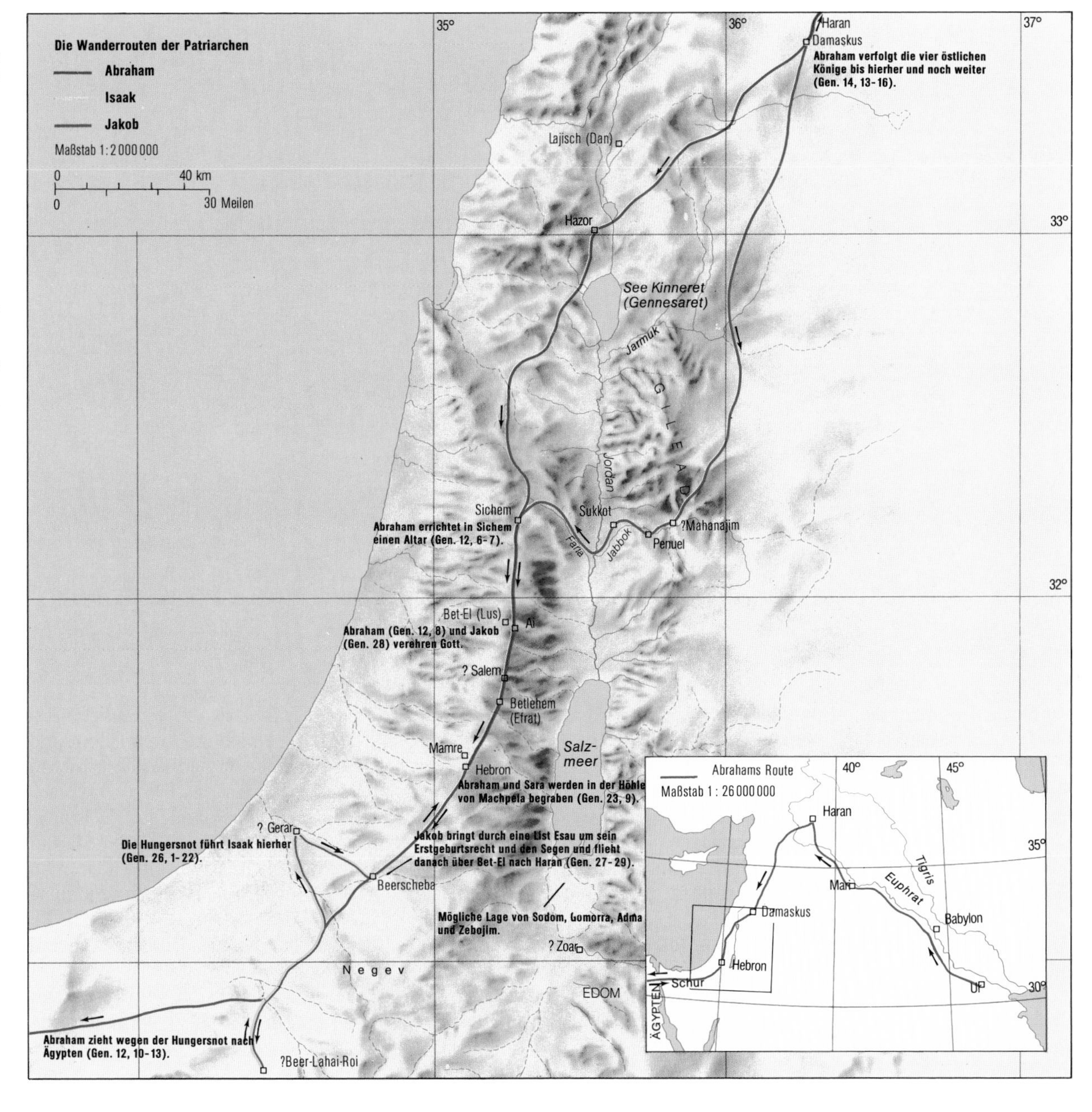

Die Wanderungen von Abraham, Isaak und Jakob
Die Berichte über die drei Patriarchen handeln von großen Familien, die mit ihren Herden und ihrem ganzen Besitz von Ort zu Ort ziehen. Die Überlieferung sagt an mehreren Stellen, daß sie in Nordmesopotamien lebten, und daß ihre ursprüngliche Heimat wohl Südmesopotamien war. Ihr Aufenthalt im Land Kanaan (später Israel) war nicht von Dauer, und schließlich wandten sie sich nach Ägypten. Doch die Errichtung von Altären in Bet-El und Sichem sowie der Kauf eines Begräbnisplatzes in Hebron bedeuteten den Erwerb eines Rechtsanspruchs auf das Land. Moderne Forschung unterstellt, daß ein Teil der Israeliten in Kanaan blieb, als Jakob nach Ägypten ging, um sich auf Gottes Befehl dort niederzulassen (Genesis 46).

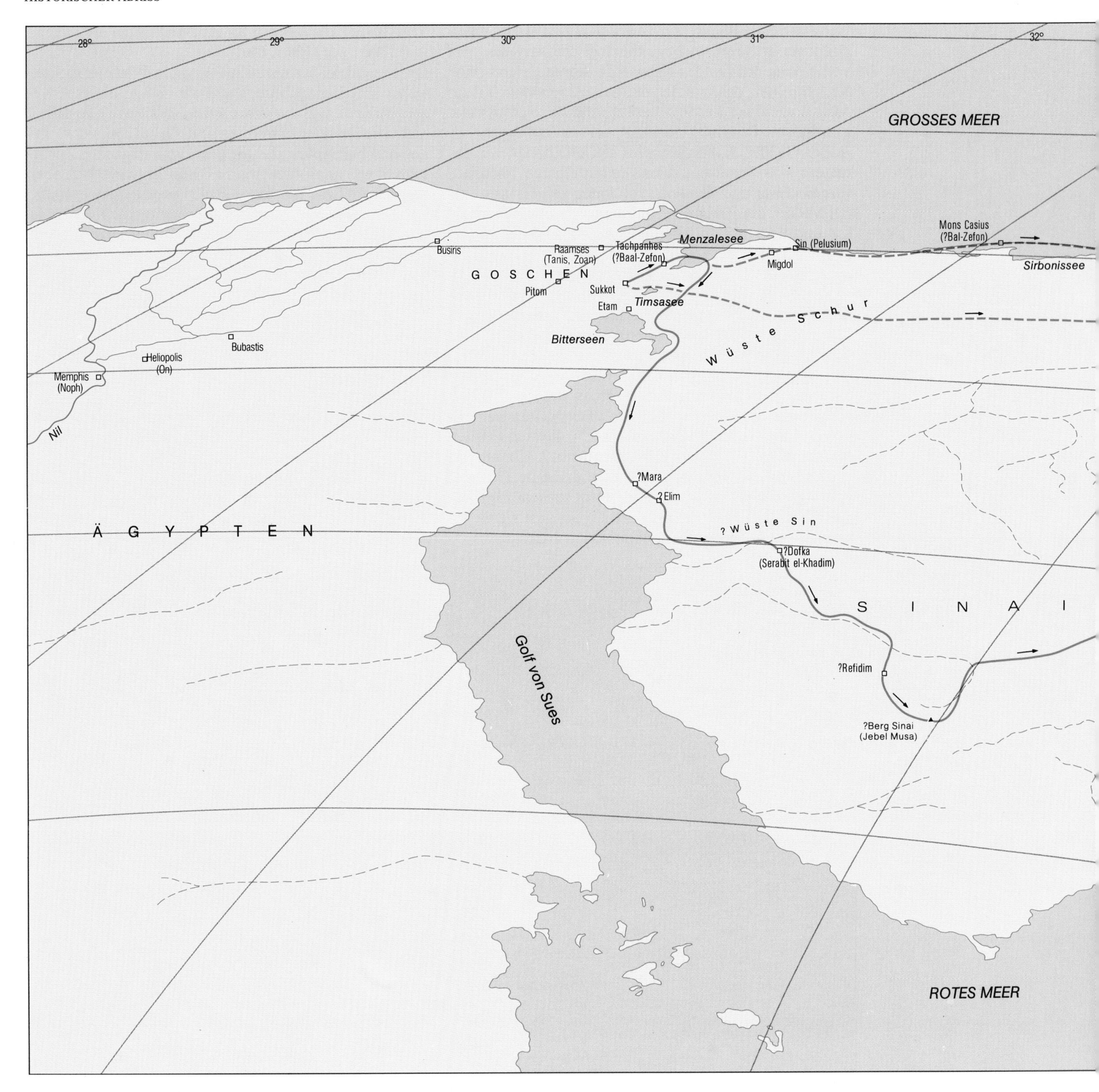

Die Routen des Exodus
Der genaue Weg des Auszugs aus Ägypten ist nicht bekannt. Die biblischen Erzählungen lassen sich sogar so interpretieren, daß die Hebräer das Land in zwei oder mehreren Wellen verlassen haben. Diese Vermutung soll aber keinesfalls den entscheidenden Aufbruch ausschließen, den noch heute das jüdische Passah-Fest feiert. Die hier vorliegende Karte versucht, die denkbare Route darzustellen, wobei viele Details unsicher sind.

sie hier auflisten, bedeutet dies keineswegs, daß wir den einen oder anderen billigen oder verwerfen. Im einzelnen hat man an Hauptpunkten vorgebracht:
1. Genesis (1. Mose) 34 spricht von einer Eroberung Sichems durch die Israeliten bereits in der Patriarchenzeit, also lange *vor* dem Exodus (dem Auszug aus Ägypten). Im Buch Josua dagegen, das die israelitische Besitznahme Kanaans schildert, ist dann von Eroberungen im dortigen Gebiet nicht mehr die Rede.
2. Genesis 38 setzt voraus, daß der Stamm Juda gar nicht nach Ägypten zog, sondern in Kanaan geblieben war.
3. Numeri (3. Mose) 21, 1-3 enthält die Andeutung, daß die Israeliten von Süden her in Kanaan einwanderten und nicht von Osten her über den Jordan.
4. Numeri 33, 41-49 läßt vermuten, daß schon im 14. Jahrhundert v. Chr., also weit früher als der eigentliche Exodus, eine erste »Welle« von Israeliten durch Edom und Moab (also von Osten her über den Jordan kommend) nach Kanaan gelangte.
5. Die Stammeslisten weichen voneinander ab. Beispielsweise fehlt in Deuteronomium (5. Mose) 33 der Stamm Simeon, und man kommt auf die Zahl Zwölf, indem man den Stamm Josef in die Unterstämme Efraim und Manasse teilt.

Wenn wir uns an das eingangs umrissene »oberflächliche« Bild halten, ließen sich die Israeliten in Ägypten »im Lande Goschen« nieder (Genesis 47, 27), wurden irgendwann nach Josefs Tod zur Fronarbeit gepreßt und gezwungen, die Städte Pitom und Ramses (Raamses) wieder aufzubauen (Exodus 1, 11). Die Fronarbeit weist man

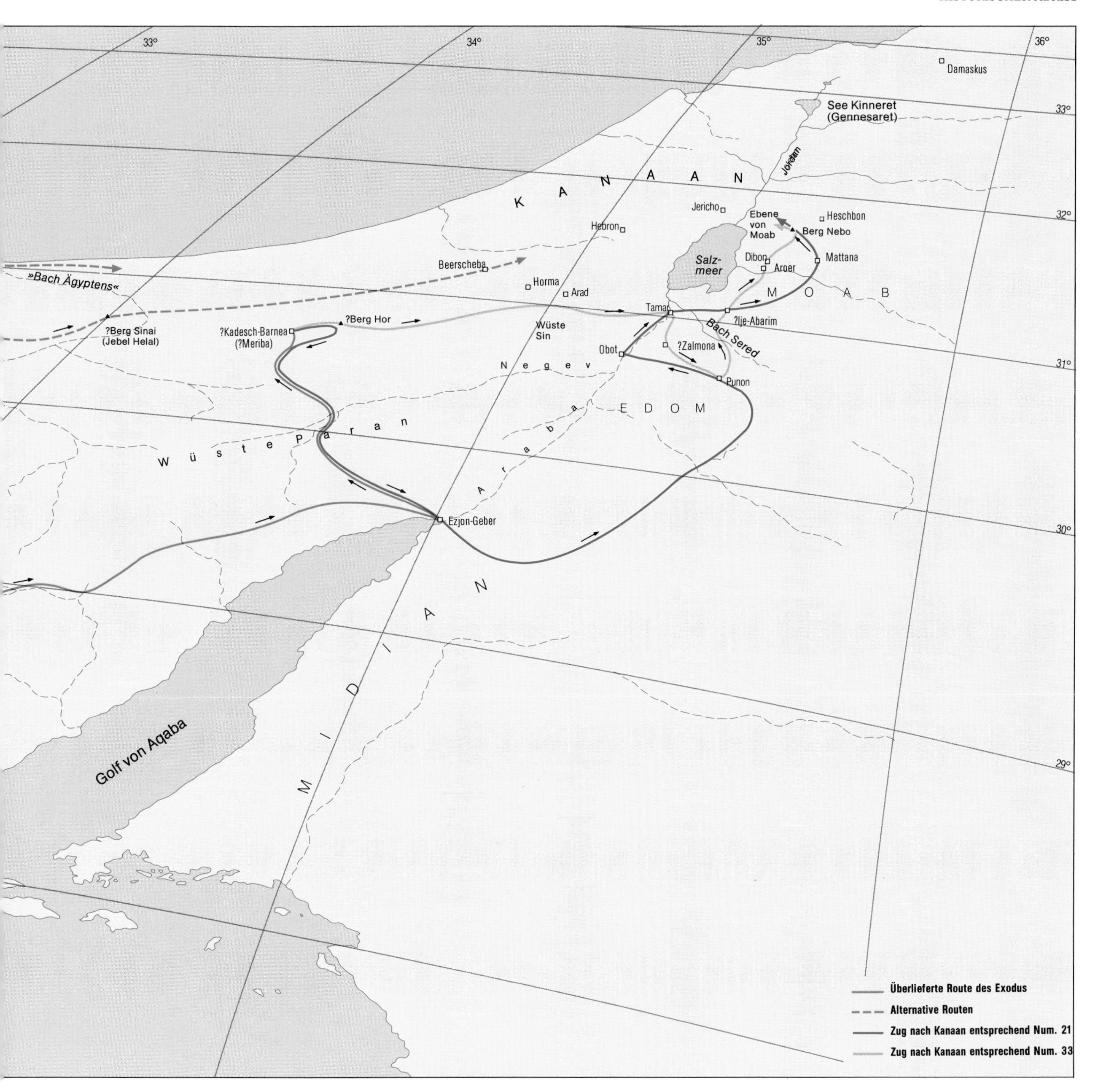

entweder den Regierungsjahren Sethos' I. (1304–1290) oder eher noch Ramses' II. (1290–1224) zu, wenn es sich bei der Stadt Ramses alias Raamses, von der in Exodus 1, 11 die Rede ist, tatsächlich um Pi-Ramses (Per-Ramesse) im östlichen Nildelta handelt, denn es war Ramses II., der seine Residenz in diese Stadt verlegte. Der »Pharao des Auszugs« muß dann der Nachfolger dieses »Pharao der Unterdrückung« (Exodus 2, 23) gewesen sein, also entweder Ramses II. oder dessen Nachfolger Merneptah (1224–1214). Auch die Route, die die Israeliten zum »Roten Meer« (oder zum »Schilfmeer«, wie einige vorziehen) nahmen, ist reine Ansichtssache. Nach herkömmlicher Vorstellung hätten die Kinder Israels einen südlichen Ausläufer des Mensalesees durchqueren müssen, bevor sie zu den Bitterseen weiterzogen. Daraufhin hätten sie ihren Weg leicht östlich der Ostküste des Golfs von Sues fortgesetzt, bevor sie sich scharf landeinwärts zum Jebel Musa wandten, dem »Berg Sinai« der biblischen Überlieferung. Einer zweiten Rekonstruktion zufolge begaben sich die Israeliten jenseits des Timsasees genau nach Osten und wanderten dann zum Jebel Helal, der sich mit dem Jebel Musa in die Ehre teilt, als der traditionelle »Berg Sinai« angesehen zu werden. Nach einer dritten Ansicht stießen die Israeliten auf der Nehrung, die das Mittelmeer vom Sirbonissee trennt, nach Osten vor, und hier soll ihre wundersame Rettung vor dem Pharao erfolgt sein, der ihnen nachsetzte, aber angeblich im »Roten Meer« (oder »Schilfmeer«) ertrank. In der Tat fällt es schwer, die Route zu rekonstruieren, die die Israeliten bei ihrem Exodus aus Ägypten und ihrem Wüstenzug tatsächlich einschlugen, denn zu viele der in den biblischen Berichten erwähnten Örtlichkeiten lassen sich auch nicht annähernd sicher identifizieren.

In rein geographischer Hinsicht bereitet eine Eroberung Kanaans wenig Schwierigkeiten, doch wenn man die Gebiete, die nach dem Buch Josua okkupiert worden sein sollen, auf der Landkarte betrachtet, ist man überrascht über die Lücken. Nach dem Sturm auf Jericho, mit dem die Invasion begann, und dem Vormarsch der Israeliten in die Berge um Bet-El, um Ai anzugreifen, rückte Josua zum Nordplateau des Jerusalemer Sattels vor. Allerdings konfrontiert uns bereits die angebliche Eroberung von Ai mit einem schwerwiegenden historischen Problem, denn nach Ausweis der archäologischen Grabungsbefunde war Ai gerade in der Spätbronzezeit, als die Landnahme unter Josua stattgefunden haben müßte, nichts als eine verlassene Ruinenstadt. Die neuerliche Besiedlung erfolgte erst später, und eine Zerstörungsschicht, die auf eine gewaltsame Eroberung hindeuten könnte, gibt es erst wieder in der Eisenzeit. Man hat die biblischen Angaben über die Erstürmung dieses Ortes daher als aitiologische Legende abgetan, die den Ursprung des Namens (*ha-aj* »Ruinenstätte«) »erklären« soll, oder sie auf das Ai der Eisenzeit bezogen, in der aber selbstverständlich von Josua und der israelitischen Landnahme keine Rede mehr sein konnte.

Laut Bibel schlug Josua nach der Gewinnung Ais dann eine Koalition von Königen aus dem Bergland von Juda und der Schefela, die herbeigezogen waren, um die Gibeoniter zu bestrafen, weil diese mit den Israeliten Frieden geschlossen hatten. Diesem Erfolg ließ Josua danach weitere Angriffe auf Städte im judäischen Bergland und in der Schefela folgen (Josua 6–10), doch richtete sich sein nächster Stoß nicht, wie erwartet, gegen das Bergland nördlich von Jerusalem, sondern gegen Hazor in Obergaliläa (Josua 11). Der Bericht hierüber ist die letzte ausdrückliche Erwähnung eines von Josua errungenen militärischen Triumphs in der Bibel, doch eine lange Liste der von ihm besiegten Könige (Josua 12) füllt immerhin ein paar, wenn auch keineswegs alle Lücken. Somit läßt sich feststellen: Das Buch Josua schildert absolut nicht die Eroberung des gesamten Landes, obwohl gelegentlich davon die Rede ist, es sei – bis auf geringfügige Ausnahmen – doch vollständig unterworfen worden.

Wie die Israeliten bei der Einnahme Kanaans vorgingen, bleibt bis zur Stunde stark umstritten. Das Spektrum der Ansichten reicht von der Auffassung, der biblische Bericht werde durch archäologische Ausgrabungen voll-

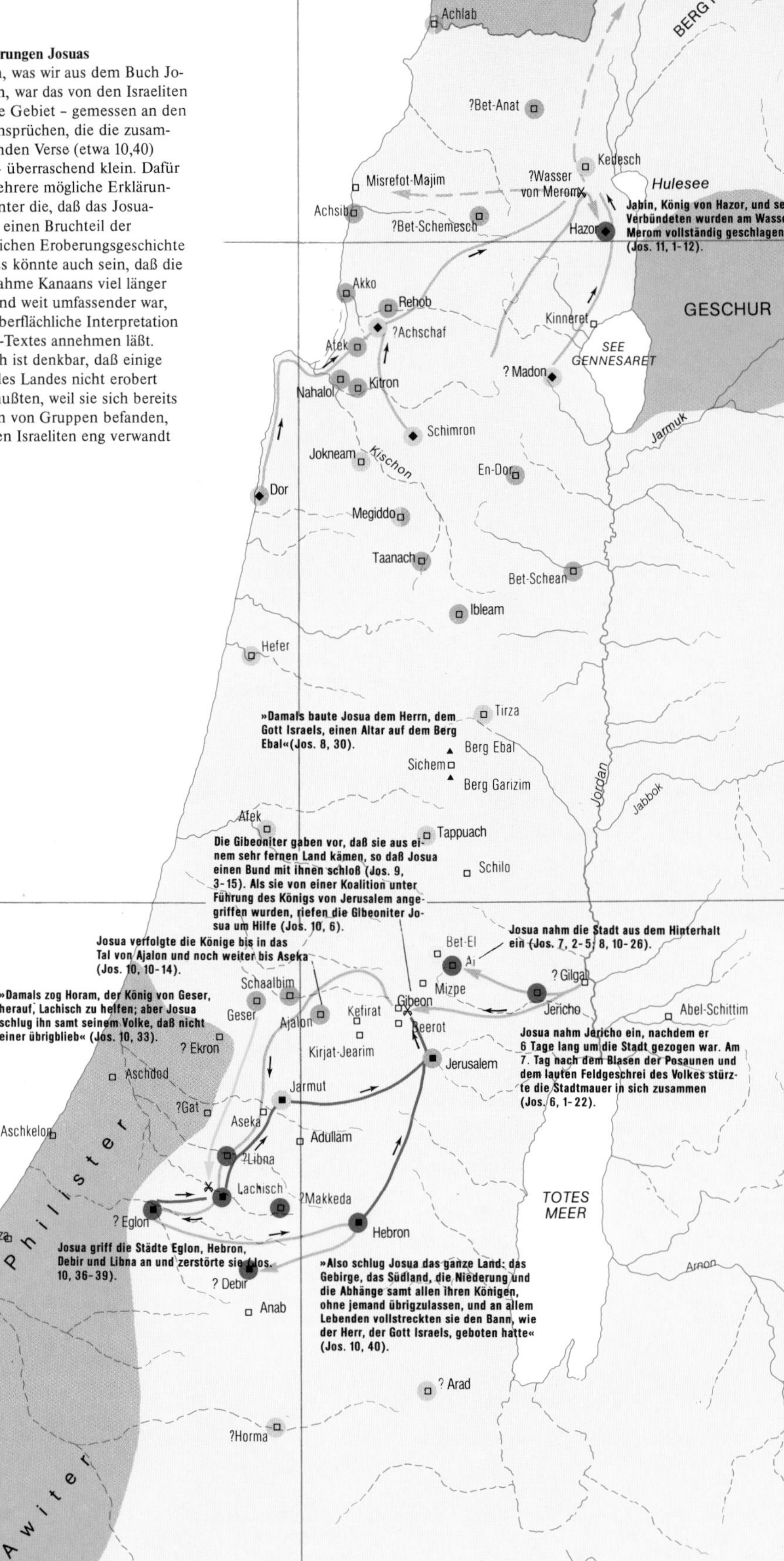

Die Eroberungen Josuas
Nach dem, was wir aus dem Buch Josua wissen, war das von den Israeliten okkupierte Gebiet – gemessen an den großen Ansprüchen, die die zusammenfassenden Verse (etwa 10,40) erheben – überraschend klein. Dafür gibt es mehrere mögliche Erklärungen, darunter die, daß das Josua-Buch nur einen Bruchteil der ursprünglichen Eroberungsgeschichte enthält. Es könnte auch sein, daß die Inbesitznahme Kanaans viel länger dauerte und weit umfassender war, als eine oberflächliche Interpretation des Josua-Textes annehmen läßt. Schließlich ist denkbar, daß einige Gebiete des Landes nicht erobert werden mußten, weil sie sich bereits in Händen von Gruppen befanden, die mit den Israeliten eng verwandt waren.

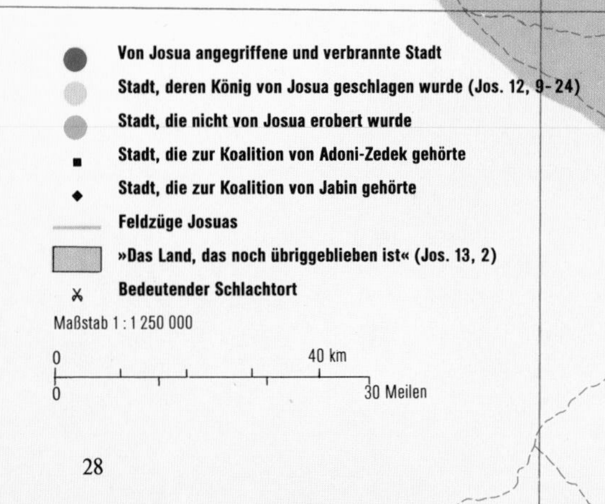

auf bestätigt (vergleiche jedoch die Feststellung im Zusammenhang mit Ai), bis hin zur These, Josuas Israeliten hätten Hilfe von Stammesverwandten erhalten, die bereits vor dem Auszug aus Ägypten in Kanaan ansässig waren. Wenn es auch nicht Sinn und Zweck dieses Atlasses sein kann, eine möglichst detaillierte Geschichte Israels zu liefern, läßt sich doch zum Buch Josua immerhin folgendes anmerken:

1. Es mangelt durchaus nicht an archäologischen Zeugnissen, die die Behauptung des Buches Josua zu bestätigen scheinen, daß eben zu der Zeit, die für Josuas Leben und Wirken in Frage kommt, gewisse in der Bibel erwähnte Städte tatsächlich zerstört wurden.
2. Andere archäologische Funde dagegen bekräftigen die Angaben keineswegs, weshalb ein bestimmtes Maß an Vorsicht und Zurückhaltung geboten ist.
3. Wenn auch mit leichten Vorbehalten, kann man durchaus davon ausgehen, daß es bereits in Israel ansässige Gruppen von Protoisraeliten gab und daß die »Landnahme« darin bestand, daß zu diesen eine Gruppe israelitischer Neuankömmlinge hinzustieß.

Die Zeit der Richter und die Anfänge des Königtums (um 1100 – um 1000 v.Chr.)

Charakteristisch für die Richterzeit, so wie sie im Buch der Richter geschildert wird, waren Angriffe benachbarter Völker, die die Bibel als Strafe Jahwes dafür hinstellt, daß die Israeliten sich anderen Göttern zugewandt hatten. Die Retter, die damals erstanden, um Israel aus dem Zugriff seiner Feinde zu befreien, werden als charismatische Führer der gesamten Nation beschrieben, obwohl die Bedrohungen wahrscheinlich mehr oder weniger örtlich begrenzt waren. Nur von einer schweren Gefährdung aus dem Landesinneren ist die Rede, die wirklich ganz Israel betraf – jene durch Sisera und die Kanaanäer-Koalition, die von Debora und Barak zurückgeschlagen wurde (Richter 4–5). Gegen Ende der Richterzeit übten dann die Philister Druck auf den Stamm Dan aus. Bei den Philistern handelte es sich um ein nichtsemitisches Volk, das im 12. Jahrhundert eingewandert war und sich in der südlichen Küstenebene niedergelassen hatte. Nachdem sie den Stamm Dan gezwungen hatten, nach Norden auszuweichen, richteten sie ihr Augenmerk vermutlich zunächst auf Juda, ihren unmittelbaren Nachbarn im Osten. Zwar erwähnt die Bibel hiervon nichts, sieht man einmal von dem legendenhaft ausgeschmückten Kampf zwi-

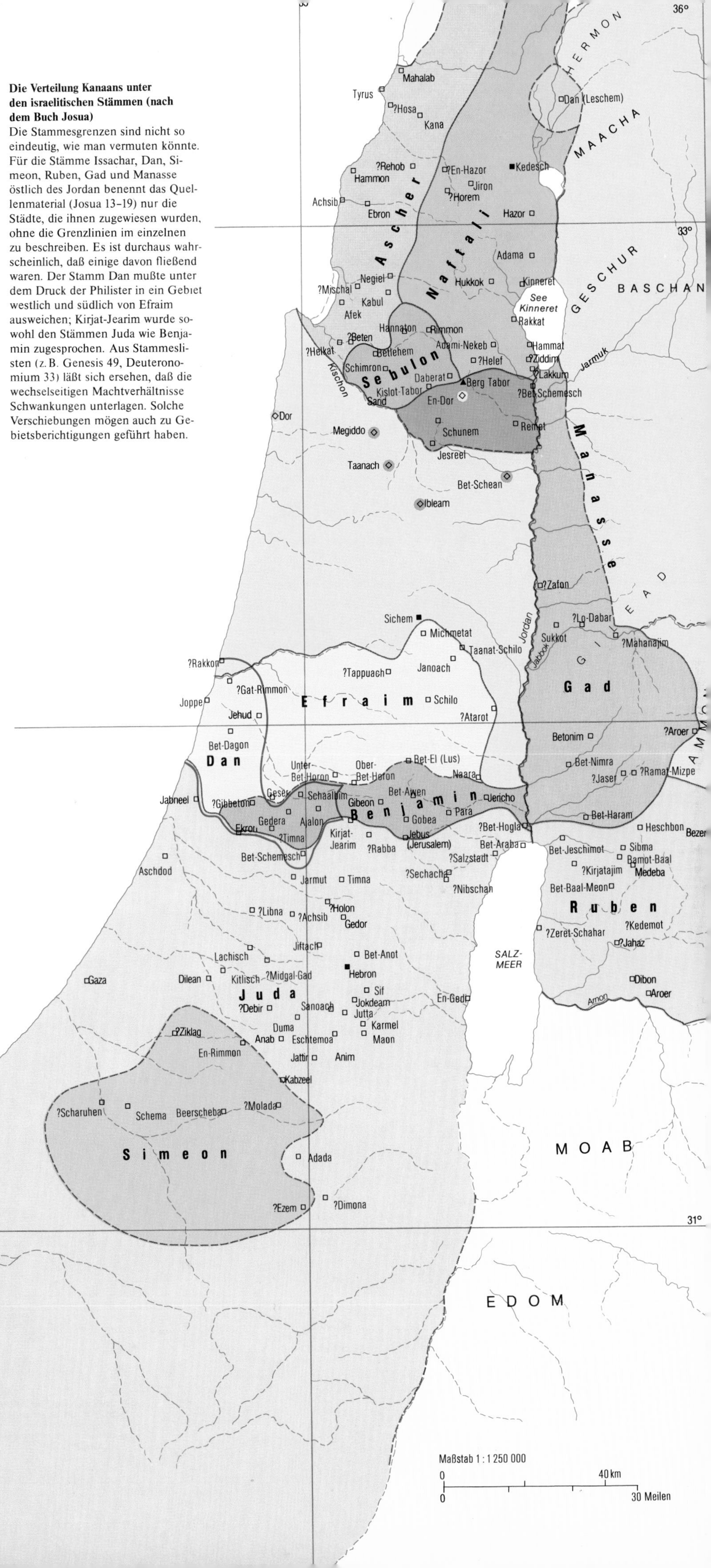

Die Verteilung Kanaans unter den israelitischen Stämmen (nach dem Buch Josua)
Die Stammesgrenzen sind nicht so eindeutig, wie man vermuten könnte. Für die Stämme Issachar, Dan, Simeon, Ruben, Gad und Manasse östlich des Jordan benennt das Quellenmaterial (Josua 13–19) nur die Städte, die ihnen zugewiesen wurden, ohne die Grenzlinien im einzelnen zu beschreiben. Es ist durchaus wahrscheinlich, daß einige davon fließend waren. Der Stamm Dan mußte unter dem Druck der Philister in ein Gebiet westlich und südlich von Efraim ausweichen; Kirjat-Jearim wurde sowohl den Stämmen Juda wie Benjamin zugesprochen. Aus Stammeslisten (z.B. Genesis 49, Deuteronomium 33) läßt sich ersehen, daß die wechselseitigen Machtverhältnisse Schwankungen unterlagen. Solche Verschiebungen mögen auch zu Gebietsberichtigungen geführt haben.

Gesicherte Stammesgrenzen
Vermutliche Stammesgrenzen
Ursprüngliche Grenze von Dan
Stadt in einem Stammesgebiet, die von einem anderen Stamm beansprucht wurde
Die sechs »Freistädte« (Josua 20, 7 - 9)

Maßstab 1 : 1 250 000

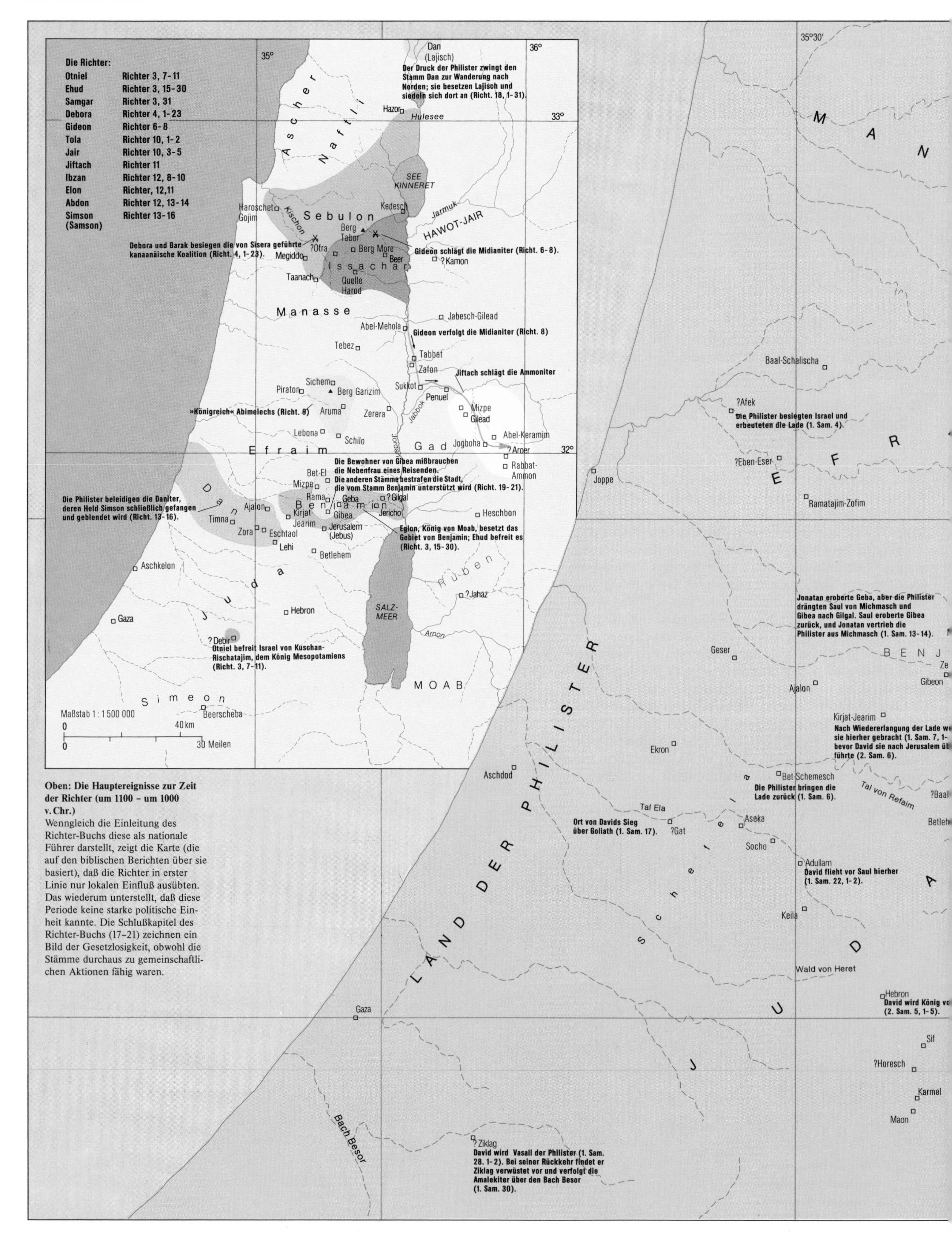

Oben: Die Hauptereignisse zur Zeit der Richter (um 1100 – um 1000 v. Chr.)
Wenngleich die Einleitung des Richter-Buchs diese als nationale Führer darstellt, zeigt die Karte (die auf den biblischen Berichten über sie basiert), daß die Richter in erster Linie nur lokalen Einfluß ausübten. Das wiederum unterstellt, daß diese Periode keine starke politische Einheit kannte. Die Schlußkapitel des Richter-Buchs (17–21) zeichnen ein Bild der Gesetzlosigkeit, obwohl die Stämme durchaus zu gemeinschaftlichen Aktionen fähig waren.

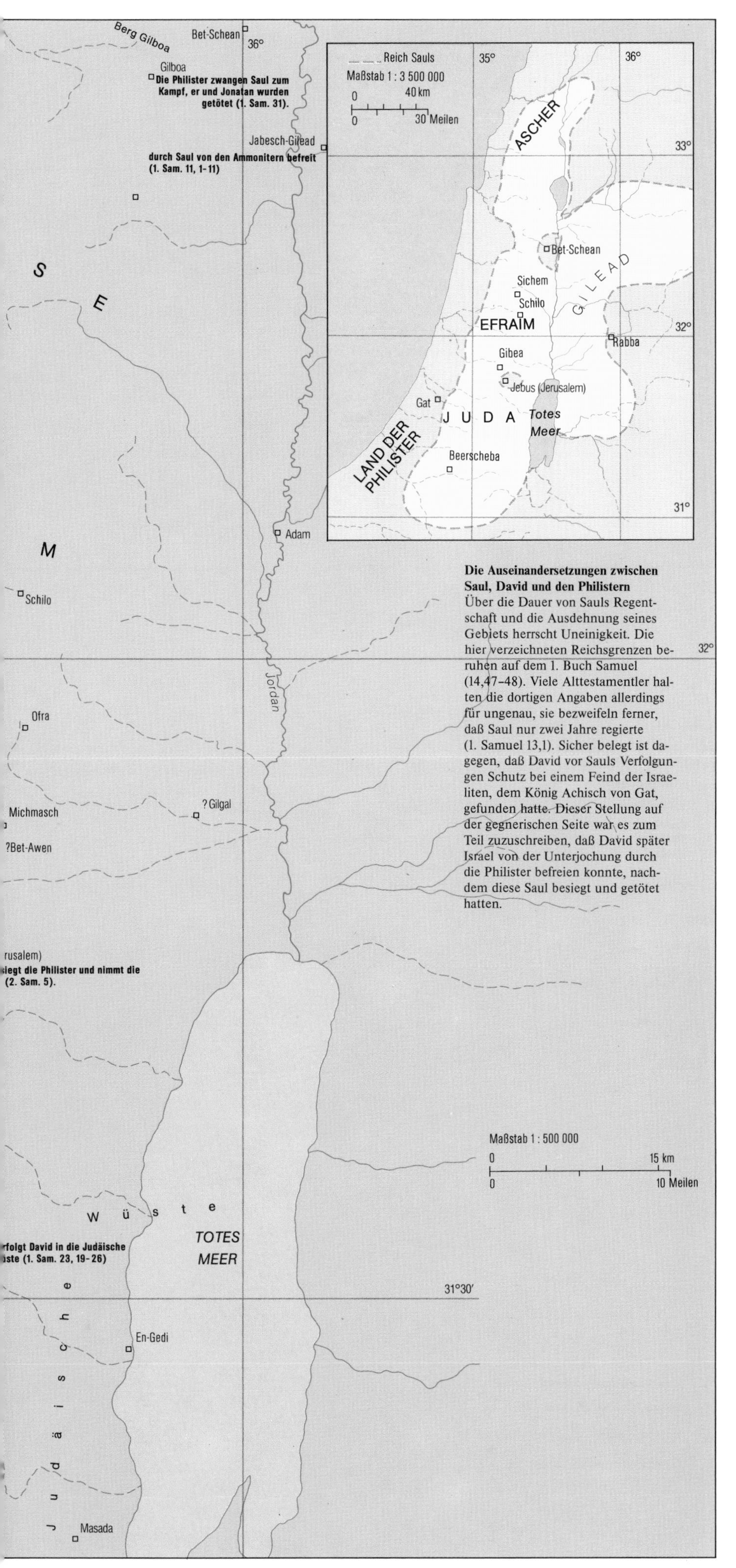

Die Auseinandersetzungen zwischen Saul, David und den Philistern
Über die Dauer von Sauls Regentschaft und die Ausdehnung seines Gebiets herrscht Uneinigkeit. Die hier verzeichneten Reichsgrenzen beruhen auf dem 1. Buch Samuel (14,47–48). Viele Alttestamentler halten die dortigen Angaben allerdings für ungenau, sie bezweifeln ferner, daß Saul nur zwei Jahre regierte (1. Samuel 13,1). Sicher belegt ist dagegen, daß David vor Sauls Verfolgungen Schutz bei einem Feind der Israeliten, dem König Achisch von Gat, gefunden hatte. Dieser Stellung auf der gegnerischen Seite war es zum Teil zuzuschreiben, daß David später Israel von der Unterjochung durch die Philister befreien konnte, nachdem diese Saul besiegt und getötet hatten.

schen David und Goliath ab, der vermutlich eher damals als in der Regierungsperiode König Sauls anzusiedeln ist. In der Schlacht von Afek (Aphek, 1. Samuel 4,1–11) bereiteten sie den israelitischen Stämmen eine vernichtende Niederlage, danach eroberten sie wahrscheinlich zumindest die Berge um Bet-El und verwüsteten später auch Schilo. Während dieser Entfaltungsphase philistäischer Macht stieg Saul zum König auf.

Möglicherweise verknüpfen die Kapitel 8–11 des 1. Samuelbuches drei Überlieferungen über den Ursprung der Monarchie. Heutige Historiker würden versuchen, den wahren Hergang der Ereignisse aus ihren Quellen zu rekonstruieren, auf die sie dann in Fußnoten hinwiesen. Doch die Schreiber der Bibel bemühten sich, es allen drei Überlieferungen recht zu machen und alle nebeneinander gelten zu lassen, selbst wenn es schwerfiel, sie in einen stimmigen Zusammenhang zu bringen. So forderte beispielsweise das Volk laut 1. Samuel 8 einen Herrscher von Samuel, der darauf erwiderte, man weise damit Gottes Herrschertum zurück. Dann wiederum (1. Samuel 9,1–10,16) ergriff Gott persönlich die Initiative und gebot Samuel, Saul zum Fürsten über Israel zu salben. 1. Samuel 11 schildert schließlich, wie Saul die Bewohner von Jabesch-Gilead vor den Ammonitern rettete, wonach das Königtum »erneuert« wurde. Generell läßt sich sagen, daß vieles über die Anfänge und den Verlauf der Regierung Sauls völlig im dunkeln liegt. Beispielsweise wissen wir nicht einmal, wie lange er überhaupt regierte (die Schätzungen schwanken zwischen 2 und 32 Jahren) und ob seine Regentschaft Israel längere Zeit Frieden bescherte (vgl. 1. Samuel 14, 47 f.) oder lediglich eine kurze Episode bildete, während der die Israeliten unter Sauls Führung den Philistern Widerstand leisteten. Außerdem gab man zu bedenken, daß bei der Entstehung der Monarchie mehr Faktoren im Spiel gewesen sein müssen als nur der Druck seitens der Philister. Aber wenn auch dieser Einwand grundsätzlich einleuchtet, so ist doch gleichzeitig einzuräumen, daß wir noch weit davon entfernt sind, die Philistergefahr und ihre Auswirkungen in den Rahmen soziologischer und anderer Gegebenheiten der damaligen Zeit einordnen zu können.

Saul und seine Söhne fielen in der Philisterschlacht am Berg Gilboa (am Rande der Jesreelebene), und es blieb David überlassen, den Mißerfolg in einen Erfolg umzuwandeln, bis Israel schließlich über ein regelrechtes kleines Imperium gebot. David war eine schillernde Persönlichkeit mit starken Bindungen an die Moabiter und Ammoniter. Nachdem Saul ihn vom Hof gejagt hatte (dies nicht zuletzt wegen der Befürchtung, er mache sich Hoffnungen auf den Thron), lebte David als Ausgestoßener inmitten einer Schar unzufriedener Anhänger (1. Samuel 22, 1–2). Als Sauls Nachstellungen immer unerträglicher wurden, floh David zu den Philistern und wurde Vasall Achischs, des Königs von Gat. Von Ziklag aus, einer Stadt im Süden, machte er sich dann heimlich auf, um seine guten Beziehungen zu seinen Landsleuten in Juda zu erneuern. Bei der Schlacht am Berg Gilboa blieb es David erspart, auf seiten der Philister gegen Israel kämpfen zu müssen, doch nachdem Saul umgekommen war, wurde er (vermutlich mit philistäischer Billigung) König von Juda. Seine Residenz befand sich in Hebron. Und als ihm schließlich Abner, Sauls ehemaliger Oberbefehlshaber, sowie Isch-Boschet (Isbaal), Sauls Thronerbe, wegen ihres Todes nicht mehr im Wege standen, rief man David zum König über ganz Israel aus. Unklar ist die genaue Abfolge der sich unmittelbar daran anschließenden Ereignisse. Fest steht immerhin, daß die Residenz nach Jerusalem verlegt wurde (welches David den Jebusitern abnahm), daß er die Philister endgültig aus dem Feld schlug und

Oben: Das Reich Davids
David stellte nicht nur die Unabhängigkeit von Israel und Juda wieder her, er nahm auch den Jebusitern Jerusalem ab und machte es zu seiner Hauptstadt. Die Wandlung der Israeliten von einem unterworfenen Volk zu Herrschern über ein mächtiges Reich brachte zahlreiche Veränderungen und Umwälzungen mit sich. Aufruhr erhob sich auch gegen David selbst, einmal von seiten seines Sohns Abschalom, dann von einem Mitglied des Stammes Benjamin. Beide Erhebungen wurden aber von David niedergeschlagen.

Rechts: Salomos Verwaltungsbezirke
Die Belastung des Reichs durch die Finanzierung und Ausführung der aufwendigen Bauprojekte machte die Einteilung in Verwaltungseinheiten notwendig. Obgleich die genauen Grenzen der zwölf Bezirke nicht bekannt sind, ist sicher, daß sie in einigen Fällen nicht mit den Stammesgrenzen übereinstimmten, wie sie in Josua 13–19 beschrieben werden *(vgl. Karte Seite 29)*.

Israels Macht auch über Aram-Damaskus, Ammon, Moab und Edom ausdehnte. Davids Regentschaft bedeutete im militärischen und politischen Bereich eine Wende für sein Volk, und als er Jerusalem zu seiner Metropole und zugleich zum religiösen Zentrum machte, besiegelte er damit die herausragende Rolle, welche die Stadt in den nachfolgenden Jahrhunderten spielen sollte.

Von Salomo bis zur Eroberung Jerusalems durch die Babylonier (um 970–587 v. Chr.)

Davids Nachfolger Salomo führte Israel in vieler Hinsicht auf den Höhepunkt. Jerusalem wurde erweitert, und auf dem Hügel, der die alte Davidsstadt im Nordosten überragte, entstand nun der Tempel. Auch zahlreiche andere Städte wurden jetzt neu auf- und ausgebaut. Salomo unterhielt Handelsbeziehungen zu den umliegenden Ländern, erwarb sich einen bedeutenden Ruf als Autor von Weisheitssprüchen und Liedern und hielt recht verschwenderisch hof. Die Kehrseite indes war, daß Teile des von David geschaffenen Imperiums abzusplittern begannen, ja Salomo mußte sogar israelitische Städte in der Küstenebene nördlich von Akko an den König von Tyrus abtreten, um die Kosten für seine Großbauten aufzubringen, die teils in Zwangsarbeit errichtet wurden.

Als Salomo um 928 v. Chr. starb, bestanden die Stämme des Nordens darauf, seinem Sohn Rehabeam ihre Klagen vorzutragen und ihn schwören zu lassen, er werde ihr Los mildern. Erst dann wollten auch sie ihn als König anerkennen. Rehabeam jedoch hielt sich an den Rat derer, die ihm eine schroffe Entgegnung empfahlen. Das Ergebnis war die Erhebung der zehn nordisraelitischen Stämme unter der Führung Jerobeams und die Gründung des Nordreiches Israel mit zunächst Sichem als Hauptstadt. Die von Salomo und Rehabeam demonstrierte harte Haltung wurde so zur unmittelbaren Ursache der Reichsteilung, zumal – dies sei nicht vergessen – die politische Einheit der israelitischen Stämme nie besonders festgefügt war. Angesichts der Philistergefahr hatte man zusammengehalten, doch sogar David hatte sich mit zwei Revolten herumschlagen müssen, und bereits die zweite dieser Erhebungen ging von den Stämmen des Nordens aus. Allerdings vertritt der Autor von 1. Könige 11 die Ansicht, Grund für die Spaltung des Reiches sei Salomos Abfall von Gott, da er sich den Göttern seiner ausländischen Haremsdamen zugewandt habe. Und mußte dies nach jahwistischer Auffassung den König nicht für die Forderung nach sozialer Gerechtigkeit blind machen?

Wahrscheinlich hatte man bei der Gründung des Nordreiches Israel nicht nur soziale Gerechtigkeit, sondern auch die Reinheit der Religion im Sinn. Jerobeam errichtete zwei Heiligtümer, eines in Bet-El und das andere in Dan. »Goldene Kälber« bildeten hier den Thron des unsichtbaren Gottes, und Jerobeam sprach: *Siehe deinen Elohim, o Israel, der dich aus Ägypten geführt hat* (1. Könige 12, 28). Das hebräische Wort *elohim* läßt sich entweder als »Gott« oder als »Götter« übersetzen. Der Verfasser des 1. Buchs der Könige war davon überzeugt, daß »Götter« gemeint seien, denn aus der Perspektive des Südreiches Juda und seiner Geschichtsschreibung betrachtet, herrschte im Nordreich religiöse Abtrünnigkeit. Für Jerobeam dagegen, dem der Prophet Ahija bei seiner Rebellion den Rücken gestärkt hatte, ging es vermutlich um den Versuch, zum alten Glauben der Auszugszeit aus Ägypten zurückzukehren, dem man durch die Verlegung des Kultzentrums nach Jerusalem, den Bau des Salomonischen Tempels und die Hinwendung zu der neuen monarchistischen Staatsideologie untreu geworden war. Die Grenzlinie zwischen Juda (einschließlich Benjamin) und Israel scheint ungefähr an der Scheide zwischen dem Jerusalemer Sattel und den Höhen um Bet-El gelegen zu haben. Allerdings änderte sich ihr Verlauf in mehrere Jahrhunderte währenden Kämpfen zwischen Nord und Süd immer wieder. Ein Ereignis, das beide Staatsgebilde zutiefst berührte, war der Feldzug des ägyptischen Pharao Schischak (Sheshonq I., 944–923) um 924 v. Chr. Der Stoß der Ägypter zielte auf die befestigten Städte sowohl in Juda als auch in Israel, deren Macht Schischak zu brechen suchte. Von Jerusalem trieb der Pharao hohe Tributzahlungen ein, und sein Zug war wohl auch die Ursache dafür, daß Jerobeam seine Residenz von Sichem nach Penuel im Ostjordanland verlegte.

In den Anfangsjahren des 9. Jahrhunderts überflügelte Juda (im Bunde mit Aram-Damaskus) das Nordreich

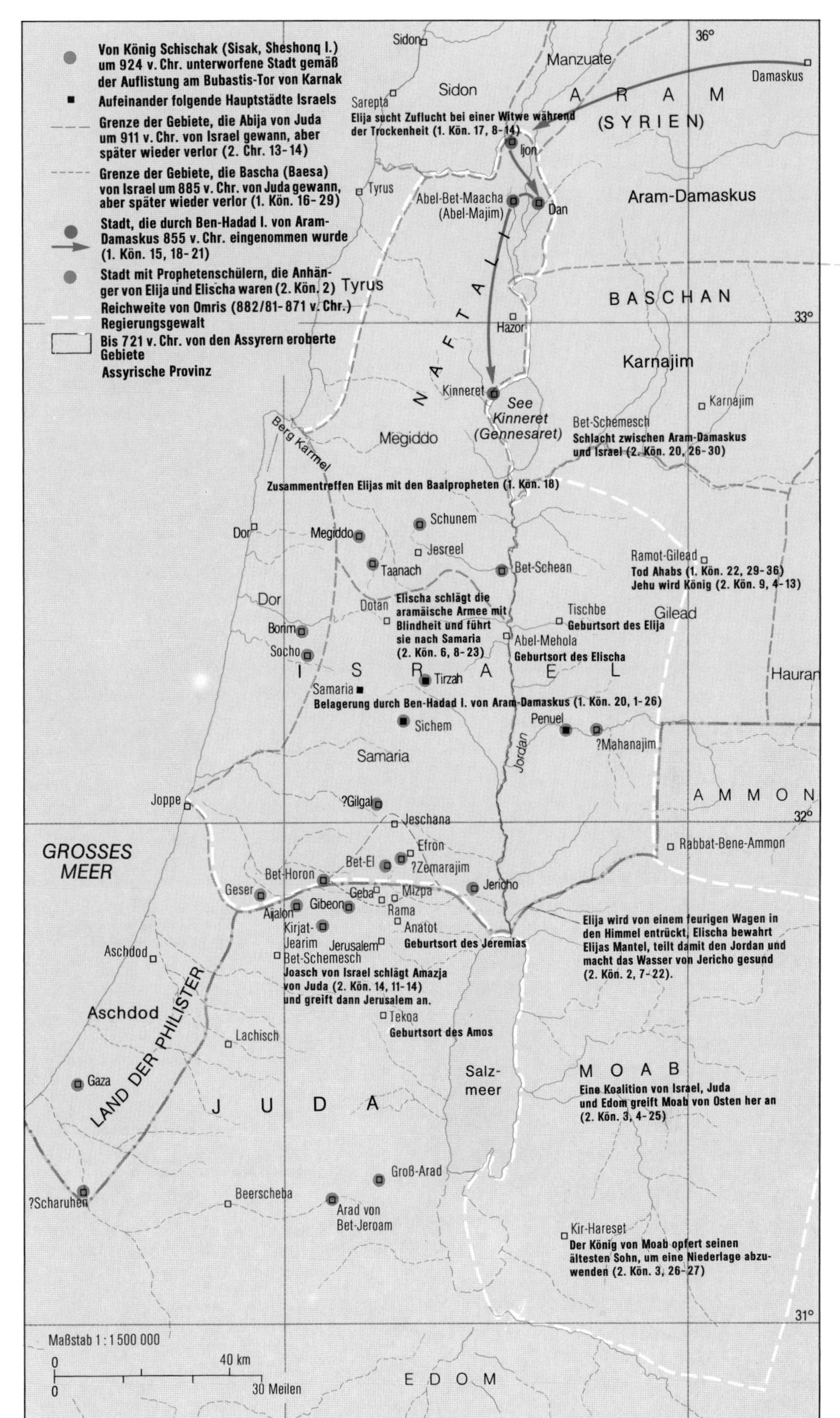

Die Hauptereignisse im geteilten Königreich
In der Zeit der Teilung (um 928–721 v. Chr.) erlebte der von David begründete Staat viele Höhen und Tiefen. Das Nordreich (Israel) wurde durch Aram-Damaskus und Assyrien bedroht, bis es schließlich 721 v. Chr. dem assyrischen Machtbereich einverleibt wurde. Von Süden her überfiel der ägyptische Pharao Schischak etwa um 924 v. Chr. Juda und Israel und zerstörte zahlreiche Städte. Im 9. Jahrhundert konnten jedoch Israels Herrscher, Omri und Ahab, einen kleinen Reststaat unter ihre Kontrolle bringen, und kurz vor dessen Zusammenbruch erneuerte König Jerobeam II. um die Mitte des 8. Jahrhunderts etwas von dem früheren Glanz.

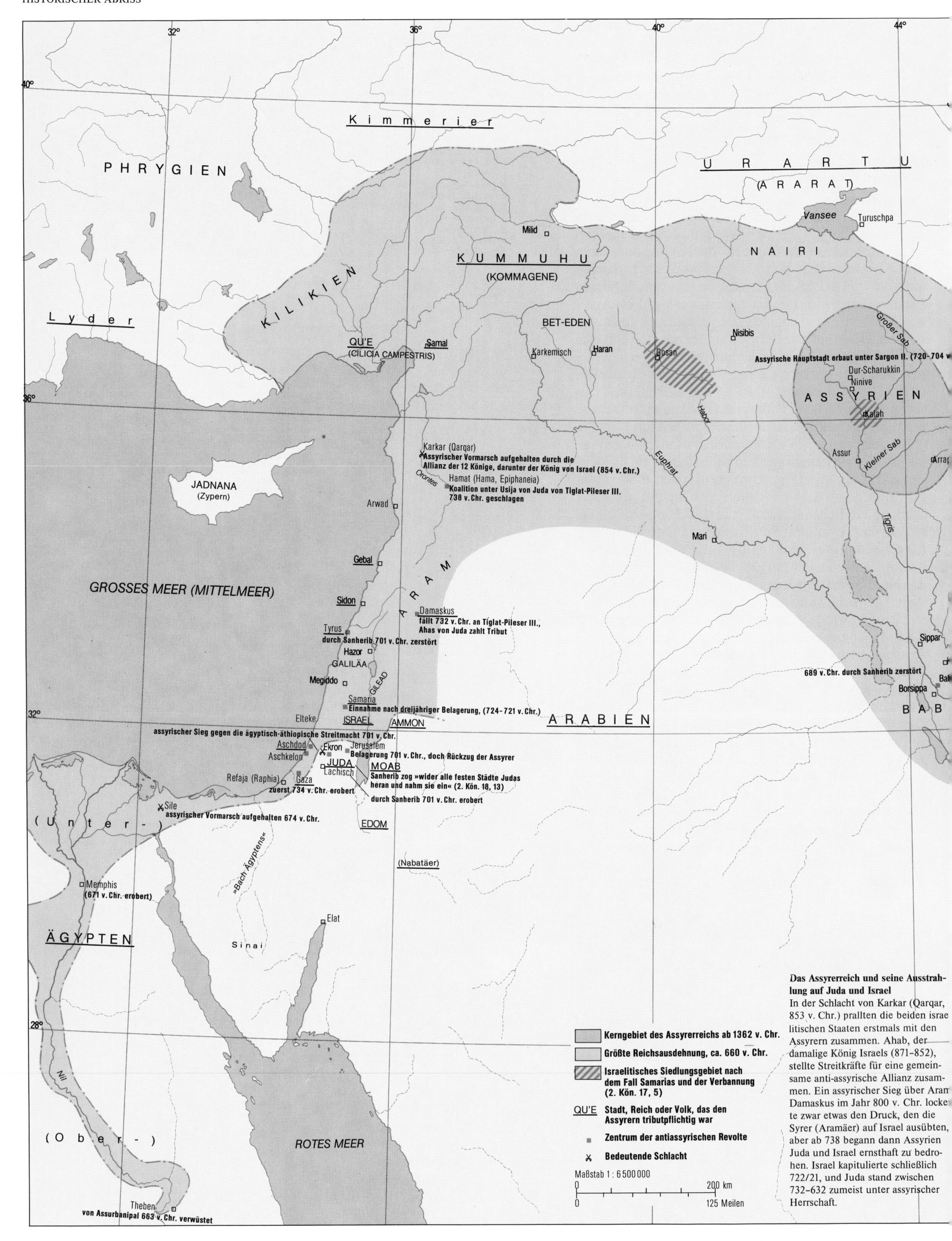

Das Assyrerreich und seine Ausstrahlung auf Juda und Israel
In der Schlacht von Karkar (Qarqar, 853 v. Chr.) prallten die beiden israelitischen Staaten erstmals mit den Assyrern zusammen. Ahab, der damalige König Israels (871–852), stellte Streitkräfte für eine gemeinsame anti-assyrische Allianz zusammen. Ein assyrischer Sieg über Aram Damaskus im Jahr 800 v. Chr. lockerte zwar etwas den Druck, den die Syrer (Aramäer) auf Israel ausübten, aber ab 738 begann dann Assyrien Juda und Israel ernsthaft zu bedrohen. Israel kapitulierte schließlich 722/21, und Juda stand zwischen 732–632 zumeist unter assyrischer Herrschaft.

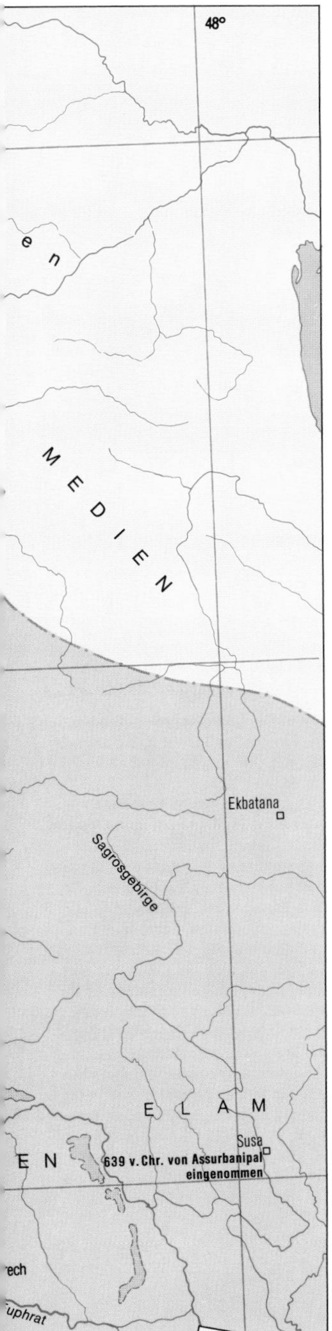

Israel. Juda gelang es, seine Grenze mit Israel zu konsolidieren, während an dessen Nordflanke Aram-Damaskus die Städte Obergaliläas bedrohte. Um 882/81 v. Chr. brach in Israel Bürgerkrieg aus. Sieger in diesem Ringen war Omri (um 882/81–871 v. Chr.), der es zum mächtigsten Kleinstaat weit und breit entwickelte. Neue Residenz wurde Samaria. Außerdem unterwarf er Moab und machte Juda zum Spielball seiner politischen Interessen. Während seiner Regentschaft und der seines Sohnes Ahab (871–852) unternahm man große Anstrengungen, die Verehrung des Gottes der Israeliten mit dem Kult des Baals von Tyrus zu verbinden – ein Vorhaben, das vor allem Ahabs Gemahlin Isebel befürwortete. Doch diese offizielle Politik rief heftige Opposition bei den Prophetengruppen um Elija und Elischa hervor. Charakteristisch für die Regierungsjahre Ahabs war das Erstarken der Macht Assyriens sowie des Reiches Aram-Damaskus, mit dem Ahab sich manche erbitterte Schlacht lieferte, bevor er bei Ramot-Gilead fiel. Unter Ahabs Sohn Joram löste der Prophet Elischa einen Aufstand gegen das Haus Omris und Ahabs aus, indem er einen Militärbefehlshaber namens Jehu zum König salbte. Jehu (842–814) gelang es, alle Verwandten Omris und Ahabs zu beseitigen und den noch immer praktizierten Baalskult auszumerzen. Allerdings sah er sich genötigt, hohe Tribute an Assyrien zu zahlen, und er sowie sein Sohn Joachas hatten schwer unter Hasaël, dem König von Aram-Damaskus, zu leiden.

Im Südreich Juda brachte eine Erhebung gegen die Königsmutter Atalja, die aus dem Hause Omris stammte, Joasch auf den Thron. Auch er wurde während seiner Regierung (836–798) von Hasaël stark unter Druck gesetzt, der ihn zur Tributleistung zwang.

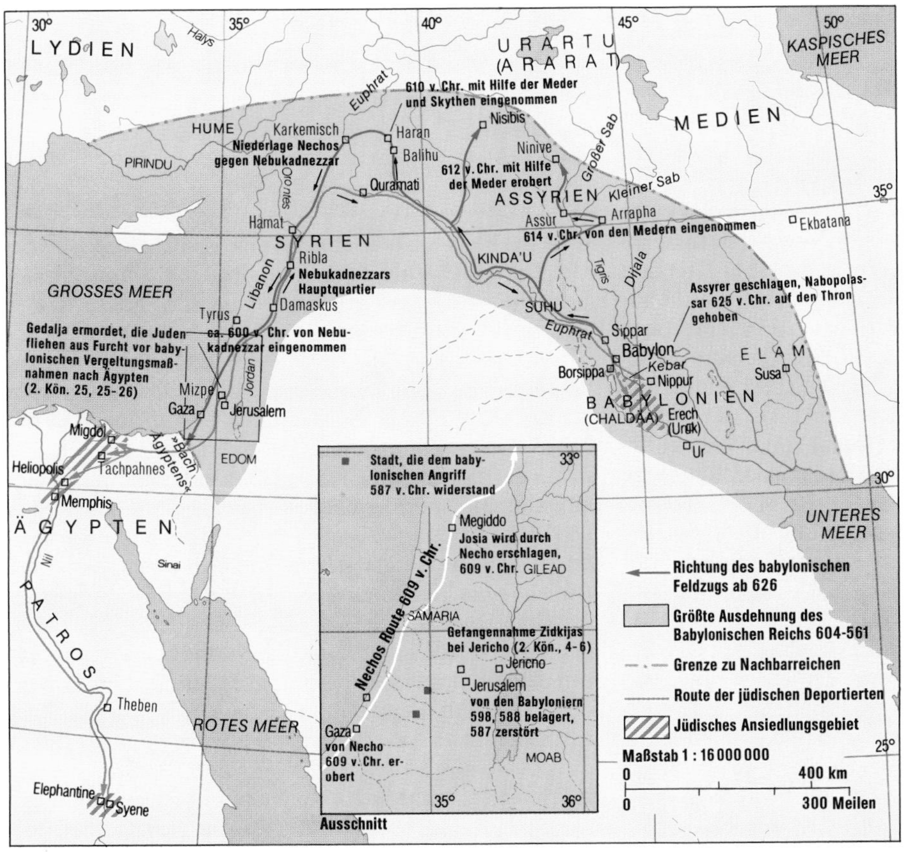

Links: Babylonien und Juda
Der Widerstand Judas gegen Assyrien, besonders unter Joschija (Josia, 640–609 v. Chr.), spielte bei der Niederschlagung Assyriens durch Babylonien eine geringe Rolle. Die Gefährdung für das jüdische Südreich ging in der Folge von den Babyloniern aus, die 597 v. Chr. Jerusalem einnahmen und 10000 der angesehensten Bewohner Judas in die Verbannung schickten. Zidkijas Rebellion gegen den babylonischen König Nebukadnezzar führte schließlich im Jahr 587 zur Zerstörung Jerusalems und seines Tempels.

Unten: Die Bedeutung des Perserreichs für Juda
Die Unterwerfung Babyloniens (540/39 v. Chr.) durch den Perserkönig Kyrus II. ermöglichte einigen der jüdischen Exulanten, nach Jerusalem zurückzukehren. Ferner trugen in dieser Phase die Aktivitäten von Esra und Nehemia, die das jüdische religiöse und soziale Leben mit persischer Unterstützung reorganisierten, wesentlich zur Festigung der Gemeinde bei.

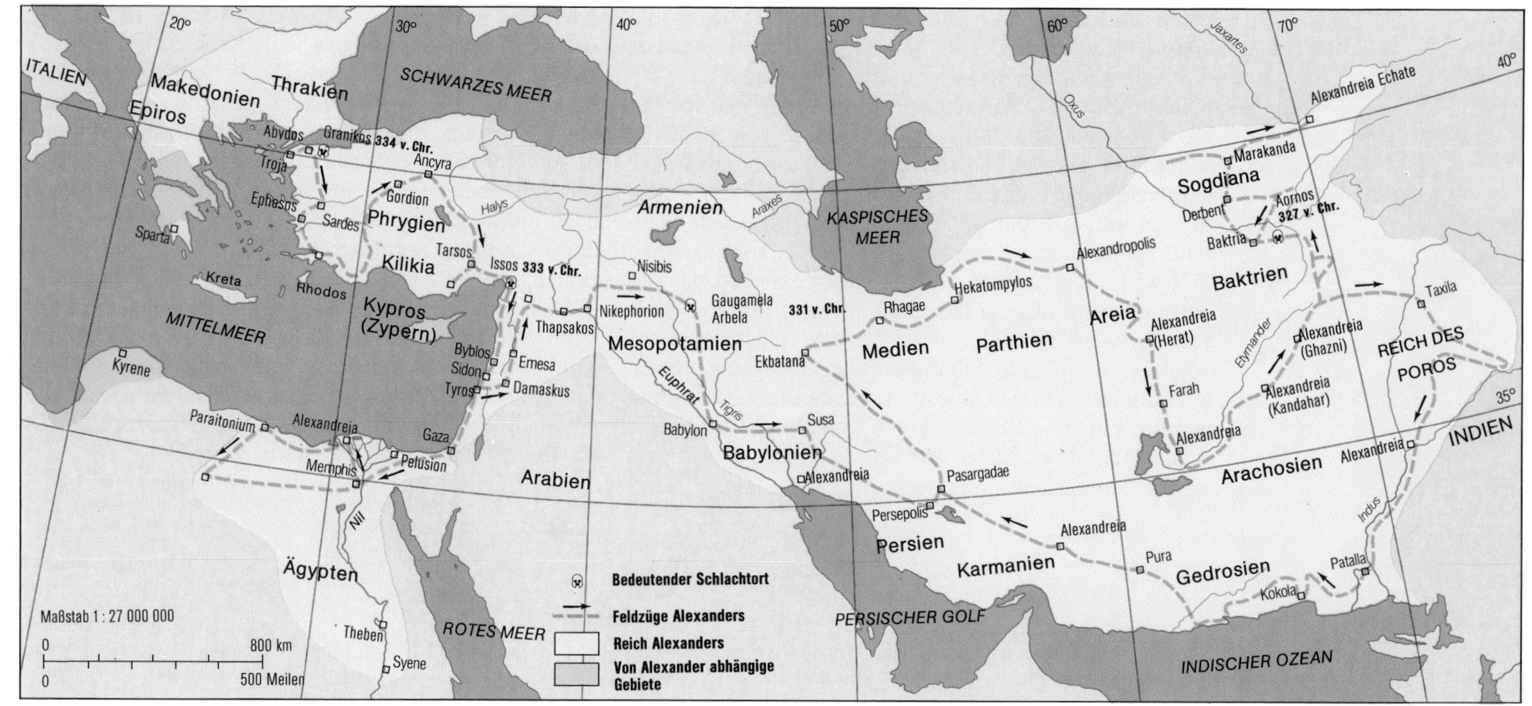

Eine gewisse Entlastung für beide Monarchien brachte die Jahrhundertwende. Usija (um 785–733) in Juda und Jerobeam II. (um 789–748) in Israel herrschten nicht nur lange, sondern bescherten ihren Staaten auch eine relative Blüte. Allerdings hielt man es – vor allem im Nordreich – mit der sozialen Gerechtigkeit nicht so genau, und gegen Ende der besagten Phase traten die ersten »klassischen« Propheten (Amos und Hosea) auf, die mit göttlichen Strafen drohten, falls die erforderlichen Reformen noch länger auf sich warten ließen. Als 745 in Assyrien Tiglat-Pileser III. den Thron bestieg, hing über Israel und Juda abermals die dunkle Wolke einer Bedrohung aus dem Norden. Den Kleinstaaten glückte es nicht, den assyrischen Machthaber zurückzuschlagen, der etwa 733 Aram-Damaskus, Galiläa und die israelitischen Gebiete östlich des Jordans eroberte. Ahas, der jetzige König von Juda, der ihn – gegen den Rat des Propheten Jesaja – gegen Israel und Aram-Damaskus zu Hilfe gerufen hatte, wurde sein Vasall. 724 lehnte sich Hoschea, der letzte König des Nordreiches gegen Assyrien auf. Folge davon war, daß nach dreijähriger Belagerung Samaria fiel, womit Israel aufgehört hatte zu bestehen. Viele Einwohner Samarias wurden in die Verbannung geführt; an ihrer Stelle siedelte man bisherige Bewohner anderer Teile des Assyrerreiches an. Unter Hiskija (etwa 727–698) versuchte Juda, das assyrische Joch abzuschütteln, was wiederum (701 v. Chr.) zu einem assyrischen Angriff und zur Belagerung Jerusalems führte, der die Stadt aber noch standhalten konnte. Auf lange Sicht allerdings war auch Juda dem Druck nicht gewachsen. Tatsächlich befand es sich während des größten Teils der Regierungszeit Manasses (698–642) unter assyrischer Vorherrschaft. Damals lebten auch heidnische Kultbräuche wieder auf, und für die Autoren der Bibel war dies eine der dunkelsten Perioden judäischer Geschichte.

Manasses Tod fiel mit dem Niedergang der assyrischen Stellung zusammen. Sein Sohn Amon wurde zwei Jahre später ermordet, woraufhin im Alter von nur acht Jahren Joschija (640–609) an die Macht kam. Seine Amtsperiode brachte eine religiöse Reform, durch die sämtliche Kultzentren außer Jerusalem abgeschafft wurden und man den Tempel selbst von Relikten fremder Kulte reinigte. Politisch erweiterte Joschija seine Einflußsphäre auch über Territorien des einstigen Nordreiches Israel. Seine Regierung fand ein tragisches Ende: Er fiel in einem Gefecht bei Megiddo bei dem Versuch, den ägyptischen Pharao Necho II. (610–595) von der Teilnahme an der Schlacht von Haran abzuhalten, in der die assyrische Armee von den Babyloniern aufgerieben wurde.

Nach Joschijas Hinscheiden gerieten seine Reformen bald in Vergessenheit, und der Prophet Jeremia, dessen Wirken 627 v. Chr. eingesetzt hatte, begann abermals das Volk vor einem drohenden Gottesgericht zu warnen. 597 nahm der babylonische König Nebukadnezzar Jerusalem ein, woraufhin es zur größten der drei Deportationswellen von 597, 587 und 582 kam. König Jojachin und der Prophet Ezechiel (Hesekiel) befanden sich unter denen, die damals in die Verbannung geführt wurden. 589 erhob sich Jojachins Onkel Zidkija, der seit 597 den Thron innehatte, gegen Nebukadnezzar. Jerusalem wurde belagert, und gegen den Rat des Propheten Jeremia, der nicht müde wurde zu predigen, Kapitulation sei die einzige Möglichkeit, das Schlimmste zu verhindern, verteidigte man die Stadt 18 Monate, bis sie schließlich 587 fiel. Es kam zu einer abermaligen, wenn auch unbedeutenderen Verbannungswelle, Stadt und Tempel indes sanken diesmal in Trümmer. Eine neue Verwaltung unter Gedalja hielt sich in Mizpe, bis dieser von Jischmael, einem Angehörigen der judäischen Königsfamilie, ermordet wurde. Judäer, die sich Gedalja gegenüber loyal verhalten hatten und nun Repressalien seitens der Babylonier fürchteten, flohen nach Tachpanhes in Ägypten (heute vielleicht Tell ed-Defenne im Nordosten des Nil-Deltagebietes). Auch Jeremia nahmen sie gegen seinen Willen dorthin mit.

Vom Exil bis zum Beginn der Römerzeit (587–63 v. Chr.)

Die deportierten Juden wurden zwischen Babylon und Erech (Uruk) an jenem Kanal angesiedelt, der bei Ezechiel die Bezeichnung »Fluß Kebar« trägt. König Jojachin und andere hohe Würdenträger brachte man in die Stadt Babylon selbst, wo man sie gefangenhielt. So sehr man die Verbannung auch als Katastrophe empfand – das Exil war dennoch eine schöpferische Periode. Bei strenggläubigen Israeliten führte sie zur religiösen Selbstbesinnung, und es war wahrscheinlich auch die Zeit, in der weite Abschnitte des Alten Testaments die Form annahmen, die wir heute kennen. Außerdem begann mit dem Exil die Diaspora der Juden – mit anderen Worten: die »Zerstreuung« des Volkes Israel (eine Bezeichnung, die damals aufkam) in viele Teile der Welt. Als 540/39 v. Chr. Baby-

Oben: Die Eroberungen Alexanders des Großen (auf dieser Karte erscheinen die Orte in griechischer Namensform).
Das Auftreten des Makedonenkönigs Alexander eröffnete ein neues Kapitel in der Geschichte Israels. Dies bedeutete nicht nur, daß man die persische gegen die griechische Herrschaft eintauschte, sondern die Ausbreitung der griechischen Sprache, Literatur und Kultur sollte tiefgreifenden Einfluß auf das religiöse Leben nehmen und ferner zum Aufstieg des Christentums beitragen. Daß das Neue Testament auf Griechisch und nicht auf Hebräisch oder Aramäisch geschrieben wurde, resultierte letztlich aus den großen Umwälzungen, welche die Siegeszüge Alexanders bewirkt hatten.

lon in die Hand des Perserkönigs Kyrus des Großen fiel und die Juden die Erlaubnis zur Rückkehr nach Jerusalem erhielten, blieben zahlreiche in ihrer neuen Heimat.

Diejenigen aber, die um 539 v. Chr. nach Juda zurückkehrten, hatten schwere Zeiten vor sich, und es gelang ihnen erst 516 v. Chr., den Tempel in Jerusalem wiederaufzubauen. Noch um die Mitte des 5. Jahrhunderts fand Nehemia die Stadt in einer trostlosen Verfassung vor: Die Mauern waren gebrochen, die Bevölkerung spärlich. Gemeinsam mit Esra (oder gefolgt von diesem) ordnete er das soziale wie religiöse Leben Judas neu und legte damit die Basis für das Fortbestehen des Judentums.

Die nächste bedeutende Veränderung brachten die Eroberungszüge Alexanders des Großen nach dessen Sieg über die Perser in der Schlacht bei Issus (333 v. Chr.). Alexander gliederte Syrien, Palästina und Ägypten seinem Reich ein und bahnte in den betreffenden Gebieten den Weg für die Ausbreitung griechischer Kultur und Sprache. Nach seinem Tod im Jahre 323 v. Chr. fiel Juda in die Hände der Ptolemäer, einer von einem der Generäle Alexanders gegründeten Dynastie, die über Ägypten regierte. Nun entstanden – besonders jenseits des Jordans – Städte griechischen Charakters. Zwischen 200 und 198 v. Chr. rangen die Seleukiden, die makedonisch-griechischen Regenten Syriens, Juda den Ptolemäern ab. In Jerusalem flammten in der Folge heftige Auseinandersetzungen zwischen den Befürwortern und Gegnern des damit verbundenen griechischen Einflusses auf. Das Amt des jüdischen Hohenpriesters, das bislang erblich war, ging an den Meistbietenden über, wobei der Seleukidenherrscher den Profit einstrich. Unter Antiochus IV. (175–164 v. Chr.) kam es dann zu judenfeindlichen Maßnahmen, vor allem zu der Schändung des Tempels, der Dezember 167 v. Chr. in eine Kultstätte des Olympischen

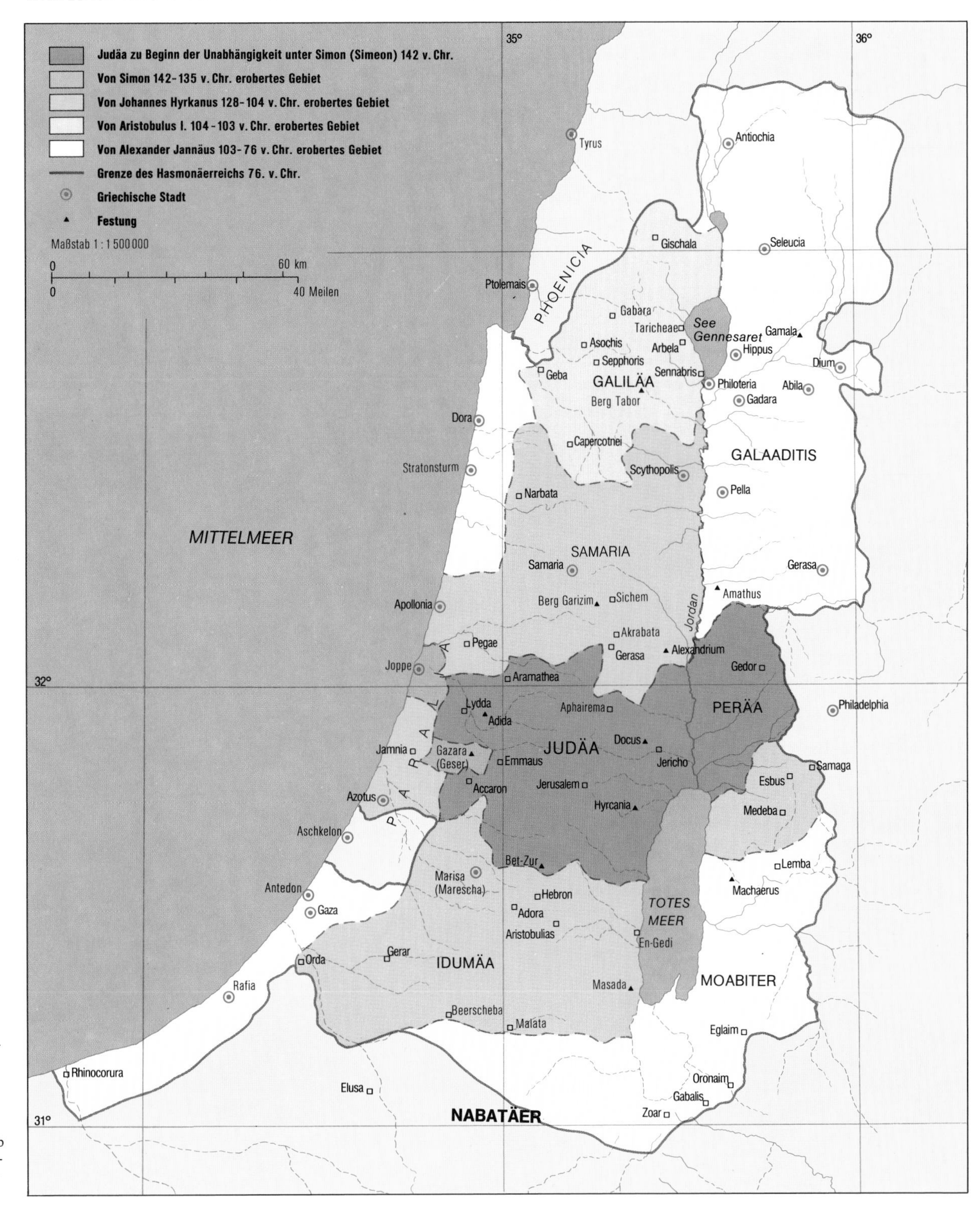

Rechts: Der Makkabäeraufstand und seine Folgen
Die Revolte der Makkabäer, die 167 v. Chr. begann, war ursprünglich gegen den hellenistischen Einfluß auf den mosaischen Glauben gerichtet. Später erweiterte sich die Rebellion zu einer jüdischen Unabhängigkeitsbewegung, als man mitansehen mußte, wie immer größere Gebiete der griechischen Kontrolle unterstellt wurden. Das für die biblische Geschichte bedeutendste Ereignis war die Eroberung von Galiläa, das seit dem 8. Jahrhundert v. Chr. außerhalb der jüdischen Haupteinflußsphäre gestanden hatte. Galiläa wurde zur Geburtsstätte des Christentums.

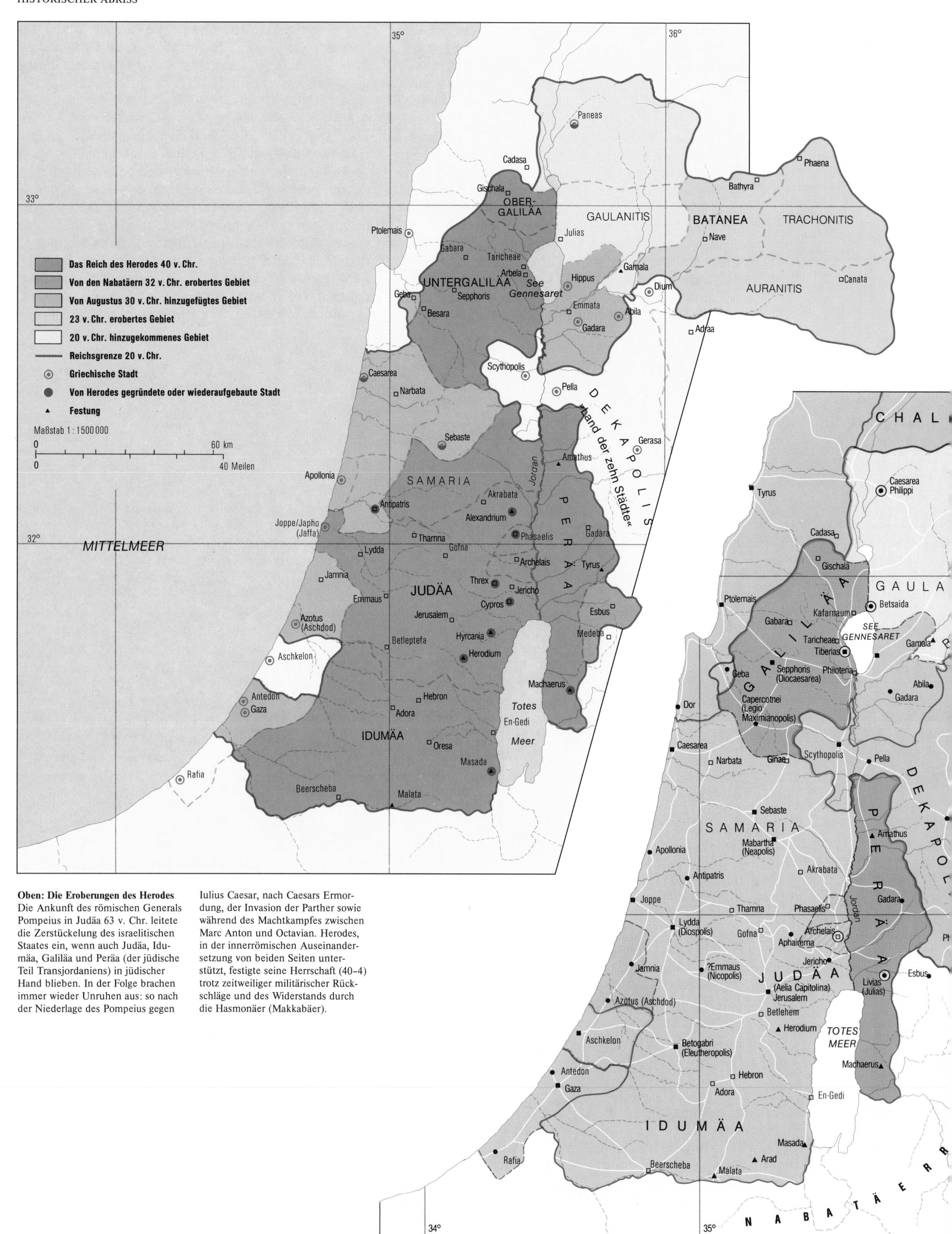

Oben: Die Eroberungen des Herodes
Die Ankunft des römischen Generals Pompeius in Judäa 63 v. Chr. leitete die Zerstückelung des israelitischen Staates ein, wenn auch Judäa, Idumäa, Galiläa und Peräa (der jüdische Teil Transjordaniens) in jüdischer Hand blieben. In der Folge brachen immer wieder Unruhen aus: so nach der Niederlage des Pompeius gegen Iulius Caesar, nach Caesars Ermordung, der Invasion der Parther sowie während des Machtkampfes zwischen Marc Anton und Octavian. Herodes, in der innerrömischen Auseinandersetzung von beiden Seiten unterstützt, festigte seine Herrschaft (40–4) trotz zeitweiliger militärischer Rückschläge und des Widerstands durch die Hasmonäer (Makkabäer).

Zeus umgewandelt wurde. Antiochus' Vorgehen löste den Makkabäeraufstand aus, der unter Führung des Priesters Mattatias von Modein begann und von dessen Söhnen Judas Makkabäus (167–160), Jonatan (160–143) und Simon (142–135/34), fortgesetzt wurde. Möglicherweise hatte es bereits vor Antiochus' scharfen Edikten eine Erhebung gegeben, die ihrerseits erst die Unterdrückung der Juden provoziert hatte. Doch wie auch immer – das Haus des Mattatias (die Dynastie der Makkabäer oder Hasmonäer) übernahm die Führung im Land: 164 v. Chr. wurde der Tempel zurückerobert und neugeweiht (die alljährliche Erinnerung an dieses Ereignis ist das Chanukkafest); 152 v. Chr. erlangte Jonatan das Hohepriesteramt, und 142 erkannte Demetrius II. die Autonomie des Makkabäerstaates an. Freilich bedeutete dies für die Juden noch lange nicht das Ende aller Bedrängnis. Erst 128 wurde unter Johannes Hyrkanus (135/34–104) ein Zustand erreicht, der die Bezeichnung »Friede« verdiente.

Johannes Hyrkanus und sein Nachfolger Aristobulus I. (104–103) legten den Grundstein für die Verhältnisse, die zur Zeit Jesu herrschten. Idumäa (jenes edomitische Königreich, das nach dem Babylonischen Exil im Süden des judäischen Stammesgebiets entstanden war) wurde zum Judentum zwangsbekehrt, Galiläa überwiegend judaisiert, und auch die jüdische Präsenz in Peräa (jenseits des Jordans) festigte sich. Nach der Regierung des Alexander Jannäus (103–76) und seiner Frau Salome Alexandra (76–67) führten Zwistigkeiten innerhalb der Dynastie zum Sturz der Hasmonäer und zum Eingreifen des römischen Feldherrn Pompeius (63 v. Chr.).

Die Römerzeit bis zum Ende des Ersten Jüdischen Kriegs (63 v. Chr. – 70 n. Chr.)

Die ersten Jahrzehnte der Römerherrschaft in Judäa wurden durch innerrömische Rivalitäten kompliziert. In diese Phase fiel der Kampf zwischen Caesar und Pompeius, und nach Caesars Ermordung kam es zur Auseinandersetzung zwischen Marc Anton und Octavian, dem späteren Kaiser Augustus. Ferner gab es in Judäa selbst den Versuch der Hasmonäer, ihre verlorene Macht wiederzugewinnen. Schließlich ernannten die Römer 40 v. Chr. einen Idumäer, Herodes, zum König von Judäa. Tatsächlich regierte Herodes dann bis 4 v. Chr., und seine Amtsperiode zeichnete sich durch Stabilität sowie aufwendige Bauvorhaben aus. Caesarea Maritima wurde unter ihm zur bedeutendsten Stadt des Landes, zudem erhielt Jerusalem jenes Gesicht, das es in den Tagen Jesu hatte. Auch der Tempel wurde erweitert, ja praktisch neuerbaut. Nach Herodes' Tod teilte man das Reich in drei Teile – je einen erhielt jeder der drei Herodes-Söhne. Herodes Antipas (jener, der laut Bibel Johannes den Täufer inhaftieren und enthaupten ließ) gebot bis zu seiner Absetzung (39 n. Chr.) über Galiläa und Peräa, Philipp über die Gebiete im Nordosten und Archelaus über Judäa, Idumäa und Samaria. Archelaus wurde 6 n. Chr. abgesetzt, woraufhin in seinem Machtbereich römische Prokuratoren die Nachfolge antraten. Zu ihnen gehörte auch Pontius Pilatus (Amtszeit 26–36 n. Chr.). Die Herrschaft dieser Prokuratoren erfuhr eine kurze Unterbrechung, als Herodes Agrippa I., der im Jahr 39 n. Chr. Herodes Antipas als Regent über Galiäa und Peräa nachgefolgt war, auch die Krone Judäas, Idumäas und Samarias erhielt. All diese Gebiete unterstanden ihm ab 41 n. Chr. bis zu seinem Tod (44 n. Chr.), dann fiel die Verwaltung abermals in die Hände römischer Prokuratoren. Freilich erwiesen sich diese nur zu oft als bestechlich und tyrannisch, so daß sich zwangsläufig Konfliktstoff ansammelte, der 66 n. Chr. zum Ausbruch des Ersten Jüdischen Kriegs führte. Die Kämpfe endeten 70 n. Chr. mit der Zerstörung Jerusalems und des Tempels. Die letzten überlebenden Widerstandskämpfer zogen 73 n. Chr. in der Bergfestung Masada den Massenselbstmord der Kapitulation vor.

Das Leben Jesu

In diesen grob skizzierten historischen Rahmen Palästinas im 1. Jahrhundert unserer Zeitrechnung gilt es nun, Ursprung und Ausdehnung des Urchristentums einzufügen. Jesus von Nazaret wurde unter Herodes dem Großen geboren, nach gängiger Ansicht im Jahr 4 vor unserer Zeitrechnung, also dem Todesjahr des Königs. Der entsprechende Bericht bei Matthäus 2, 1–23 gibt zwar keine genaue Datierung, setzt jedoch das Ende der Regierungsperiode des Herodes voraus. Und zwar heißt es hier, Jesu Eltern hätten nach Ägypten fliehen müssen, um das Kind vor dem König in Sicherheit zu bringen, der angeblich in Betlehem alle neugeborenen Knaben umbringen ließ. Nachdem sie aber dann von Herodes' Ableben gehört hätten, seien sie zurückgekehrt, doch nicht nach Judäa, wo Archelaus herrschte, sondern nach Galiläa (Matthäus 2, 22–23). Demnach also müßte Jesus zwischen den Jahren 6–4 vor unserer Zeitrechnung das Licht der Welt erblickt haben.

Nach Lukas 2, 1–7 wurde Jesus geboren, als eine Volkszählung stattfand und Quirinius Statthalter von Syrien war (allerdings kann man den entsprechenden Wortlaut auf unterschiedliche Weise deuten). Quirinius trat sein Amt im Jahr 6 *nach* dem Beginn der christlichen Ära an, und es gab mancherlei Diskussionen über die Interpretation und die historische Zuverlässigkeit dieser Passage. Lukas' Schilderung impliziert, daß Jesu Eltern ständig in Nazaret lebten und nur der Volkszählung wegen nach Betlehem kamen. Nachdem sie im Anschluß daran ihre kultischen Verpflichtungen in Jerusalem erfüllt hatten, gingen sie heim nach Nazaret. Kombiniert man die Berichte der beiden Evangelisten Matthäus und Lukas, so entsteht folgendes Bild: Maria und Josef suchten zwecks der Volkszählung Betlehem auf, wo sie mit dem neugeborenen Jesus längere Zeit wohnen blieben. Zwischendurch besuchten sie Jerusalem und befanden sich noch immer in Betlehem, als die »drei Könige aus dem Morgenland« eintrafen. Danach flohen sie nach Ägypten und kehrten nach Herodes' Hinscheiden nach Nazaret zurück.

Die eigentliche Heilsgeschichte beginnt mit dem Wirken Johannes' des Täufers, das Lukas (3, 1–2) in das 15. Amtsjahr des Kaisers Tiberius datiert (also in das Jahr 28/29 unserer Zeitrechnung). Schauplatz des johanneischen Auftretens war wohl das Jordangebiet in der Nähe von Jericho. Jesus kam aus Galiläa, um sich von Johannes taufen zu lassen, und dem Evangelisten Johannes zufolge (Johannes 1, 35–51) stieß er dabei schon auf einige jener Männer, die er später als Jünger um sich scharte.

Die Verhaftung Johannes' des Täufers (möglicherweise im Jahre 28) war das Signal für den Beginn des öffentlichen Wirkens Jesu in Galiläa (Markus 1, 14), das vielleicht nur ein Jahr dauerte. Wie diese zwölf Monate aber im einzelnen abliefen, läßt sich nur schwer rekonstruieren, denn die Informationen in den Evangelien sind eher thematisch als chronologisch geordnet. Mit einiger Sicherheit kann man allenfalls sagen, daß Jesus wohl Kafarnaum (Kapernaum) zu seiner »Operationsbasis« machte (Matthäus 4, 13), daß er die zwölf Apostel berief und aussandte, um zu predigen und Kranke zu heilen (Markus 6, 7–17), daß er eine ziemlich rege Lehrtätigkeit am See Gennesaret entfaltete (den er mehrmals auch befuhr) und daß ihm eine Gruppe von Frauen zur Seite stand (Lukas 8, 2–3). Gegen Ende seines Aufenthalts in Galiläa zog sich Jesus zunächst nach Tyrus und Sidon zurück (Markus 7, 24–30), ging sodann in die Dekapolis (Markus 7, 31–37) und

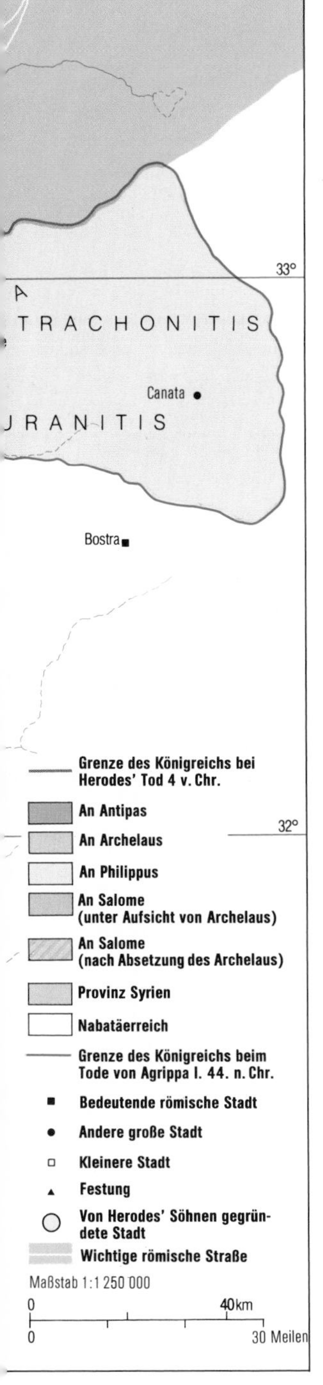

Unten: Die Teilung Palästinas unter den Söhnen des Herodes
Nach Herodes' Tod fiel das Land an seine drei überlebenden Söhne. Archelaus, der Judäa, Idumäa und Samaria regierte, wurde allerdings 6 n. Chr. durch den römischen Prokurator Pontius Pilatus ersetzt. Der in den Evangelien erwähnte Herodes Antipas herrschte über Galiläa und Peräa, Philipp(us) über Gaulanitis, Trachonitis, Batanea und Auranitis.

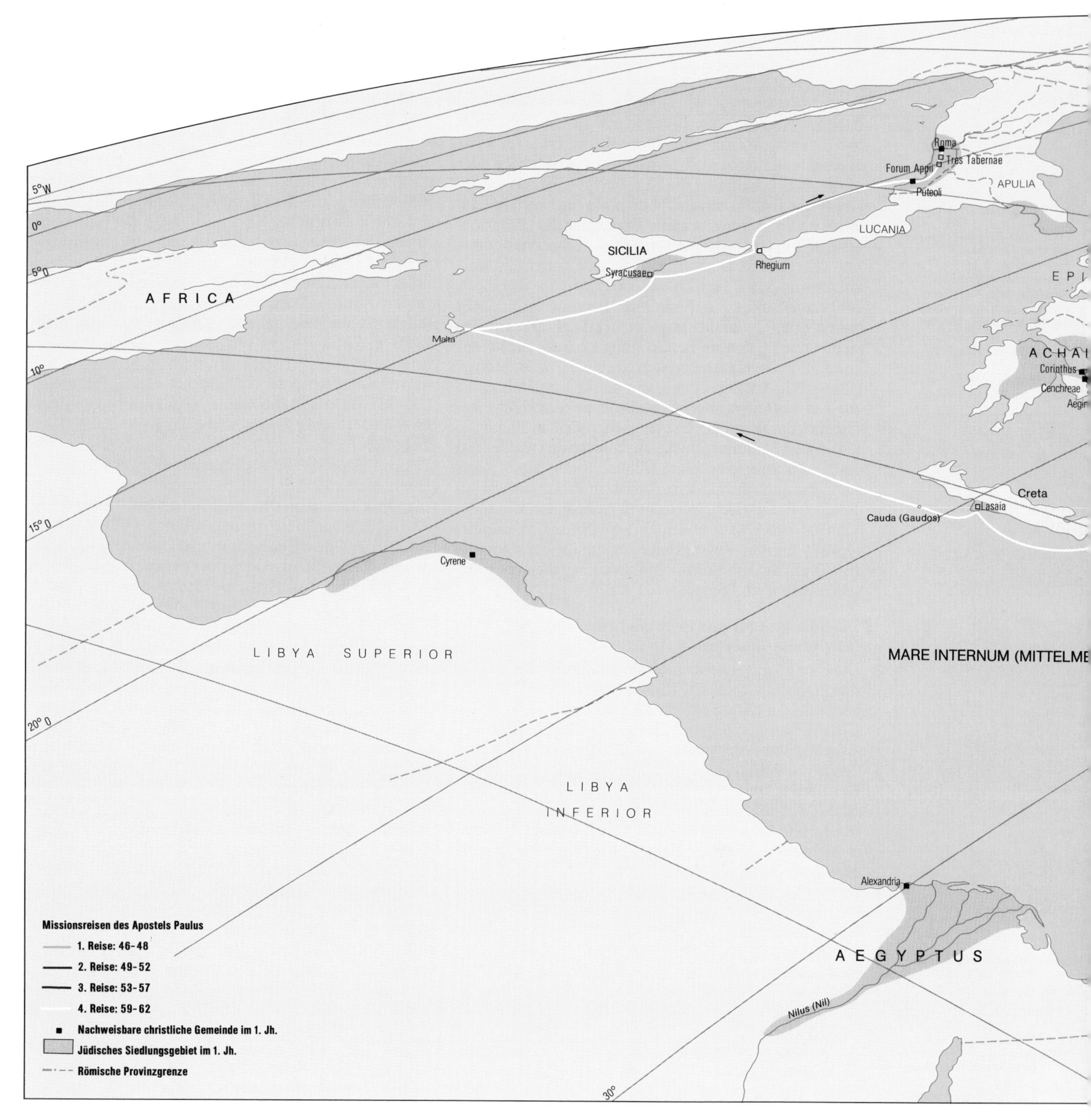

schließlich in die Gegend von Caesarea Philippi, wo Petrus sich zu ihm als dem erwarteten Messias bekannte (Markus 8, 27–30). Ein paar Tage später erfolgte Jesu Verklärung – vermutlich irgendwo im Hermonmassiv in der Nähe von Caesarea Philippi (Markus 9, 1–8). Von Galiläa wanderten Jesus und seine Jünger nach Judäa und Peräa (Markus 10, 1). Wie lange sie sich dort aufhielten, ist nicht bekannt. Manche Neutestamentler denken an die sechs Monate vor der Heiligen Woche des Passahfestes.

Besagte Heilige Woche legt man gewöhnlich in den April des Jahres 30 unserer Zeitrechnung. Für Jesus begann sie mit dem triumphalen Einzug in Jerusalem, den die christliche Welt noch heute am Palmsonntag begeht. Während der sich anschließenden Tage lehrte und diskutierte er im Tempel. Am Donnerstagabend nahm er dann mit seinen Jüngern das Passahmahl ein (Markus 14, 12–16). Umstritten ist jedoch, ob dies der Abend des offiziellen Passahseders war; nach Johannes 18, 28 muß es sich zweifelsfrei um den Vorabend davon gehandelt haben. Falls dies zutrifft, war Jesus sehr wohl bewußt, daß man ihn noch vor dem eigentlichen Passah hinrichten werde, weshalb er ein vorgezogenes »Ersatzmahl« arrangierte. Nach diesem wurde er im Garten Getsemani verhaftet und von jüdischen wie auch römischen Behörden einvernommen und verurteilt, so daß die Kreuzigung tatsächlich noch vor dem Fest stattfinden konnte.

Die Missionsreisen des Apostels Paulus und die Ausbreitung des frühen Christentums
Das Christentum breitete sich von Palästina auf vielfältige Weise über weite Teile des Imperium Romanum aus. Die Missionsreisen des Paulus waren dabei von besonderer Bedeutung, einmal wegen der Gebiete, die sie berührten, vor allem aber, weil sich an ihnen eine entscheidende Streitfrage entzündete: In welchem Maße sollten die zum Christentum bekehrten Nichtjuden dem jüdischen Gesetz unterliegen? Die pragmatische Lösung dieses Problems spielte bei der Missionierung von Nichtjuden eine bedeutende Rolle.

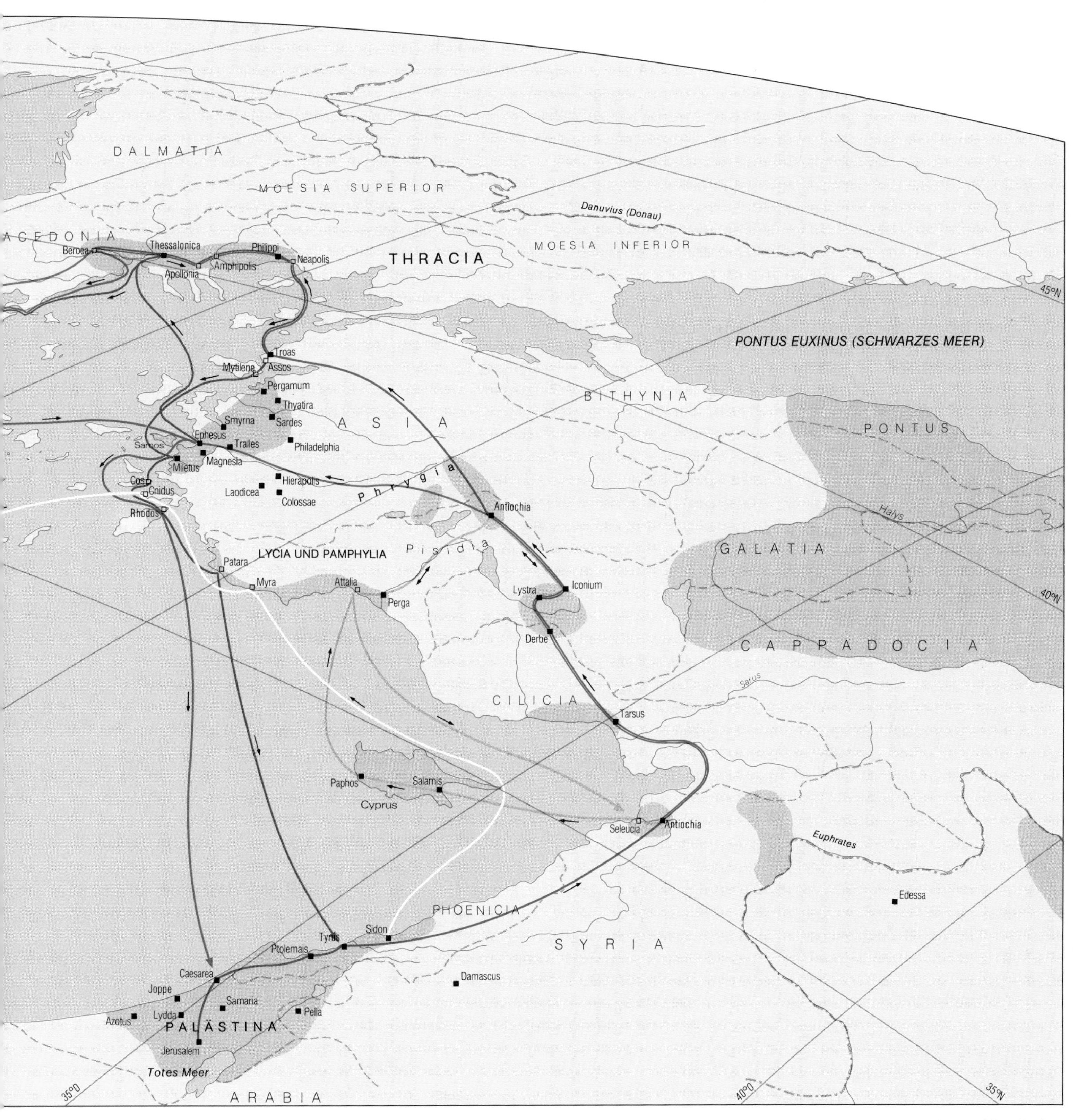

Zwei Tage nach Jesu Tod trafen seine Jünger sein Grab leer an, und als er ihnen mehrmals erschien, glaubten sie, er wäre leibhaftig am Leben (1. Korinther 15, 3–11). Die Erscheinungen erfolgten sowohl in Jerusalem als auch in Galiläa und setzten sich nicht beliebig fort, sondern endeten mit der Aussendung der Jünger, die Matthäus (28, 16–20) nach Galiläa verlegt.

Die Ausbreitung des Christentums bis zu den Missionsreisen des Apostels Paulus (30–46 n. Chr.)

Die christliche Urgemeinde hatte ihren Sitz in Jerusalem. Ihre Mitglieder beteten täglich im Tempel und praktizierten eine Art von Kollektivbesitz (Apostelgeschichte 4, 32–36). Auch griechisch- und aramäischsprachige Juden gehörten dieser Gemeinde an. Eine besondere Rolle unter denen, die sich der griechischen Zunge bedienten, spielte Stephanus, dessen kühne Predigten ihm den Märtyrertod einbrachten. Die Verfolgung, die daraufhin einsetzte, führte zur Vertreibung zahlreicher Judenchristen aus der Stadt, und der »hellenistische« (d.h. in diesem Fall: griechischsprachige) Apostel Philippus ging nach Samaria, wo seine Erfolge die Kirchenleitung in Jerusalem bewogen, weitere Apostel auszusenden (Apostelgeschichte 8, 4–17). Die christliche Missionstätigkeit weitete sich noch aus, als Petrus, der nunmehr in Joppe wohnte, in Caesarea vor dem Centurio Cornelius predigte (Apostelgeschichte 10). 44 n. Chr. war Petrus wieder in Jerusalem – es war jenes Jahr, in dem Herodes Agrippa I. nicht nur den Apostel Jakobus umbringen ließ, sondern auch Petrus selbst (Apostelgeschichte 12, 1–19) gefangensetzte. Doch nun hatte sich das Christentum schon so weit ausgebreitet, daß man in Antiochien bereits nicht mehr nur Juden, sondern auch Nichtjuden zu bekehren begann.

Eine herausragende Stellung bei diesen Bemühungen hatte Saulus aus Tarsus, besser als Apostel Paulus bekannt. Zunächst fanatischer Christengegner, wurde er in den Jahren 32/33 zum ebenso eifrigen Jünger Jesu – dies nach einer Vision auf dem Weg nach Damaskus, wohin er reiste, um dort Christen aufzugreifen. Drei Jahre nach seiner Konvertierung besuchte er Jerusalem, wo er drei Wochen blieb und sich mit Petrus und Jakobus, dem Bruder Jesu, traf (Galater 1, 18–19). Sein Aufenthaltsort während der nächsten Jahre ist unbekannt. Nach Jerusalem kam er entweder zu Beginn oder erst im Lauf seiner Missionsreisen ein zweites Mal (Galater 2, 1ff.).

Die Missionsreisen des heiligen Paulus

Eines der Hauptthemen der Apostelgeschichte ist die Christianisierung von Nichtjuden. Offensichtlich hatten die ersten Christen zwei Probleme zu lösen: War Jesus der Gesalbte Gottes (griechisch: Christos, hebräisch: Messias) für Nichtjuden ebenso wie für Juden? Und sollten sich Nichtjuden, die zum Christentum übertraten, dem gesamten mosaischen Gesetz unterwerfen oder nur Teilen davon? Laut Apostelgeschichte ergab sich die Entscheidung ganz einfach durch die Umstände. Zunächst predigte Petrus, einer göttlichen Eingebung folgend, in Caesarea vor dem römischen Centurio Cornelius. Zweitens kamen einige Gläubige, die Jerusalem nach Stephanus' Steinigung (Apostelgeschichte 6–7) verlassen hatten, in die Stadt Antiochia, wo auch sie Nichtjuden das Evangelium verkündeten (Apostelgeschichte 11, 20 f.). So wurde Antiochia zu einer Gemeinde, die neben Judenchristen Anhänger Jesu nichtjüdischer Herkunft umfaßte. Auf Veranlassung des Barnabas (Apostelgeschichte 11, 25 f.) schloß sich auch Paulus dieser Gemeinde an.

Da Barnabas aus Zypern stammte (Apostelgeschichte 4, 36), bot es sich an, daß die Missionare zunächst diese Insel bereisten, bevor sie ins pisidische Antiochien, nach Ikonion, Lystra und Derbe in Kleinasien aufbrachen (47–48 n. Chr.). Am Anfang predigten sie in den genannten Städten selbstverständlich in den Synagogen, doch schließlich nahmen bei weitem nicht nur Juden, sondern auch Heiden das Evangelium an. Nicht selten handelte es sich bei letzteren um Menschen, die dem Judaismus nahestanden und Kontakte zu den Synagogen unterhielten, ohne indessen Vollmitglieder der jüdischen Gemeinden zu sein (Apostelgeschichte 14, 1). In anderen Fällen aber – man denke an Sergius Paulus – richtete man die Botschaft Christi auch unmittelbar an die Heiden (Apostelgeschichte 13, 7–12). Als sie Derbe erreicht hatten, kehrten Paulus und Barnabas wieder um, besuchten die von ihnen Bekehrten erneut und schufen für sie die ersten Ansätze einer kirchlichen Organisation (Apostelgeschichte 14, 23). Von Attalia segelten sie direkt nach Antiochia.

Durch die Begeisterung, mit der auch Nichtjuden die christliche Lehre aufnahmen, erledigte sich die Frage gleichsam von selbst, ob Jesus ebenso für Heiden der »Gesalbte Gottes« sei. Doch nun stellte sich das Problem, in welchem Umfang sich nichtjüdische Christen dem Gesetz Moses' zu unterwerfen hätten, und man debattierte über diesen Punkt auf einer Synode zu Jerusalem (Apostelgeschichte 15). Dabei gelangte man zu dem Resultat, konvertierte Heiden hätten sich ebenfalls »zu enthalten von Götzenopfern, von Blut, von Ersticktem – d.h. vom Fleisch nicht rituell geschlachteter (geschächteter) Tiere – und von der Unzucht« (Apostelgeschichte 15, 20 und 29). Da Paulus' und Barnabas' Bekehrungswerk von der Synode gutgeheißen wurde, war gleichzeitig »grünes Licht« für die zweite Missionsreise gegeben.

Zweck dieses Unternehmens war es, noch einmal mit den Gemeinden Kontakt aufzunehmen, in denen Paulus schon auf seiner ersten Fahrt gelehrt hatte. Doch von Anfang an kamen Paulus und Barnabas zu keiner Einigung, ob sie einen gewissen Johannes mit dem Beinamen Markus mitnehmen sollten, der streckenweise an ihrer ersten Missionsreise teilgenommen hatte (vgl. Apostelgeschichte 13, 13 und 15, 37 f.). Also segelten Barnabas und Johannes alias Markus nach Zypern (Apostelgeschichte 15, 39), Paulus und sein Begleiter Silas dagegen gelangten auf dem Landweg (wohl über Paulus' Heimatstadt Tarsus) nach Derbe, Lystra und Ikonion.

Von ihrer weiteren Route ab Ikonion wissen wir lediglich, daß sie »durch ganz Phrygien und das Gebiet von Galatien« zogen und der Heilige Geist ihnen untersagte, in der römischen Provinz Asia sowie in Bithynien zu predigen (Apostelgeschichte 16, 6–8). Dann finden wir Paulus in Troas wieder, wo er eine Vision hatte: Ein Makedone bat ihn um Hilfe. Dies war für ihn Anlaß, den Weg über die Ägäis nach Neapolis, Philippi, Thessalonike, Beröa, Athen und Korinth zu nehmen. In Philippi wurden Paulus und Silas inhaftiert, doch gelang es ihnen, ihren Kerkermeister zu bekehren (Apostelgeschichte 16, 25–32). In Thessalonike griff eine »erregte Menge« das Haus ihres Gastgebers an (Apostelgeschichte 17, 5), und in Athen predigte Paulus vor den Philosophen auf dem Areopag. Dann scheint er sich einige Zeit in Korinth aufgehalten zu haben (Apostelgeschichte 18, 18), zusammen mit Aquila und Priszilla, die durch ein Edikt des Kaisers Claudius im Jahr 49 n. Chr. zum Verlassen Roms gezwungen worden waren (Apostelgeschichte 18, 2). Nach diesem Abstecher nach Korinth, wo er mit Duldung des dort residierenden römischen Statthalters wirkte, kehrte der Apostel über Ephesus, Caesarea und Jerusalem nach Antiochia zurück.

Seine dritte Missionsreise (53–57 n. Chr.) führte ihn zunächst abermals zu jenen Gemeinden, die er schon auf seiner zweiten Fahrt beehrt hatte. So suchte er die Kirchen in Galatien und Phrygien auf, um ihren Glauben zu stärken und ihnen Mut zuzusprechen (Apostelgeschichte 18, 23). In Ephesus blieb er sogar zwei Jahre (Apostelgeschichte 19, 10). Er traf dort Gläubige an, die die christliche Lehre nur zum Teil kannten. Beispielsweise hatten sie noch nichts vom Heiligen Geist und der Taufe im Namen Jesu gehört (Apostelgeschichte 18, 24–19, 7). Im übrigen wird von seinem Aufenthalt in Ephesus nur berichtet, daß er eine intensive Predigertätigkeit entfaltete und zahlreiche Kranke heilte. Außerdem erfahren wir, daß sein Erfolg heftige Reaktionen bei den Silberschmieden des berühmten Artemistempels hervorrief, die davon lebten, daß die Pilger ihre silbernen Votivfiguren der Göttin kauften. Im ersten Korintherbrief ist davon die Rede, Paulus habe in dieser Stadt »mit wilden Tieren gekämpft« (1. Korinther 15, 32), allerdings könnte die betreffende Stelle durchaus nur bildlich gemeint sein. Wohin er sich von Ephesus aus wandte, ist nicht sicher bezeugt. Gewöhnlich nimmt man an, daß Paulus zuerst nach Thessalonike segelte, sich von dort nach Korinth, wieder zurück nach Thessalonike und dann nach Philippi begab, von wo aus er nach Tyrus weiterreiste (unterbrochen durch mehrmalige kurze Landgänge). Aus naheliegenden Gründen machte er in Ephesus nicht Station, sondern traf sich mit den dortigen Gemeindeältesten in Milet (vgl. Apostelgeschichte 20, 1–21, 17). Von Tyrus kehrte er dann über Caesarea nach Jerusalem zurück.

DIE BIBEL IN DER KUNST

Christi Himmelfahrt: Glasmalerei (um 1145) in der Kathedrale von Le Mans.

Warum Ereignisse aus der Bibel Künstler so vielfältig inspiriert haben, ist unschwer zu verstehen. Ganz abgesehen von der Macht, die die Kirche über viele Jahrhunderte ausübte, und dem Einfluß, den sie auf das Denken der Menschen hatte, wohnte biblischen Geschichten seit jeher eine gewisse Faszination inne, so daß sie für jeden Künstler eine außergewöhnliche Herausforderung bildeten. Augenfällige Beispiele sind etwa der Gegensatz zwischen dem schwerbewaffneten Riesen Goliat und dem Hirtenjungen David, oder auch die Zerknirschtheit des verlorenen Sohns bei seiner Heimkehr und die unsagbare Freude des Vaters. Zu der Zeit, da die Bibel dem gemeinen Volk noch nicht in Übersetzungen leicht zugänglich war, spielte die bildliche Darstellung solcher Episoden eine wichtige Rolle in der Predigt und im religiösen Unterricht.

Daß wir in diesen Atlas künstlerische Gestaltungen biblischer Themen aufnehmen, hat seinen Grund in dem Kontrast, den sie zu Teil 3 des Buches bilden. Dort werden die Erzählungen in ihren entsprechenden geographischen Kontext gestellt, teilweise unter Verwendung von Luftbildaufnahmen, die eine ganz neue Vorstellung ermöglichen. Die wenigsten Künstler wußten, wie das Heilige Land tatsächlich aussah und siedelten deshalb gewöhnlich ihre biblischen Motive in einer ihnen vertrauten Landschaft an und versahen die Personen mit zeitgenössischen Modeattributen. Wir dagegen genießen den großen Vorteil, die Ereignisse vor ihrem authentischen geographischen Hintergrund sehen zu können.

Aber anderseits ist dieser Vorteil so bedeutend nicht: Es ist unbekannt, wo die Rückkehr des verlorenen Sohns stattfand (wenn es sich wirklich um einen tatsächlichen Vorfall handelt), aber selbst, wenn die Lokalisierung gesichert wäre, würde dieses Wissen nicht dazu beitragen, den Sinn des Gleichnisses zu begreifen. So sind also die folgenden Beispiele aus der bildenden Kunst nicht nur als Rahmen für Teil 3 gedacht. Sie sollen daran erinnern, daß die geographische Kenntnis des Heiligen Landes nur *ein* Mittel zum besseren Verständnis der Bibel ist, und nur wenige haben den Sinn dieser Geschichten eindrucksvoller erfaßt und vermittelt als jene Künstler, deren Werk vom Buch der Bücher inspiriert wurde.

So setzte man denn Fronvögte über sie, um sie mit Fronarbeiten zu bedrücken, und sie mußten dem Pharao die Vorratsstädte Pitom und Ramses bauen.

(EXODUS 1, 11)

▷

Moses auf dem Berg Sinai: mittelalterliches Manuskript

△

Da sprach der Herr zu Mose: Geh, steige hinab; denn dein Volk, das du aus dem Lande Ägypten heraufgeführt hast, frevelt ... Sie haben sich ein gegossenes Kalb gemacht, haben es angebetet und ihm geopfert.

(EXODUS 32, 7-8)

Volk Israel in Ägypten: Edward Poynter (1836–1919)

Lots Weib verwandelt sich in eine Salzsäule: hebräisches Manuskript des 14. Jahrhunderts

Lots Weib aber sah sich hinter ihm um und ward zur Salzsäule.

(GENESIS 19, 26)

◁

Josef empfängt seine Brüder: griechisches Manuskript des 6. Jahrhunderts

Da rief ihm vom Himmel her der Engel des Herrn zu . . .: Lege deine Hand nicht an den Knaben und tue ihm nichts; denn nun weiß ich, daß du Gott fürchtest.

(GENESIS 22, 11–12)

▷

◁

Da konnte sich Josef nicht mehr länger halten vor allen, die um ihn her standen, und er rief: Laßt jedermann von mir hinausgehen! . . . Und er weinte laut.

(GENESIS 45, 1–2)

Die Opferung Isaaks: Radierung von Rembrandt (1606–1669)

Sie aber ließ ihn auf ihrem Schoß einschlafen; dann rief sie einen Mann, der mußte ihm die sieben Locken seines Kopfes scheren, und er begann schwach zu werden, und seine Kraft wich von ihm.

(RICHTER 16, 19)

▷

Und Simson ging mit seinem Vater und seiner Mutter nach Timna hinab. Als er nun zu den Weinbergen von Timna kam, siehe, da trat ihm ein junger Löwe brüllend entgegen.

(RICHTER 14, 5)

▷

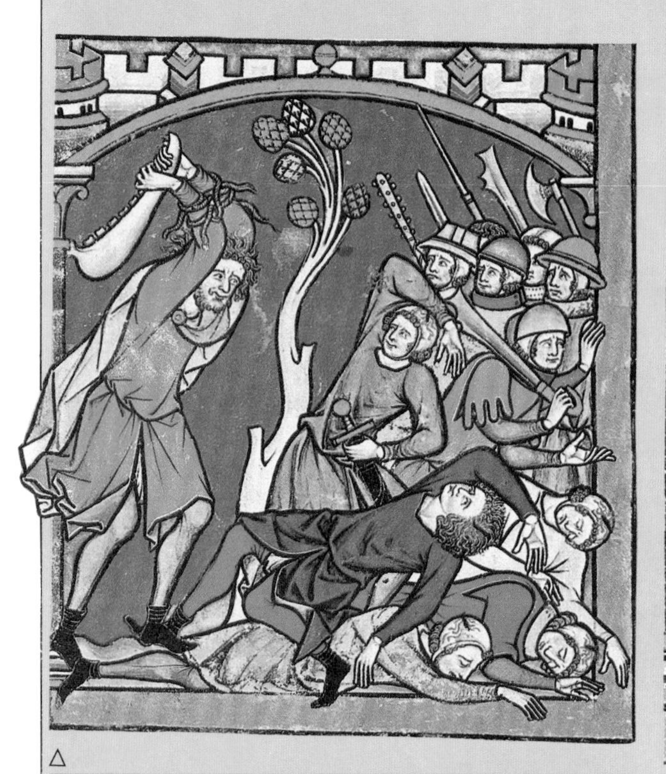

△

Szenen aus der Simson-Geschichte: französisches Manuskript des 13. Jahrhunderts

Und er fand einen frischen Eselskinnbacken; da streckte er seine Hand aus, ergriff ihn und erschlug damit tausend Mann.

(RICHTER 15, 15)

▷

Simson schlief bis Mitternacht. Um Mitternacht sodann stand er auf, ergriff die Flügel des Stadttors samt den beiden Pfosten, hob sie mit dem Riegel aus, nahm sie auf die Schultern und trug sie hinauf auf die Höhe des Berges gegenüber Hebron.

(RICHTER 16, 3)

Dann umfaßte Simson die beiden Mittelsäulen, auf denen das Haus ruhte, die eine mit der rechten und die andre mit der linken Hand, und stemmte sich gegen sie.
(RICHTER 16, 29)

▽

David aber nahm den Kopf des Philisters und brachte ihn nach Jerusalem.

(1. SAMUEL 17, 54)

▷

David mit dem Kopf Goliats (Ausschnitt): Bronze-Relief von Lorenzo Ghiberti (1378–1455)

Wasser heischte er, Milch gab sie, in herrlicher Schale reichte sie Sahne. Ihre Hand streckte sie nach dem Pflock, ihre Rechte nach dem Werkhammer, hämmerte ein auf Sisera, zerschlug ihm das Haupt.

(RICHTER 5, 25–26)

▽

Jael und Sisera: Zeichnung nach dem Meister von Flémalle (tätig um 1410–1440)

Sie kam nach Jerusalem mit sehr großem Gefolge, mit Kamelen, die Spezerei, Gold in Menge und Edelsteine trugen. Und als sie zu Salomo kam, fragte sie ihn alles, was sie sich vorgenommen hatte.

(1. KÖNIGE 10, 2)

▷

Der Besuch der Königin von Saba bei Salomo: Piero della Francesca (um 1410–1492)

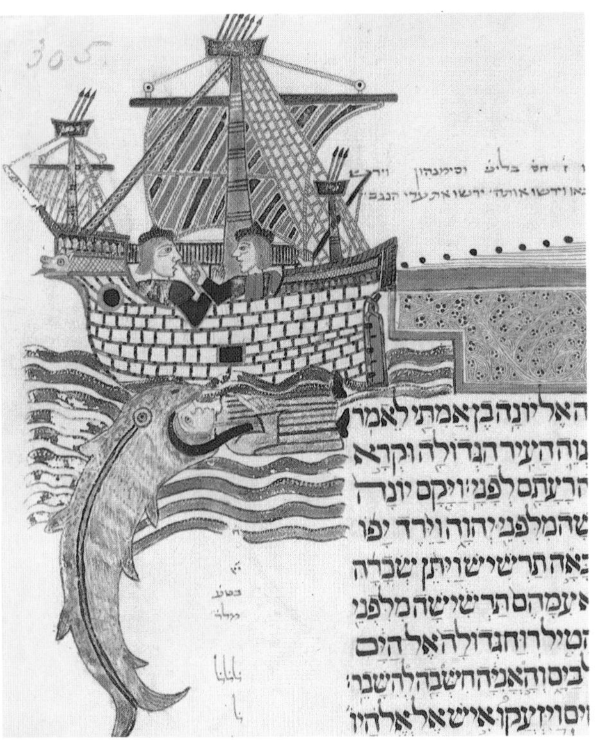

Und der Herr entbot
einen großen Fisch,
Jona zu verschlingen.

(JONA 2, 1)

◁

Und sie hieb zweimal
in den Hals mit aller Macht
und schnitt ihm den
Kopf ab . . . danach ging
sie heraus und gab das
Haupt des Holofernes
ihrer Magd und hieß
sie es in ihren Sack stoßen.
Und sie gingen mitein-
ander hinaus nach ihrer
Gewohnheit, als
wollten sie beten gehen.

(JUDIT 13, 9–11)

▷

Jona und der Wal: hebräisches Manuskript des 15. Jahrhunderts

Judit: Sandro Botticelli (1444/45–1510)

Die Verkündigung: Holzrelief des Ottobeurener Meisters (um 1520)

◁

Da sprach der Engel zu ihr . . .: Du wirst schwanger werden und einen Sohn gebären; und du sollst ihm den Namen Jesus geben.

(LUKAS 1, 30–31)

Der verlorene Sohn: Radierung von Rembrandt (1606–1669)

Er . . . hob ihn auf sein Tier, brachte ihn in eine Herberge und pflegte ihn.

(LUKAS 10, 34)

▽

Der gute Samariter: Radierung von Rembrandt

△ *Einzug Christi in Jerusalem:* Pietro Lorenzetti (tätig 1320–1348)

Die meisten aber unter dem Volk breiteten ihre Kleider auf dem Wege aus; andre hieben Zweige von den Bäumen und streuten sie auf den Weg. Die Volksmenge aber, die ihm voranging und nachfolgte, rief: Hosianna dem Sohne Davids! Gepriesen sei, der da kommt im Namen des Herrn! Hosianna in den Höhen!

(MATTHÄUS 21, 8–9)

Und sie spien ihn an, nahmen das Rohr und schlugen ihn auf das Haupt.

(MATTHÄUS 27, 30)

▷ *Verspottung Christi:* Fra Angelico (1387/88–1455)

Seite 52/53: Maestà (Ausschnitt): Duccio di Buoninsegna (tätig 1278–1319)

Seite 52/53 ▷

Jesus den Nazaräer, einen Mann, der von Gott vor euch beglaubigt worden ist durch machtvolle Taten und Wunder und Zeichen, . . . diesen . . . habt ihr durch die Hand der Gesetzlosen [ans Kreuz] *annageln und töten lassen. Und ihn hat Gott auferweckt, indem er die Wehen des Todes löste, wie es denn nicht möglich war, daß er von ihm festgehalten würde.*

(APOSTELGESCHICHTE 2, 22–24)

Da nahmen sie den Leib Jesu und banden ihn samt den Gewürzen in leinene Binden, wie es bei den Juden Sitte ist zu begraben.

(JOHANNES 19, 40)

▽

Kreuzabnahme Christi: Rogier van der Weyden (um 1400–1464)

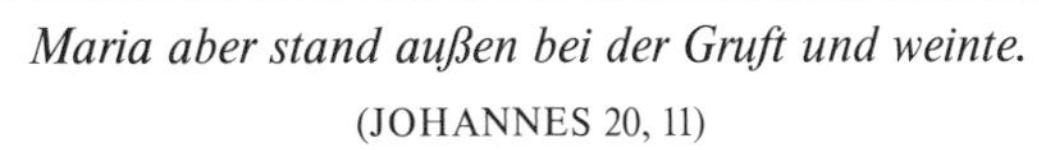

Maria aber stand außen bei der Gruft und weinte.
(JOHANNES 20, 11)

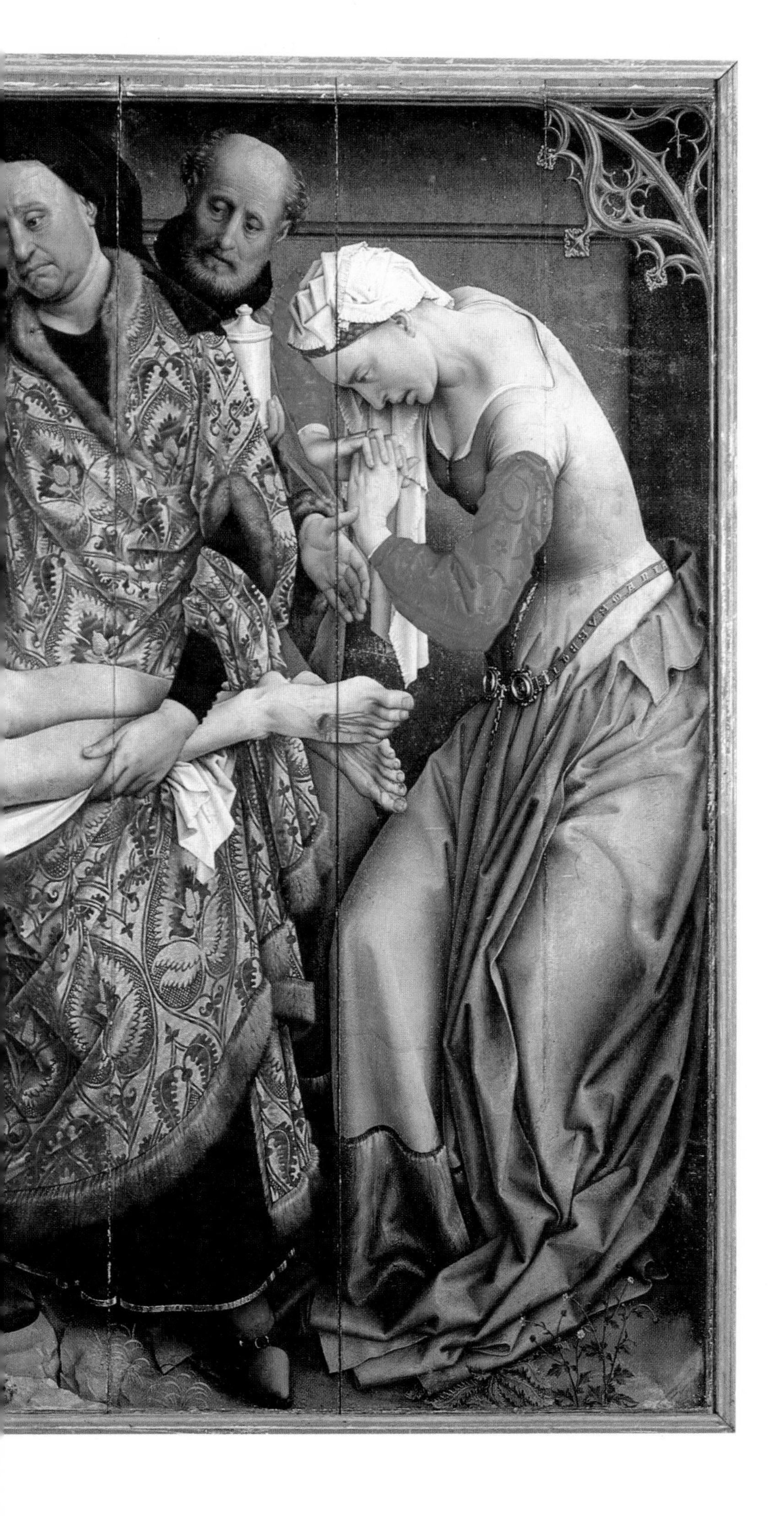

Die Büßerin Maria Magdalena: Holzskulptur von Donatello (1386–1466)

Und es erschienen ihre Zungen, die sich zerteilten . . .
Und sie wurden alle mit dem heiligen Geist
erfüllt und fingen an, in andern Zungen zu reden, wie
der Geist ihnen auszusprechen gab.

(APOSTELGESCHICHE 2, 3-4) ▷

Ausgießung des Heiligen Geistes: El Greco (1541–1614)

Petrus' Kummer über seine Verleugnung des Herrn: äthiopisches Manuskript des 17. Jahrhunderts △

Da erinnerte sich Petrus des Wortes, wie Jesus zu ihm
gesagt hatte: Ehe der Hahn zweimal kräht,
wirst du mich dreimal verleugnen. Und er verhüllte
sich und weinte.

(MARKUS 14, 72)

Die Bekehrung des Paulus: karolingisches Manuskript des 9. Jahrhunderts △

Und als ich . . . nach Damaskus reiste, sah ich mitten
am Tag auf dem Weg, o König, ein Licht, das
vom Himmel her mich und meine Begleiter heller als der
Glanz der Sonne umleuchtete. Da stürzten
wir alle zur Erde nieder, und ich hörte eine Stimme in
hebräischer Sprache zu mir sagen: Saul, Saul,
was verfolgst du mich? . . . Ich aber sagte: Wer bist du,
Herr? Da sprach der Herr: Ich bin Jesus, den du
verfolgst. Doch steh auf und stelle dich auf deine Füße!
Denn dazu bin ich dir erschienen, dich zu bestimmen
zum Diener und Zeugen dessen, wie du mich gesehen
hast und dessen, wie ich dir [künftig] *erscheinen werde.*

(APOSTELGESCHICHTE 26, 12-16)

DRITTER TEIL
DIE SCHAUPLÄTZE

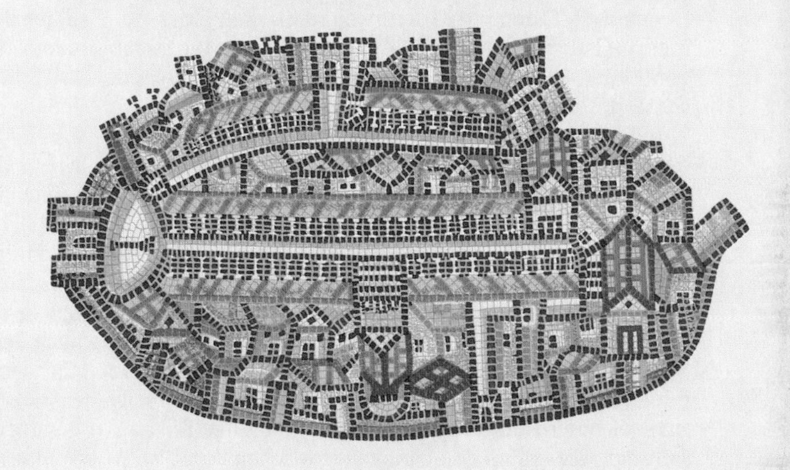

DIE GEOGRAPHIE ALT-ISRAELS

Das Land der Bibel unterteilt man am zweckmäßigsten in sechs Streifen, die in Nordsüdrichtung nebeneinanderher verlaufen. Der erste Streifen ist die Küstenebene. Sie beginnt - wenn man auf der Landkarte »oben« anfängt - 20 km nördlich von Akko an der Nordspitze der Bucht von Haifa. Anfangs nur etwa 5 km breit, erweitert sie sich, je näher man der Bucht von Haifa kommt, auf annähernd 13 km. Im Süden der Bucht wird sie durch das Karmelmassiv unterbrochen. Doch südlich vom Karmel beginnt sie erneut, ist aber über etwa 30 km nur etwa 4 km (wenn nicht weniger) breit. Erst südlich des Nahal Tanninim weitet sie sich, bis sie schließlich dort, wo das Tal Ajalon Zugang zum zentralen Hochland gewährt, eine Breite von mehr als 20 km erreicht hat. Südlich hiervon geht diese Ebene nach Osten hin in den zweiten Streifen (oder vielmehr »Halbstreifen«) über - in die Schefela. Im Süden von Gaza setzt dann der Übergang zu der Wüstenlandschaft des Negevgebietes ein.

In biblischen Zeiten verlief die Küste bei Haifa östlich der heutigen Linie, und es lagen Sümpfe am Nord- und Südende der Bucht. Südlich des Karmel bestand die küstennahe Region entweder aus Sand- oder Sumpfgelände, doch war die Gegend - insbesondere an den Mündungen der Flüsse und der jahreszeitlich Wasser führenden Trokkenbetten durchaus bewohnbar. Im Süden des Nahal Taninim gab es Eichen- und Johannisbrotbaumbestände. Siedlungen befanden sich am Ostrand der Ebene am Fuß der Zentralberge. Der zweite Streifen, die Schefela, setzt sich aus einer Reihe welliger Hügel und breiter Täler zusammen. Sie bilden den Übergang zwischen der Küstenebene und dem zentralen Hochland. Dieses Gelände wird von der Küstenebene nach Osten von zahlreichen Straßen durchzogen. Einige der Täler stellen wichtige Nordsüdverbindungen dar und teilen gleichzeitig die Schefela in einen West- und Ostabschnitt.

Der dritte Streifen ist das zentrale Hochland. In Obergaliläa beginnend, besteht es aus eindrucksvollen Massiven, die mehr als 1000 m Höhe erreichen. Diese Höhenzüge sind nach keiner Richtung hin leicht passierbar, weshalb sie von antiken Verkehrsrouten nach Möglichkeit gemieden wurden. In Untergaliläa unterbrechen mehrere, etwa ostwestlich verlaufende und ziemlich breite Täler diese Massive. Durch sie führten die Routen von der Küstenebene zum Gebiet des Sees Gennesaret.

Die bedeutendste dieser Unterbrechungen ist die Jesreelebene, die sich annähernd von Nordwesten nach Südosten erstreckt und an ihrer breitesten Stelle (Nordsüdrichtung) etwa 25 km mißt. Südlich der Jesreelebene steigen die Berge an, bis sie, immer wieder mit Tälern abwechselnd, im zentralen Hochland von Samaria Höhen um etwa 900 m erreichen. Südlich von Nablus führt ein langes, enges Tal immer tiefer ins Herz des Berglands bis hin zu den Hügeln von Bet-El. Hier werden die Talsenken spärlicher, und die Hauptstraße windet sich in stetig engeren Kurven durchs Gebirge. Den nächsten Abschnitt des zentralen Hochlands stellt der Jerusalemer Sattel dar. Charakteristisch für ihn sind ein kleines Plateau im Norden sowie Täler im Osten und Westen. Südlich von Betlehem ragen die Berge mehr als 1000 m auf, bevor das Hochland zum Negevgebiet hin abfällt.

Den vierten Streifen bildet der Jordangraben. Er ist Teil eines Grabenbruchs, der sich bis nach Ostafrika erstreckt. Bereits die Oberfläche des Sees Gennesaret liegt 210 m unter dem Meeresspiegel. Und doch senkt sich das Jordantal noch immer weiter bis hinab zum Toten Meer, dessen Spiegel nicht weniger als 400 m unter dem des Mittelmeers liegt. Die klimatischen Bedingungen in diesem Grabenbruch reichen vom semiariden bis hin zum ariden Klima (Trockenklima), ja stellenweise herrschen sogar wüstenähnliche Verhältnisse. Eine Ausnahme davon sind lediglich die besser bewässerten Bereiche unmittelbar am Jordanufer.

Der fünfte Streifen besteht aus dem Bergland östlich des Jordans. Im Nordosten des Sees Gennesaret messen auch die dortigen Erhebungen bis zu 1100 m, bevor sie in eine Hochebene übergehen, die sich dann bis nach Damaskus zieht. Das bergige Gelände südlich des Sees Gennesaret ähnelt dem Zentralplateau westlich des Jordans. Weiter nach Süden hin trifft man auf Hochplateaus von 800–900 m Höhe. Eine Besonderheit des ostjordanischen Berglands ist, daß es durch mehrere tiefeingeschnittene, ostwestlich verlaufende Flußtäler gegliedert wird. Weiter gegen Osten geht dieser fünfte Streifen dann allmählich in den sechsten über: die syrische Wüste. Sie trug einstmals eine Vegetationsdecke aus Gräsern, Zwergsträuchern und sogar Bäumen, weist heute aber nur nach Frühjahrsniederschlägen Begrünung auf.

Wie diese kurze Beschreibung zeigt, ist das Land der Bibel voller großer Kontraste. Jeder »Streifen« hat seine ganz besondere Eigenart, und wenn man sie nacheinander von West nach Ost durchquert, treten auch beachtliche Höhenunterschiede auf. Hinter der Küstenebene, die praktisch auf Meeresspiegelhöhe liegt, streben die Gipfel des zentralen Hochlands bis zu 1000 m über Normal Null empor. Dann geht es steil hinab in den Jordangraben, dessen tiefste Stelle 400 m unter Meeresspiegel mißt. Danach steigt das Gelände abermals auf 1000 m an, bevor es allmählich in die Wüste übergeht.

Rechts: Die geographischen Verhältnisse
Auf der Karte erkennt man eine bestimmte Wechselbeziehung zwischen den im Text beschriebenen »Streifen« und der zugrunde liegenden geologischen Struktur. So hebt sich beispielsweise die Schefela klar hervor, ebenso die kleinen Täler, die für das zentrale Bergland im Norden so typisch sind.

Unten: Der Querschnitt von West nach Ost
Der Querschnitt als solcher wird der Komplexität der Landschaft nicht gerecht. Doch macht er die erheblichen Höhenunterschiede der verschiedenen Regionen deutlich. Am auffallendsten ist der Jordangraben, der auf beiden Seiten von hohen Bergketten eingerahmt wird.

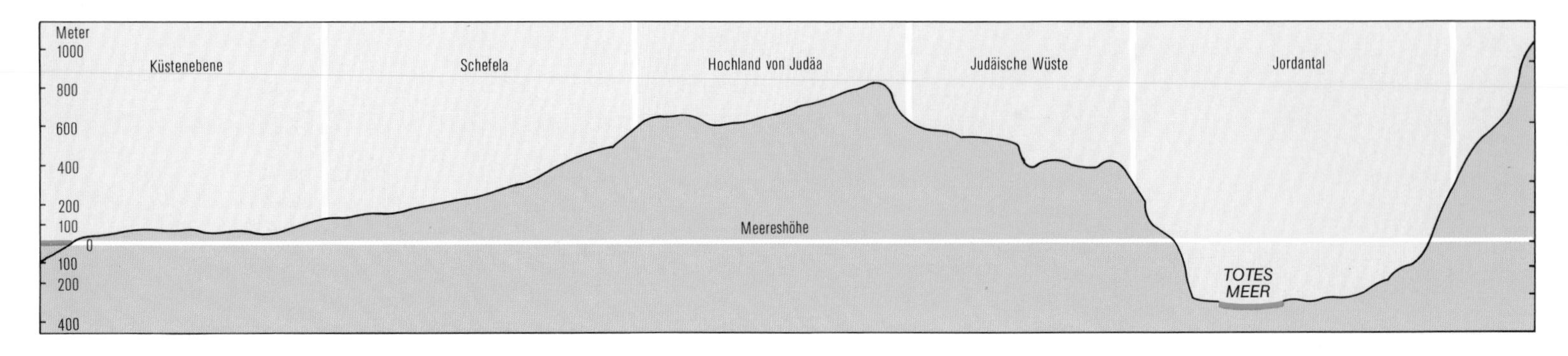

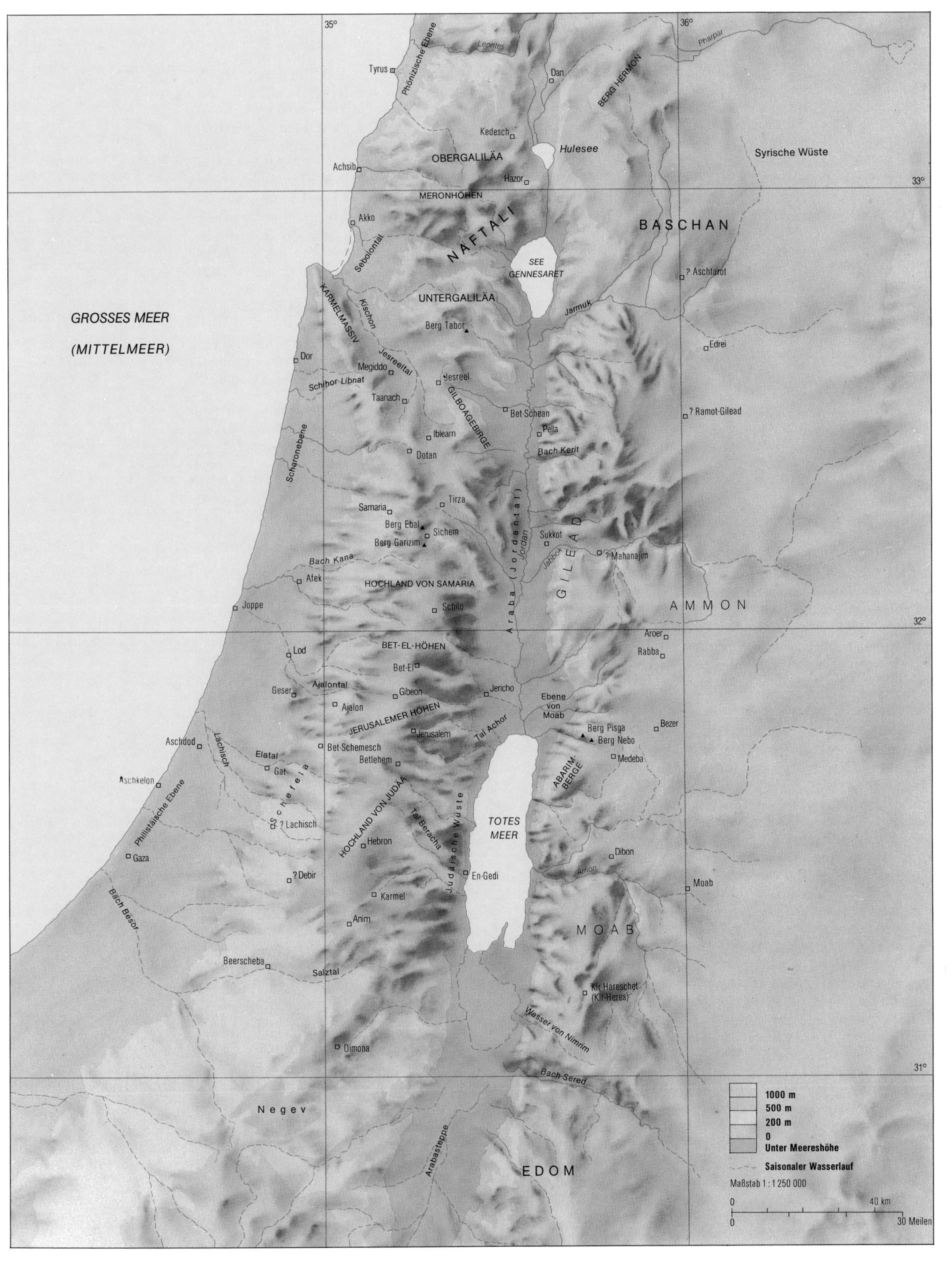
35°
36°
Leontes
Pharpar
Phönizische Ebene
Tyrus
Dan
BERG HERMON
Kedesch
OBERGALILÄA
Hulesee
Syrische Wüste
Achsib
Hazor
33°
MERONHÖHEN
Akko
NAFTALI
BASCHAN
Sebolontal
SEE GENNESARET
? Aschtarot
KARMELMASSIV
Kischon
UNTERGALILÄA
Jarmuk
GROSSES MEER
(MITTELMEER)
Berg Tabor
Edrei
Dor
Jesreeltal
Megiddo
Jesreel
Schihor-Libnat
Taanach
GILBOAGEBIRGE
Bet-Schean
? Ramot-Gilead
Pella
Iblearn
Scharonebene
Dotan
Bach Kerit
Tirza
Samaria
Araba (Jordantal)
Jordan
Berg Ebal
Sichem
Berg Garizim
Sukkot
GILEAD
Jabbok
? Mahanajim
Bach Kana
Afek
HOCHLAND VON SAMARIA
Joppe
Schilo
AMMON
32°
Aroer
BET-EL-HÖHEN
Lod
Rabba
Bet-El
Geser
Ajalontal
Gibeon
Jericho
Ajalon
Ebene von Moab
JERUSALEMER HÖHEN
Tal Achor
Bezer
Berg Pisga
Aschdod
Jerusalem
Berg Nebo
Lachisch
Bet-Schemesch
Elatal
Medeba
Betlehem
Gat
ABARIM-BERGE
Aschkelon
Schefela
HOCHLAND VON JUDÄA
Philistäische Ebene
Tal Beracha
Judäische Wüste
TOTES MEER
? Lachisch
Hebron
Gaza
Dibon
Arnon
? Debir
En-Gedi
Moab
Bach Besor
Karmel
Anim
MOAB
Beerscheba
Salztal
Kir-Hareschet (Kir-Heres)
Wasser von Nimrim
Dimona
31°
Bach Sered
Negev
Arabasteppe
EDOM
1000 m
500 m
200 m
0
Unter Meereshöhe
Saisonaler Wasserlauf
Maßstab 1 : 1 250 000
0
40 km
0
30 Meilen

Auch die Temperaturunterschiede sind bemerkenswert. Der schärfste Kontrast besteht dabei auf der Jordan-Westseite zwischen den Bergen Judäas und dem Ufergelände des Toten Meers. Kein Wunder, daß zu allen Zeiten, die durch schriftliche Aufzeichnungen belegt sind, diejenigen, die es sich leisten konnten, stets zwei Wohnsitze hatten: eine Winterresidenz am Toten Meer und ein Sommerhaus im Zentralplateau. In den Bergen östlich des Jordans gibt es gleichfalls beträchtliche Klimaschwankungen. Hier sind die Sommer kühler und die Winter härter als in der Bergregion des Westens.

Doch selbst innerhalb ein und desselben »Streifens«, wie beispielsweise im zentralen Hochland westlich des Jordans, kann es Veränderungen geben, die sich denkbar nachhaltig auf Bewohnbarkeit und Passierbarkeit auswirken. Solche Unterschiede bestehen hier etwa zwischen dem Jerusalemer Sattel, den Höhen von Bet-El und dem Bergland von Samaria. Reist man nach Norden, so führt die Straße zunächst schnurgerade über ein kleines Plateau, quält sich dann in endlos scheinenden Kehren an Bergflanken empor und erreicht schließlich ein Gebiet sanft gerundeter Kuppen und auffällig kleiner Täler.

Aus dieser geophysikalischen und klimatischen Vielfalt resultierte eine naturgegebene Aufsplitterung des Landes, die sich auch in der heterogenen Bevölkerungsstruktur niederschlug, die vor dem Eintreffen der Israeliten bestand. Der biblische Bericht spricht an verschiedenen Stellen von sieben, in Genesis 15, 19–21 sogar von zehn Völkern, die hier zur Zeit der Landnahme ansässig waren. Ein Licht auf diese Heterogenität wirft gleichermaßen der Bericht der Kundschafter, die Moses ausgesandt hatte: *Es wohnen die Amalekiter im Südland, die Hethiter und Jebusiter und Amoriter wohnen auf dem Gebirge, die Kanaanäer aber wohnen am Meer und am Jordan* (Numeri 13, 29). Bevor wir aber die einzelnen Regionen Israels und die dort spielenden historischen Ereignisse behandeln, wollen wir einen Blick auf die natürlichen Verhältnisse in der biblischen Periode werfen.

Die biblische Landschaft

Manche Gebiete Israels und des Westjordanlandes haben in den letzten 60 Jahren bedeutende Veränderungen erlebt, selbst im Vergleich zum vergangenen Jahrhundert. Am auffälligsten ist dies in der Küstenebene, unmittelbar südlich des Sees Gennesaret sowie in der Umgebung Jerusalems. Doch von diesen Bereichen offensichtlicher Verstädterung, Industrialisierung und erst jüngst erfolgter Intensiv-Bodennutzung einmal abgesehen, erhebt sich die generelle Frage, inwieweit die heutige Geographie jener in biblischer Zeit entspricht.

Hier ist zunächst anzumerken, daß die biblische Periode ziemlich lang war. Sie umfaßte 1300 Jahre von der israelitischen Eroberung Kanaans bis zum Ende des 1. christlichen Jahrhunderts, ja sie dauerte sogar noch erheblich länger, wenn man den konservativen Zeitansatz (um 1750 bis 1500 v. Chr.) für die Patriarchen Abraham, Isaak und Jakob zugrunde legt. Es erscheint undenkbar, daß in einer solch enormen Spanne keine Veränderungen der Landschaft stattfanden, zumal bei der regen Bautätigkeit Davids und Salomos. Dennoch wird allgemein postuliert, daß das alte Israel zu Beginn der biblischen Ära (also – um sich auf eine Datierung zu einigen – etwa ab 1200 v. Chr.) weitgehend dem jetzigen Bild – mit den kahlen oder lediglich mit Buschwerk und Gestrüpp bewachsenen Hügeln – ähnelte.

Daß freilich die Situation nicht mehr der in ganz frühen Zeiten (etwa um 4000 v. Chr.) gleicht, ist ein Gemeinplatz. Denn damals waren die Berge westlich des Jordans, südlich von Hebron beginnend und dann weiter nach Norden hin, mit immergrünem Eichenwald bedeckt, und auch in Bereichen wie der Küstenebene sowie in Teilen des Karmelmassivs erstreckten sich ausgedehnte Vorkommen der Taboreiche. Außerdem liegt auf der Hand, daß der Verlust dieser Baumbestände Ursache für die allmähliche Bodenerosion war, die man noch heute in Gegenden beobachten kann, wo nicht während der letzten Jahre das Erdreich neu aufgeschüttet wurde. Denn die Regensaison, die etwa von Oktober bis April dauert, kann sehr heftige Wolkenbrüche mit sich bringen. Immergrüne Bäume hemmen die Wassermassen, und ihre Wurzeln sowie das mit ihnen vergesellschaftete Strauchwerk halten die Feuchtigkeit fest. Fehlt dieser Bewuchs aber, gibt es keinerlei Halt für das Erdreich, das dann von den Berghängen zu Tal gewaschen wird. Einen fundamentalen Klimawechsel gab es seit der biblischen Zeit in Palästina nicht – lediglich der Boden wurde weggespült, weil die Bäume fehlten.

Über all dies herrscht Konsens. Umstritten bleibt allein das Ausmaß der Waldvernichtung und der daraus resultierenden Erosion. Vor dem Versuch, diese Frage zu beant-

Ganz rechts: Die geologische Struktur Die hier dargestellten charakteristischen geologischen Erscheinungsformen ergänzen und illustrieren die auf Seite 58 behandelten physischen Gegebenheiten des Landes.

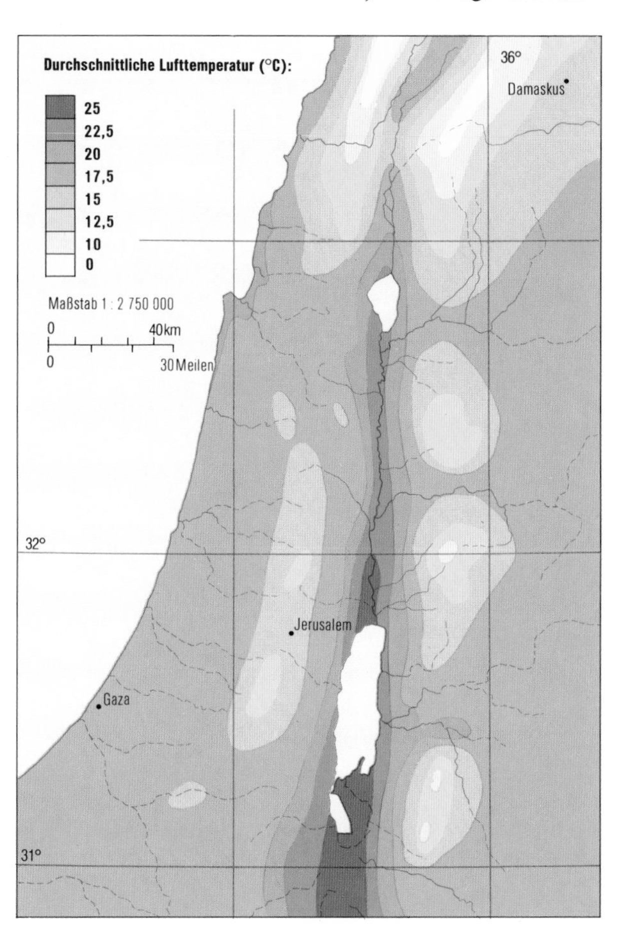

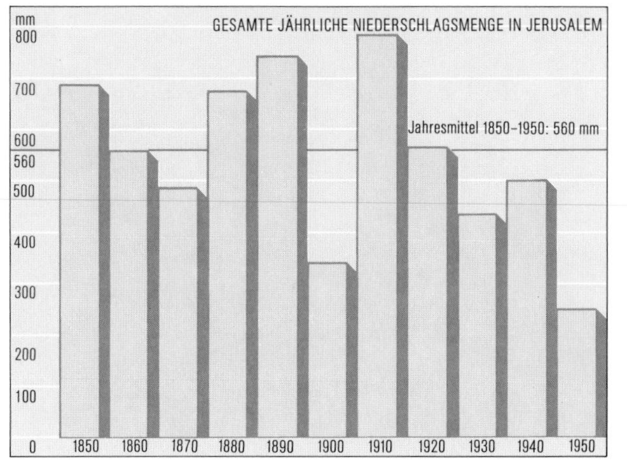

Rechts und links: Das Klima
Die Niederschlags- und Temperaturkarten beleuchten gleichfalls die komplexen Umweltbedingungen. Die Regenmenge ist am höchsten im Norden, niedriger im Süden. Sie nimmt auch in der Nähe des Jordangrabens ab. Wie die Temperaturkarten verdeutlichen, entspricht die Regensaison (etwa Oktober bis März) der kühleren Jahreszeit. Verallgemeinernd gesagt gibt es in Israel also eine warme, trockene und eine kühlere, feuchte Periode.

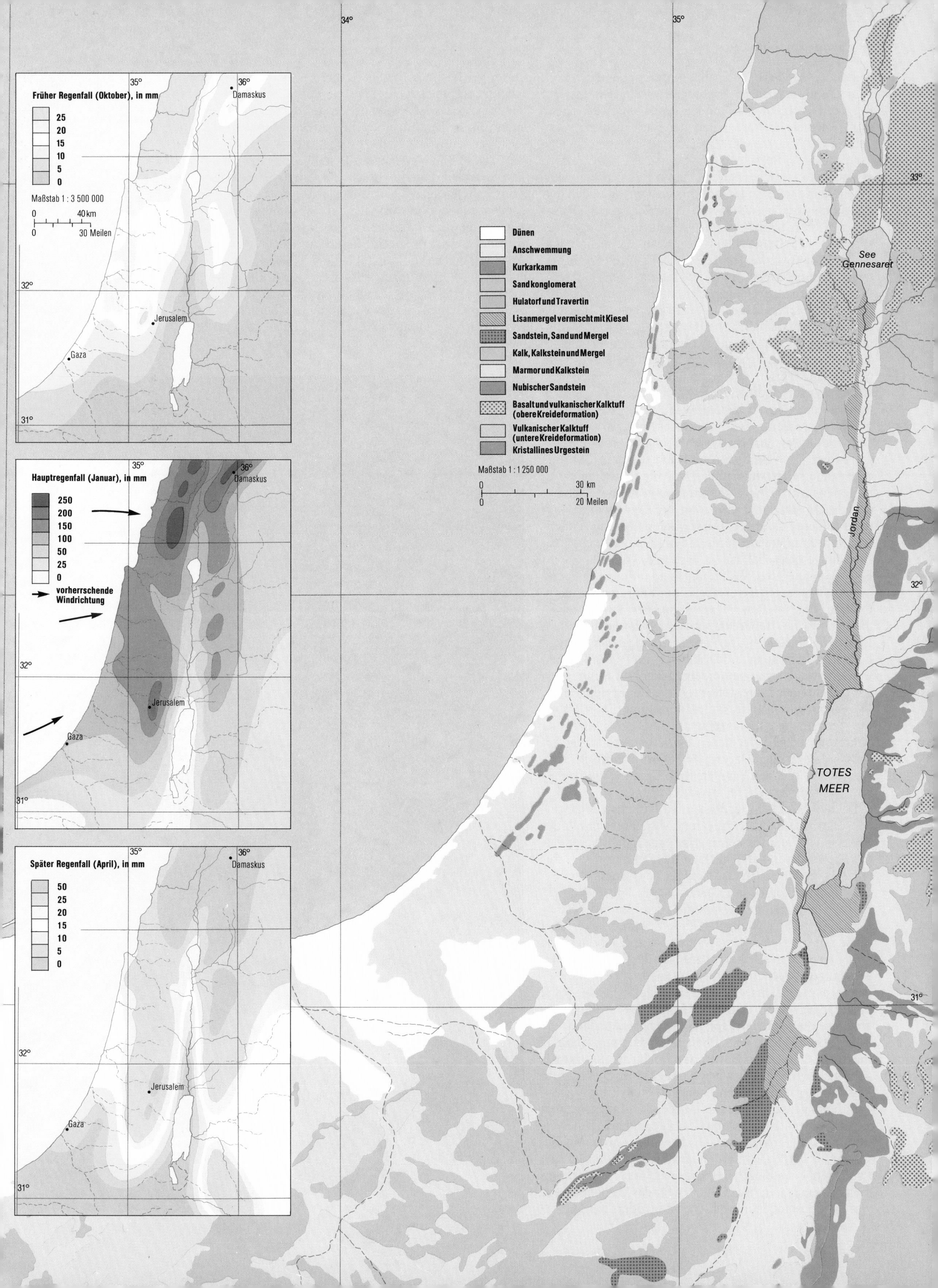

Früher Regenfall (Oktober), in mm
25
20
15
10
5
0
Maßstab 1 : 3 500 000
0
40 km
0
30 Meilen
35°
36°
32°
31°
Damaskus
Jerusalem
Gaza
Hauptregenfall (Januar), in mm
250
200
150
100
50
25
0
vorherrschende Windrichtung
Später Regenfall (April), in mm
50
25
20
15
10
5
0
34°
35°
33°
32°
31°
Dünen
Anschwemmung
Kurkarkamm
Sandkonglomerat
Hulatorf und Travertin
Lisanmergel vermischt mit Kiesel
Sandstein, Sand und Mergel
Kalk, Kalkstein und Mergel
Marmor und Kalkstein
Nubischer Sandstein
Basalt und vulkanischer Kalktuff (obere Kreideformation)
Vulkanischer Kalktuff (untere Kreideformation)
Kristallines Urgestein
Maßstab 1 : 1 250 000
0
30 km
0
20 Meilen
See Gennesaret
Jordan
TOTES MEER

worten (wenngleich auch nur mittels möglichst durch Fakten untermauerter Schätzungen), wollen wir uns dem Kern des Problems zuwenden. Man kommt der Sache wohl sehr viel näher, wenn man den Blick auf die Einwanderung der Israeliten in Kanaan und auf die damalige israelitische Gesellschaftsstruktur richtet. Auf Anhieb erscheint es einfacher, sich in einem Raum niederzulassen, in dem starke Bodenerosion den Zugang zu den bergigen Landstrichen weitab von den mächtigen Stadtstaaten erleichtert, als in noch reichbewaldeten Gebieten, die systematische Brandrodung erfordern. Ja mehr noch: Wenn Seßhaftwerdung und die Notwendigkeit organisierter Zusammenarbeit Hand in Hand gingen, hätte die Inbesitznahme bewaldeter Flächen gewiß eine noch vielschichtigere soziale Gliederung erfordert als bei »leeren« Bergregionen, wo man seine Herden weiden lassen konnte. Eine ganze Reihe neuerer Darstellungen der israelitischen Landnahme geht davon aus, daß die Siedler in erster Linie Hirten mit einer patriarchalischen Sozialstruktur waren und daß diese Sippen durch ein Territorium streiften, das in seinem wesentlichen Aufbau dem heutigen Israel entsprach - zumindest dort, wo agrarische Entwicklungsmaßnahmen noch keinerlei Früchte getragen haben. Doch es liegt auf der Hand, daß man die Dinge völlig anders betrachten muß. Denn die Einwanderer waren offensichtlich Ackerbauern oder mußten es werden, weil die Umstände sie dazu zwangen: Sie wurden seßhaft in bewaldeten Gebieten und verfügten über eine Gesellschaftsstruktur, die bestimmten Individuen die Macht gab, die gemeinschaftlich zu leistende Arbeit zu planen und zu organisieren. Während ich diese Zeilen zu Papier bringe, sind Fragen der Ökologie, der Nahrungsmittelproduktion, der sozialen Organisation, der Bevölkerungsdichte sowie des Besiedlungsmusters während der frühen Eisenzeit (ab 1200 v. Chr.) immer häufiger Gegenstand intensiver Forschung und Diskussion, und diese Themen werden zweifellos in den bibelkundlichen Erörterungen der kommenden Jahre stetig breiteren Raum einnehmen. Gegenwärtig freilich steckt die Erforschung dieser Probleme noch in den Kinderschuhen, und der vorliegende Atlas kann lediglich versuchen, *einen* Beitrag hierzu zu leisten, indem er darstellt, was wir aufgrund von Schätzungen bislang über den Waldreichtum Kanaans bzw. Israels um das Jahr 1200 v. Chr. aussagen können.

Bei der Ausarbeitung des kartographischen Teils wurden alle bekannten wichtigeren Ansiedlungen aus der Phase erfaßt, die wir summarisch als 2. Jahrtausend v. Chr. bezeichnen. Tatsächlich ist die Definition »2. Jahrtausend« ziemlich ungenau, weil zahlreiche der betreffenden Örtlichkeiten de facto bis auf das 3. Jahrtausend zurückgehen. Außerdem waren die verzeichneten Niederlassungen nicht unbedingt ständig bewohnt, manchmal sogar nur ganz kurz. Und während des 2. Jahrtausends erfolgten bedeutende Veränderungen der Siedlungsstruktur. Worauf es jedoch grundlegend ankommt, ist aufzuzeigen, wo man damals prinzipiell siedeln *konnte*, völlig unabhängig von der Dauer. Mit wenigen Ausnahmen bevorzugte man Ränder gebirgiger Zonen, Anhöhen, die Täler beherrschten, oder Ebenen am Fuß von Gebirgsmassiven. Die Kernregionen der Hochplateaus, oftmals auch weite Höhenzüge, blieben unbewohnt. Dies lag zum Teil daran, daß es an den fraglichen Stellen nicht genügend Trinkwasservorräte gab, auf jeden Fall aber eigneten sie sich schlecht für agrarische Zwecke. Indes liegt die Vermutung nicht fern, daß sie auch bewaldet waren. Auf diesen Punkt werden wir bei der nachfolgenden detaillierten Erörterung der einzelnen Regionen noch zurückkommen, wo auch literarische Quellen für das Vorhandensein von Waldbeständen in biblischer Zeit zitiert werden.

Heutige Besucher Israels erfahren verblüffendste landschaftliche Kontraste auf engstem Raum. Trotzdem sollten sie sich stets vor Augen halten, daß die Menschen, von denen das heilige Buch berichtet, in einer sehr viel waldreicheren Umwelt lebten als die jetzigen Israelis. Und es gab Wild in beträchtlicher Fülle: Löwen, Leoparden und Bären, um nur die gefürchtetsten Arten zu nennen. Zweifellos haftete den Wäldern für viele etwas Furchteinflößendes und Geheimnisvolles an. Sie waren Sitz jener Mächte, die allen Versuchen entgegenwirkten, das Dasein zu ordnen und zu regeln. Zwar kann der vorliegende Atlas, was diesen Punkt angeht, nur mit (wenn auch untermauerten) Vermutungen aufwarten, doch können aufmerksame Bibelleser selbst prüfen, in welchem Maße Waldlandschaften und das Vorkommen gefährlicher Tiere das Leben beeinflußten und in die Symbolsprache der Bibel eingingen.

Unten: Auf diesem Satellitenphoto des Gebiets um das Tote Meer erscheinen die begrünten Flächen als rote Flecken.

Unten: Die Vegetation Alt-Israels
Dargestellt sind die Vegetationsräume, wie sie wahrscheinlich bestanden, bevor menschliche Besiedlung die Landschaft erheblich veränderte. Davor gab es ausgedehnte Waldflächen mit immergrünen Eichen und den entsprechenden Pflanzen dieses Biotops. Wir gehen davon aus, daß diese alte Walddecke um 1200 v. Chr. weit umfangreicher war, als oft angenommen wird.

Rechts: Die heutige Bewirtschaftung
Diese Karte zeigt den großen Gegensatz zwischen dem Nutzland im alten und neuen Israel. Sieht man von der Urbanisierung und Industrialisierung bestimmter Teile ab, so haben moderne Bewässerungs- und Ackerbaumethoden die agrarische Nutzung in Gebieten möglich gemacht, die dies früher nicht kannten. Heutige Besucher sollten sich immer vor Augen halten, daß zwar das Land in seinen grundlegenden Umrissen unverändert blieb, Vegetation und Landwirtschaft sich jedoch erheblich von den Verhältnissen in biblischer Zeit unterscheiden.

Das Heilige Land in der Kartographie

Wahrscheinlich ist kein anderer Teil der Welt so oft kartographiert worden wie Erez Israel. Vom Siegeszug des Christentums im Römischen Reich im frühen 4. Jahrhundert bis zur Eroberung durch die Muslime 638 war es Ziel von Pilgerreisen. Die Kreuzzüge des 10.–12. Jahrhunderts brachten es dann für etwa ein Jahrhundert wieder unter die Kontrolle der westlichen Christenheit. Doch auch das Interesse der jüdischen Diasporagemeinde an ihrer angestammten Heimat überdauerte die Zeiten. Pilger und Besucher hielten ihre Eindrücke schriftlich fest, und topographische Studien dieses Gebiets machten stets einen wesentlichen Bestandteil der Bibelstudien aus. Seit dem 15. Jahrhundert existieren viele Versuche, ein Porträt des Landes oder zumindest wichtiger Teile, wie zum Beispiel Jerusalems, zu geben. Doch darf man nicht vergessen, daß bis zum 19. Jahrhundert keine wissenschaftlichen Berichte im heutigen Sinn entstanden. Hier soll ein Überblick zeigen, wie das Heilige Land dem Bibelleser in früherer Zeit präsentiert wurde.

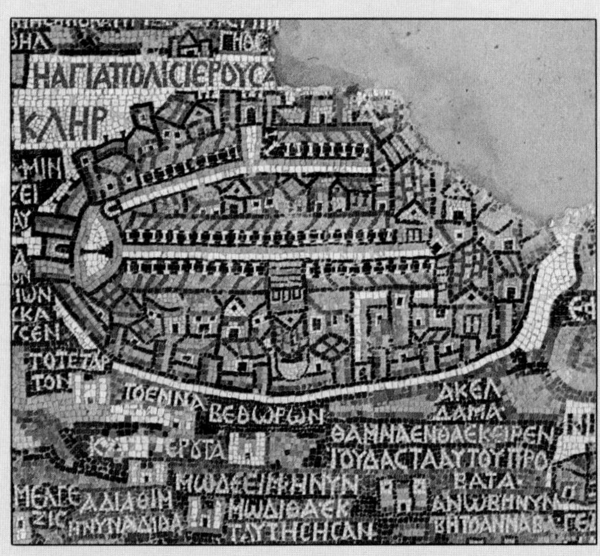

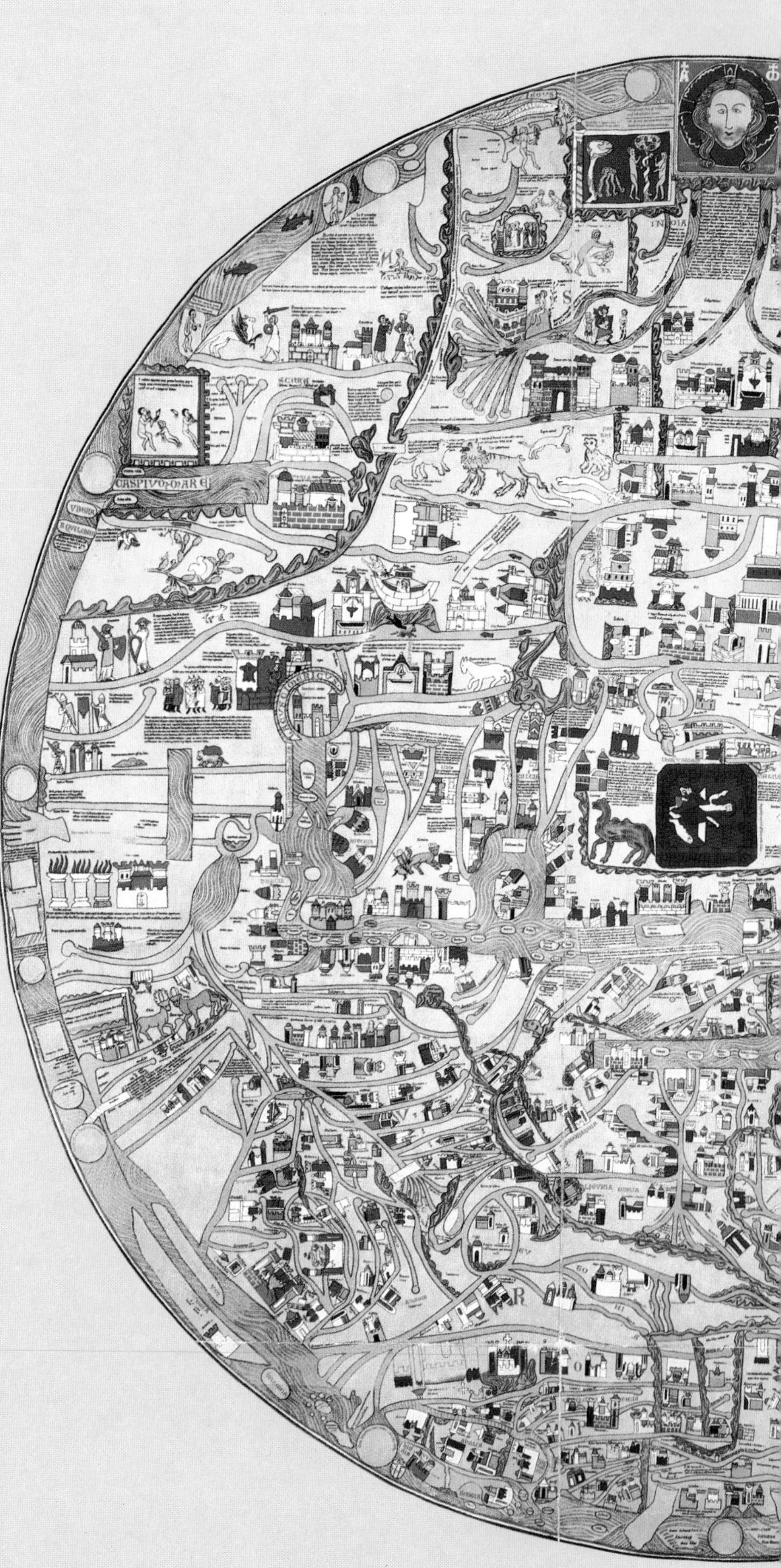

Unten: Eine Weltkarte aus dem 13. Jahrhundert mit Jerusalem als Zentrum. Man hat versucht, nicht nur die geographischen Verhältnisse der Länder wiederzugeben, sondern auch ihre Bewohner sowie die charakteristischen Tiere und Landschaften darzustellen. Zu jener Zeit bildete der Bericht von der Verteilung der Stämme in Genesis 10 eine der wesentlichen Informationsquellen über die geographische Beschaffenheit der Erde und über ihre Völker.

Unten. Die *Chronica maiora* (13. Jahrhundert) des englischen Mönchs Matthew Paris enthält eine Karte der Pilger- und Kreuzfahrerroute von Britannien ins Heilige Land. Auf dem hier gezeigten Ausschnitt sind die Häfen entlang der Küste Palästinas und Jerusalem zu sehen.

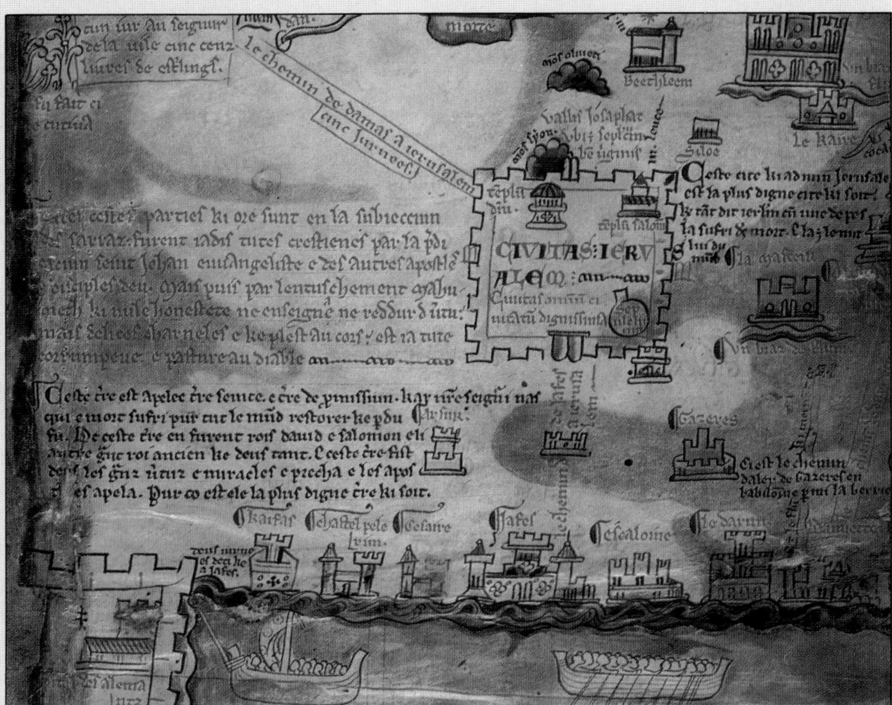

Links außen oben: Die Karte auf der Tontafel (etwa 600 v. Chr.) zeigt nicht speziell das Heilige Land, sondern das Babylonische Reich mit Babylon als Mittelpunkt.

Links außen unten: Dieses Mosaik, das 1884 in einer Kirche in Madaba östlich vom Toten Meer entdeckt wurde, gibt ein anschauliches Bild von Ägypten und dem Heiligen Land, wie es sich ungefähr um 600 n. Chr. darbot. Obwohl das Mosaik teilweise ziemlich beschädigt ist, blieb der hier abgebildete Abschnitt über das zeitgenössische Jerusalem gut erhalten und erlaubt die Identifizierung der heiligen Stätten. Die Kirche, die als traditioneller Ort der Auferstehung Christi gilt, befindet sich in der Mitte der unteren Stadthälfte.

Rechts. Die Karten, die vom *Palestine Exploration Fund* 1880 veröffentlicht wurden, bildeten die Grundlage für die gesamte folgende Kartographie des Heiligen Landes. Die Aufgabe oblag Mitgliedern der britischen *Royal Engineers*, die ab 1873 daran arbeiteten. Einer der Projektleiter war H. H. Kitchener, der 1914 britischer Kriegsminister wurde.

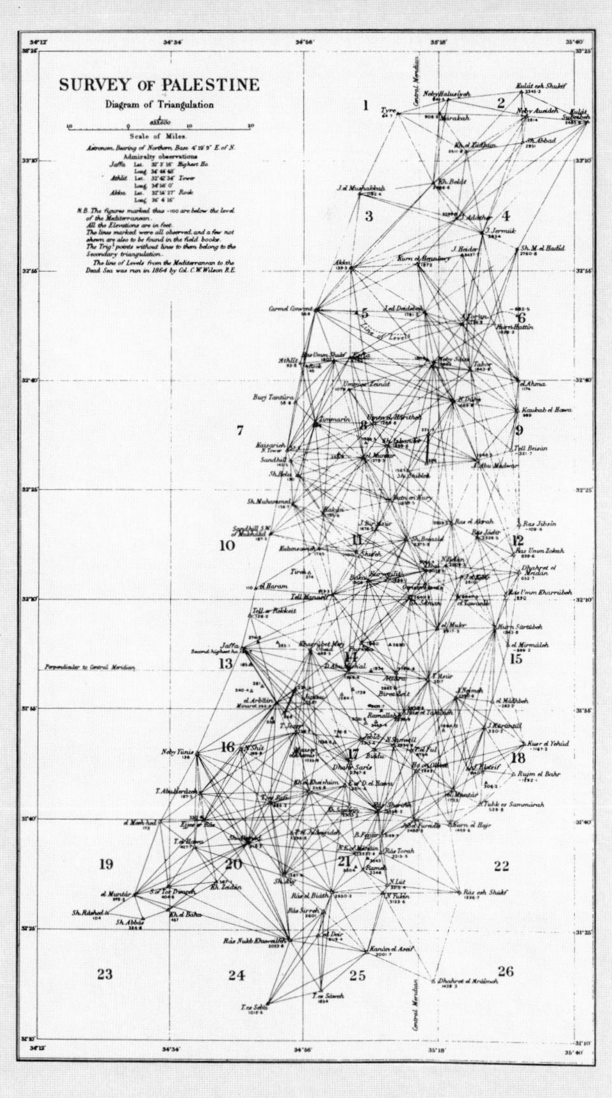

Biblische Fauna

Hunde sah man als unrein und verächtlich an. Hund wird in der Bibel verschiedentlich als Schimpfwort gebraucht (etwa in 2. Könige 8, 13 und 2. Samuel 3, 8) und war auch die Bezeichnung für männliche Prostituierte, die für ihre Dienste den »Hundelohn« erhielten.
Der Widder war ein gängiges Opfertier, sein Horn fand als Blasinstrument (Schofarhorn) Verwendung (Josua 6, 5).

Bären stellten eine Gefahr für die Herden dar (1. Samuel 17, 34–35), fielen gelegentlich aber auch Menschen an (2. Könige 2, 24).
Der Bienenhonig, mit dem die Speisen gesüßt wurden, bildete im alten Israel einen bedeutenden Handelsartikel (Ezechiel 27, 17). Augenscheinlich sammelte man ausschließlich den Honig wilder Bienen, Bienenzucht wird jedenfalls an keiner Stelle erwähnt.

Klippdachse rechneten zu den unreinen Tieren, galten aber als sehr weise: *Die Klippdachse sind ein Volk ohne Stärke, und bauen doch ihre Wohnungen in den Fels* (Sprüche 30, 26).
Stiere, als Fruchtbarkeitssymbole überall im Orient verehrt, dienten oft als Opfertiere (so ihrer tausend bei der Inthronisation Salomos) und werden in mehreren Bibelstellen wegen ihrer Kraft und Unbezähmbarkeit gerühmt.

Die Bibel erwähnt annähernd 130 Tierarten, und aus ihrem Verhalten werden manche Lehren gezogen. Jesaja beispielsweise setzt die Treue der Tiere zu ihren Herrn in Gegensatz zu Israels Untreue gegenüber Gott: *Der Ochse kennt seinen Meister, und der Esel die Krippe seines Herrn; Israel hat keine Einsicht, mein Volk hat keinen Verstand* (Jesaja 1, 3). Sprichwörter ermahnen den Faulpelz: *Gehe hin zur Ameise, du Fauler, betrachte ihre Weise, daß du klug werdest* (Sprüche 6, 6). Im Alten Testament wird die Fauna in vier (jeweils weiter unterteilte) Hauptgruppen gegliedert: Wassertiere, Flugtiere, Landtiere und Kriechtiere (Genesis 1, 26; 9, 2; 1. Könige 5, 13; Ezechiel 38, 20). Levitikus 11 und Deuteronomium 14, 3–21 geben ferner eine detaillierte Auflistung der reinen und unreinen Tiere.

Es läßt sich nicht immer genau feststellen, auf welche Arten sich die biblischen Bemerkungen beziehen. Moderne Bibelübersetzungen weichen in dieser Hinsicht oft von älteren Versionen ab, so etwa bei der Beschreibung des Schuhwerks in der Rede gegen das untreue Jerusalem (Ezechiel 16, 10): Luther nennt noch »Schuhe von feinem Leder«, das auch als »weiches Leder« (Herder Deutsche Bibel mit den Erläuterungen der Jerusalemer Bibel) erscheint, die Züricher Bibel verzeichnet sie als »Sandalen von Seehundsfell«, und auch die Variante »Delphinleder« taucht in einer Übersetzung auf. In der englischen *Authorized Version* (1611) wiederum ist von Dachsleder die Rede. Im folgenden werden einige Bibelstellen zitiert, die sich auf die biblische Fauna beziehen, und durch mittelalterliche Miniaturen illustriert.

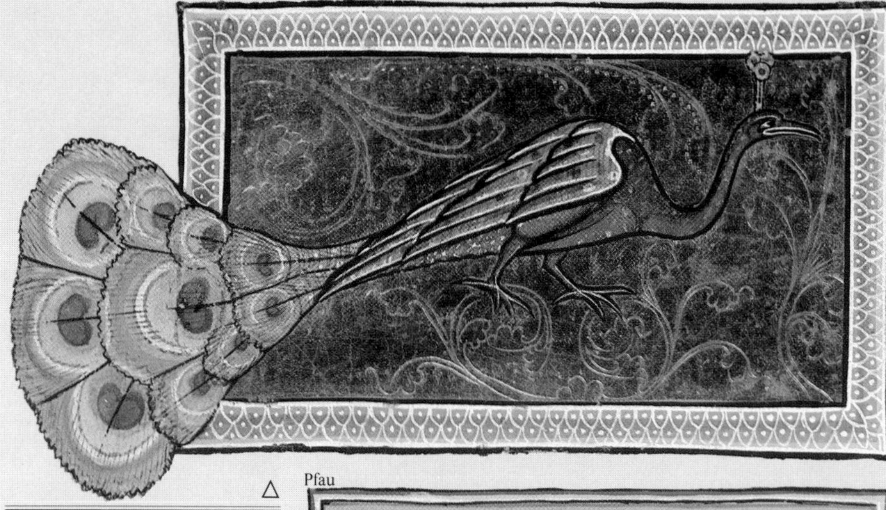

Pfau

△

Einmal alle drei Jahre kamen die Tharsisschiffe heim und brachten Gold, Silber, Elfenbein, Affen und Pfauen.

(1. KÖNIGE 10, 22)

Hunde

△

Auch die Hunde unter dem Tische zehren von den Brosamen der Kinder.

(MARKUS 7, 28)

Eule

△

Ich … bin wie die Eule in Trümmerstätten.

(PSALM 102, 7)

Die Eule, die zu den unreinen Arten zählt, fungiert als Sinnbild der Verwüstung, beispielsweise im Zusammenhang mit Ninive und Edom (Jesaja 34, 11; Zefanja 2, 14).
Der Löwe erscheint in der Bibel oftmals als Symbol der Stärke und der irdischen Macht. So war Salomos Thron von zwei Löwenplastiken flankiert, zwölf weitere säumten die zum Thron führenden Stufen (1. Könige 10, 19–20).

▷

Die jungen Löwen brüllen nach Raub, heischen von Gott ihre Speise.

(PSALM 104, 21)

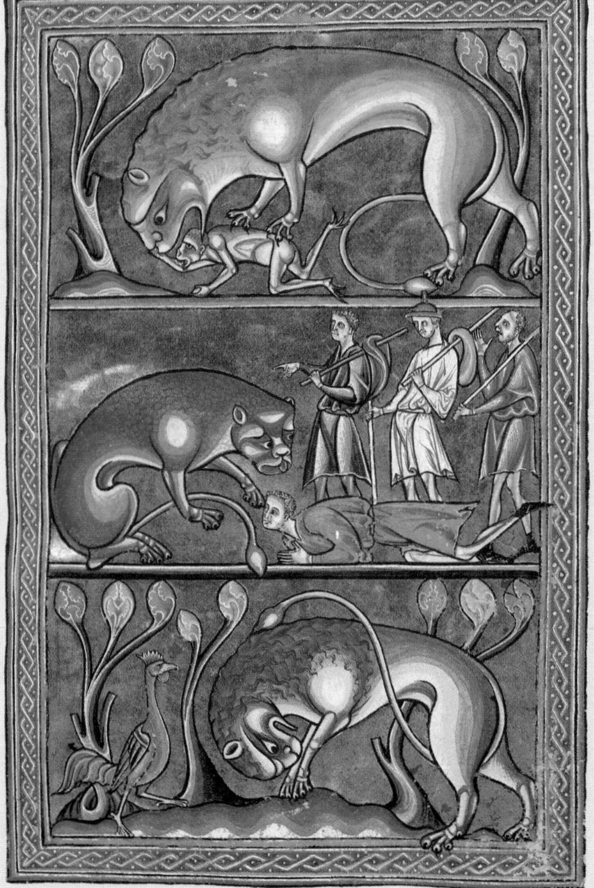

Löwe

Fliehet aus Babels Mitte und zieht hinweg aus dem Land der Chaldäer, seid wie Widder vor der Herde!

(JEREMIA 50, 8)

▽

Widder

Die Erde bringe hervor lebende Wesen: Vieh, kriechende Tiere und Wild des Feldes ...

(GENESIS 1, 24)

▽

Du weißt, daß dein Vater und seine Leute Helden sind und grimmen Mutes, wie eine Bärin auf dem Feld, der man die Jungen geraubt hat.

(2. SAMUEL 17, 18)

▷

Die Schöpfung der Tiere

Bär

... und gab dir Sandalen von Seehundsfell [engl. *Authorizid Version:* Dachsleder] . . .

(EZECHIEL 16, 10)

▽

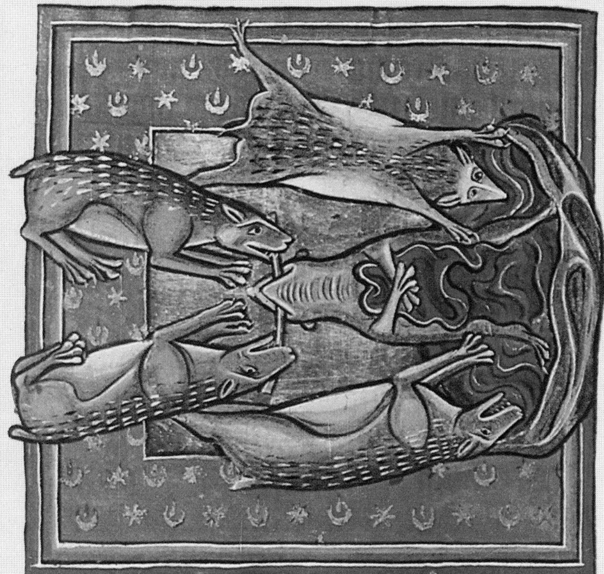

Dachse

▷

[Simson] *bog vom Wege ab, nach dem Aas des Löwen zu sehen; siehe, da war in dem Leib des Löwen ein Bienenschwarm und Honigwaben.*

(RICHTER 14, 8)

Bienen

▷

Mich umgeben mächtige Stiere, Büffel von Baschan umringen mich. Sie sperren den Rachen wider mich auf wie ein reißender, brüllender Löwe.

(PSALM 22, 13–14)

Stier

Biblische Flora

Auch die Identifizierung der in der Bibel erwähnten Pflanzen bereitet zuweilen Probleme. Zum Beispiel löste die traditionelle Darstellung, daß Adam und Eva einen Apfel aßen, Diskussionen aus, ob Äpfel tatsächlich in Alt-Israel bekannt waren. In der Beschreibung des Sündenfalls wird die Frucht selbst nicht genannt: *Da sprach das Weib zur Schlange: Wir dürfen essen von den Früchten der Bäume im Garten; nur von den Früchten des Baumes mitten im Garten hat Gott gesagt:» Esset nicht davon, rühret sie auch nicht an, daß ihr nicht sterbet!«* (Genesis 3, 2–3). Die sogenannten »Lilien des Feldes« werden heute üblicherweise als Anemonen identifiziert. Über hundert Pflanzenarten nennt die Bibel, und sie wurden vielfach genutzt: Sie lieferten Früchte, Gummi, Bauholz, Brennmaterial. Der Weihrauchbaum *(Boswellia carteri)* produzierte den Grundstoff für Weihrauch und Parfüme, Balsam *(Commiphora gileadensis)* fand für Heilzwecke, als Zusatz bei Salbölen sowie bei der Schönheitspflege Verwendung, und aus den Blättern und Stengeln des Hennastrauches – sehr verbreitet in der Gegend von En-Gedi – wurde Farbstoff hergestellt. Mit zu den beliebtesten Früchten zählte der Granatapfel, aus dem auch Saft gewonnen wurde (Hoheslied 8, 2). Eichen spielten eine wichtige Rolle als Kultbäume (etwa die »Klageeiche« bei Bet-El, Genesis 35, 8, oder die Eiche im Heiligtum von Sichem, Josua 24, 26), während Disteln in der Bibel häufig Sinnbilder für Unfruchtbarkeit und Verfall sind (Hebräer 6, 8, Jesaja 34, 13).

Lilien des Feldes

Feige

Und warum besorgt ihr euch um die Kleidung? Betrachtet die Lilien des Feldes, wie sie wachsen . . . auch Salomo in all seiner Pracht [war] *nicht gekleidet wie eine von diesen.*

(MATTHÄUS 6, 28–29)

*Er fällt sich Zedern,
er nimmt eine Steineiche
oder sonst eine Eiche
und läßt sie für sich stark
werden unter den
Bäumen des Waldes.*

(JESAJA 44, 14)

Eiche

*Granatbaum, auch Palme
und Apfelbaum,
alle Bäume des Feldes
sind verdorrt.*

(JOEL 1, 12)

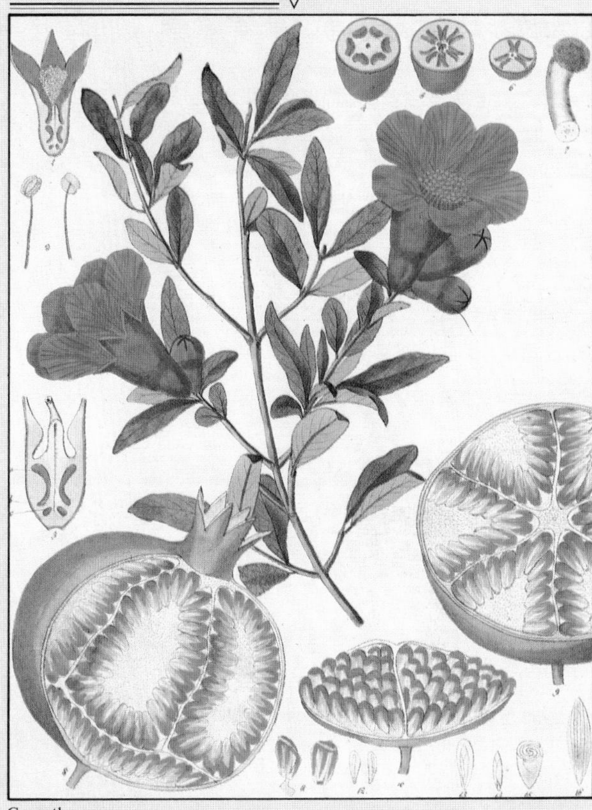

Granatbaum

*Vom Feigenbaum aber
lernet das Gleichnis:
Wenn sein Zweig schon
saftig wird und die
Blätter hervorwachsen,
merkt man, daß der
Sommer nahe ist.*

(MATTHÄUS 24, 32)

*... und brachten ihm
Gaben dar, Gold und
Weihrauch
und Myrrhe.*

(MATTHÄUS 2, 11)

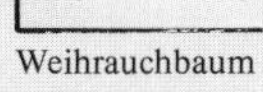

Weihrauchbaum

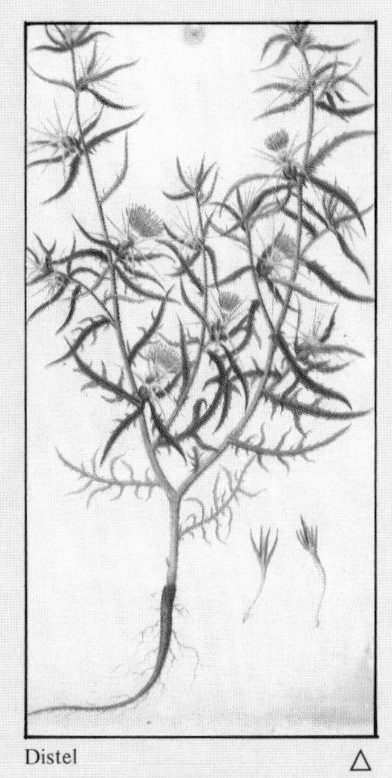

Distel

*Sammelt man etwa
Trauben von Dornen oder
Feigen von Disteln?*

(MATTHÄUS 7, 16)

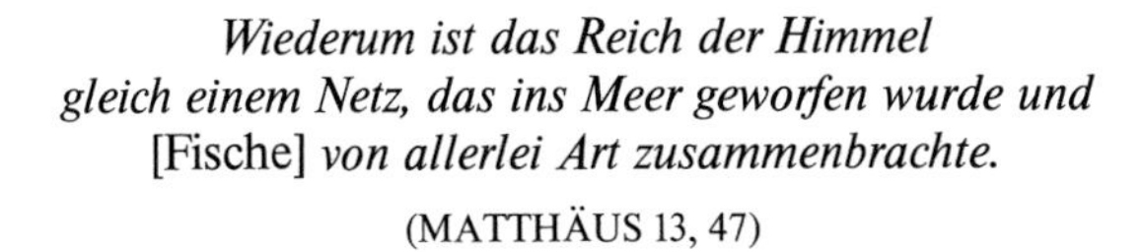

Wiederum ist das Reich der Himmel gleich einem Netz, das ins Meer geworfen wurde und [Fische] *von allerlei Art zusammenbrachte.*

(MATTHÄUS 13, 47)

◁

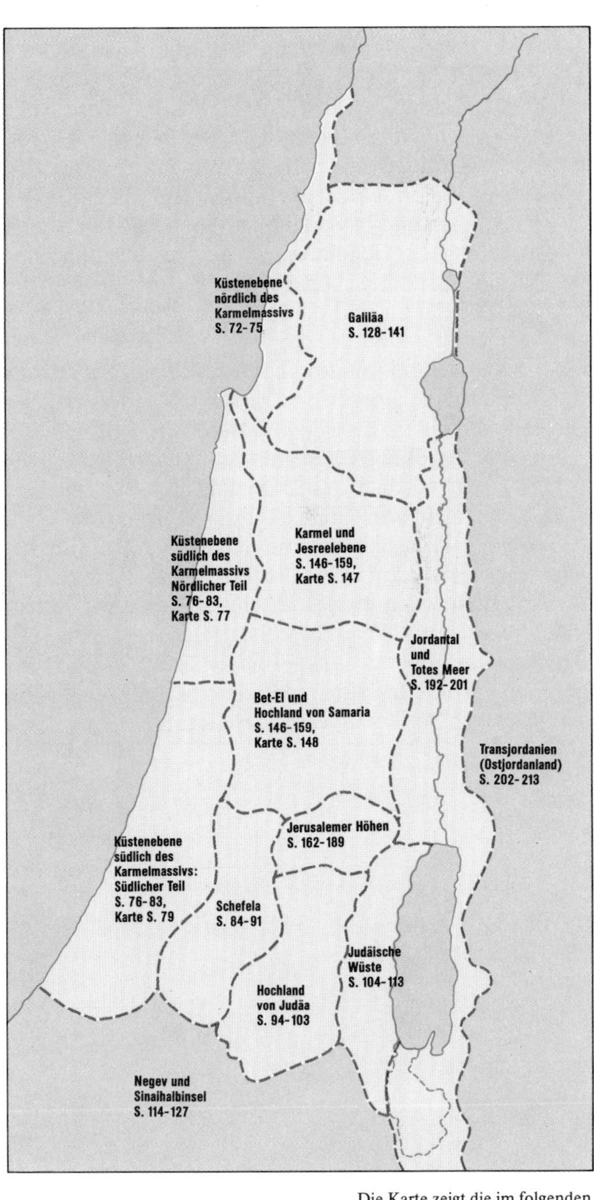

Die Karte zeigt die im folgenden behandelten Regionen Israels, jeweils mit Angabe der Seiten.

DIE KÜSTENEBENE NÖRDLICH DES KARMELMASSIVS

Die Landschaft

Wer heutzutage die Gegend zwischen dem Karmelmassiv und Rosch ha-Nikra bereist, erblickt Industrieanlagen, ein Seebad und intensiven Südfrucht-, vor allem Bananenanbau. Unmittelbar nördlich des Karmelgebirges befindet sich das Industriegebiet von Haifa, zu dem auch eine Ölraffinerie gehört. An der Hauptstraße zwischen Haifa und Akko wurden in der ersten Streckenhälfte kleine Betriebe errichtet, und das Land ist nach Westen hin bis zur Küste intensiv genutzt. Auf dem zweiten Streckenabschnitt fallen einem vor allem mehrere Fischteiche auf. Nördlich von Akko liegt die Stadt Naharija (1934 als Bauernsiedlung gegründet), die inzwischen ein bedeutendes Seebad geworden ist.

Im 19. Jahrhundert bot sich hier noch ein völlig anderes Bild. Nordöstlich von Akko gab es Gärten, wo man Orangen, Granatäpfel, Zitronen und Feigen, aber auch verschiedene Gemüsesorten erntete. Südlich von Akko erstreckte sich ein ausgedehntes Sumpfgelände. Es verdankte seine Entstehung dem Zusammenfluß der beiden Flüsse Naaman und Hilazon. Am Sandstrand der Bucht zwischen Akko und Haifa konnte man nach Herzenslust zu Pferde entlanggaloppieren, doch unmittelbar nördlich des Karmel, wo der Kischon ins Meer mündet, mußten die Pferde schwimmen und die Reiter in Boote umsteigen. Südlich der Kischonmündung hatte sich ein Delta gebildet. Zu den Veränderungen, die diese Landschaft seitdem durch Menschenhand erfuhr, zählen die Trockenlegung des Deltas, auf dem man die Industriezone errichtete, sowie die Umwandlung des Naamansumpfes in Fischteiche.

Das Gebiet nördlich des Karmelmassivs selbst gliedert sich in die Bucht von Haifa, die bis nach Akko reicht, sowie in die galiläische Küste nördlich von Akko bis nach Rosch ha-Nikra. Dort endet die 5 km breite Küstenebene abrupt an einem in ostwestlicher Hauptrichtung verlaufenden Höhenzug. Von dieser Barriere sind es 15 km südlich bis Akko, und ein großer Teil des Geländes ist mit einer tiefen Schicht fruchtbaren Bodens bedeckt; für die Bewässerung sorgen sechs Wasserläufe, ganz zu schweigen

Rechts: Die Terrakotta-Figur einer Schwangeren (etwa 7. Jahrhundert v. Chr.) aus Achsib bezeugt den phönizischen Einfluß in dieser Region. Die Propheten Israels führten beredte Klage über das Interesse an Fruchtbarkeitskulten, das auch in dieser Plastik zum Ausdruck kommt.

Unten: Unweit der Mündung des Flusses Kischon. Diese Ansicht aus dem 19. Jahrhundert steht in starkem Kontrast zu dem Eindruck, den jetzige Besucher gewinnen. Heute ist die Gegend durch eine Ölraffinerie und Industrieanlagen verbaut, und an den Hängen des Berges Karmel (im Hintergrund) erhebt sich eine Reihe moderner Apartmenthäuser.

Oben: Akko, hier nach einer Lithographie des schottischen Malers David Roberts (1796–1864) aus dem Jahr 1839, war stets von großer Bedeutung für die Statthalter Syriens, insbesondere wegen seiner Lage an der Nordspitze der Haifabucht.

Rechts: Die Karte zeigt den Gegensatz zwischen der Küstenebene und der Haifabucht einerseits sowie dem Bergland im Norden und Osten andererseits. Am problemlosesten war die Besiedlung der Ebenen und der Talböden der niedrigeren Vorberge.

Abkürzung: (U) = Unlokalisiert

Abdon (Ebron) Jos. 21, 30; 1. Chr. 6, 74 [B3]
Achlab (Mahaleb) Richt. 1, 31 [C2]
Apg. 21, 7 [B4]
Achschaf Jos. 11, 1; 12, 20; 19, 25 [B4]
Achsib Jos. 15, 44; 19, 29; Richt. 1, 31; Mi. 1, 14 [B3]
Afek Jos. 12, 18; 19, 30; Richt. 1, 31 [B4]
Ajalon Jos. 10, 12 (U)
Akko (Ptolemais) Richt. 1, 31 [B4]
Alammelech Jos. 19, 26 (U)
Amad Jos. 19, 26 (U)

Bealot 1. Kön. 4, 16 (U)
Bet- Emek Jos. 19, 27 (U)

Ebron *siehe* Abdon

Hali Jos. 19, 25 (U)
Hammon Jos. 19,28 [B3]
Helba Richt. 1, 31 (U)
Hosa Jos. 19, 29 [C2]

Kabul Jos. 19, 27; 1. Kön. 9, 13 [C4]
Kischon, Bach, Richt. 4, 7. 13; 5, 21; 1. Kön. 18,40 [B5]

Mischal Jos. 19, 26; 21, 30 [B4]
Misrefot-Majim (Maserephoth in occidente) Jos. 11, 8; 13, 6 [B3]

Nahalal (Naalol) Jos. 19, 15; 21, 35; Richt. 1, 30 [B5]
Negiel (Neiel) Jos. 19, 27 [C4]

Okina Judit 2, 28 (U)

Ptolemais *siehe* Akko

Rehob Jos. 19, 28. 30; 21, 31; Richt. 1, 31; 1. Chr. 6, 75 [B4]

Sarepta (Zarefat, Zarpat) 1. Kön. 17, 9. 10; Obd. 20; Luk. 4,26 [C1]

Tyrus 2. Sam. 5, 11; 24, 7; 1. Kön. 5, 1; 7, 13. 14; 9, 11. 12; 1. Chr. 14, 1; 22,4; 2. Chr. 2,3; 11, 14; Esra 3,7; Neh. 13, 16; Ps. 45, 12; 83, 7; 87, 4; Jes. 23, 1. 5. 8. 15. 17; Jer. 25, 22; 27, 3; 47, 4; Ez. 26, 2–7. 15; 27, 2. 3. 32; 28, 2. 12; 29, 18; Joel 3, 4; Amos 1, 9. 10; Sach. 9, 2. 3; 2. Makk. 4, 18; Apg. 12, 20; 21, 3. 7; Mat. 11, 21. 22; 15, 21; Mark. 3, 8; 7, 24. 31; Luk. 6, 17; 10, 13. 14 [C2]

Zarefat *siehe* Sarepta

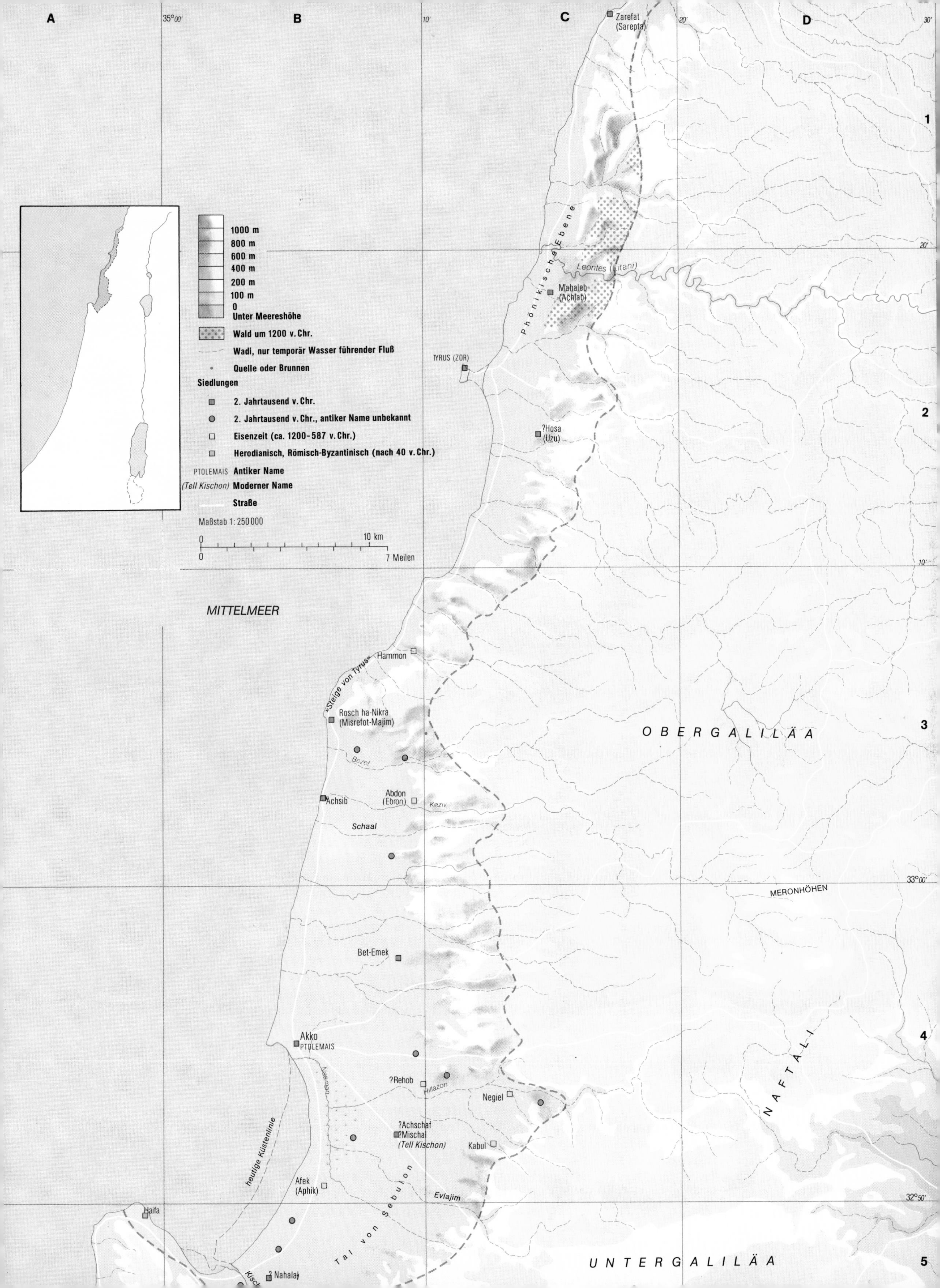

A
B
C
D
35°00'
10'
20'
30'
1
2
3
4
5
1000 m
800 m
600 m
400 m
200 m
100 m
0
Unter Meereshöhe
Wald um 1200 v. Chr.
Wadi, nur temporär Wasser führender Fluß
Quelle oder Brunnen
Siedlungen
2. Jahrtausend v. Chr.
2. Jahrtausend v. Chr., antiker Name unbekannt
Eisenzeit (ca. 1200-587 v. Chr.)
Herodianisch, Römisch-Byzantinisch (nach 40 v. Chr.)
PTOLEMAIS Antiker Name
(Tell Kischon) Moderner Name
Straße
Maßstab 1 : 250 000
0
10 km
0
7 Meilen
MITTELMEER
Zarefat
(Sarepta)
Phönikische Ebene
Leontes (Litani)
Mahaleb
(Achlab)
TYRUS (ZOR)
?Hosa
(Uzu)
Hammon
»Steige von Tyrus«
Rosch ha-Nikra
(Misrefot-Majim)
Bezet
Achsib
Abdon
(Ebron)
Keziv
Schaal
OBERGALILÄA
MERONHÖHEN
33°00'
Bet-Emek
Akko
PTOLEMAIS
Naaman
?Rehob
Hillazon
Negiel
?Achschaf
?Mischal
(Tell Kischon)
Kabul
heutige Küstenlinie
Afek
(Aphik)
Tal von Sebulon
Evlajim
NAFTALI
32°50'
Haifa
?Nahalal
UNTERGALILÄA

Tyrus und Sidon

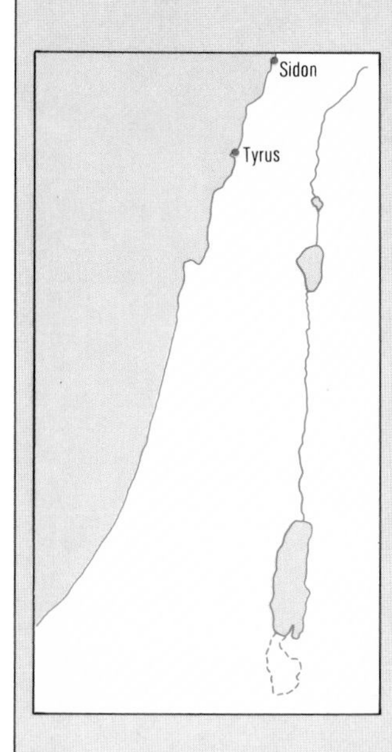

Tyrus, in biblischer Zeit ein bedeutender, auf einer Insel vorgelagerter Seehafen, war ein wichtiges Handelszentrum, aus dem zum Beispiel Salomo Material zum Bau des Jerusalemer Tempels bezog. Erst durch die Errichtung eines Damms vom Festland her gelang Alexander dem Großen 332 die Einnahme der Stadt. Sie war berühmt für ihren Reichtum und bildete einen kulturellen und künstlerischen Mittelpunkt. Zwischen 1124–1291 befand sich Tyrus im Besitz der Kreuzfahrer, danach wurde es stark zerstört. Bei Ausgrabungen stieß man auf zahlreiche antike Bauten.

Sidon, eine Küstenstadt im nördlichen Phönikien mit guter Quellwasserversorgung, besaß einen durch kleine vorgeschobene Inseln geschützten Hafen. In seiner langen und wechselvollen Geschichte unterstand es zeitweilig dem benachbarten Tyrus. Alle großen Eroberer dieses Gebiets begehrten es als Beute, und im Gegensatz zu Tyrus hieß Sidon Alexander den Großen willkommen.

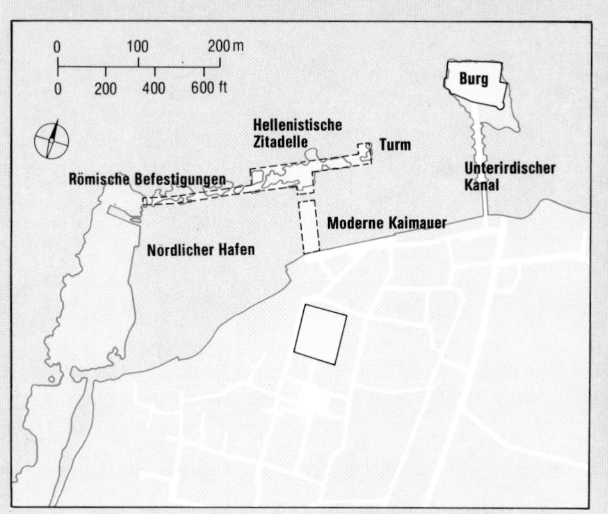

Oben: Sidon, etwa 35 km nördlich von Tyrus gelegen, war als Handels- und Kulturzentrum ebenfalls weithin bekannt. Dieser phönizische (»anthropoide«) Sarkophag ist ein Grabfund aus der Stadt.

Links: Tyrus ging durch viele Hände, darunter die der Römer. Die Überreste einiger römischer Bauwerke haben sich bis heute erhalten. Paulus verbrachte eine Woche in der Stadt, als er von seiner 3. Missionsreise nach Jerusalem zurückkehrte.

Links außen: Plan des alten Sidon.

von einer durchschnittlichen Regenmenge von mehr als 400 mm.

Ob die Küstenlinie zwischen Akko und Haifa in biblischer Zeit die gleiche war, ist nicht klar. Jedenfalls gibt es Beweise bedeutenderer Ansiedlungen des 2. Jahrtausends v. Chr., die auf einer Linie lagen, die grob dem heutigen Küstenverlauf entspricht, sich jedoch etwa 3,75 km weiter landeinwärts (östlich) befand. Entweder hatte man diese Niederlassungen einst direkt am Meer erbaut oder sie waren durch schiffbares Sumpfgelände mit ihm verbunden. Immerhin ist deutlich zu sehen, daß durch das Zusammenwirken des Kischon und der Meeresströmung an der Haifabucht beträchtliche Mengen Sand abgelagert worden sind.

Im 2. Jahrtausend v. Chr. hatten die dortigen Siedlungen entweder bequemen Zugang zum Meer, oder aber, falls stärker landeinwärts gegründet, zu Quellen und Flußläufen. Lebensgrundlage waren vermutlich Fischfang und Landwirtschaft. Für größere Gebäudeansammlungen mehr als 15 km von der Küstenlinie zwischen Akko und Rosch ha-Nikra entfernt gibt es keinerlei Spur. Wahrscheinlich waren die östlich davon gelegenen Höhen mit einer in Palästina heimischen Eichenart *(Quercus calliprines)* und vergesellschafteten Pflanzen bedeckt.

Der biblische Bericht

Die früheste ausführlichere Äußerung der Bibel über diese Gegend findet sich im Buch Josua (19, 24–31). Dort ist davon die Rede, daß dem Stamm Ascher das Territorium zwischen dem Karmel und Tyrus zugewiesen wurde, das insgesamt 22 Städte und die dazugehörigen Dörfer umfaßt habe. Daß dies freilich eher Wunschtraum als Wirklichkeit war, läßt sich dem Buch der Richter (1, 31) entnehmen, wo es heißt: *Ascher vermochte nicht, die Bewohner von Akko zu vertreiben, noch die Bewohner von Sidon, Mahaleb, Achsib, Helba, Afek und Rehob.*

Allerdings waren die meisten dieser Städte gegen Ende der Regierungszeit Davids wohl israelitisch geworden. Die Reise, die sein Feldherr Joab unternahm, um »Israeliten und Judäer« zu zählen, führte augenscheinlich auch durch das dortige Gebiet. Laut biblischem Bericht suchte er u. a. Sidon sowie die »feste Stadt Zor« (2. Samuel 24, 6–7) auf. Bei letzterer muß es sich um die Binnenstadt gegenüber von Tyrus gehandelt haben. Als dann aber Salomo seine Schulden begleichen mußte, die er wegen des Baumaterials für den Tempel in Jerusalem bei König Hiram (969–936 v. Chr.) von Tyrus gemacht hatte, trat er diesem 20 Städte in Galiläa ab, darunter wohl auch alle israelitischen zwischen dem Karmel und Mahaleb.

Links: Ein Steingefäß mit eingeritzter Zeichnung aus Sidon. Die Zeichnung stellt offensichtlich ein Ritual des Gottes Melkart dar. Wenn im Ritus der König die Rolle des Gottes spielte, mag dies erklären, warum Ezechiel (28) den König des benachbarten Tyrus kritisierte, daß er sich wie ein Gott verhalte.

Unten: Das Luftbild von Tyrus gibt eine Vorstellung, wie sich die Stadt ausgemacht hat, als sie noch nicht mit dem Festland verbunden war. Ihre isolierte Lage und ihr geschützter Hafen schufen die Voraussetzungen, der 13jährigen Belagerung durch die Babylonier im 6. Jahrhundert v. Chr. zu widerstehen.

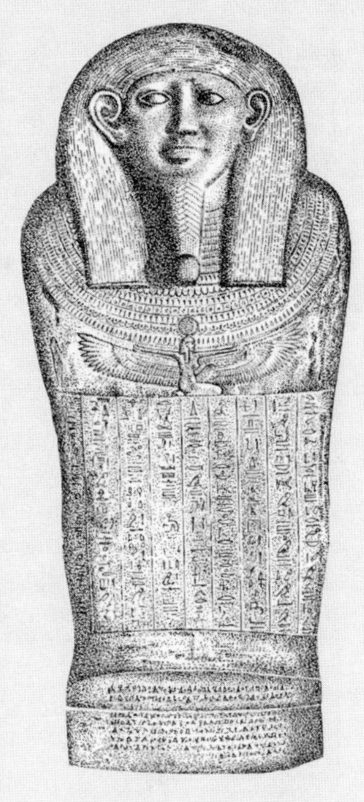

Oben: Dieser Sarkophag des Königs Tabnit von Sidon wurde offensichtlich ursprünglich für den ägyptischen General Penptah gefertigt und später für Tabnit wiederverwendet. Die phönizische Inschrift am Fuß (vom Ende des 6. Jahrhunderts v. Chr.) warnt davor, den Sarkophag zu öffnen.

In der Moderne wurde Haifa zum bedeutendsten Seehafen im Nordteil Israels. Zur biblischen Periode dagegen war das Gelände, auf dem Haifa liegt, wegen der Sümpfe des Kischondeltas wohl von Osten her unzugänglich. Damals stellte das bequemer erreichbare Akko den größten Seehafen Nordisraels. Die Apostelgeschichte (21, 7) erwähnt die Stadt unter ihrem hellenistischen Namen Ptolemais. Allerdings war das biblische Akko annähernd 2 km östlich der heutigen Küstenlinie lokalisiert. Im Norden von Rosch ha-Nikra gibt es eine Reihe von Höhenzügen, die als »Steige von Tyrus« bekannt sind. Bis etwa 8 km im Süden von Tyrus findet man praktisch keinen Strand mehr, und wer von Rosch ha-Nikra in nördlicher Richtung nach Tyrus weiterwollte, mußte diese Höhenzüge überqueren. Die Stadt, die sich in alttestamentlicher Zeit auf einer Insel etwa 600–750 m von der Küste entfernt befand, war ein wichtiger Warenumschlagplatz; ihre Kaufleute gründeten längs des Mittelmeers zahlreiche Häfen und Kolonien. Ein Licht auf den Reichtum und die starke Stellung von Tyrus wirft die Drohrede Ezechiels (Hesekiels):

> *. . . Tyrus: Die du wohnst am Zugang zum Meere, du Handelsherrin der Völker an vielen Gestaden . . . Groß machten dich inmitten des Meeres deine Erbauer, vollendet schön* (Ezechiel 27, 3–4).

Tyrus spielte eine unheilvolle Rolle in der Geschichte des Nordreiches Israel in den Tagen Isebels, der Gattin König Ahabs (um 871–852 v. Chr.). Tat sie doch alles erdenkliche, um die Verehrung Jahwes durch den Kult ihres eigenen Gottes zu ersetzen. Nicht selten wird auch die phönikische Stadt Sidon in einem Atem zusammen mit Tyrus genannt. Sie befand sich ebenfalls an der Küste, und zwar annähernd 35 km nördlich von Tyrus. Etwa 15 km südlich von Sidon lag Zarefat (Sarepta), wohin der Prophet Elija auf Gottes Geheiß gehen mußte, als eine Dürre das Land heimsuchte und er eine erbitterte Auseinandersetzung mit Ahab und Isebel hatte (1. Könige 17, 8). In der Bibel wird Elija ausdrücklich befohlen: *Mache dich auf und gehe nach Sarepta, das zu Sidon gehört . . .,* – und zweifellos entbehrt es nicht der Ironie, daß sich der Prophet um eine nicht-israelische Witwe und ihren Sohn kümmerte, während sein eigenes Volk ebenfalls unter der Dürre litt. Eine Parallele dazu findet sich im Neuen Testament. Bei Matthäus 15, 21–28 zog sich Jesus »in das Gebiet von Tyrus und Sidon« zurück, wo er die Tochter einer Nicht-Israelitin von der Besessenheit heilte.

DIE KÜSTENEBENE SÜDLICH DES KARMELMASSIVS

Die Landschaft

Diesen Abschnitt unterteilt man gewöhnlich in drei Hauptregionen. Die erste, die sogenannte »Karmelküste«, hat eine Länge von 30 km und eine durchschnittliche Breite von nur etwa 3 km. Im Osten wird sie vom Karmelgebirge und dem Hochland Nordisraels begrenzt. Ihre Südgrenze bildet das Bett des Nahal Tanninim.

Der zweite Abschnitt, die Scharonebene (dieser hebräische Name findet sich beispielsweise bei Jesaja 35,2), erstreckt sich vom Nahal Tanninim bis zum Fluß Jarkon, der unmittelbar nördlich von Tel Aviv ins Mittelmeer mündet. Die Scharonebene ist etwa 50 km lang und im Schnitt 15 km breit. Direkt südlich des Nahal Tanninim erweitert sich der Küstenstreifen urplötzlich von nur 2 auf 12 km. Im Süden des Jarkon spricht man dann von der judäischen Ebene, die ihrerseits wiederum in einen Nord- und Südteil zerfällt. Der annähernd 85 km lange Nordabschnitt reicht bis zum Nahal Lachisch. Die Grenzen des Südabschnitts sind schwerer zu bestimmen, da er von einer fließenden semiariden Zone umgeben ist. Normalerweise gibt man den Lauf des Nahal Schiqma, der annähernd auf halber Strecke zwischen Aschkelon und Gaza ins Meer mündet, als Grenzmarke an, worauf dann die Negevküste folgt.

Besucher der Küste im 19. Jahrhundert würden sie in unseren Tagen kaum wiedererkennen. Der britische Gelehrte W. M. Thomson, der den Abschnitt zwischen Haifa und Caesarea bereiste, schrieb 1857, daß es etwa ebensoviel einbrächte, den neunstündigen Weg in Gedanken statt zu Pferde zu machen. Bis hinab nach Atlit traf er weder auf irgendwelche nennenswerte Dörfer, noch auf Ruinen. Der schottische Hebräist G. A. Smith (1856–1942) dagegen fand in der Region Eichenwälder und Reste von Waldbeständen. Tantura (Dor) beschreibt Thomson als

Abkürzung: (U) = Unlokalisiert

Arbatta, Region, 1. Makk. 5, 23 [B2 C2]
Arubbot 1. Kön. 4, 10 [C3]

Caesarea (Stratonsturm) Mat. 16, 13; Mark. 8, 27; Apg. 8, 40; 10, 1. 24; 11, 11; 12, 19; 18, 22; 21, 8. 16; 23, 23. 33; 25, 1. 4. 6. 13 [B3]

Dor (Tantura) Jos. 11, 2; 12, 23; 17,11; Richt. 1, 27; 1. Kön. 4, 11; 1. Chr. 7,29 [B2]

Hefer (Opher, Epher) Jos. 12, 17; 1. Kön. 4, 10 [B3]

Jaschub (Iasub) Numeri 26, 24 [C3]

Nafat Dor (Hügelland Dor) Jos. 12, 23; 1. Kön. 4, 11 [C2]

Ofra Jos. 18, 23; Richt. 6, 11. 24; 8, 27. 32; 9, 5 [C4]

Scharon (Saron), Ebene von, 1. Chr. 5, 16; 27, 29; H. L. 2, 1; Jes. 33, 9; 35, 2; Apg. 9, 35; [B3 B4]
Schihor-Libnat, Fluß (Libnat), Jos. 19, 26 [B2]
Socho 1. Kön. 4, 10 [C3]
Stratonsturm *siehe* Caesarea

Links: Die Kurkarketten, die für die Westränder der Küstenebene charakteristisch sind, bilden ein Hindernis für die zum Meer fließenden Wasserläufe. An einigen Stellen entsteht dadurch Marschland, wie die Aufnahme zeigt.

Rechts: Das auffälligste Merkmal auf dieser Karte ist der schmale Streifen unmittelbar südlich des Karmelmassivs, der sich ganz plötzlich gewaltig verbreitert.

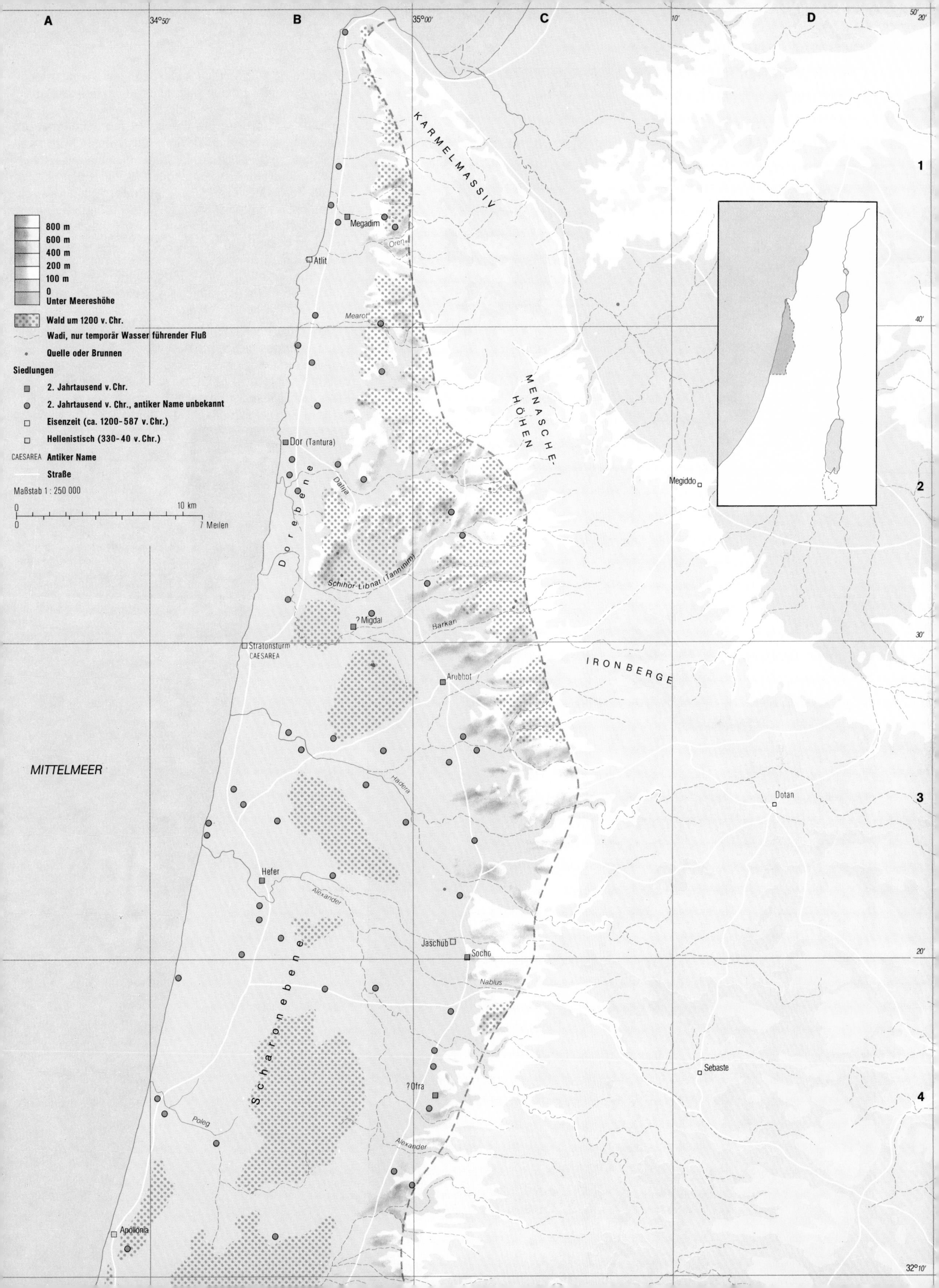

A
B
C
D
34°50'
35°00'
10'
50' 20'
40'
30'
20'
32°10'
1
2
3
4
800 m
600 m
400 m
200 m
100 m
0
Unter Meereshöhe
Wald um 1200 v. Chr.
Wadi, nur temporär Wasser führender Fluß
Quelle oder Brunnen
Siedlungen
2. Jahrtausend v. Chr.
2. Jahrtausend v. Chr., antiker Name unbekannt
Eisenzeit (ca. 1200-587 v. Chr.)
Hellenistisch (330-40 v. Chr.)
CAESAREA Antiker Name
Straße
Maßstab 1 : 250 000
0
10 km
0
7 Meilen
KARMELMASSIV
MENASCHE-HÖHEN
IRONBERGE
MITTELMEER
Dorebene
Scharonebene
Megadim
Oren
Atlit
Mearot
Dor (Tantura)
Dalija
Schihor-Libnat (Tanninim)
? Migdal
Barkan
Stratonsturm
CAESAREA
Arubbot
Hadera
Hefer
Alexander
Jaschub
Socho
Nablus
? Ofra
Poleg
Alexander
Apollonia
Megiddo
Dotan
Sebaste

ein trauriges, kümmerliches Nest an einem kahlen Meeresstrand, durch eine sumpfige Ebene vom Fuß der Anhöhen im Osten getrennt. Auf der Strecke zwischen Caesarea und Gaza setzten ihn die mächtigen Sanddünen in Erstaunen, die manchmal eine Ausdehnung von 5 km erreichten, und östlich des heutigen Netanja erblickte er Pinienwälder auf dem Sandboden. Südlich des Flusses Jarkon, besonders im »Becken von Lod« (worauf wir noch zu sprechen kommen), stieß G. A. Smith auf Getreide- und Melonenfelder, Gärten sowie Orangen- und Palmenhaine. Auch heute wird diese Gebiet besonders intensiv landwirtschaftlich genutzt. Hinzu kommen allerdings nunmehr der internationale Flughafen in Lod, bedeutendere Straßen- und Bahnlinien sowie die massivsten städtischen Ballungszentren Israels.

Um besser zu verstehen, wie diese Region in der biblischen Periode aussah, müssen wir zwangsläufig gewisse Aspekte ihrer Geologie, Ökologie und ihres Siedlungsmusters betrachten. In prähistorischer Zeit drang hier das Meer mehrmals vor und zog sich dann wieder zurück, wobei sein Spiegel ständig absank. Dies hatte die Bildung

Ganz links: Der Seehafen Dor wurde wahrscheinlich in der späten Bronzezeit gegründet. Er ging unter der Regierung Davids in israelitische Hände über und war Zentrum eines der Verwaltungsbezirke Salomos. In der persischen Ära (nach 540 v. Chr.) entstand hier eine griechische Kolonie. Ihre Autonomie wurde von der jüdischen Dynastie der Hasmonäer beendet, doch Pompeius stellte sie 63 v. Chr. wieder her. Der steinerne Männerkopf *(links)* aus Dor stammt aus hellenistischer Zeit.

Abkürzung: (U) = Unlokalisiert

Adida *siehe* Hadid
Afek (Antipatris) Jos. 12, 8; 1. Sam. 4,1; 29, 1; Apg. 23, 31 [D1]
Akkaron *siehe* Ekron
Aschdod (Azotos) Jos. 11, 22; 15, 47; 1. Sam. 5, 1; 3, 5–7; 6, 17; 2. Chr. 26, 6; Neh. 13, 23–24; Jes. 20, 1; Jer. 25, 20; Amos 1, 8; 3, 4; Zef. 2, 4; 9, 6; Apg. 8, 40 [B3]
Aschkelon (Askalon) Richt. 1, 18; 14, 19; 1. Sam. 6, 17; 2. Sam. 1, 20; Jer. 25, 20; 47, 5–6; Amos 1, 8; Zef. 2, 4. 7 [B4]
Azotos *siehe* Aschdod

Baala Jos. 15, 11. 29; 2. Sam. 17, 1 [C2]
Baalat Jos. 19, 44; 1. Kön. 9, 18; 2. Chr. 8, 6 [C2]
Belus, Bach, *siehe* Kidron, Bach
Bene-Berak Jos. 19, 45 [C1]
Bet-Dagon Jos. 15, 41 [C2]

Eben-Eser (Afek) 1. Sam. 4, 1; 5, 1 [D1]
Ekron (Akkaron) Jos. 13, 3; 15, 11. 45–46; 19, 43; Richt. 1, 18; 1. Sam. 5, 10; 6, 16–17; 2. Kön. 1, 2. 3. 6. 16; Jer. 25, 20; Amos 1, 8; Zef. 2, 4; Sach. 9, 5. 7 [D3]
Ela, Tal, (Terebinthental), 1. Sam. 17, 2. 19; 21, 9 [C3 D3]
Elon Jos. 19, 43 (U)
Elteke Jos. 19, 44; 21, 23 [D2]

Gat (Metheg-Ammah) Jos. 11, 22; 13, 3; 1. Sam. 5, 8; 6, 17; 17, 4. 23; 21, 11. 13; 27, 2–4; 2. Sam. 1,20; 8, 1; 21, 19. 20. 22; 1. Kön. 2, 39–40; 1. Chr. 8, 13; 18, 1; 20, 5. 6. 8; 2. Chr. 26, 6; Amos 6, 2; Mi. 1, 10 [D3]
Gat-Rimmon Jos. 19, 45; 21, 24; 1. Chr. 6, 69 [C1]
Gaza Deut. 2, 23; Jos. 11, 22; 13, 3; 15, 47; Richt. 1, 18; 6, 4; 16, 1. 21; 1. Sam. 6, 17; Jer. 25, 20; 47, 1. 5; Amos 1, 6. 7; Zef. 2, 4; Sach. 9, 5; Apg. 8, 26 [B4]
Gibbeton Jos. 19, 44; 21, 23; 1. Kön. 15, 27. 28; 16, 15. 17 [C2]
Gilgal Jos. 4, 19 [D1]
Gimso (Gamzo) 2. Chr. 28, 18 [D2]
Gittajim (Gethaim, Gath) 2. Sam. 4, 3; Neh. 11, 33 [D2]

Hadid (Adida) Esra 2. 33; Neh. 7, 37; 11, 34; 1. Makk. 12, 38; 13, 13 [D2]

Jabneel (Iebnael, Jabne, Jamne) Jos. 15, 11; 2. Chr. 26, 6 [C2]
Jamnia 2. Makk. 12, 8. 9 [C2]
Jehud Jos. 19, 45 [D 1]
Joppe Jos. 19, 46; 2. Chr. 2, 16; Esra 3, 7; Jona 1, 3; Apg. 9, 36. 38. 42. 43; 10, 5. 8. 23. 32; 11, 5. 13 [C1]

Kedron *siehe* Kidron
Kidron 1. Makk. 15, 39. 40; 16, 5–10 [C3]
Kidron, Bach (Belus), 2. Sam. 15, 23; 1. Makk. 16, 5–10 [C2]

Lod (Lydda, Diospolis) 1. Chr. 8, 12; Esra 2, 33; Neh. 7, 37; 11, 35; Apg. 9, 32, 35 [D2]

Me-Jarkon Jos. 19, 46 [C1]
Metheg-Ammah *siehe* Gat

Neballat Neh. 11, 34 [D2]

Ono 1. Chr. 8, 12; Esra 2, 33; Neh. 6, 2; 7, 37; 11, 35 [D1]

Rakkon Jos. 19, 46 [C1]

Schikkaron (Sechron, Sikron) Jos. 15, 11 [C3]

Zeboim 1. Sam. 13, 18; Neh. 11, 34 (U)
Zefata, Tal, 2. Chr. 14, 10 [C3 C4]

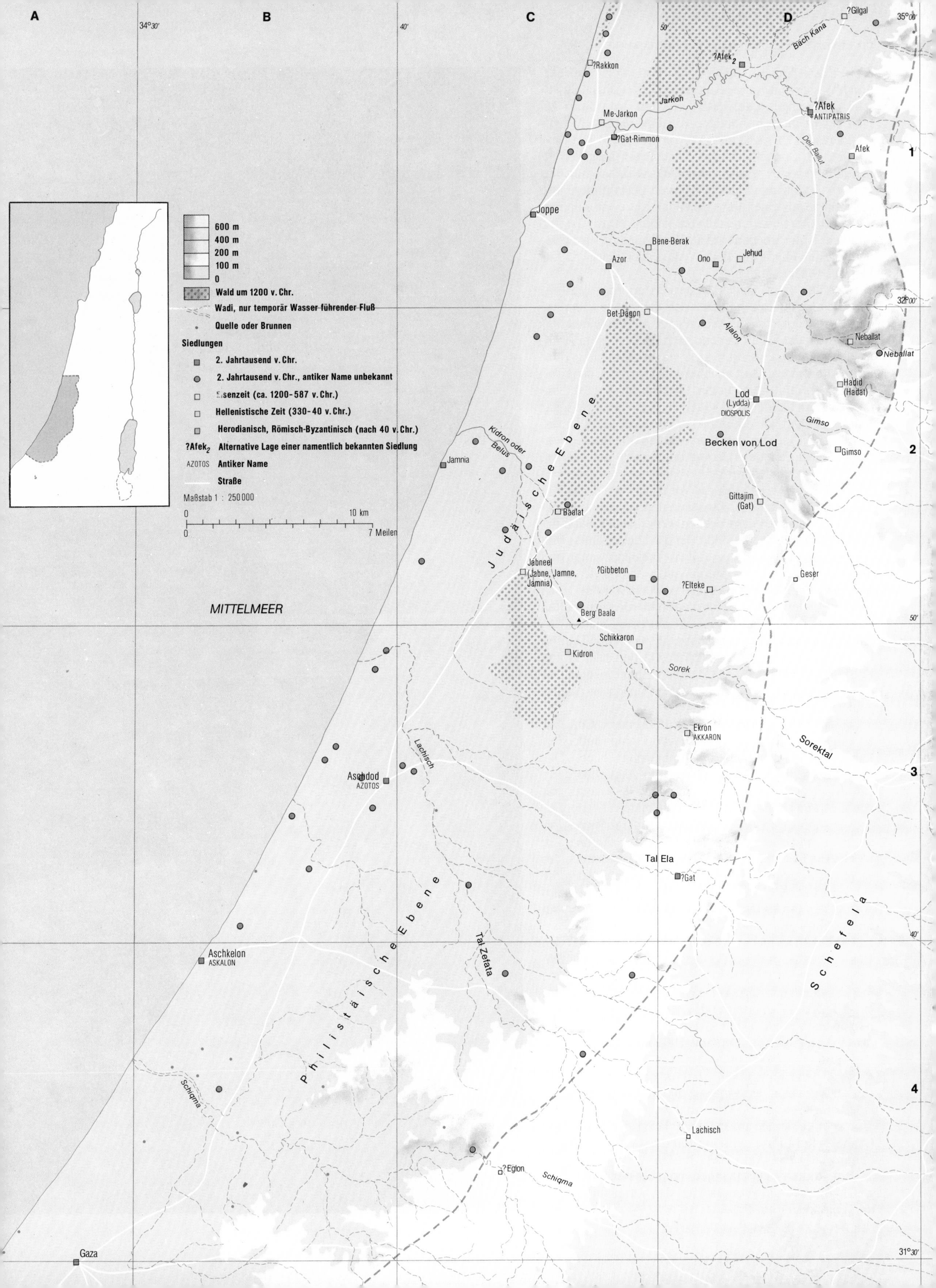

A
B
C
D
34°30'
40'
50'
35°00'
32°00'
50'
40'
31°30'
1
2
3
4
600 m
400 m
200 m
100 m
0
Wald um 1200 v. Chr.
Wadi, nur temporär Wasser führender Fluß
Quelle oder Brunnen
Siedlungen
2. Jahrtausend v. Chr.
2. Jahrtausend v. Chr., antiker Name unbekannt
Eisenzeit (ca. 1200-587 v. Chr.)
Hellenistische Zeit (330-40 v. Chr.)
Herodianisch, Römisch-Byzantinisch (nach 40 v. Chr.)
?Afek2 Alternative Lage einer namentlich bekannten Siedlung
AZOTOS Antiker Name
Straße
Maßstab 1 : 250 000
0
10 km
0
7 Meilen
MITTELMEER
?Gilgal
Bach Kana
?Afek2
?Rakkon
Jarkon
Me-Jarkon
?Afek
ANTIPATRIS
?Gat-Rimmon
Der Ballut
Afek
Joppe
Bene-Berak
Ono
Jehud
Azor
Bet-Dagon
Ajalon
Neballat
Neballat
Hadid
(Hadat)
Lod
(Lydda)
DIOSPOLIS
Gimso
Becken von Lod
Gimso
Kidron oder
Belus
Jamnia
Judäische Ebene
Baalat
Gittajim
(Gat)
Jabneel
(Jabne, Jamne,
Jamnia)
?Gibbeton
?Elteke
Geser
Berg Baala
Schikkaron
Kidron
Sorek
Ekron
AKKARON
Sorektal
Lachisch
Aschdod
AZOTOS
Tal Ela
?Gat
Schefela
Philistäische Ebene
Tal Zefata
Aschkelon
ASKALON
Schiqma
Lachisch
?Eglon
Schiqma
Gaza

dreier Küstenlinien aus einer Art Sandstein zur Folge, der, durch Wasser und andere Faktoren gehärtet, charakteristische Eigenschaften aufweist. Die westlichste dieser Linien entspricht dem heutigen Küstenverlauf, sieht man von den starken Ausspülungen von Atlit an in Richtung Norden ab. Südlich des Jarkon schützen ausgedehnte Sanddünen vor der Erosion durch die See. Zwischen den Flüssen Jarkon und Hadera dagegen besteht diese alte Küstenlinie aus einer durchgehenden Kette von Klippen, die sich an der höchsten Stelle bei Netanja bis zu 50–60 m erheben. Unterbrochen wird die Kette nur dort, wo die bedeutendsten Flüsse und Bäche (Alexander, Poleg und Jarkon) ins Meer münden.

Ungefähr 1 km östlich dieser ersten (westlichsten) Sandsteinküstenlinie befindet sich der zweite »Kamm« dieser Art. Er ist im Durchschnitt 300 m breit und besitzt im Nordteil der Scharonebene noch 20–30 m Höhe, während er es im Südabschnitt sogar auf 40–50 m bringt. Der dritte »Kamm« verläuft annähernd 3 km östlich des zweiten und ist von 10–20 m hohen Lagen aus rotem Sand bedeckt, der im Norden und Süden der Scharonebene sogar Maximalhöhen von 50 und 80 m erreichen kann. Unterbrochen wird er von den Wasserläufen, die ihn in Richtung Meer durchqueren, sowie durch das »Lodbecken«, das später behandelt wird.

Im Altertum wirkte sich das Vorhandensein dieser Küstenlinien wie folgt aus: Zwischen dem ersten, westlichsten, »Kamm« und dem zweiten weiter landeinwärts befand sich ein sandiger Streifen, der in Nähe der Flüsse und Bäche leicht zu besiedeln war. Zwischen dem zweiten und dritten dagegen gab es Sumpfland, während der dritte Kamm selbst Eichen- und Pinienbewuchs aufwies. Noch bis zum Ersten Weltkrieg existierten hier Reste der alten Taboreichenbestände (*Quercus ithaburensis*). Sie wurden jedoch von den Türken abgeholzt, die damit ihre Dampflokomotiven beheizten. Östlich des dritten oder »roten Kammes« dehnte sich eine fruchtbare Ebene bis zum Fuß des Gebirges aus, die in antiken Zeiten ein ideales Anbaugebiet darstellte.

Das Siedlungsmuster des 2. Jahrtausends v. Chr. läßt erkennen, daß der »rote Kamm« – von seinen äußersten Randbereichen abgesehen – unbewohnt blieb. Das spricht sehr für Waldvorkommen und zeigt außerdem, daß dieser eine Barriere zwischen den Niederlassungen am Meer und jenen an den Vorbergen bildete. Letztere lagen gewöhnlich in der Nähe bedeutenderer Wasservorkommen und wiesen eine bäuerliche Bevölkerung auf, welche die fruchtbaren Böden der Ebene zwischen dem »roten Kamm« und dem Gebirge bearbeitete. Auch die Wirtschaft der Küstendörfer beruhte wohl primär auf dem Ackerbau. Man kultivierte das Land zwischen dem ersten und zweiten »Kamm« mit Hilfe des Wassers der Flüsse. Allerdings trieb man wohl auch Fischfang und Handel. Das fruchtbare, dreiecksförmige »Lodbecken« war durchgängig besiedelt. Hervorzuheben ist allerdings, daß die meisten der in der Karte verzeichneten Orte nur während eines Teils des 2. Jahrtausends v. Chr. bestanden. Wir haben sie nur deshalb in den Atlas aufgenommen, um anzudeuten, wo Geologie und Umweltbedingungen die Seßhaftwerdung ermöglichten. Außerdem sollte man diese Plätze zu den Hauptverkehrsrouten des 2. Jahrtausends in Beziehung setzen. Jene von Ägypten nach Norden verlief längs der Küste durch Gaza und Aschdod nach Joppe. Dort wandte sie sich am Jarkon entlang ostwärts bis Afek (Aphek) und führte dann am Rand der Hochlands-Vorberge weiter (*vgl. Karte Seite* 26/27). Doch gab es auch andere Routen längs des gesamten Küstengebiets, die gleichfalls nicht unwesentlich auf das Verteilungsmuster der Siedlungen einwirkten.

Joppe, Aschdod und Gaza waren drei der wichtigsten Städte am oder nahe des Meeres im südlichen Teil der Küstenebene. Joppe *(unten rechts)*, der bedeutendste natürliche Hafen in dieser Region, wurde in ägyptischen Quellen bereits im 15. Jahrhundert v. Chr. erwähnt. Selbst die heutige Ansicht der Stadt verrät noch immer ihre natürlichen Vorzüge.
Aschdod und Gaza wurden durch die Invasion der »Seevölker« im 12.–11. Jahrhundert v. Chr. zu Philisterstädten. Die hier gezeigte Plastik *(links)*, die bei Ausgrabungen der letzten 20 Jahre zutage trat, stellt eine sitzende Frau dar und stammt wohl aus dem 12. Jahrhundert v. Chr.
Als südlichste Stadt der Küstenebene hatte Gaza *(oben)* strategische Bedeutung und war ein Tor nach Ägypten, weshalb es von den Ägyptern – wenn immer möglich – kontrolliert wurde. Im biblischen Bericht erscheint Gaza als Zentrum der Philister, und hier fand Simson den Tod.

Der biblische Bericht

Dem Alten Testament zufolge wurde die Region, von der hier die Rede ist, unter den Stämmen Juda, Efraim und Manasse geteilt. Zwar lassen sich die genauen Grenzen nicht mehr bestimmen, doch erhielt der Stamm Juda das Gebiet südlich des Baches Sorek (Josua 15, 11–12), Efraim das Land zwischen dem Sorekbach und dem Jarkonfluß (Josua 16, 8; vorausgesetzt, der »Bach Kana« ist das Wadi Nablus und mündet in den Jarkon), während Manasse dann wohl der nördliche Rest der Küstenebene bis hin zum Karmelmassiv zugewiesen wurde. Möglicherweise besaß auch der Stamm Dan den Hafen Joppe und einen »Korridor« dorthin.

Praktisch jedoch übten die betreffenden Stämme kaum Kontrolle über die fraglichen Territorien aus. So heißt es im Buch der Richter (1, 18), der Stamm Juda habe zwar Aschkelon, Gaza und Ekron besiegt, die Bewohner der Niederung aber nicht vertreiben können, »weil diese eiserne Streitwagen hatten« (Richter 1, 19). Bei Josua (13, 1–3) dagegen liest man, daß der Herr zu Josua sprach:

> *Du bist nun alt und hochbetagt; doch bleibt noch sehr viel Land einzunehmen. Dies ist das Land, das noch übriggeblieben ist: . . .* [die Gebiete der] *fünf Fürsten der Philister: der von Gaza, . . . der von Aschkelon, . . . der von Ekron . . .*

Demzufolge waren nicht einmal diese Städte in israelitischer Hand, was auch durch die Septuaginta-Fassung von Richter 1, 18 bekräftigt wird. Weiter sagt Richter 1, 29, daß der Stamm Efraim die Kanaanäer in Geser nicht vertreiben konnte, und der Stamm Manasse schließlich scheiterte bei der Eroberung von Dor sowie mehrerer anderer Städte nebst ihrer Nebenorte (Richter 1, 27). Tatsächlich kann man vom letztgenannten Stamm kaum erwarten, daß er mehr erreichte, als den Ostabschnitt der Ebene zwischen den Vorbergen und dem bewaldeten »roten Kamm« zu kontrollieren. Dort, wo Ägyptens wichtigste Nordverbindung durch diesen Küstenstreifen führte, hatte es wohl bis zum Machtzuwachs Assyriens im 8. Jahrhundert v. Chr. mehr oder weniger das Heft in der Hand. Den Nordteil des Juda zugesprochenen Streifens nahmen im 12. Jahrhundert v. Chr. die Philister ein. Und obwohl David und Salomo sie unterwarfen, war es unwahrscheinlich, daß Juda nach Salomos Tod hier noch irgendeine wirksame Kontrolle ausübte. Ausnahmen bildeten die Regierungsjahre Usijas (Asarjas, um 785–733 v. Chr.), der die Mauern von Gat, Jabne und Aschdod schleifen ließ und im Philisterland Festungen errichtete (2. Chronik 26, 6), sowie Hiskijas (um 727–698 v. Chr.), der die Philister bis Gaza vertrieb (2. Könige 18, 8). Usijas Amtsperiode brachte eine politische wie wirtschaftliche Stabilisierung. Ferner reorganisierte er das Heer und verbesserte das Verteidigungssystem der Hauptstadt Jerusalem.

Mit Abstand am häufigsten erwähnt das Alte Testament die Küstenregion in Zusammenhang mit den Kämpfen zwischen den Philistern und Simson (Samson),

dem Helden des Stammes Dan. So erschlug dieser 30 Mann aus Aschkelon, um die 30 Festgewänder wiederzuerlangen, die er verloren hatte, als seine philistäische Frau die Lösung seiner Rätselfrage nach dem Bienenschwarm im Aas eines Löwen verraten hatte (Richter 14, 5–20, insbesondere Vers 19). Gaza verlor seine Tore, die Simson einfach aushob und nach Hebron trug (Richter 16, 1–3). Nach seiner Blendung riß er in Gaza auch den Tempel ein, in dessen Trümmern er zusammen mit 3000 Philistern umkam (Richter 16, 23–30). In den Auseinandersetzungen zwischen Philistern und Israeliten vor der Amtszeit Sauls (um 1025 v. Chr.) siegten erstere in einer Schlacht bei Afek, was ihnen den Zugang zum zentralen Hochland durch das Wadi Qana (1. Samuel 4, 11–11) verschaffte. Die Bundeslade, die in diesem Gefecht in Philisterhand gefallen war, wurde zuerst nach Aschdod und sodann nach Gat und Ekron gebracht, bevor man sie den Israeliten zurückgab (1. Samuel 5, 1–12). Schließlich war Gat die Heimat des riesenhaften Philisters Goliat, und David floh hierhin, als Saul ihm nach dem Leben trachtete (1. Samuel 27, 1–12). Von den Städten im Norden des Philistergebiets wird Joppe als jener Hafen erwähnt, in dem der Prophet Jona aufbrach, um Gott zu entfliehen (Jona 1, 3), und auch das Baumaterial für den ersten wie zweiten Jerusalemer Tempel verschiffte man hier (2. Chronik 2, 16; Esra 3, 7).

Das Neue Testament spiegelt dann die bedeutenden Veränderungen, die nach der Okkupation durch die Römer im Jahr 63 v. Chr. in diesem Teil Israels stattgefunden hatten. Die bei weitem wichtigste davon war die Errichtung Caesarea Maritimas.

Zwar hatte es dort schon seit Ende der Perserzeit (um 340 v. Chr.) einen befestigten Hafenplatz gegeben, doch die Stadt, die im Neuen Testament erwähnt wird, war ein Werk Herodes' des Großen. Ihr Bau begann 22. v. Chr., 10 oder 9 v. Chr. wurde sie feierlich Kaiser Augustus geweiht und 6 n. Chr. zur Metropole der römischen Provinz Judäa und zur Residenz der römischen Prokuratoren erhoben. Die herausragenden Bauwerke der Stadt waren das etwa 14 163 m² große Hafenbecken und die Wasserfernleitungen. Der höhere dieser beiden Aquädukte (9 km lang), der bereits unter Herodes entstand, führte das kostbare Naß vom Südhang des Karmelmassivs heran. Welch bemerkenswerte technische Leistung die Anlage des Hafenbeckens war, schildert der jüdische Historiker Flavius Josephus (37/38–100) in seinem Werk *Über den Jüdischen Krieg:* [Herodes ließ] *gewaltige Felsstücke, von denen die meisten 50 Fuß (15,5 m) lang, 9 Fuß (2,8 m) hoch und 10 Fuß (3,1 m) breit waren, 20 Ellen (10 m) tief ins Meer versenken. Nachdem so die Tiefe ausgefüllt war, ließ er den über die Oberfläche des Wassers ragenden Teil des Dammes auf eine Breite von 200 Fuß (62 m) bringen. 100 Fuß (31 m) davon waren vorgebaut, um die Gewalt der Meeresfluten zu brechen. Der übrige Raum diente einer steinernen, rings um den Hafen laufenden Mauer als Unterlage und war mit sehr hohen Türmen versehen.*

Der Apostel Petrus begab sich nach Caesarea, um dort dem römischen Centurio Cornelius das Evangelium zu predigen (Apostelgeschichte 10, 1–48). Später erwähnt dann die Apostelgeschichte noch mehrmals die dort entstandene Christengemeinde. Auch der Apostel Paulus kam auf der Rückkehr von seiner letzten Missionsreise in die Stadt (Apostelgeschichte 21, 8), wo er bei dem Evangelisten Philippus blieb. In Caesarea wurde Paulus zwei Jahre lang eingekerkert (Apostelgeschichte 24, 27 – vgl. jedoch die Kommentare), und hier verteidigte er sich vor dem römischen Prokurator Festus sowie vor Herodes Agrippa II. und dessen Schwester Berenike (Apostelgeschichte 25–26).

Caesarea

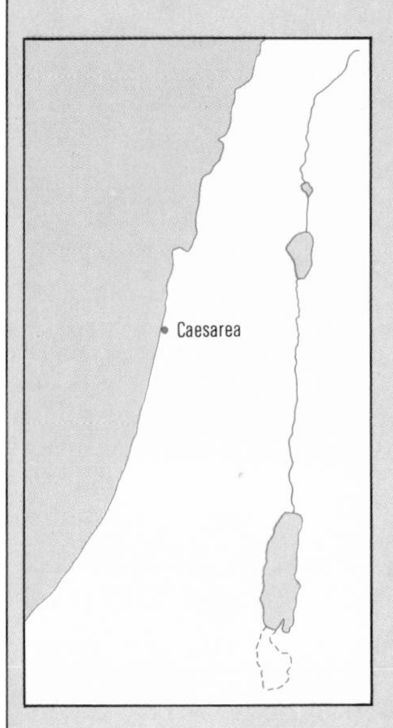

Die Erbauung von Caesarea Maritima dokumentierte die beachtlichen technologischen Fortschritte, die bis zum Ende des 1. Jahrhunderts v. Chr. gemacht worden waren, gab es doch in diesem Küstenabschnitt weder Süßwasserquellen noch günstige natürliche Verhältnisse. Obwohl hier schon mehrere Jahrhunderte früher eine kleine Küstenstation der Phöniker existiert hatte, ist Caesarea mit Herodes dem Großen verknüpft, der es in den Jahren 22–9 v. Chr. errichten ließ und es zum größten Hafen der Region sowie zur Hauptresidenz der jüdischen Könige und römischen Prokuratoren, die über Judäa herrschten, machte. Zu letzteren gehörten sowohl Pontius Pilatus, der zur Zeit der Kreuzigung Jesu als Prokurator wirkte und von 26–36 n. Chr. in Caesarea lebte, als auch Felix, der den Apostel Paulus hier zwei Jahre gefangenhielt. Seit der neutestamentlichen Periode bis hin zu den Kreuzzügen bewahrte Caesarea seine strategische Bedeutung. Nach wechselvollen Ereignissen kam es 1229 unter Kaiser Friedrich II. wieder unter christliche Herrschaft; Ludwig IX., der Heilige, versah die Stadt zwischen 1252–1254 mit gewaltigen Mauern. 1291 wurde Caesarea dann von den Muslimen gründlich zerstört und war fortan eine verlassene Trümmerstätte, bis Archäologen etwas von seinem einstigen Glanz ans Licht brachten.

Unten: Diese Tessera (Spielmarke) oder Münze, die im Meer bei der Stadt gefunden wurde, trägt eine Darstellung des alten Hafens.

Unten Mitte links: Eine von Trajanus Decius geprägte Münze mit der Inschrift: *Colonia Prima Flavia Augusta Caesarea.*

Unten: Neben dem Hafen ragen alte Säulen der meerumspülten Mauer auf, wo sich einst die phönikische Küstenstation befand.

Unten Mitte links: Eine relativ gut erhaltene Passage mit Spitzbögen aus dem 13. Jahrhundert in der »Kreuzfahrerstadt«.

Unten: Der Plan Caesareas. Am eindrucksvollsten sind die Reste der ca. 1200 m langen Kreuzfahrermauern, die durch 16 Türme verstärkt waren.

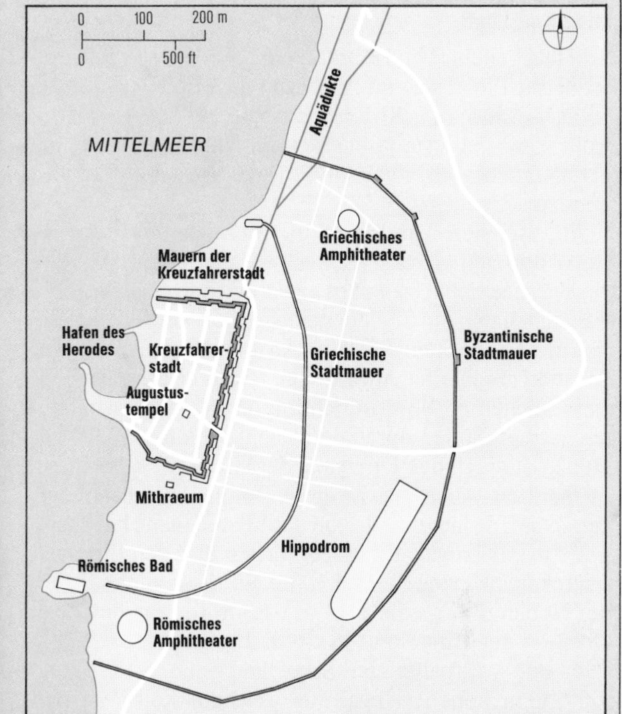

Links: Die Trinkwasserversorgung war für Caesarea von vitaler Bedeutung. Sie wurde durch zwei Aquädukte sichergestellt, dessen höherer (hier zu sehen) Wasser von den Südhängen des 9 km von der Stadt entfernten Berges Karmel heranführte.

Oben: Die Luftaufnahme von Caesarea zeigt bauliche Überreste, die zumeist aus der mittelalterlichen Stadt (11.–13. Jahrhundert) stammen, die sich zu dieser Zeit beträchtlich verkleinert hatte. Während der Blütephase gehörte das Areal im Vordergrund zum Stadtgebiet.

DIE SCHEFELA

Die Landschaft

Schefela bedeutet im Hebräischen »Niederung«, und dieser Name findet sich im Alten wie auch im Neuen Testament. Bei Josua 15, 20-63 steht er für ein Gebiet, das sowohl vom »äußersten Süden« (dem Negev, ebenda Vers 21) als auch vom »Oberland« (hebräisch *her,* Vers 48) unterschieden wird.

Auf welchen Landstrich die Bezeichnung Schefela exakt bezogen ist, läßt sich schwer definieren. Als ihre Nordgrenze betrachtet man gewöhnlich das Tal Ajalon – wahrscheinlich ein Teil der geologischen Verwerfung, die sich im »Lodbecken« fortsetzt. An ihrer Ostflanke wird die Schefela durch eine Anzahl von Tälern begrenzt, die im wesentlichen in Nordsüdrichtung bis Tarqumija verlaufen, und im Süden durch den Nahal Schiqma. Die Westgrenze ist durch den Übergang der Hügel zur Küstenebene markiert. Allerdings ist diese Trennlinie nicht sonderlich scharf, da hier und da von der Küstenebene her breite Täler in das Hügelland hineinreichen und den Eindruck erwecken, als handele es sich um ein zusammenhängendes Gebiet. Das gesamte so umrissene Terrain mißt etwa 45 km in der Länge und 15 km in der Breite.

In der Westhälfte der Schefela bestehen die (rund 120–350 m hohen) Hügel aus weichem Kalkstein und Kreide. Sie werden durch eine Reihe nicht sehr langgestreckter, nordsüdlich verlaufender Täler von den höher ansteigenden kleinen Bergen im Osten getrennt. Letztere bedeckt eine 1–2 m dicke, harte Kalkschicht, sie besitzen rundere Formen als die Erhebungen im Westabschnitt und eignen sich weniger gut für agrarische Zwecke.

Je weiter man von Norden nach Süden kommt, desto geringer wird die Niederschlagsmenge. Am Nordrand der Schefela fallen im Durchschnitt noch 500 mm Regen, in ihrer Mitte 350 mm und im Süden schließlich nur mehr 250 mm. Dies findet seinen Ausdruck in der Siedlungsstruktur, die eine klare Bevorzugung des Nordsektors erkennen läßt.

Abkürzung: (U) = Unlokalisiert

Achsib (Kesib, Chasib) Gen. 38, 5; Jos. 15, 44; 19, 29; Richt. 1, 31; Mi. 1, 14 [C3]
Aditajim (Adithaim) Jos. 15, 36 (U)
Adullam (Odollam) Gen. 38, 1. 12–20; Jos. 12, 15; 15, 35; 1. Sam. 22, 1; 2. Sam. 23, 13; 1. Chr. 11, 15; 2. Chr. 11, 7; Neh. 11, 30; Mi. 1, 15; 2. Makk. 12, 38 [D3]
Ajalon (Elon) Jos. 10, 12; 19, 42. 43; 21, 24; Richt. 1, 35; 1. Kön. 4, 9; 1. Chr. 6, 69; 2. Chr. 11, 10 [D1]
Ajalon, Tal, Jos. 10, 12 [C1 D1]
Anem (En-Gannim) 1. Chr. 6, 58. 73 (U)
Aschan Jos. 15, 42 (U)
Aschna (Asena, Esna) Jos. 15, 33. 43 [C3 D2]
Aseka (Azeca) Jos. 10, 10. 11; 15, 35; 1. Sam. 17, 1; 2. Chr. 11, 9; Neh. 11,30; Jer. 34, 7 [C2]

Beer Numeri 21, 16 [C2]
Bet-Hanan 1. Kön. 4, 9 (U)
Bet-Schemesch (Har-Heres, Ir-Schemesch) Jos. 15, 10; 19, 41; 21, 6; Richt. 1, 35; 1. Sam. 6, 9–20; 1. Kön. 4, 9; 2. Kön. 14, 11. 13; 1. Chr. 6, 59; 2. Chr. 25, 21. 23; 28, 18 [C2]
Bozkat (Bascath, Besecath) Jos. 15, 39; 2. Kön. 22, 1 [C3]

Chasib *siehe* Achsib
Chebbon *siehe* Kabbon
Chitlisch *siehe* Kitlisch

Debir Jos. 10, 38. 39; 11, 21; 15, 7. 15–16; 21, 15; Richt. 1, 11; 1. Chr. 6,58 [C4 D4]
Dilan (Delean) Jos. 15, 38 [B3]

Efes-Dammim (Efesdommim, Aphesdommim, Pas-Dammim) 1. Sam. 17, 1; 1. Chr. 11, 13 (U)
Eglon Jos. 10, 3. 23. 34. 37; 12, 12; 15, 39 [B3 C4]
Elam Esra 2, 31; Neh. 7, 34 [C3]
Elon Jos. 19, 43 [C2]
Elon-Bet-Hanan *siehe* Bet Hanan
Emmaus (Nikopolis) 1. Makk. 3, 40. 57; 4, 3; 9, 50; Luk. 24, 13 [C1]
Enajim Gen. 38, 14. 21; Jos. 15, 34 (U)
Enam *siehe* Enajim
En-Gannim Jos. 15, 34; 1. Chr. 6, 58 [C2]
Eschtaol Jos. 15, 33; 19, 41; Richt. 16, 31; 18, 2. 11 [D2]
Eter Jos. 15, 42 [C3]

Gazara *siehe* Geser
Geder Jos. 12, 13 (U)
Gedera (Gederot) Jos. 15, 36; 1. Chr. 4, 23; 12, 4 [C2]
Gederotajim Jos. 15, 36 [C2]
Gedor Jos. 15, 58; 1. Chr. 4, 18. 39 (U)
Geser (Gazara) Jos. 10, 33; 12, 12; 16, 3; 21, 21; Richt. 1, 29; 2. Sam. 5, 25; 1. Kön. 9, 15–17; 1. Chr. 6, 67; 7, 28; 20, 4; 1. Makk. 4, 15; 7, 45; 9, 52 [C1]

Hadascha (Adasa) Jos. 15, 37 (U)
Har-Heres *siehe* Bet-Schemesch
Harim Esra 2, 32. 39; Neh. 7, 35; 42 [C3]

Iephtha *siehe* Jiftach
Iethela *siehe* Jitla
Ir-Nahasch 1. Chr. 4, 12 (U)
Ir-Schemesch *siehe* Bet-Schemesch

Jarmut Jos. 10, 3. 5. 23; 12, 11; 15, 35; Neh. 11, 29 [C2]
Jiftach (Iephtha, Tricomias) Jos. 15, 43 [D3]
Jitla Jos. 19, 42 (U)
Jokteel Jos. 15, 38 (U)

Kabbon Jos. 15, 40 [C3]
Keila (Kegila) Jos. 15, 44; 1. Sam. 23, 1–13; Neh. 3, 17. 18 [D3]
Kesib *siehe* Achsib
Kitlisch (Chitlisch) Jos. 15, 40 [B3]

Lachisch Jos. 10, 3. 5. 23. 31–35; 12, 11; 15, 39; 2. Kön. 14, 19; 18, 14. 17; 2. Chr. 11, 9; 25, 27; Neh. 11, 30; Jes. 36, 2; Jer. 34, 7; Mi. 1, 13 [C3]
Lachmas Jos. 15, 40 [C3]
Libna Num. 33, 20. 21; Jos. 10, 29. 31–32.39; 15, 42; 21, 13; 2. Kön. 8, 22; 19,8; 23, 31; 1. Chr. 6, 57; 2. Chr. 21, 10; Jes. 37, 8 [C3]
Makaz (Maces) 1. Kön. 4, 9 [C2]
Makkeda Jos. 10, 10. 16. 17. 21. 28. 29; 15, 41 [C3]
Marescha (Marisa) Jos. 15, 44; 2. Chr. 11, 8; 14, 9–10; 20, 37; 1. Makk. 5, 66; 2. Makk. 12, 35 [C3]
Migdal-Gad Jos. 15, 37 [C3]
Mizpe Jos. 11, 3. 8; 15, 38 (U)
Moreschet-Gat Jer. 26, 18; Mi. 1, 1. 14 [C3]

Naama Jos. 15, 41 (U)
Nahasch 1. Chr. 4, 12 [C3]
Nezib Jos. 15, 43 [D3]
Nikopolis *siehe* Emmaus

Pas-Dammim *siehe* Efes-Dammim

Sanoach (Zanoa) Jos. 15, 34; Neh. 3, 13; 11, 30 [D2]
Socho Jos. 15, 35; 1. Sam. 17, 1; 2. Chr. 11, 7; 28, 18 [C2]
Sorek, Tal, Richt. 16, 4 [C2]

Tappuach Jos. 15, 34 (U)
Timna Jos. 15, 10; 19, 43; Richt. 14, 1–2. 5; 2. Chr. 28, 18 [C2]
Tricomias *siehe* Jiftach

Zenan Jos. 15, 37 [B3]
Zora (Saraa) Jos. 15, 33; 19, 41; Richt. 13, 2. 25; 16, 31; 18, 2. 8. 11; 2. Chr. 11, 10; Neh. 11, 29 [C2]

Links: Das Gebiet von Zora und Eschtaol bildete das Herzland des Territoriums des Stammes Dan. Ausgedehnte Neupflanzungen von Bäumen vermitteln heute einen gewissen Eindruck davon, wie es hier zur Zeit des Alten Testaments ausgesehen haben mag.

Rechts: Die Schefela ist eine Übergangszone im Süden Israels: Sie geht im Westen in die Küstenebene, im Osten in das zentrale Hügelland über und war Schauplatz einiger der bedeutendsten Ereignisse im Alten Testament.

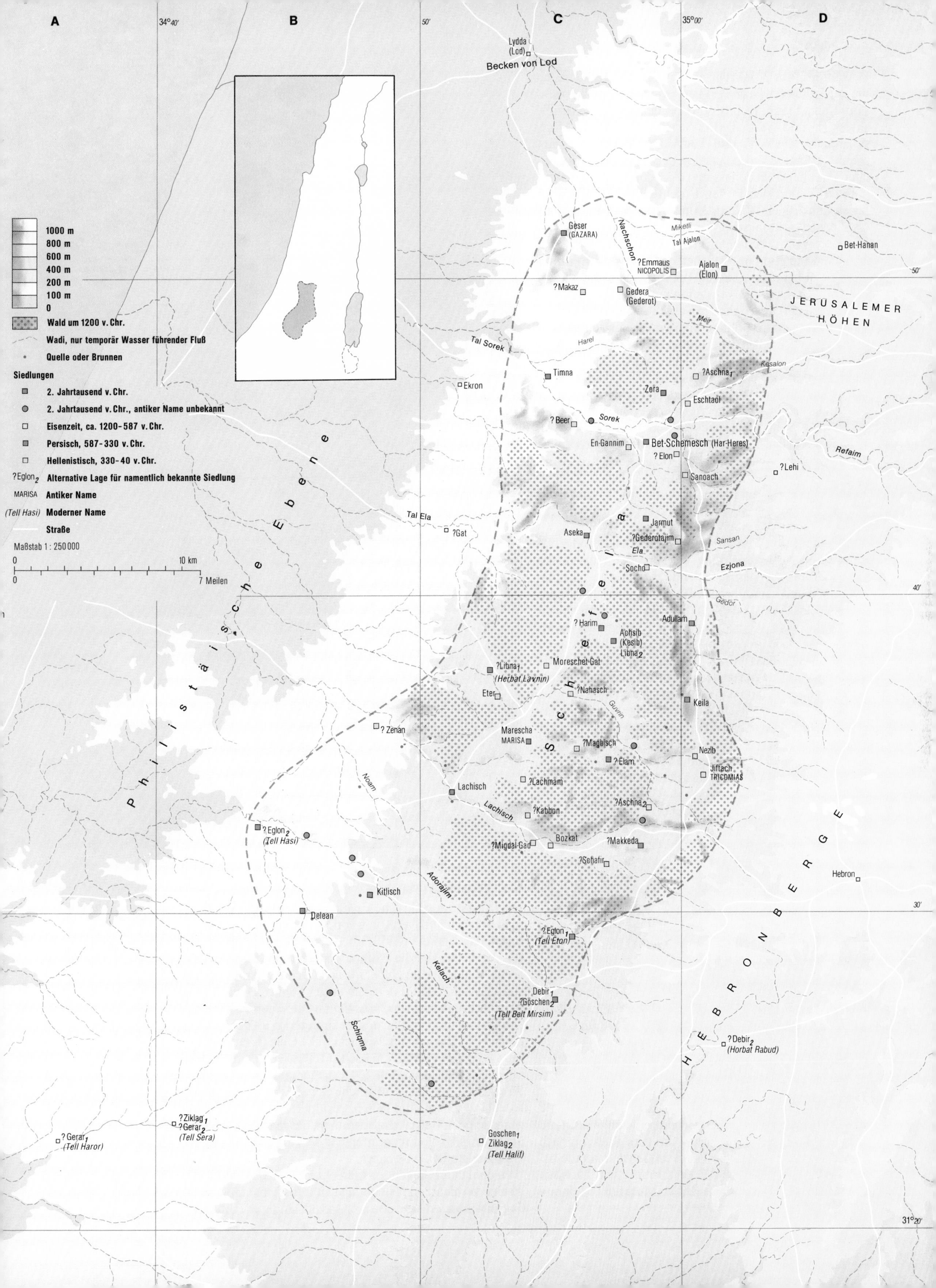

A
B
C
D
34°40'
50'
35°00'
1000 m
800 m
600 m
400 m
200 m
100 m
0
Wald um 1200 v. Chr.
Wadi, nur temporär Wasser führender Fluß
Quelle oder Brunnen
Siedlungen
2. Jahrtausend v. Chr.
2. Jahrtausend v. Chr., antiker Name unbekannt
Eisenzeit, ca. 1200-587 v. Chr.
Persisch, 587-330 v. Chr.
Hellenistisch, 330-40 v. Chr.
?Eglon2 Alternative Lage für namentlich bekannte Siedlung
MARISA Antiker Name
(Tell Hasi) Moderner Name
Straße
Maßstab 1 : 250 000
0
10 km
0
7 Meilen
Lydda (Lod)
Becken von Lod
Geser (GAZARA)
Nachschon
Mikefli
Tal Ajalon
?Emmaus NICOPOLIS
Ajalon (Elon)
Bet-Hanan
?Makaz
Gedera (Gederot)
JERUSALEMER HÖHEN
Meir
Harel
Tal Sorek
Kesalon
Timna
?Aschna1
Ekron
Zora
Eschtaol
?Beer
Sorek
En-Gannim
Bet-Schemesch (Har-Heres)
?Elon
Refaim
Sanoach
?Lehi
Philistäische Ebene
Schefela
Tal Ela
?Gat
Jarmut
Aseka
?Gederotajim
Sansan
Ela
Socho
Ezjona
Gedor
Adullam
?Harim
Achsib (Kesib) Libna2
?Libna1 (Herbat Lavnin)
Moreschet-Gat
Eter
?Nahasch
Guvrin
Keila
?Zenan
Marescha MARISA
?Magbisch
?Elam
Nezib
Jiftach TRICOMIAS
Noam
Lachisch
?Lachmam
?Aschna2
?Kabbon
?Eglon2 (Tell Hasi)
Bozkat
?Makkeda
?Migdal-Gad
?Schafir
HEBRONBERGE
Hebron
Kitlisch
Adorajim
Delean
?Eglon1 (Tell Eton)
Kelach
Debir1 ?Goschen2 (Tell Beit Mirsim)
Schiqma
?Debir2 (Horbat Rabud)
?Ziklag1 ?Gerar2 (Tell Sera)
?Gerar1 (Tell Haror)
Goschen1 Ziklag2 (Tell Halif)
40'
30'
31°20'

Während des 2. Jahrtausends v. Chr. erstreckten sich die Ansiedlungen längs der Ostgrenze der Schefela (Adullam, Keila, Eglon, Debir), sowie entlang der Scheidelinie ihres Ost- und Westteils (Bet-Schemesch, Jarmut, Moreschet-Gat, Marescha und Lachisch). In ihrem Ostabschnitt scheint es also lediglich an der östlichen und westlichen Peripherie Niederlassungen gegeben zu haben. Ausnahmen finden sich in den bedeutenderen Tälern zwischen den Hügeln. Daraus kann man schließen, daß die Ost-Schefela in biblischer Zeit mehr oder weniger dicht bewaldet war: mit immergrünen Eichen und der dazugehörigen Vegetation im östlichen, mit (gleichfalls immergrünen) Johannisbrotbaum-Mischbeständen im westlichen Sektor. Über die Vegetation auf den Hügeln und in den Tälern der West-Schefela ist nichts bekannt. Letztere besitzen fruchtbaren Boden und wurden ausgiebig landwirtschaftlich genutzt. Von Salomo heißt es, er habe in Jerusalem Zedern so häufig gemacht »wie Maulbeerfeigenbäume in der Schefela« (1. Könige 10, 27) – vorausgesetzt, daß mit den Sykomoren, von denen der Originaltext spricht, tatsächlich Maulbeerfeigenbäume *(Ficus sycomorus)* gemeint sind. Von David erfahren wir (1. Chronik 28), er habe die Ölbäume und Sykomoren der Schefela unter die Aufsicht des Baal-Hanan aus Geder gestellt. Es kann also sehr wohl sein, daß Bereiche der westlichen Schefela agrarischen Zwecken dienten, wo man Öl-, Maulbeerfeigenbäume und wohl auch Wein kultivierte (vergleiche die Erwähnung der Weinberge in Richter 14, 5).

Die Hauptverkehrsadern in der biblischen Periode folgten den in Ostwestrichtung verlaufenden Tälern, die Nordsüdroute dagegen der Scheide zwischen dem Schefela-Ostrand und dem zentralen Hochland sowie den Tälern zwischen Ost- und West-Schefela. So lag Lachisch beispielsweise nicht allein an der von Bet-Schemesch ausgehenden Nordsüdstrecke, sondern auch an der Ostweststraße, die durch das Tal des Nahal Lachisch nach Hebron führte. Als Simson mit seiner übermenschlichen Kraft die Tore von Gaza aushob und in das 70 km entfernte Hebron schleppte, müßte er eigentlich diesen Weg genommen haben (Richter 16, 1–3). Lachisch, dessen Herrscher Jafia zur Zeit der Landnahme Mitglied des kanaanäischen Bündnisses war, wurde anscheinend erst zur Zeit Davids (um 1000 v. Chr.) von Israeliten aus dem Stamm Juda besiedelt. Unter König Rehabeam (um 930–910) erhielt es einen doppelten Mauerring zum Schutz gegen die Philister; aufgrund seiner strategisch günstigen Lage war es die zweitwichtigste Stadt Judas. 701 v. Chr. wurde Lachisch dann durch den Assyrerkönig Sanherib erobert, der hier sein Hauptquartier aufschlug. Laut 2. Könige 18, 14–16 schickte Hiskia, der damalige judäische König, eine Ergebenheitsadresse an Sanherib, worauf dieser ihm eine Abgabe von 300 Talenten Silber und 30 Talenten Gold (etwa 18 000 kg Silber und 1800 kg Gold) auferlegte. Weiter heißt es:

> *Und Hiskia gab alles Silber her, das sich im Tempel des Herrn und in den Schatzkammern des königlichen Palastes* [in Jerusalem] *vorfand. Zu jener Zeit ließ Hiskia von den Türen am Tempel des Herrn und von den Pfeilern, die er selbst hatte überziehen lassen,* [das Gold] *losmachen und gab es dem König von Assyrien.*

Aber trotz dieser enormen Tributzahlung marschierte Sanherib gegen Jerusalem, doch eine Epidemie während der Belagerung der Stadt zwang ihn zum Rückzug nach Ninive. In seinem dortigen Palast entdeckte man die berühmten Reliefs, welche die Erstürmung von Lachisch zeigen; sie werden heute im British Museum in London aufbewahrt (*siehe Seite* 90/91).

Charakteristisch für die Schefela sind breite Täler und sanfte Hügel. Sie bildeten die Szenerie für viele der Heldentaten Simsons (Samson), des Helden des Stammes Dan.

Der biblische Bericht

Die früheste ausführliche Erwähnung der Schefela findet man bei Josua 10. Der König von Jerusalem, dadurch alarmiert, daß sich die Stadt Gibeon mit den Israeliten verbündet hatte, rief die Könige von Hebron, Jarmut, Lachisch und Eglon zu Hilfe (Josua 10, 3). Interessant ist die strategische Position der genannten Städte. Hebron beherrschte den Weg von Jerusalem nach Süden ins Negevgebiet, Lachisch und Jarmut befanden sich an der Route, die die östliche von der westlichen Schefela trennte, während Eglon – wenn das judäische (Tell Eton) und nicht das philistäische Eglon (Tell el-Hesi) gemeint ist – an der Strecke lag, welche die östliche Schefela vom zentralen Hochland schied. Ihre Allianz resultierte wohl aus einem gegenseitigen Beistandsabkommen, das man geschlossen hatte, um sich die Einnahmen aus der Kontrolle all dieser Überlandstraßen zu sichern.

In dem darauffolgenden Gefecht erlitten die fünf Könige eine vernichtende Niederlage, und Josua bat Gott, den Tag zu verlängern, um den Sieg so vollständig wie möglich machen zu können (Josua 10, 12-14). Die geschlagenen Streitkräfte flohen zuerst entlang des Wadi Miketli (Nahal Bet Horon) in das Tal von Ajalon. Von dort wandten sie sich entlang der Bäche Naschon und Meïr in das Tal des Nahal Sorek und schließlich in Richtung Lachisch. Sie wurden jedoch von einem Hagelsturm überrascht, durch den mehr Männer umkamen als durch die Schwerter der Israeliten (Josua 10, 11).

Nach diesem Erfolg konnte sich Josua den Städten der Könige zuwenden. Nachdem er Libna überwunden hatte (Josua 10, 29-30) - vielleicht Horbat Lavnin, etwa 7 km südöstlich von Aseka -, rückte er nach Lachisch vor und bezwang auch diese mächtige Stadt, obwohl sie von dem mehr als 35 km entfernten Geser Hilfe erhielt (Josua 10, 31-33). Dann nahm Josua sich Eglon vor (Josua 10, 34-35). Wenn es sich dabei tatsächlich um Tell Eton handelt, zog er höchstwahrscheinlich am Nahal Lachisch entlang nach Südosten zu der Route zwischen der östlichen Schefela und dem zentralen Hochland und näherte sich Eglon von Osten. Nachdem so seine Flanke gesichert war, konnte er nach Nordosten gegen Hebron marschieren (Josua 10, 36-37), bevor er abschließend Debir (entweder Tell Beit Mirsim oder Chorbat Rabut) niederzwang (Josua 10, 38). Andererseits jedoch soll Debir auch von den Kalebitern eingenommen worden sein (Josua 15, 13-17). Möglicherweise handelt es sich hierbei um ein und dasselbe Ereignis (falls sich Josua der Kalebiter bediente), oder aber um eine spätere Wiedereroberung der Stadt.

Bei der nächsten Erwähnung der Schefela geht es um Simsons (Samsons) Kampf mit den Philistern. 17 Städte gehörten zum Erbteil des Stammes Dan, einige davon, vorausgesetzt die Lokalisierung ist korrekt - so z.B. die Gleichsetzung von Bene-Berak mit Givat ha-Radar und von Gat-Rimmon mit Tell Gerise (Josua 19, 45) -, lagen südlich der Jarkonmündung an der Küste. Die anderen säumten das breite Tal des Nahal Sorek oder befanden sich im »Becken von Lod«. Obwohl dies alles geographisch einen Sinn ergibt, mußten sich die Daniter in der Praxis mit einem kleinen Areal westlich von Bet-Schemesch begnügen, das sich auf den Höhen hinbreitete, die das Tal des Nahal Sorek überragten. In diesem Landstrich lag Zora, der Geburtsort Simsons (Richter 13, 2). Schauplatz des ersten Ereignisses der Zeit, als Simson bereits erwachsen war, war Timna (Richter 14, 1). Er verliebte sich dort in »eine von den Töchtern der Philister«. Daß es in der Stadt Philister gab, läßt aufhorchen, zeigt es doch, daß sie sich am Nahal Sorek entlang talaufwärts ausgebreitet hatten und bereits darangingen, Territorien zu erobern, die dem Stamm Dan gehörten (daß Timna danitisch war, geht aus Josua 19, 43 hervor). Bei der besagten schönen Philisterin handelte es sich um jene Frau, die Simson die Lösung seines Rätsels vom Honig in einem Löwenkadaver entlockte (Richter 14, 5-20). Die schlechten Beziehungen zwischen ihm und der Familie seiner Gemahlin führten dazu, daß er die Getreidefelder sowie die Weinberge und Olivenhaine in der Gegend von Timna in Brand steckte (Richter 15, 1-8). Richter 15, 9-20 berichtet dann von einem Philisterüberfall auf Juda, bei dem Simson in Erscheinung trat. Lechi, der Schauplatz dieser Ereignisse, ist nicht lokalisiert. Doch hat der Zwischenfall insofern Bedeutung, als er die wachsende Macht der Philister dokumentiert und erkennen läßt, welchen Druck sie auf den Stamm Dan ausübten. Dieser Druck bewirkte schließlich, daß die Daniter das ihnen ursprünglich zugewiesene Gebiet (Josua 19, 40-46) wieder verließen und nach Norden auswanderten. Richter 18, 2 kann so aufgefaßt werden, daß ihnen nur noch zwei Städte geblieben waren (Zora und Eschtaol), bevor sie in der Nähe der Jordanquelle im Gebiet von Lajisch (das künftig Dan hieß) ansässig wurden (Richter 18, 27-29). Was Simsons Beziehung zu Delila angeht, so erfahren wir nur, daß sich das Ganze im »Tal Sorek« abspielte (Richter 16, 4).

Wenigstens annähernd bestimmbar ist dagegen der Ort des Zusammentreffens zwischen David und dem philistäischen Riesen Goliat. Nach 1. Samuel 17, 1 lagerten die Philister zwischen Socho und Aseka in Efes-Dammim, einer noch nicht näher lokalisierten Örtlichkeit. Socho und Aseka jedoch liegen beide an derselben Seite des Nahal ha-Ela (des »Eichengrundes«), und aus 17, 3 geht klar hervor, daß die beiden feindlichen Heere auf einander gegenüberliegenden Höhen beiderseits des »Eichengrundes« Lager errichtet hatten. So waren sie jeweils vor Überraschungsangriffen des Gegners sicher und konnten außerdem gut den Kampf zwischen David und Goliat unten im Talgrund beobachten. Nachdem David gesiegt hatte, verfolgten die Israeliten die fliehenden Philister bis nach Gat und Ekron (17, 52).

Die Schefela-Städte werden dann wieder in Zusammenhang mit der Flucht Davids vor Saul erwähnt, der ihm nach dem Leben trachtete. 1. Samuel 22, 1 zufolge versammelte David in der »Höhle von Adullam« 400 Anhänger um sich. Adullam war eine alte Kanaanäerstadt (Josua 12, 15) an der Route zwischen der östlichen Schefela und den Zentralbergen. Außerdem befand es sich nahe am »Eichengrund«, der sowohl nach Westen als auch nach Osten hin Ausweichmöglichkeiten erlaubte. Zweifellos wählte David diesen Platz, weil er an einer Wegkreuzung lag, gleichzeitig aber in einer waldreichen Gegend, die guten Zuschlupf bot. In 2. Samuel 23, 13-17 wird davon gesprochen, daß David von Adullam aus drei Krieger nach Betlehem sandte, um Wasser zu holen, als Betlehem gerade philistäische Garnisonsstadt war. Das Ereignis paßt am besten in die Phase, da David auf der Flucht vor Saul war und die Philister ihre Herrschaft auf das Kernland von Juda ausgedehnt hatten. Wenn Davids Männer die nächstliegende Route nahmen, hätten sie Betlehem bequem erreichen können, indem sie entlang des Nahal Ezyona und dann durch ein kleineres Tal marschierten. Doch die offizielle Straße war zweifellos auch am besten bewacht, und Davids Gefolgsleute waren sicher Meister des Guerillakriegs, die sich auf den Schleichwegen weit besser auskannten als die Philister.

Nach der Zeit Davids taucht die Schefela erst wieder im Kontext mit seinem Enkel Rehabeam (um 930-910 v. Chr.) auf. Dieser König befestigte Teile Judas, und soweit dies die Schefela anbelangte, treffen wir auf bereits vertraute Orte: Socho, Adullam, Marescha, Lachisch, Aseka, Zora und Ajalon (2. Chronik 11, 6-10). Mit anderen Worten: Die Trennscheide zwischen der östlichen und westlichen Schefela wurde nun zur befestigten Grenze. Dennoch retteten diese Vorkehrungen Rehabeam im Jahr 924 v. Chr. nicht vor dem ägyptischen Pharao Schischak (Sheshonq I., 944-923). Obwohl in der Bibel (1. Könige 14, 25-27) nur von Schischaks Zug nach Jerusalem die Rede ist, legen doch ägyptische Quellen die Vermutung nahe, daß er auf der wichtigsten Nordsüdroute vorrückte und sich weit westlich der Festungen Rehabeams hielt, dann aber ostwärts marschierte und Jerusalem von zwei Seiten her in die Zange nahm. Vielleicht zog Schischak persönlich gar nicht dorthin, sondern ließ sich in Gibeon Tribut zahlen, bevor er Israels befestigte Städte im Norden angriff.

Um 786 v. Chr. kam es in der Schefela bei Bet-Schemesch (2. Könige 14, 8-14) zu einem bewaffneten Zusammenstoß zwischen Amasja, dem König von Juda, und Joasch, dem König Israels. Amasja hatte erfolgreich gegen die Edomiter gekämpft, die südöstlich von Juda wohnten (2. Könige 14, 7), und nun forderte er Joasch zum Kampf um die Vorherrschaft. Joasch warnte Amasja, keine Torheit zu begehen, und erzählte folgende berühmte Fabel:

> *Die Distel auf dem Libanon sandte zur Zeder auf dem Libanon und ließ ihr sagen: Gib deine Tochter meinem Sohn zum Weibe. Aber das Wild auf dem Libanon lief über die Distel und zertrat sie* (2. Könige 14, 9).

Amasja freilich ließ sich nicht abschrecken, und die Auseinandersetzung von Bet-Schemesch begann. Man kann natürlich mit gutem Recht fragen, warum ein Herrscher Israels, dessen Hauptstadt Samaria nördlich von Jerusalem lag, seinem judäischen Gegner eine Schlacht an einem Ort lieferte, der sich west-südwestlich von Jerusalem befindet. Die Antwort lautet, daß das Treffen wahrscheinlich mit Pferden und Streitwagen ausgetragen wurde, die man in dem breiten Tal von Bet-Schemesch gut einsetzen konnte. Der Regent Israels könnte seine Streitwagen auf der Hauptroute hierher gebracht haben, die längs des Gebirgsfußes in der Küstenebene verlief. Indem er seine Mannschaften bei Bet-Schemesch postierte, schuf er für Amasja ein schwieriges Problem. Wenn sich Amasja ihm hier nicht stellte, konnte Joasch sämtliche Städte zwischen Bet-Schemesch und Lachisch plündern; stießen hier aber die beiden Heere zusammen und Amasja verlor, konnte Joasch seine Truppen am Nahal Refaim entlang gegen Jerusalem führen, und genau das geschah auch: Amasja wurde bei Bet-Schemesch besiegt, und Joasch rückte gegen Jerusalem vor, wo er einen Teil der Stadtmauer niederriß sowie den Tempel und die königliche Schatzkammer plünderte (2. Könige 14, 13).

Das strategische Problem, wie man die Schefela gegen einen von Westen her eindringenden Feind verteidigte, sollte die Jerusalemer Könige noch bei verschiedenen Gelegenheiten beschäftigen. Unter Ahas (um 743–727 v. Chr.) plünderten die Philister die Schefela und eroberten die Städte Bet-Schemesch, Ajalon, Gederot, Socho und Timna (2. Chronik 28, 18). Wahrscheinlich wurde diese Niederlage von Ahas' Nachfolger Hiskija (um 727–698 v. Chr.) wieder wettgemacht, der die Philister bis nach Gaza trieb (2. Könige 18, 8). Doch auch Hiskija hatte nur kurzfristig Erfolg. Sein Angriff auf die Philister war lediglich Bestandteil seiner Auflehnung gegen die Assyrer, die Oberherren des gesamten Landes waren, seit Ahas deren Herrscher Tiglat-Pileser III. zu Hilfe gerufen hatte (2. Könige 16, 7–8). Hiskija sah sich nun dem Zorn des Assyrerkönigs Sanherib gegenüber.

Die Assyrer griffen mit zwei Heersäulen an: Eine mit Stoßrichtung Jerusalem kam durch das zentrale Bergland von Norden, die andere marschierte an der Westflanke Judas nach Lachisch. Nach dem Fall Lachischs war für Sanherib der Weg nach Marescha, Moreschet-Gat und Adullam sowie in noch nicht identifizierte andere Städte und Dörfer der dortigen Region frei (Micha 1, 10–15). Auch Nebukadnezzar bevorzugte 587 v. Chr. wohl die Westroute, als er das zweite Mal gegen Jerusalem zog. Und zwar erfahren wir durch Jeremia (34, 7), daß – von Jerusalem jetzt abgesehen – von den befestigten Städten nur noch Aseka und Lachisch übrigblieben. Nr. 4 der sogenannten Lachischbriefe beschreibt dann den Moment, als auch Aseka von Nebukadnezzar eingenommen wurde *(siehe rechts).*

Nach dem Babylonischen Exil (587–539 v. Chr.) gibt es im Alten Testament nur noch eine einzige Stelle, an der von der Schefela die Rede ist. Nehemia 11, 29–30 listet Zora, Jarmut, Sanoach, Adullam, Lachisch und Aseka als Orte auf, wo die Bewohner Judas wohnen. Im Neuen Testament wird die Schefela dann lediglich in der Apostelgeschichte 9, 35 erwähnt.

Lachisch

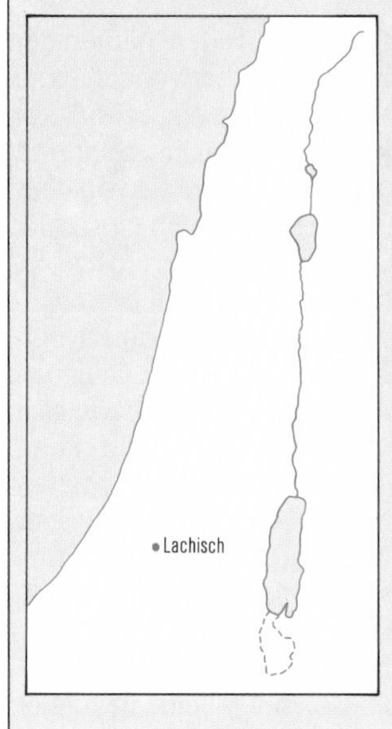

Lachisch zählte nach Jerusalem zu den bedeutendsten Städten Judas. Anders als Jerusalem oder auch Hebron war es niemals Metropole, doch nahm es sowohl an der Nordsüd- wie an der Ostwestroute eine wichtige strategische Position ein. Die frühesten der zahlreichen Siedlungsschichten stammen vom Ende des 3. Jahrtausends v. Chr. Laut Josua-Buch (10, 32) soll Josua Lachisch besiegt haben, und der judäische König Amasja (798–769) floh hierher, um einer Verschwörung in Jerusalem zu entgehen (2. Könige 14, 19). Zweifellos war Lachisch eine stark befestigte Stadt, deren Erstürmung (701 v. Chr.) die berühmten Reliefs des Assyrerkönigs Sanherib darstellen. 587 fiel Lachisch dann an die Babylonier, aber nach dem Exil kehrten Juden dorthin zurück. Wahrscheinlich war es auch die Residenz eines persischen Hyparchen für das Gebiet. Im Laufe des 2. Jahrhunderts v. Chr. wurde der Ort schließlich aufgegeben.

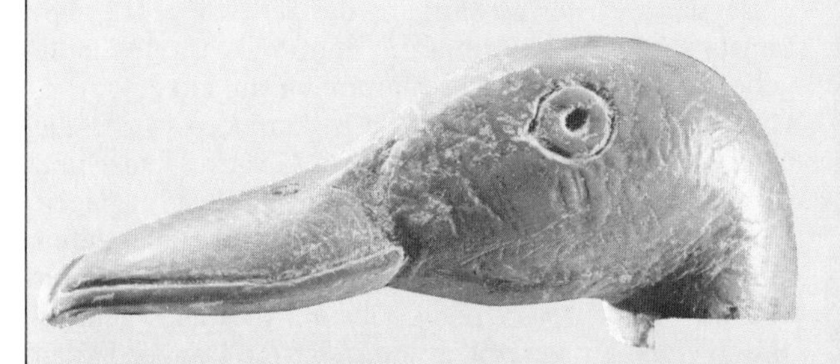

Ganz oben: Am nordwestlichen Fuß des Tell Lachisch befinden sich die Überreste eines Tempels, die aus der Zeit stammen, da die Stadt unter ägyptischer Oberherrschaft stand (um 1450–1250 v. Chr.). Der elfenbeinerne Entenkopf ist eine der Opfergaben, die man in den Tempelruinen fand.

Oben: Zu den jüngsten Ausgrabungen in Lachisch gehört diese Rampe, die während der Belagerung im Jahr 701 v. Chr. von den Assyrern angelegt wurde.

Rechts: Die Ansicht des Tell Lachisch demonstriert die einstmals beherrschende Lage der Stadt.

Unten: Töpfe, Öllampen, Schalen und Krüge aus Lachisch. Weitere Funde sind eine dreizinkige Eisengabel sowie Kessel für kultische Zwecke aus dem 9. Jahrhundert v. Chr., die nahelegen, daß der kanaanäische Fruchtbarkeitskult bis zu dieser späten Phase fortlebte.

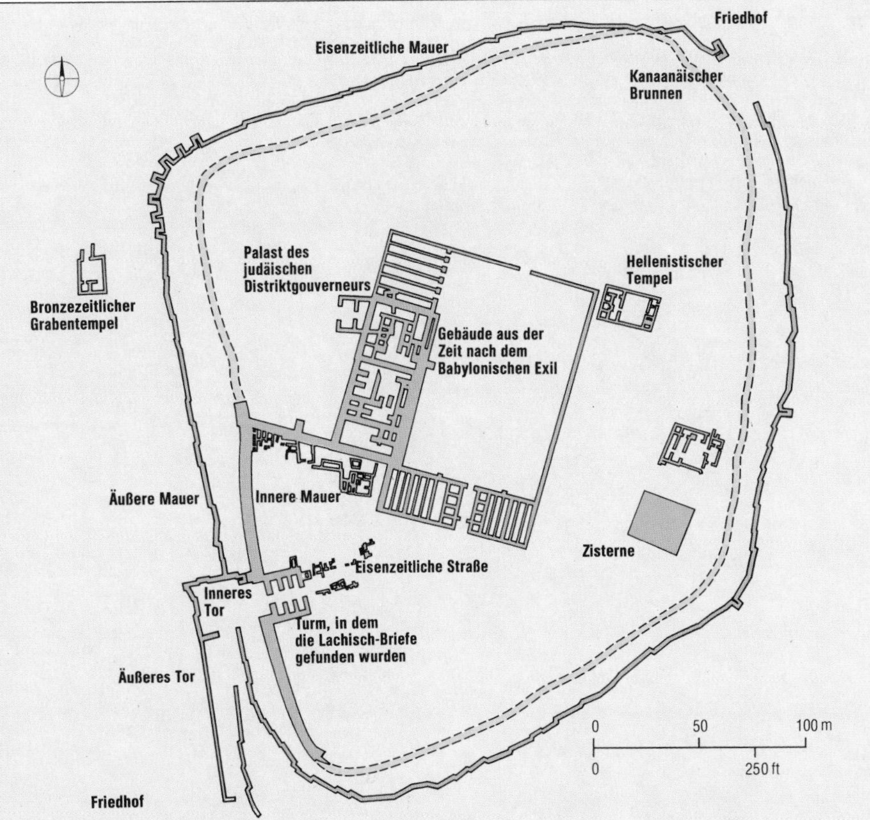

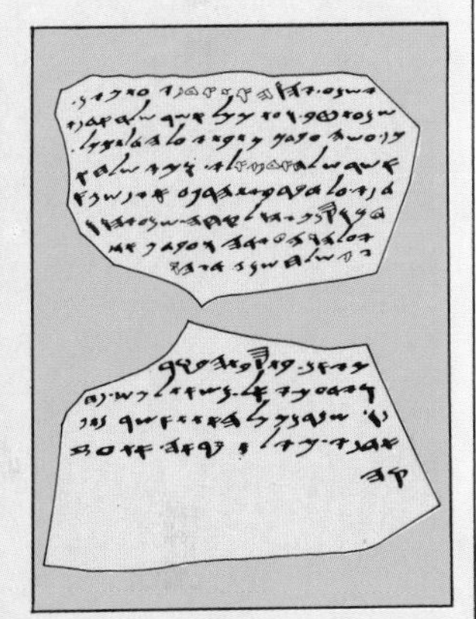

Oben: Die sogenannten Lachisch-Briefe – mit schwarzer Tusche beschriebenen Tonscherben – wurden bei Ausgrabungen 1935 und 1938 im Wachraum der Toranlage entdeckt. Es handelt sich dabei um Meldungen eines Außenpostens an den Kommandanten von Lachisch, wahrscheinlich aus dem Jahr 588/87. Der hier abgebildete Schluß von »Brief« 4 besagt, daß die Beobachter die (Feuer-)Signale von Aseka nicht länger sehen konnten, vermutlich, weil die Stadt in die Hände der Babylonier gefallen war.

Die Rekonstruktion von Lachisch, wie es zur Zeit der Belagerung von 701 v. Chr. ausgesehen haben mag, zeigt, daß die Stadt eine innere (Stärke 4 m) und eine äußere Mauer (Stärke 6 m) besaß. Besonders imposant waren die 27 m breite Toranlage und die viereckigen Stützpfeiler. Die Befestigung wurde im 10. Jahrhundert durch Rehabeam errichtet und blieb bis zur endgültigen Zerstörung 588/87 bestehen. In der Mitte befindet sich der Palast des judäischen Distriktgouverneurs, in dem nach der Wiederherstellung wohl auch der persische Hyparch residierte.

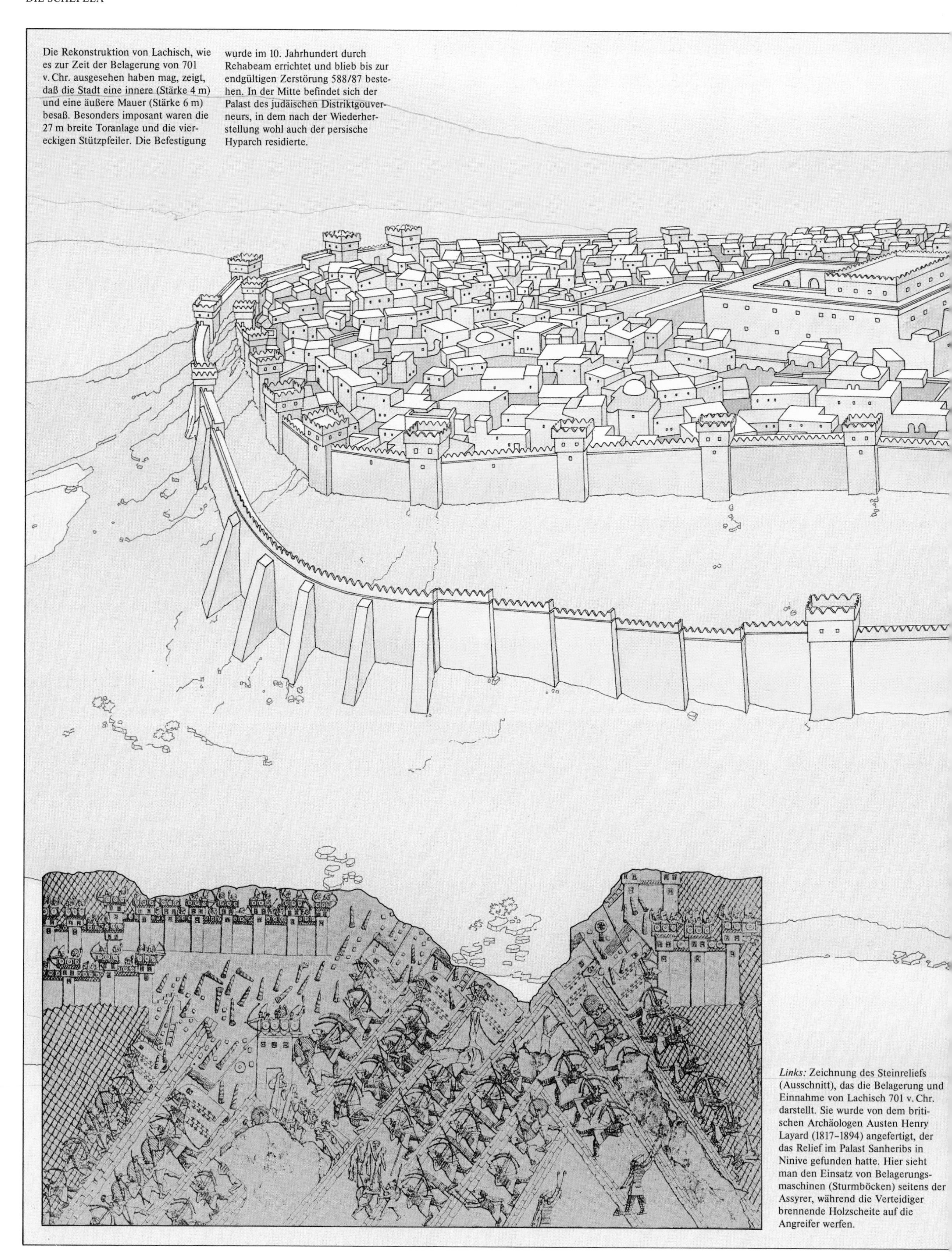

Links: Zeichnung des Steinreliefs (Ausschnitt), das die Belagerung und Einnahme von Lachisch 701 v. Chr. darstellt. Sie wurde von dem britischen Archäologen Austen Henry Layard (1817–1894) angefertigt, der das Relief im Palast Sanheribs in Ninive gefunden hatte. Hier sieht man den Einsatz von Belagerungsmaschinen (Sturmböcken) seitens der Assyrer, während die Verteidiger brennende Holzscheite auf die Angreifer werfen.

Rechts: Diese Zeichnung von Layard zeigt Sanherib auf einem reichverzierten Thron bei der Vorführung der Gefangenen. Die Inschrift in Kopfhöhe des Königs konnte Layard korrekt entziffern; sie lautet: *Sanherib, König von Assyrien, saß auf seinem Thron, und die Kriegsbeute aus der Stadt Lachisch zog an ihm vorbei.*

Kriegswesen

Kriege bildeten ein beherrschendes Merkmal der biblischen Periode. Das Buch Josua berichtet, daß die Israeliten das Land Kanaan gewaltsam eroberten, und als sie von den Philistern bedrängt wurden, bedurfte es eines großen Feldherrn – David –, der sein Volk durch seine militärischen Fähigkeiten befreite. Israel und Juda sahen sich beständig von Großreichen (Ägypten, Assyrien und Babylonien) und von kleineren Nationen wie Aram (Syrien) bedroht. Im Gegenzug wiederum erweiterten gelegentlich die Israeliten ihre Grenzen mit kriegerischen Mitteln. Zur Zeit des Neuen Testaments hatten die Juden dann die Besatzung der Römer zu erdulden, die 73 und 135 n. Chr. die jüdischen Aufstände entschlossen niederschlugen. Viele Menschen führten ein Leben vor dem Hintergrund des Krieges, und in seinem Schatten mußten sie versuchen, den Auftrag Gottes zu erfüllen, den dieser seinem auserwählten Volk zugedacht hatte.

Während der Landnahme verfügten die Israeliten lediglich über ein Volksheer. Hinweise für die Rekrutierungsquoten der einzelnen Stämme und für die Heeresorganisation finden sich in Numeri 1–2. Demnach waren alle Männer wehrpflichtig, die das 20. Lebensjahr erreicht hatten und nicht unter bestimmte Ausnahmeregelungen fielen (vgl. auch Deuteronomium 20, 1–9). Einen Sonderstatus hatten die Leviten inne. Die Streitmacht setzte sich anfänglich nur aus Infanteristen zusammen, die teils mit Schild und Lanze, teils mit Bogen bewaffnet waren (1. Chronik 12, 24; 2. Chronik 14, 8). Unter König David vollzog sich dann die Umwandlung zu einem stehenden Berufsheer, das aus zwölf Abteilungen zu je 24 000 Soldaten bestand, die jeweils für die Dauer eines Monats Dienst verrichteten (1. Chronik 27, 1). Salomo schließlich führte auch Streitwagen ein, für die er 4000 Pferde bereitstellen ließ (1. Könige 5, 6).

Oben: Bogenschützen spielten eine wichtige Rolle in der antiken Kriegführung, und der Köcher enthielt die todbringende Munition. König Ahab (871–852) von Israel wurde im Kampf gegen die Aramäer bei Ramot-Gilead durch eine Pfeilwunde getötet (1. Könige 22, 34).

Links: Zur Überquerung eines Flusses mußten die Wagen zerlegt und mit Booten befördert werden. Die einzelnen Krieger setzten mit Hilfe aufgeblasener Bälge über.

Rechts: Kämpfe Mann gegen Mann fanden meist bei Vernichtungsoperationen statt, nachdem eine Stadt eingenommen war, oder nach dem Durchbruch durch die feindlichen Linien. Hier sehen wir den Gebrauch eines Kurzschwertes.

Unten: Um die Mauern der befestigten Städte zu zerstören, wurden Belagerungsmaschinen entwickelt. Sie trugen Rammböcke und waren so konstruiert, daß sie die Bedienungsmannschaften vor dem Beschuß der Verteidiger schützten.

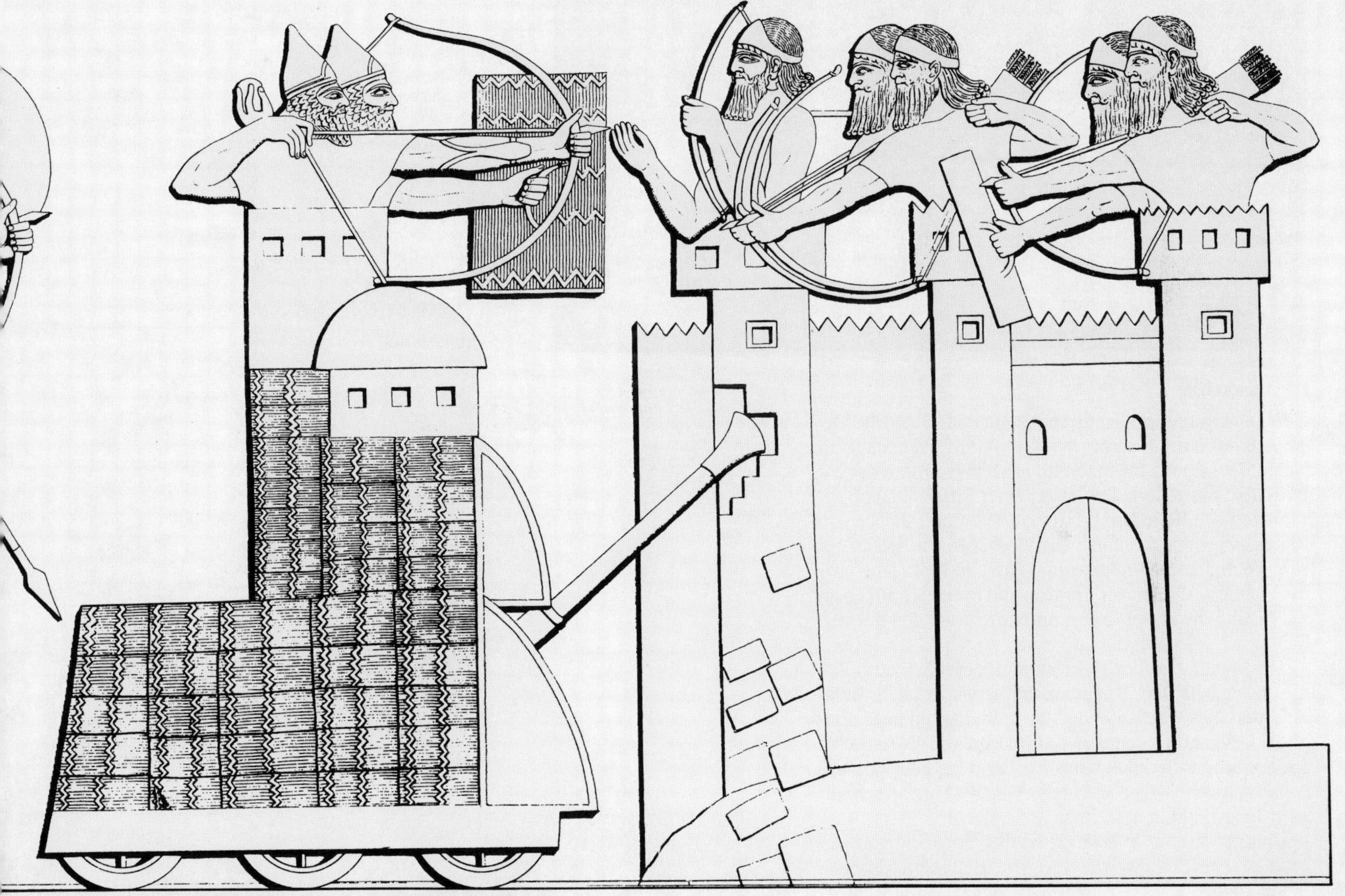

Links: Die assyrische Armee bediente sich bei Operationen in bewaldetem Gebiet mehrerer Techniken. Hier sind einzelne Späher sowie Truppen dargestellt, die in Linien nebeneinander aufmarschieren.

Rechts: Die Kavallerie der antiken Heere bestand nicht aus Reitern, sondern aus Streitwagen, die von Pferden gezogen wurden. Diese konnten die Soldaten schnell zum Einsatz bringen und auch Bogenschützen befördern.

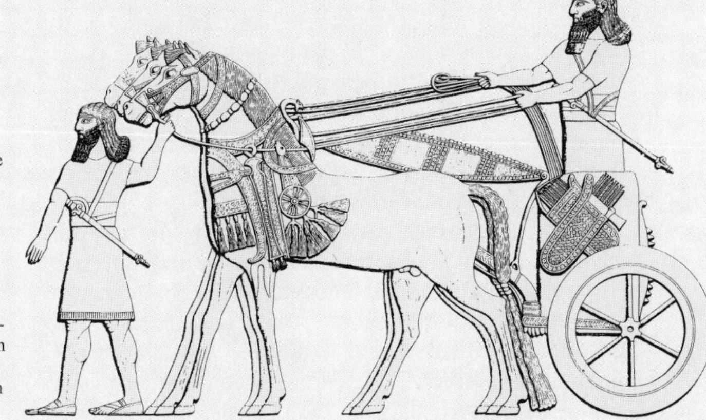

DAS HOCHLAND VON JUDÄA

Oben: Die jüdäischen Hügel sind deutlich höher als die der Schefela, die dazwischenliegenden Täler beträchtlich schmäler. In den Tagen des Alten Testaments, als es hier noch keine Siedlungen gab, waren die Hügel mit immergrünem Eichenwald bedeckt.

Die Landschaft

Geographen unterteilen diese Region in drei Abschnitte: die Anhöhen von Hebron, die 40 km südlich der Stadt am Nahal Beerscheba beginnen und sich bis unmittelbar vor Betlehem hinziehen; den Jerusalemer Sattel, der grob gesprochen von Betlehem bis wenige Kilometer südlich von Ramalla reicht; schließlich das Hochland von Bet-El bis zum Wadi Sereda. Im folgenden Textabschnitt gehen wir nur auf die Anhöhen von Hebron und Betlehem ein. Jerusalem und die Erhebungen im Norden werden auf den Seiten 162–191 beschrieben.

Die Westflanke der Hebronberge begrenzt jenes Tal, das gleichzeitig die Trennungslinie zwischen dem Bergland und der Schefela bildet. Nach Süden hin liegen das aride Jordantalbecken und das Becken von Beerscheba. In Richtung Osten fällt dann das Land zur geographisch vielschichtigen Wüste Juda *(vgl. Seite* 104*)* und gleichfalls zum Jordantal hin ab.

Hinsichtlich der Vegetation ist das Hochland von Hebron in zwei Teile gegliedert. Von Betlehem bis etwa 10 km südlich von Hebron bestand der Pflanzenbewuchs im Altertum wohl aus immergrünen Eichenwäldern, die möglicherweise mit Aleppopinien durchsetzt waren. Südlich davon gab es einst wohl die typische Vegetation der mittelmeerischen Halbsteppe mit Buschwerk und vereinzelten Bäumen. Die jährliche Niederschlagsmenge in den Höhen um Hebron beträgt an deren Nordrand durchschnittlich 700 mm, in der Stadt selbst 450 mm und in den Höhen südlich davon nur noch 300 mm.

Sehr aufschlußreich ist das Verteilungsmuster der Ansiedlungen. Im 2. Jahrtausend v. Chr. befanden sie sich (mit wenigen Ausnahmen) entweder an der Hauptstrecke von Betlehem nach Beerscheba, die über Hebron führte, oder an den östlichen und westlichen Ausläufern des Berglands. Sämtliche Niederlassungen entlang der Hauptroute waren in der Nähe von Quellen errichtet oder

Abkürzung: (U) = Unlokalisiert

Adorajim (Adoram) 2. Chr. 11, 9; 1. Makk. 13, 20–22 [C2]
Afeka Jos. 15, 53 [C2 C3]
Ain-Rimmon *siehe* En-Rimmon
Ajin *siehe* En-Rimmon
Anab Jos. 11, 21; 15, 50 [B3]
Anim Jos. 15, 50 [C3]
Arab Jos. 15, 52 [C3]
Atrot-Bet-Joab 1. Chr. 2, 54 (U)

Bet-Anot Jos. 15, 59 [C2]
Bet-Basi 1. Makk. 9, 62. 64 [D1]
Bet-Ezel Mi. 1, 11 [B3]
Betlehem (Efrat, Ephrata) Gen. 35, 16. 19; 48, 7; Richt. 12, 8. 10; Rut 1, 1. 2. 19.22; 2, 4; 4, 11; 1. Sam. 16,4; 17, 12. 15; 20, 6. 28; 2. Samuel 23, 14; 1. Chr. 11, 16. 18; 2. Chr. 11, 6; Esra 2, 21; Neh. 7, 26; Mi. 5, 2; Mat. 2, 1. 5–6. 8. 16; Luk. 2, 4. 15; Joh. 7, 42 [D1]
Bet-Markabot *siehe* Madmanna
Bet-Sacharja (Baithzacharia) 1. Makk. 6, 32. 33 [C2]
Bet-Sajit (Betzait, Beth-Zita, Bezeth) 1. Makk. 7, 19 [C2]
Betsura *siehe* Bet-Zur
Bet-Tappuach Jos. 15, 53 [C2]
Betul (Betuel) Jos. 19, 4; 1. Chr. 4, 30 [B4 C3]
Bet-Zita *siehe* Bet-Sajit
Bet-Zur (Betsura, Baithsura) Jos. 15, 58; 1. Chr. 2, 45; 2. Chr. 11, 7; Neh. 3, 16; 1. Makk. 4, 29. 61; 6, 7. 31; 10, 14 [C2]
Bezeth *siehe* Bet-Sajit
Bor-Sira (Sira, Zira) 2. Sam. 3, 26 (U)

Carmel *siehe* Karmel
Chozeba *siehe* Koseba

Danna Jos. 15, 49 [C3]
Debir (Kirjat-Sanna, Kirjat-Sefer) Jos. 10, 38. 39; 11, 21; 15, 7. 15–16; 21, 15; Richt. 1, 11; 1. Chr. 6, 58 [B3 C3]
Duma Jos. 15, 52 [B3]

Eltekon Jos. 15, 59 (U)
En-Rimmon (Ain-Rimmon, Ajin, Rimmon) Jos. 15, 32; 19, 7; 1. Chr. 4, 32; Neh. 11, 29 [B3]
Efrat (Ephrata) *siehe* Betlehem
Eschan Jos. 15, 52 [B3]
Eschtemoa (Esthemo) Jos. 15, 50; 21, 14; 1. Sam. 30, 28; 1. Chr. 6, 57 [C3]
Etam Ex. 13, 20; 1. Chr. 4, 32; 2. Chr. 11, 6 [D1]

Gedor Jos. 15, 58 [C2]
Gibea (Gabaa) 1. Chr. 2, 49; Jos. 15, 57 [C1]
Gilo Jos. 15, 51; 2. Sam. 15, 12; 23, 34 (U)
Goschen Jos. 10, 41; 11, 16; 15, 51 [B3]
Gur-Baal *siehe* Jagur

Halhul Jos. 15, 58 [C2]
Hebron (Kirjat-Arba) Gen. 13, 18; 23, 2; 35, 27; Num. 13, 23; Jos. 10,3. 5. 23. 36. 39; 11, 21; 12, 10; 14, 13–15; 15, 13. 54; 21, 13; Richt. 1, 10. 20; 16,3; 1. Sam. 30, 31; 2. Sam. 2, 1; 3, 12; 15, 7–10; 1. Chr. 6, 55, 57; 11, 1. 3; 29, 27; 2. Chr. 11, 10; Neh. 11, 25; 1. Makk. 5, 65 [C2]
Heret *siehe* Jaar-Heret
Holon (Olon) Jos. 15, 51; 21, 15; 1. Chr. 6, 43; 6, 58 [C2]
Horescha (Hores) 1. Sam. 23, 15–19 [C3]
Humta Jos. 15, 54 (U)

Jaar-Heret 1. Sam. 22, 5 [C2]
Jagur (Gur-Baal) Jos. 15–21; 2. Chr. 26, 7 [B4]
Janum Jos. 15, 53 [C2]
Jattir Jos. 15, 48; 21, 14; 1. Sam. 30, 27; 1. Chr. 6, 57 [C3]
Jekabzeel (Kabzeel) Jos. 15, 21; 1. Chr. 11, 22; Neh. 11, 25 [B4]
Jeschua (Jesua) Neh. 11, 26 [B4]
Jesreel Jos. 15, 56; 1. Sam. 25, 43; 27, 3; 30, 5; 2. Sam. 2. 2; 3, 2 [C3]
Jitnan (Iethnan) Jos. 15, 23 (U)
Jokdeam Jos. 15, 56 [C3]
Jutta Jos. 15, 55; 21, 16 [C3]

Kabzeel *siehe* Jekabzeel
Kajin (Kain) Jos. 15, 57 [C3]
Karmel (Carmel) Jos. 15, 55; 1. Sam. 15, 12; 25, 2. 5. 7. 40; 27, 3; 30, 5; 2. Sam. 2, 2; 3,3; 23, 35 [C3]
Kerijot-Hezron Jos. 15, 25 [C3]
Kirjat-Arba *siehe* Hebron
Kirjat-Sanna *siehe* Debir
Kirjat-Sefer *siehe* Debir
Koseba (Chozeba) 1. Chr. 4, 22 [C2]

Maarat (Mareth) Jos. 15, 59; Mi. 1, 12 [C2]
Madmanna (Bet-Markabot) Jos. 15, 31; 1. Chr. 2, 49 [B3]
Mamre (Terebinthus) Gen. 13, 18; 14, 13; 18, 1; 35, 27; 49, 30; 50, 13 [C2]
Maon Jos. 15, 55; 1. Sam. 23, 24. 25; 25, 2 [C3]
Mareth *siehe* Maarat

Nebo Num. 32, 3. 38; Esra 2, 29; Neh. 7, 33 [C2]
Netofa 2. Sam. 23, 28. 29; 2. Kön. 25, 23; 1. Chr. 2, 54; 9, 16; 11, 30; 27, 13,15; Neh. 7, 26; 12, 28; Jer. 40,8 Esra 2, 22 [D1]

Rimmon *siehe* En-Rimmon

Sanoach (Zanoa) Jos. 15, 56 [C3]
Sansanna Jos. 15, 31 [B3]
Schamir Jos. 15, 48 [B3]
Sif (Ziph) Jos. 15, 55; 1. Sam. 23, 24 [C3]
Sif (Ziph) Wüste, 1. Sam. 23, 14.15; 26,2 [C3]
Sira *siehe* Bor-Sira
Socho Jos. 15, 48; 1. Sam. 17, 1 [C3]

Tekoa (Thekoe) 2. Sam. 14, 2. 4. 9; 23, 26; 1. Chr. 11, 28; 27,9; 2. Chr. 11, 6; 20, 20; Jer. 6, 1; Amos 1, 1 [D2]
Telem (Telaim) Jos. 15, 24; 1. Sam. 15, 4 (U)

Zair *siehe* Zior
Zanoa *siehe* Sanoach
Zior (Sior, Zair) Jos. 15, 54; 2. Kön. 8, 21 [C2]
Ziph *siehe* Sif
Ziph, Wüste, *siehe* Sif
Zira *siehe* Bor-Sira

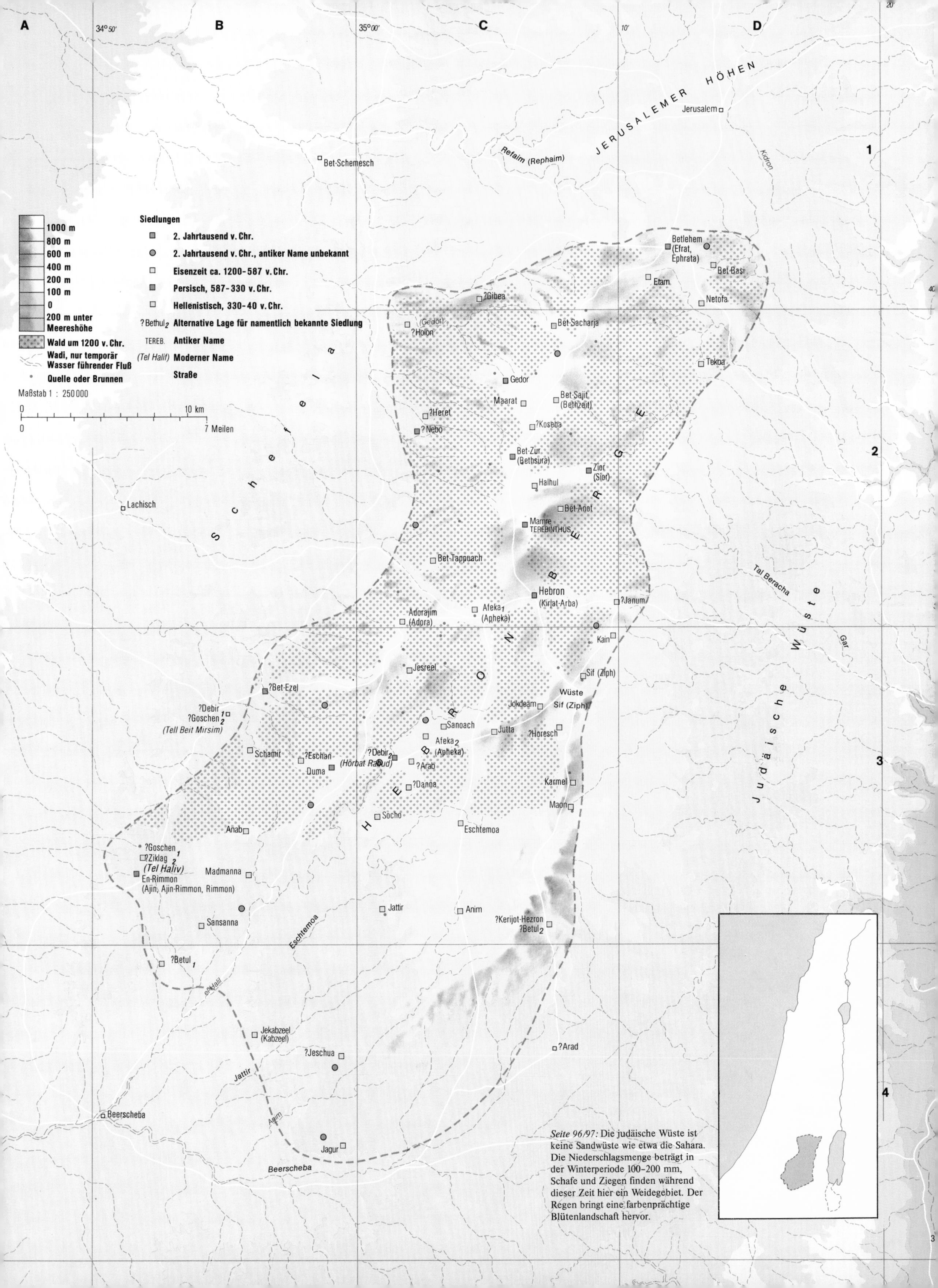

Seite 96/97: Die judäische Wüste ist keine Sandwüste wie etwa die Sahara. Die Niederschlagsmenge beträgt in der Winterperiode 100–200 mm, Schafe und Ziegen finden während dieser Zeit hier ein Weidegebiet. Der Regen bringt eine farbenprächtige Blütenlandschaft hervor.

lagen längs des Wadi el-Halil. Zusätzliche Siedlungen des Stammes Juda - soweit sie sich überhaupt als solche indentifizieren lassen - bewirken keine wesentliche Änderung des Schemas. Wahrscheinlich war diese Region im Altertum mit Wäldern bedeckt, die mindestens bis 10 km südlich von Hebron reichten. Wo es Ortschaften gab, rodete man den Wald und legte wohl auch Terrassen an den Berghängen an, wie man sie vor allem für den Weinanbau benötigte. Das Bild, das das Buch Genesis von Juda (dem Ahnherrn des gleichnamigen Stammes) entwirft, hebt ausdrücklich die Weinstöcke in dem nach ihm benannten Teil Israels hervor:

Juda, dich preisen deine Brüder!
Deine Hand packt die Feinde im Nacken,
vor dir neigen sich die Söhne deines Vaters.
Ein junger Löwe ist Juda;
vom Raube, mein Sohn, wardst du groß.
Er hat sich gekauert, gelagert wie ein Leu,
wie eine Löwin - wer will ihn aufstören?
Nie weicht das Szepter von Juda,
noch der Führerstab von seinen Füßen,
bis daß der Herrscher kommt,
dem die Völker gehorchen.
Er bindet seinen Esel an den Weinstock
und an die Rebe das Füllen seiner Eselin,
er wäscht sein Gewand in Wein
und in Traubenblut seinen Mantel,
seine Augen funkeln von Wein,
und seine Zähne sind weiß von Milch.
(Genesis 48, 8-17)

Auch die von Moses ausgesandten Kundschafter brachten laut Numeri 13, 24 neben Granatäpfeln und Feigen eine Weintraube als typisches Landesprodukt mit.

Neben der Agrarwirtschaft lebten die Bewohner Judas von der Schafzucht. Der Prophet Amos, der in Tekoa am Ostsaum des Berglands wenige Kilometer südlich von Betlehem zu Hause war, bezeichnet sich als Maulbeerfeigenzüchter und Hirte (Amos 7, 14), und im ersten Samuelbuch (Kapitel 25) lesen wir von einem reichen Mann namens Nabal aus Maon. Allerdings ist fraglich, ob er wirklich so hieß, denn Nabal bedeutet im Hebräischen »Narr«, »Dummkopf«, und genauso verhielt er sich auch (1. Samuel 25, 25). Doch wie dem auch sei - er besaß 3000 Schafe sowie 1000 Ziegen (1. Samuel 25, 2). Begünstigt wurde die Schafhaltung am Ostrand der Hebroner Berge durch das allmähliche, terrassenartige Abfallen der judäischen Wüste hin zum Toten Meer. Je nach den Niederschlägen kann man hier Schafe im Winter auf den niedriger gelegenen Terrassen grasen lassen, um sie dann, wenn der Sommer naht, auf die höheren Terrassen zu bringen (die mehr Regen abbekommen). In der Josefserzählung (Genesis 37, 12-17) hatten Josefs Brüder ihre Herden den ganzen Weg von Hebron bis nach Sichem getrieben (eine Entfernung von 75 km Luftlinie!) und waren sogar von Sichem die 35 km nach Dotan weitergezogen. Vermutlich gab es wegen Regenmangels in der judäischen Wüste östlich von Hebron nicht genügend Futter, so daß sich die Brüder gezwungen sahen, in den fruchtbareren Nordabschnitt auszuweichen. Und vielleicht war auch die Zisterne, in die man Josef warf (Genesis 37, 24), bevor er an midianitische Kaufleute und von diesen schließlich an die Ismaeliter verkauft wurde, nur deshalb leer, weil in diesem Jahr eben Trockenheit herrschte.

Die Berge von Hebron bilden ein in sich geschlossenes Areal. Man versteht daher leicht, daß sie die Domäne *eines* Stammes waren, des Stammes Juda, während die Berggegenden des Nordens einer ganzen Reihe von Stämmen unterstanden. Gleichermaßen einsichtig ist, warum Juda (zusammen mit Benjamin, mit dem es sich in den Besitz des Jerusalemer Sattels teilte) innerlich geschlossen blieb, als das geeinte Reich um 930 v. Chr. wieder in zwei Stücke - Israel und Juda - zerbrach.

Daß Hebron die Hauptstadt dieses Gebiets war, ergab sich ganz natürlich aus seiner Lage an einer Art Verkehrsknotenpunkt. Jedenfalls schneidet hier die Nordsüdroute von Jerusalem nach Beerscheba eine Ostwestverbindung, die nach Westen hin durch das Tal des Nahal Lachisch leichten Zugang zur Schefela und zur Küstenebene gewährt. In östlicher Richtung verläuft sie durch kleine Nebentäler des Wadi el-Ghor, durch die judäische Wüste und führt schließlich an das Ufer des Toten Meeres bei der Stadt En-Gedi.

Der biblische Bericht

Es war in Hebron, wo Abraham sich niederließ, nachdem er aus Ägypten zurückgekehrt war und das Land zwischen sich und Lot aufgeteilt hatte (Genesis 13, 18 sowie ebenda die Verse 8-10). Hebron, das zu jener Zeit Kirjat Arba (»Stadt der Vier«) hieß, war möglicherweise der Hauptort eines Vierstädtebundes. Von hier brach der Patriarch zu

Rechts: Im 2. Jahrhundert v. Chr. wurde die Höhle von Machpela, die Abraham sich als Begräbnisplatz gekauft hatte (Genesis 23,9) und wo er und andere Patriarchen bestattet sind, in Hebron ausfindig gemacht. Herodes der Große verschloß sie und legte den Grundstein für die massiven Gebäude, die heute die Stelle überdecken. Die Glaswaren im Vordergrund stammen aus den Glasmanufakturen Hebrons, einem charakteristischen Erwerbszweig der Stadt.

Was die Art des Pflügens *(links)* und die Hausarchitektur *(unten links)* betrifft, hat sich in der Umgebung Hebrons seit der Antike nur relativ wenig verändert.

seiner Strafexpedition gegen die fünf »Könige des Ostens« auf (Genesis 14, 1-16), hier empfing er die drei rätselhaften Boten, die ihm die Geburt eines Sohnes verhießen, und hier bat er auch Gott, Sodom und Gomorra nicht zu zerstören (Genesis 18, 18-33). Sara, Abrahams Frau, wurde in einer Höhle nahe Hebron begraben (Genesis 23, 1-20), in der auch er selbst später bestattet werden sollte (Genesis 25, 7-10), desgleichen sein Sohn Isaak (Genesis 35, 27-29) sowie sein Enkel Jakob (Genesis 49, 29-33). Nach Isaaks Tod scheint die Stadt ebenfalls Jakobs Hauptwohnsitz gewesen zu sein, von wo aus er Josef entsandte, nach seinen Brüdern und deren Herden Ausschau zu halten (Genesis 37, 14). Hier sprach Jakob vermutlich während einer Hungersnot zu seinen Söhnen:

> *Zieht hinab* [nach Ägypten] *und kauft uns dort Getreide, daß wir zu leben haben und nicht sterben. Da zogen die Brüder Josefs, ihrer zehn Mann, hinab, um in Ägypten Korn zu kaufen.* (Genesis 42, 1-3)

Allerdings ist in der Josefserzählung Jakobs Heimat in der Regel nur das »Land Kanaan« (vgl. Genesis 42, 29).

Von Hebron hören wir dann wieder in Zusammenhang mit dem Wüstenzug der Kinder Israels. Laut Landnahmebericht war der Monarch der Stadt einer jener Herrscher, die sich mit dem König von Jerusalem verbanden, um Josua entgegenzutreten (Josua 10, 3-5). Wie bereits dargelegt, handelt es sich bei den drei Schilderungen der Eroberung Hebrons - einmal durch Josua (Josua 10, 36-37) und dann durch Kaleb (Josua 15, 14 und abermals Richter 1, 9-10) möglicherweise nur um unterschiedliche Versionen ein und desselben Ereignisses. Bei Josua 21, 12 erfahren wir, daß Hebron »und seine Dörfer« an Kaleb gegeben wurden, und im Licht der Darstellung, die Y. Karmon (*Israel, a Regional Geography,* London 1971) vom Wirtschaftsleben im dortigen Gebiet gibt, verdient die Erwähnung dieser Dörfer besonderes Interesse. Karmon weist darauf hin, daß bedeutende Ansiedlungen von einer nicht geringen Zahl nur zeitweilig oder saisonal genutzter Kleinsiedlungen umgeben waren. Dies beruhte auf zweierlei Gründen: Einerseits boten nur große Orte in leicht zu verteidigender Lage genügend Sicherheit, andererseits aber waren weite Teile des Landes nicht fruchtbar genug, so daß man für erfolgreichen Ackerbau unverhältnismäßig viel Grund und Boden benötigte. Das ist der Hintergrund für die Erwähnung der »Dörfer« Hebrons bei Josua 21, 12, die auch Rückschlüsse auf die Sozialstruktur der damaligen Bevölkerung zuläßt.

Betlehem

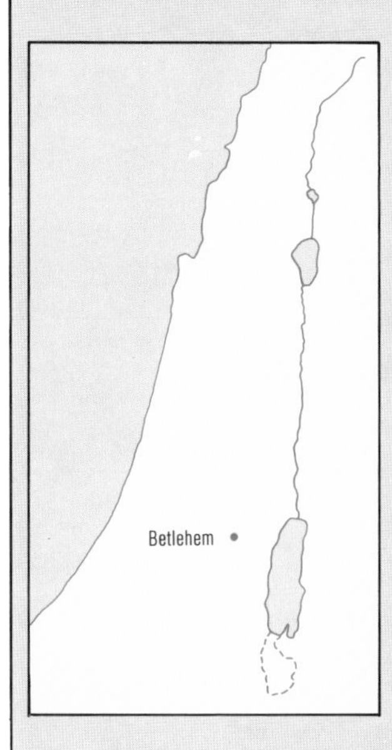

Betlehem, in biblischer Zeit an sich kein bedeutender Ort, verdankt seinen Ruhm der Beziehung zu David und Jesus. Die Stadt liegt am Westrand der judäischen Wüste und bildete seit alters her eine gastliche Stätte für Wanderer aus der Wüste. Die Rut-Erzählung (1, 1) bezeugt jedoch, daß auch hier Wassermangel eintreten konnte, wenn der Regen ausblieb. Obgleich David seine Mannesjahre zum größten Teil in Hebron und Jerusalem verbrachte, erweckte Betlehems Rolle als seine Geburtsstadt (1. Samuel 16) die prophetische Hoffnung, daß ein künftiger Herrscher dort das Licht der Welt erblicken würde (Micha 5, 2–3): *Und du, Betlehem-Efrat, du kleinster unter den Gauen Judas, aus dir soll mir hervorgehen, der Herrscher in Israel werden soll; sein Ursprung ist in der Vorzeit, in unvordenklichen Tagen. Darum gibt er sie preis bis zu der Zeit, da sie, die gebären soll, geboren hat . . .* Auf diese Prophezeiung griff die Tradition des Neuen Testaments von der Geburt Jesu in Betlehem zurück, obwohl auch er nicht nur als Erwachsener, sondern bereits in seiner Kindheit vorwiegend in anderen Städten gelebt hatte. Die Geburtsgrotte Jesu in Betlehem wurde schon Ende des 1./Anfang des 2. Jahrhunderts verehrt. Im Jahr 326 ließ der römische Kaiser Konstantin der Große eine fünfschiffige Basilika über der Grotte errichten, die bald Anziehungspunkt für zahllose Pilger wurde.

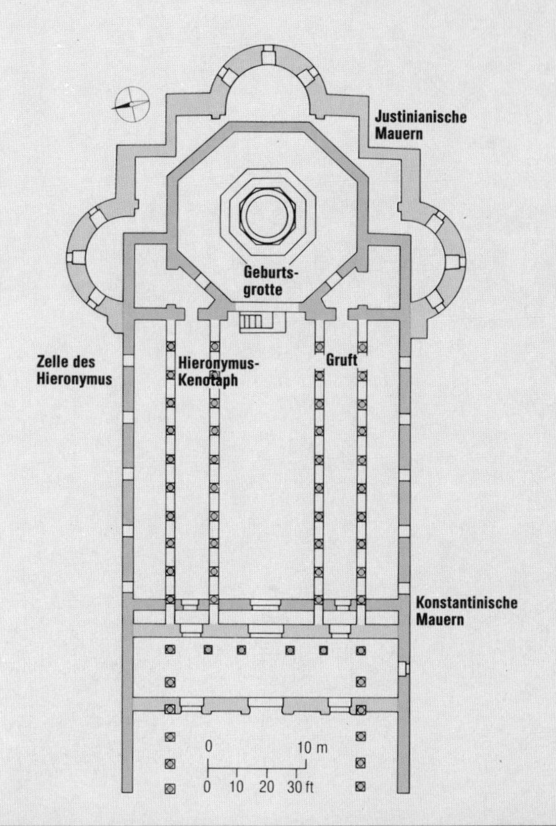

Oben: Die heutige Geburtskirche, ein wuchtiger, festungsartiger Bau, stammt aus dem 6. Jahrhundert und wurde über der spätrömischen Basilika Konstantins aus dem frühen 4. Jahrhundert errichtet, von der noch Teile vorhanden sind. Das Eingangsportal ist so niedrig, daß man nur in gebückter, gleichsam demütiger Haltung eintreten kann.

Rechts: Das Bild des englischen Malers William Holman Hunt (1827–1910) zeigt die beherrschende Stellung der Klöster, die an drei Seiten die Geburtskirche einrahmen. In ihr befindet sich der Überlieferung nach die Geburtsgrotte Jesu. Jetzt sind die Felder im Vordergrund größtenteils verbaut.

Rechts: Betlehem vor den Bergen der Wüste Juda.

Oben: Charakteristisch für die heutige Stadt sind hohe Steinmauern, enge Gassen und Torbögen.

Links: Der Grundriß der Geburtskirche.

Nachdem Saul im Kampf gegen die Philister unterlegen und umgekommen war (1. Samuel 31), begab sich David - damals noch immer Vasall der Philister - nach Hebron, wo man ihn zum König über Juda salbte (2. Samuel 2, 1-4). Von Hebron aus schickte er - vermutlich mit philistäischer Billigung - seine Streitkräfte gegen die von Abner angeführten Reste der Armee Sauls ins Feld (2. Samuel 2, 8 ff.). Abner selbst wurde in Hebron heimtückisch von Joab ermordet, wobei Blutrache im Spiel war (2. Samuel 2, 18-23; 3, 22-30). Sein Tod beschleunigte den Abfall der Nordstämme vom Hause Sauls, und Israels Älteste kamen nach Hebron, um David zum König Gesamtisraels (Israel und Juda) zu salben (2. Samuel 5, 1-5). Nach 2. Samuel 5, 5 regierte David 7½ Jahre als König in Hebron. Aber die Machtübernahme über beide Reichsteile machte die Wahl einer neuen Residenz nötig. Um die Nordstämme wirksam kontrollieren zu können, lag Hebron zu weit südlich. Infolgedessen eroberte David Jerusalem, das nicht nur Metropole des geeinten Reiches, sondern - nach dessen Zersplitterung bei Salomos Tod - auch des südlichen Teilstaats Juda (2. Samuel 5, 6-10) wurde. Nach der Verlegung des Zentrums nach Jerusalem ist von Hebron in der Bibel kaum mehr die Rede. Eine Ausnahme bildet die Revolte, die Davids Sohn Abschalom (Absalom) gegen seinen Vater anzettelte (2. Samuel 15, 1-12). Daß er ausgerechnet Hebron zum Ausgangspunkt dieser Erhebung wählte, war ein ausgesprochen kluger Griff, konnte er doch damit rechnen, daß dessen Bewohner die Wiederherstellung des Prestiges ihrer Stadt begrüßen würden. Manche blickten wohl auch noch voller Wehmut auf die vermeintlich besseren Tage zurück, als David von Hebron aus regierte und noch nicht seine weiträumigen Eroberungen gemacht hatte, deren soziale und wirtschaftliche Folgen in Juda vor allem der kleine Mann zu tragen hatte.

Als Juda 587 v. Chr. vor der Macht Babyloniens kapitulierte, ging der Südteil der Berge von Hebron - einschließlich Hebron selbst - an die Edomiter über. Obwohl auch nach dem Babylonischen Exil noch ein paar Juden in der Stadt wohnten (bei Nehemia erscheint sie wieder unter ihrem alten Namen Kirjat-Arba), gehörte sie während der Makkabäerzeit zur Provinz Idumäa. Judas Makkabäus griff Hebron 163 v. Chr. an, zerstörte seine Wehranlagen und brannte ringsherum sämtliche Außenforts nieder (1. Makkabäer 5, 65). Im Jahr 125 v. Chr. gliederte Johannes Hyrkanus den Südteil des Berglands von Hebron dem Hasmonäerreich ein und »bekehrte« die dortige Bevölkerung mit Gewalt zum Judentum. Herodes der Große versah die traditionelle Stätte der Patriarchengräber zu Hebron im Jahr 20 v. Chr. mit einer Umfriedung. Im Neuen Testament wird die Stadt dann nicht mehr erwähnt.

Folgt man der Bibel, so kam in der Rangliste berühmter Städte Judas nach Hebron gleich Betlehem. Eine bedeutende Siedlung war es allerdings nie; möglicherweise fehlten ausreichende Trinkwasserquellen. Ihren Lebensunterhalt bestritten die Betlehemiter mit Kleinviehzucht und Getreideanbau, doch die Rut-Erzählung berichtet von einer solchen Hungersnot, daß Elimelech und Noomi die Stadt verließen, um nach Moab zu reisen. Betlehems berühmtester Sohn in alttestamentlicher Zeit, David, traf in der Umgebung noch auf Löwen und Bären, wenn er die Herden seines Vaters hütete (1. Samuel 17, 34-36). In Betlehem wurde David von Samuel gesalbt (1. Samuel 16, 1-13), und von dort brachte er seine Eltern nach Moab in Sicherheit, als er sich auf der Flucht vor Saul befand (1. Samuel 22, 3-4). Abgesehen davon aber wird es im Alten Testament nur noch als einer der Plätze erwähnt, die Rehabeam befestigen ließ (2. Chronik 11, 6), sowie als jener Ort, von dem der Prophet Micha weissagte:

Und du Betlehem-Efrat, du kleinster unter den Gauen Judas, aus dir soll mir hervorgehen, der Herrscher in Israel werden soll . . . (Micha 5, 2)

Im Neuen Testament spielt Betlehem eine ganz besondere Rolle als Geburtsstätte Jesu (Matthäus 2, 1; Lukas 2, 4-7), zu der die Weisen aus dem Morgenland pilgerten, um den neugeborenen König anzubeten (Matthäus 2, 2-6). Hier sollen auf Geheiß des Herodes auch Knaben im Alter bis zu zwei Jahren umgebracht worden sein - ein ebenso grausamer wie fruchtloser Versuch, den Messias zu beseitigen (Matthäus 2, 16).

Was den Rest des Berglands von Hebron angeht, so wurde bereits erwähnt, daß Tekoa die Heimat des Propheten Amos war und daß David in seiner Zeit als Bandenführer mit einem reichen Schafsherdenbesitzer aus dem Maon-Karmelgebiet zu tun hatte (1. Samuel 25, 2-42). Außerdem ist in der Daviderzählung von einem Ort Sif (Ziph) und einer »Wüste Sif« die Rede (1. Samuel 23, 15 ff.; 26, 1 ff.). Den Ort hat man als Tell Ziph im Südosten von Hebron identifiziert, und David scheint sich dort an einem Platz namens Horescha in der Wüste Sif in Sicherheit gebracht zu haben (1. Samuel 23, 15-18), wo er auch den Freundschaftsbund mit Jonatan schloß. Unklar bleibt, ob der Name »Horescha« hier in einem etwas ungewöhnlichen Sinn als »Wald«, »Forst« zu verstehen ist. Wäre dies korrekt, dann lebten David und seine Marodeure im »Wald bei Sif«. Die Bewohner von Sif wollten mit ihm nichts zu tun haben: gut verständlich, wenn er sich ihnen gegenüber genauso verhielt wie gegen Nabal (1. Samuel 25, 5-8) und Zahlungen für den Unterhalt seiner Männer erpreßte. Die Sifiten verrieten ihn bei der erstbesten Gelegenheit an Saul. Nur die Meldung über einen neuen Philisterüberfall rettete ihm das Leben, denn Saul war gezwungen, unverzüglich die Verfolgung aufzunehmen (1. Samuel 23, 24-29). Beim nächstenmal lag der Vorteil bei David (1. Samuel 26, 1-25). Begleitet von Abischai drang er ins Lager seiner schlafenden Feinde ein und hätte den König töten können. Doch David nützte die Situation nicht aus, sondern schalt statt dessen die Wachen für ihre mangelnde Aufmerksamkeit.

Links: Die Burg Herodion, erbaut von Herodes dem Großen. Sie war das Herzstück einer großen Palastanlage und liegt 12 km von Jerusalem entfernt auf einem Bergkegel, der von dort deutlich sichtbar ist. Das Luftbild *(oben)* zeigt die vier Türme. Nach seinem Tod (4 v. Chr.) soll Herodes angeblich im Nordturm (rechts im Bild) bestattet worden sein, doch konnte das Grab bislang nicht gefunden werden.

DIE WÜSTE JUDA

Links: Beduinen in der Wüste Juda. Zu bestimmten Jahreszeiten gibt es hier ausreichend Grasbewuchs für Kleinviehherden.

Abkürzung: (U) = Unlokalisiert

Beracha, Tal, 2. Chr. 20, 26 [B2 B3]
Bet-Araba Jos. 15, 6. 61; 18, 18. 22 [D1]

En-Eglajim Ez. 47, 10 [C1]
En-Gedi (Hazezon-Tamar) Gen. 14, 7; Jos. 15, 62; 1. Sam. 24, 1. 2; 2. Chr. 20, 2; H. L. 1, 14; Ez. 47, 10 [C3]

Juda, Wüste, Jos. 15, 61–63; Mat. 3, 1 [B2 B3]

Middin Jos. 15, 61 [C1]

Nibschan Jos. 15, 62 [C1 C2]

Salzstadt, die, Jos. 15, 62 [C1 C2]
Sechacha Jos. 15, 61 [C1]

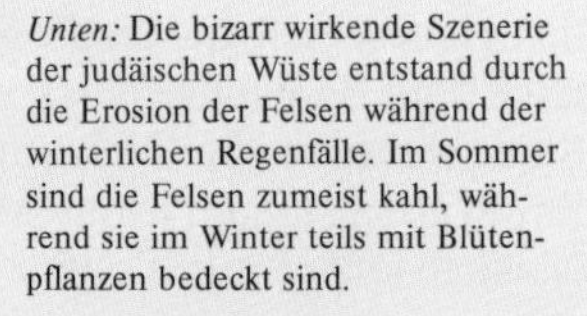

Unten: Die bizarr wirkende Szenerie der judäischen Wüste entstand durch die Erosion der Felsen während der winterlichen Regenfälle. Im Sommer sind die Felsen zumeist kahl, während sie im Winter teils mit Blütenpflanzen bedeckt sind.

Die Landschaft

Als Wüste Juda bezeichnen wir die Region zwischen dem Ostrand des judäischen Hochlands (mit anderen Worten: der Berge von Hebron, des Jerusalemer Sattels sowie der Berge um Bet-El) und dem Toten Meer (bzw. dem Jordantal). Im folgenden greifen wir lediglich jenen Teil heraus, der sich im Süden zwischen Betlehem und dem Toten Meer erstreckt (für die anderen Abschnitte *siehe Seiten* 184 und 194). Allerdings sei von vornherein klargestellt, daß der Ausdruck »Wüste« hier irreführend ist. Schließlich assoziiert man mit diesem Begriff endlose Sandmassen - ähnlich wie etwa in der Sahara. Zwar trifft es zu, daß die Wüste Juda semiaride Gebiete (insbesondere nahe des Toten Meers) aufweist, doch weite Bereiche verfügen immerhin über soviel Grasbewuchs, daß dort Schafe und Ziegen weiden können.

An ihrem Westrand liegt die judäische Wüste etwa 800–1000 m über dem Meeresspiegel. Dann senkt sich das Gelände auf einer Strecke von nur 20 km auf 400 m unter Normal Null. Die Niederschläge gehen von durchschnittlich 700 mm am Westrand auf 150 mm am Toten Meer zurück. Der Abfall von West nach Ost erfolgt in einer Reihe von Stufen, die jeweils in einem recht ebenen Plateau von etwa 2–3 km Breite auslaufen. Am Toten Meer treten Steilklippen von 100–200 m Höhe bisweilen fast ans Ufer heran. Sie sind so gut wie kahl und werden stellenweise von tiefeingefressenen, klammartigen Schluchten unterbrochen. Während des 2. Jahrtausends v. Chr. scheint es in diesem Raum keinerlei Siedlungen gegeben zu haben, obwohl die Bedingungen dafür in En-

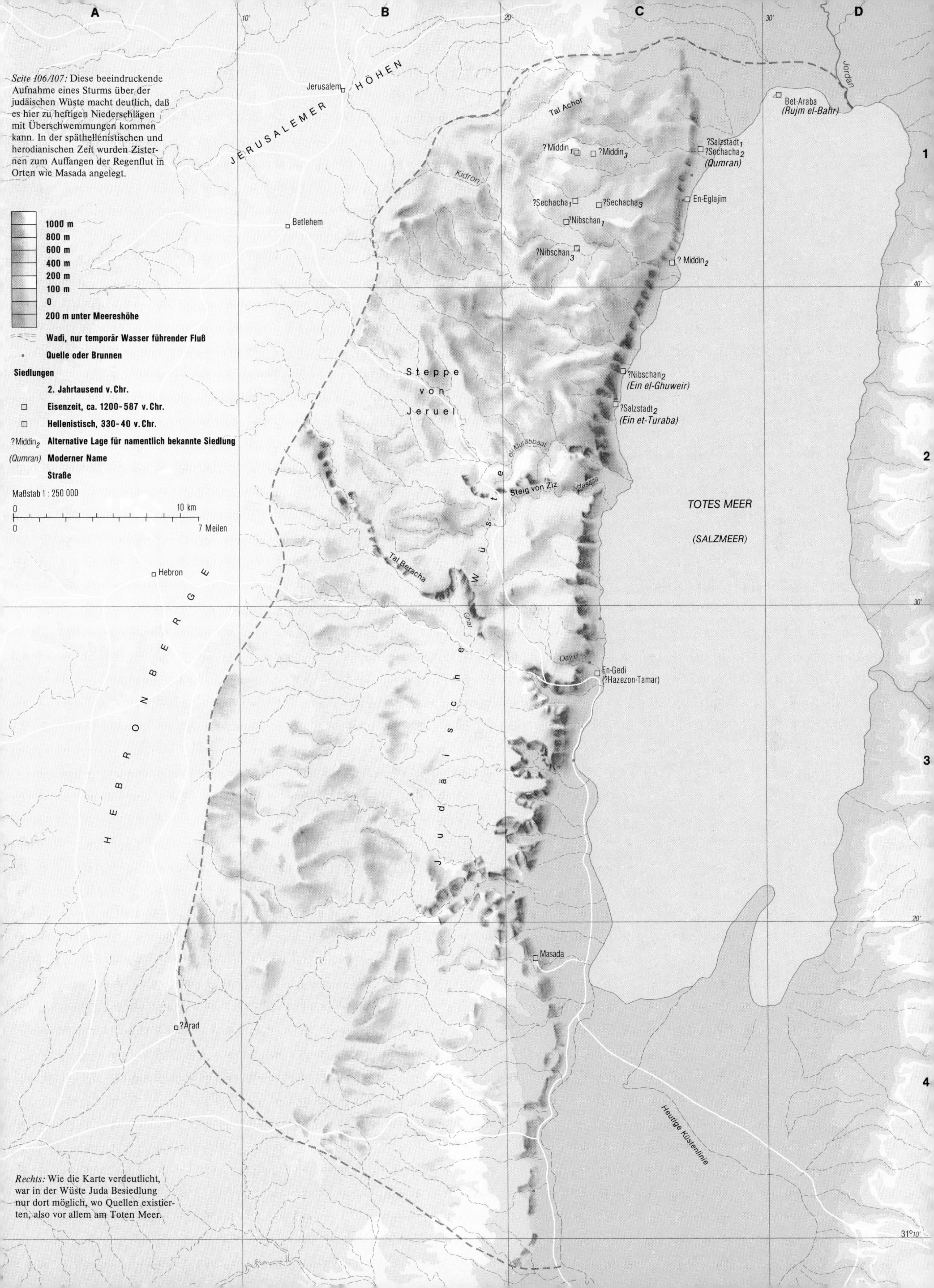

Seite 106/107: Diese beeindruckende Aufnahme eines Sturms über der judäischen Wüste macht deutlich, daß es hier zu heftigen Niederschlägen mit Überschwemmungen kommen kann. In der späthellenistischen und herodianischen Zeit wurden Zisternen zum Auffangen der Regenflut in Orten wie Masada angelegt.

Rechts: Wie die Karte verdeutlicht, war in der Wüste Juda Besiedlung nur dort möglich, wo Quellen existierten, also vor allem am Toten Meer.

Gedi recht vielversprechend waren und dort im 4. Jahrtausend v. Chr. sogar schon ein Tempel existiert hatte. Josua 15, 61 schreibt dem Stamm Juda dann sechs Städte und ihre zugehörigen Dörfer in der judäischen Wüste zu. En-Gedi läßt sich unter diesen einwandfrei identifizieren, bei den übrigen angeführten Orten ist man sich nicht ganz so sicher.

En-Gedi (Tell Goren) liegt in einer Oase, die von mehreren Quellen gespeist wird. Der schon an anderer Stelle zitierte schottische Hebräist G. A. Smith (1856–1942) gerät fast in Verzückung, wenn er die Wüste Juda - seinem Eindruck nach eine der trockensten Regionen der Erde - mit der Oase vergleicht:

Plötzlich erblickt er - über die Kante eines Abgrunds hinweg - mehr als 400 Fuß unter sich eine Flut von Grün, die aus dem Felsen bricht, dazu Streu, Röhricht, Buschwerk, Bäume und Gras noch knapp 300 Fuß weiter in der Tiefe bis zu einer Meile von Gärten am Gestade dieses blauen Meeres.

Im Alten Testament wird En-Gedi wegen seiner Palmen gerühmt (weshalb 2. Chronik 20, 2 auch Hazezon-Tamar, »Hazezon der Palmen«, mit der Stadt gleichsetzt), desgleichen wegen seiner Weinberge (Hoheslied 1, 14).

Der biblische Bericht

Auf seiner Flucht vor Saul verbarg sich David in den »Bergfesten« sowie in der »Wüste von En-Gedi« (1. Samuel 24, 1–2). Vermutlich haben wir uns unter »Bergfesten« Höhlen vorzustellen, ähnlich jener, in der Saul sein Bedürfnis verrichtete, während David und seine Leute sich tiefer im Höhleninneren versteckt hatten. David, der herangeschlichen war, hätte ihn mit Leichtigkeit töten können, begnügte sich aber damit, einen Zipfel seines Gewandes abzuschneiden. Als der König die Höhle wieder verlassen hatte, ging David ihm nach, warf sich ihm zu Füßen und zeigte ihm den besagten Zipfel. Daraufhin erkannte Saul, daß David ihn nicht umbringen wollte, und es kam zur Aussöhnung zwischen beiden (1. Samuel 24, 1–23). Dies war die erste der beiden Gelegenheiten, bei der David Saul schonte, obwohl sich dessen Leben in seiner Hand befand.

Südlich von En-Gedi liegt am Ufer des Toten Meers die Festung Masada. Diese berühmte Festung erhebt sich rund 410 m über dem Meeresspiegel auf einem steilwandigen Felsplateau, das nach allen Seiten hin jäh abfällt. Das Plateau selbst mißt maximal 600 m in der Länge und 320 m in der Breite. Im Sturm war Masada daher fast nicht zu nehmen, dafür war es um so anfälliger für Belagerungen, da es über keine natürliche Wasserzufuhr verfügte.

In der Bibel wird Masada nicht ausdrücklich erwähnt, doch lohnt es sich immerhin, darüber nachzudenken, ob David auch dorthin gelangt sein kann. Der hebräische Name *Mesada* bedeutet »Festung«, und obwohl er 50 v. Chr. erstmals nachweislich auf das Bollwerk bezogen wurde, liegt es doch nahe, daß jeder, der sich einst in der Wüste Juda verbarg und auf diesen aufragenden Felsklotz stieß, ihn als *Mesada* bezeichnete. In der Schilderung der Flucht Davids vor Saul verwendet die Bibel immer wieder Ausdrücke wie *Mesad* und *Mesuda* (beide Wörter sind gleichbedeutend). Beispielsweise ist im 1. Buch Samuel wiederholt davon die Rede, David sei in den »Festungen« *(Mesadot)* der Wüste gewesen. In 1. Samuel 22, 3–5 etwa heißt es:

Von da zog David nach Mizpe in Moab und sprach zum König von Moab: Laßt doch meinen Vater und meine Mutter bei euch wohnen, bis ich weiß, was Gott mit mir tun

Links: Die Oase En-Gedi mit ihrer reichen natürlichen Wasserversorgung (der Name bedeutet »Quelle des Zickleins«) war im Altertum wegen ihrer Palmen berühmt. Auf dem Tell En-Gedi stieß man auf fünf Siedlungsschichten, die aus dem 7. Jahrhundert v. Chr. bis zum 5. Jahrhundert n. Chr. stammen, und an seinem nordöstlichen Fuß wurden zwei Synagogen (die ältere aus dem 2. Jahrhundert n. Chr., die jüngere aus dem 5./6. Jahrhundert) ausgegraben. Sehenswert ist auch der schöne Naturpark, in dem die Schulammit-Quelle entspringt, die nach der Dienerin Davids und Geliebten Salomos benannt ist.

Oben: Ein Platzregen im späten März, der in Kaskaden über die Klippen am Ufer des Toten Meers nahe Masada herabstürzt.

Ganz oben rechts: Ziegen im Felsgestein der judäischen Wüste. Nachts werden sie in Höhlen oder steineren Hürden untergebracht.

Ganz oben links: In einer Höhle am Maale Mischmar (etwa 12 km südwestlich von En-Gedi) fanden Archäologen 429 Kupfergegenstände, die vermutlich einst zu einem chalkolithischen Tempel aus dem 4. Jahrtausend v. Chr. gehörten. Hier ist ein kupfernes Zepter mit Gazellenköpfen zu sehen. 1960 entdeckte man ferner in der sogenannten »Briefhöhle«, die in den Felswänden des annähernd 6 km von En-Gedi entfernten Nahal Hever liegt, 15 Briefe auf Payrus und Holztäfelchen, die Bar Kochba, der Kopf der zweiten Revolte gegen Rom (132–135) an seine Unterführer gerichtet hatte. Sie sind in Aramäisch (9 Briefe), Hebräisch (4) sowie Griechisch (2) geschrieben und befinden sich heute im Israel-Museum in Jerusalem.

will. Und er ließ sie bei dem König von Moab, und sie blieben bei ihm, solange David auf der Bergfeste war. Aber der Prophet Gad sprach zu David: Bleibe nicht auf der Bergfeste. Auf, und komm ins Land Juda! Da ging David fort und kam nach Jaar-Heret [in den Wald von Heret].

Gewöhnlich hält man die hier erwähnte »Bergfeste« für Adullam, und zwar deshalb, weil 1. Samuel 22, 1 mit den Worten beginnt: *David . . . entkam in die Höhle Adullam,* und weil zweitens Adullam im 2. Buch Samuel 23, 13–14 einfach »Bergfeste« *(Mesuda)* heißt.

Allerdings läßt sich gegen die Gleichsetzung mit Adullam einwenden, daß David den Befehl erhielt, diese zu verlassen und ins Land Juda zu gehen, während Adullam schlichtweg mitten in Juda liegt. Für eine Lokalisierung der »Festung« nahe am Toten Meer sprechen jedoch die geographischen Angaben in der soeben zitierten Textpassage sowie in 1. Samuel 24. Tatsächlich liegt Masada nicht weit von der Route entfernt, die durch den Südteil des Toten Meers führt und die Wüste Juda mit Moab verbindet. In der zweiten Stelle sucht er die »Bergfeste« auf, nachdem er Saul in der Höhle verschont hat. Dieser Zwischenfall ereignete sich im Gebiet von En-Gedi am Ufer des Toten Meers. Doch nichts von all dem beweist, daß es sich wirklich um Masada handelte. Falls dem aber so wäre, so würfe dies einiges Licht auf die prophetische Mahnung an David, der Festung den Rücken zu kehren und in das Land Juda zu ziehen. Denn Masadas Stärke war gleichzeitig seine Schwäche. Durch seine exponierte Lage war es von weitem erkennbar und von einem Gegner mit entsprechender Mannschaftsstärke auch leicht zu umzingeln. Wer auf dem Gipfelplateau eingeschlossen war, konnte kaum den Abstieg versuchen, ohne aufzufallen (vgl. den Bericht bei 1. Samuel 23, 24–27, demzufolge David in der Nähe »des Felsens . . . in der Wüste von Maon« beinah von Saul ergriffen worden wäre). Vielleicht riet der Pro-

Masada

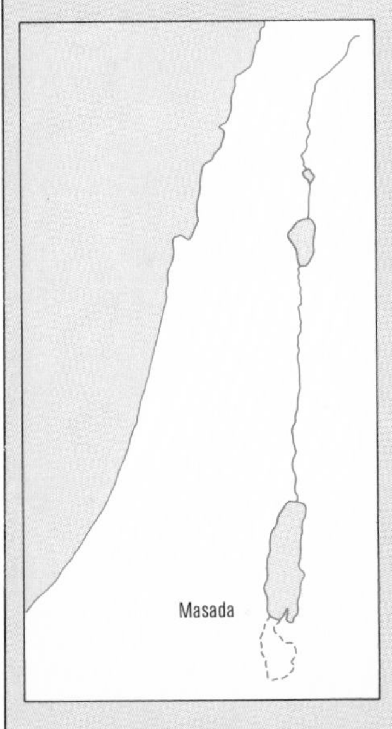

Berühmtheit erlangte die Festung als Schauplatz des letzten, heroischen Widerstands der jüdischen Freiheitskämpfer gegen Rom (66–73 n. Chr.). Obwohl Masada nicht ausdrücklich in der Bibel erwähnt ist, nimmt man doch an *(siehe Seiten* 108 f.*),* daß schon David es kannte und als Zufluchtsort benutzte. Die schwer zugänglichen Höhlen des Felsmassivs waren bereits in neolithischer Zeit (vor 6000 Jahren) bewohnt. Der Makkabäer Jonatan (161–143) errichtete auf dem Plateau eine Burg, die Herodes zwischen 36 und 30 v. Chr. zur stärksten Festung des Landes ausbaute. Nach Herodes' Tod wurde Masada römische Garnison. Die Zeloten eroberten es zu Beginn des Aufstands im Jahr 66, und als die Römer 73 n. Chr. zum entscheidenden Sturm ansetzten, wählten die Eingeschlossenen – 960 Männer, Frauen und Kinder – den kollektiven Selbstmord.

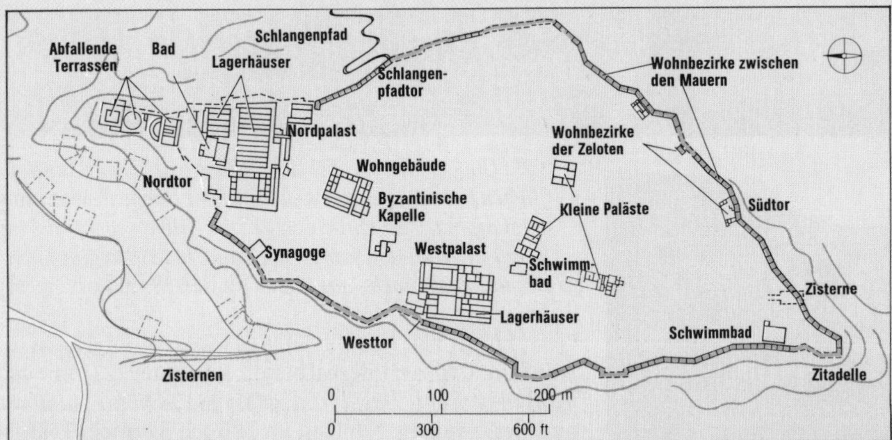

Ganz oben: Der Plan zeigt Masada von Westen. Das Tote Meer hat man sich am oberen Rand hinter dem Schlangenpfad zu denken. Der Maßstab macht die enormen Ausmaße des Plateaus deutlich.

Oben: Die Synagoge wurde unter Herodes errichtet und von den Zeloten umgebaut.

Unten: Diese Ansicht Masadas von Süden zeigt die eindrucksvolle Lage der Festung. Rechts erblickt man den Schlangenpfad, links die gewaltige Rampe, die die Römer anlegten, um Mauerbrecher auf die Höhe des Felsplateaus zu transportieren.

Unten Mitte: Steingeschosse einer römischen *balista,* eines nach dem Katapult-Prinzip funktionierenden Geschützes, mit denen die Belagerer die Zeloten bombardierten.

Unten: Säulen und Freskenfragmente der unteren Terrasse des Nordpalastes, der Privatresidenz des Herodes. Diese untere Terrasse besteht aus einem quadratischen Säulenhof, an ihrer Oberseite führen Stufen zu einem kleinen Bad.

Oben und links: Zu den zahlreichen Gebrauchsgegenständen der eingeschlossenen Rebellen, die in oder unter den Gebäuden gefunden wurden, gehören die hier abgebildeten Ledersandalen, der Palmenfaserkorb, der Bronzetiegel sowie der Krug.

phet Gad David deshalb zum Verlassen Masadas, weil sein Aufenthaltsort Saul verraten worden war, der ihn dort problemlos hätte aushungern können. Bedauerlich ist, daß sich der »Wald von Heret« nicht identifizieren läßt, den David dann aufsuchte.

Ob David sich nun in Masada befand oder nicht – immerhin deuten Tonwarenfunde darauf hin, daß die Feste vom 10.–7. Jahrhundert v. Chr. benutzt wurde. Die erste Burganlage indes ließ der Hohepriester Jonatan (161–143) errichten, und seine Glanzzeit erlebte Masada erst, als Herodes I., der Große, es zu seiner Residenz machte. Er ließ hier u. a. riesige Zisternen anlegen, um den reichlichen Winterregen aufzufangen.

Nahezu legendären Ruf aber erlangte die Festung durch den Massenselbstmord der letzten Widerstandskämpfer am Ende des 1. Jüdischen Kriegs, die diesen Außenposten immerhin bis 73 n. Chr. gehalten hatten. Laut dem jüdischen Historiker Flavius Josephus überlebten nur zwei Frauen und fünf Kinder, die sich in einer Zisterne versteckt hatten, das schreckliche Blutbad *(Über den Jüdischen Krieg* VII, 7).

Wenden wir uns nun den übrigen fünf Städten zu, die bei Josua 15, 61 neben En-Gedi genannt sind. Es handelt sich dabei um Bet-Araba, Middin, Sechacha, Nibschan und Ir-Melach (»Salzstadt«). Letztere wurde in Qumran (Kumran) lokalisiert, und einige der anderen hat man im Süden oder Südosten davon gesucht. Nach einer neuesten These vermutet man die fraglichen Städte jetzt zwar noch immer am Ufer des Toten Meers, aber nördlich von En-Gedi. So wird die »Salzstadt« in Ein et-Turaba lokalisiert, Nibschan in Ein el-Chuweir, Sechacha in Qumran und Bet-Araba in Rujm al-Bahr. An diesen Grabungsstätten kamen Überreste israelitischer Befestigungen aus dem 8.–6. Jahrhundert v. Chr. zum Vorschein, desgleichen aber auch Siedlungsspuren aus der Zeit des Johannes Hyrkanus (135/34–104 v. Chr.). Man nimmt allgemein an, daß diese Niederlassungen in beiden Perioden eine vorgeschobene Verteidigungslinie bilden sollten.

Am bekanntesten von den genannten Orten ist Qumran, in dessen unmittelbarer Umgebung ab 1947 die Schriftrollen vom Toten Meer entdeckt wurden. Zwar wird Qumran in der Bibel nicht erwähnt – höchstens einmal (wenn die Gleichsetzung mit Sechacha zutrifft) –, doch die dort ansässige Gemeinde, von der die Schriftrollen höchstwahrscheinlich stammen, bestand mindestens seit 4 v. Chr.–68 n. Chr., also zu Lebzeiten Johannes des Täufers und Jesu Christi bis hin zur frühesten Ausbreitung des Christentums. Zwar hielten sich auch Johannes der Täufer und Jesus eine Zeitlang in diesem Teil der Wüste auf (Lukas 1, 80 und Markus 1, 12–13), allerdings konzentrierte sich ihr Wirken mehr auf die unmittelbare Nähe von Jericho (*siehe Seite* 198). Dennoch ist es lohnend, einen Blick auf die Übereinstimmungen und Unterschiede zwischen den Lehren der Qumran-Gemeinde einerseits und denen Johannes des Täufers sowie Jesu andererseits zu werfen.

Die Ursprünge der meist als Essener bezeichneten Gemeinde vom Toten Meer sind unbekannt. Sie mögen bis auf das Babylonische Exil (587–539 v. Chr.) zurückgehen, auf die Absetzung des Hohenpriesters Onias III. (175 v. Chr.) oder auf die Regierungsperioden der Makkabäer Simon (142–135/34 v. Chr.) bzw. Jonatan (161–143 v. Chr.). Qumran selbst war gewiß nur kurze Zeit irgendwann zwischen 160 und 134 v. Chr. bewohnt. Dann gab man es auf, aber schon unter der Herrschaft des Johannes Hyrkanus (135/34–104 v. Chr.) wurde es neu besiedelt, bis hin zu einem schweren Erdbeben im Jahr 31 v. Chr. Danach kam abermals eine Besiedlungslücke bis etwa 4 v. Chr. Der römische Historiker Plinius d. Ä. (23/24–79) gibt von den Qumran-Essenern folgende Beschreibung:

> [Sie sind] *ein einsames und in der ganzen Welt vor anderen merkwürdiges Volk, ohne alle Frauen, das jeder Liebe entsagt hat und ohne Geld bei den Palmen wohnt. Tag für Tag wird in gleichem Maße die Schar derer, die zusammenkommen, wiedergeboren durch zahlreiche Hinzukommende, die das Schicksal, daß sie des Lebens müde geworden sind, in Strömen zu ihrer Lebensweise hinbringt. So ist durch die Jahrtausende – es klingt wunderbar – ein Volk ewig, in dem niemand geboren wird. So fruchtbar ist für sie die Reue anderer über ihr Leben.*
> (*Historia naturalis* V, 17)

Flavius Josephus zufolge, der ebenfalls eine ausführliche Charakterisierung der Essener gibt, resultierte diese Ehelosigkeit aus der Auffassung, daß die Frau elementar verderbt sei. Die Angehörigen der Qumram-Gemeinde, die in Gruppen von je zehn oder zwölf Mitgliedern unterteilt waren, nannten sich selbst »Söhne des Lichts« und glaubten, Gott in seiner Güte habe sie dazu auserwählt, ihm in der Einsamkeit und Abgeschiedenheit zu dienen, ihn zu verehren und den »Söhnen der Finsternis« zu widerstehen. Ihre religiösen Lehren wiesen ausgeprägte, dualistische Elemente auf, und man war davon überzeugt, daß die Gegenwart – mit Gottes Duldung – von den Mächten der Finsternis beherrscht werde. Diesen dämonischen Mächten standen engelgleiche Kräfte des Lichts gegenüber, die den »Söhnen des Lichts« bei ihrer Gottsuche halfen. Sämtliche Bewohner teilten ihren Besitz miteinander, sie nahmen die Mahlzeiten gemeinschaftlich ein, und ihr Leben sah Prüfungen und Einweihungszeremonien vor. Die Gemeinschaft betrachtete man als Verwirklichung des Jesaja'schen Rufes (Jesaja 40, 3): *In der Wüste bereitet den Weg des Herrn!*

Zwischen den Lehren der Qumran-Sektierer und jenen Johannes des Täufers sowie Jesu gibt es eine Fülle interessanter Parallelen. Beispielsweise hielt der Evangelist Markus (1,3) Johannes den Täufer für die Verkörperung der soeben zitierten Jesaja-Stelle. Jesus umgab sich mit einem »inneren« Kreis besonders ausgewählter Jünger, deren Zahl gleichfalls zwölf betrug und mit denen er gemeinsam speiste. Und es fehlt der Lehre Jesu auch nicht an Anspielungen darauf, daß das gegenwärtige Zeitalter von den Mächten des Bösen beherrscht werde – man denke etwa an das Wort Jesu bei Lukas 10, 18: *Ich sah Satan wie einen Blitz vom Himmel fallen.* Was schließlich den Dualismus von Licht und Finsternis angeht, so ist er im Johannesevangelium (vgl. dort 1, 5 und 8, 12), desgleichen im 1. Korintherbrief (6, 14–7, 1) nicht zu übersehen, und im Epheserbrief (dort 5, 8–11) heißt es: ... *wandelt als Kinder des Lichts! ... und beteiligt euch nicht an den unfruchtbaren Werken der Finsternis, sondern decket sie vielmehr sogar strafend auf!* Tatsächlich ist die Versuchung sehr groß, zwischen der Qumran-Gemeinde, Johannes dem Täufer und Jesus Querverbindungen zu konstruieren. Einige populärwissenschaftliche Autoren verstiegen sich sogar zu der Behauptung, beide seien Mitglieder der Gemeinde gewesen. Doch darf nicht unterschlagen werden, daß es auch augenfällige Unterschiede in den Lehren gibt. Beispielsweise kannten die Qumran-Essener kein Gegenstück zu der einmaligen Bußtaufe, die Johannes praktizierte, und während man die Qumran-Gemeinde anhielt, die »Söhne des Lichts« – also nur die eigenen Mitglieder – zu lieben, die »Söhne der Finsternis« (mit anderen Worten: alle, die nicht der Sekte angehörten) aber zu verabscheuen und zu hassen, postulierte Jesus ausdrücklich Feindesliebe (Matthäus 5, 44) und erregte dadurch unliebsames Aufsehen, daß er sich mit Menschen umgab, die als unrettbar verlorene Sünder galten (Markus 2, 15–17).

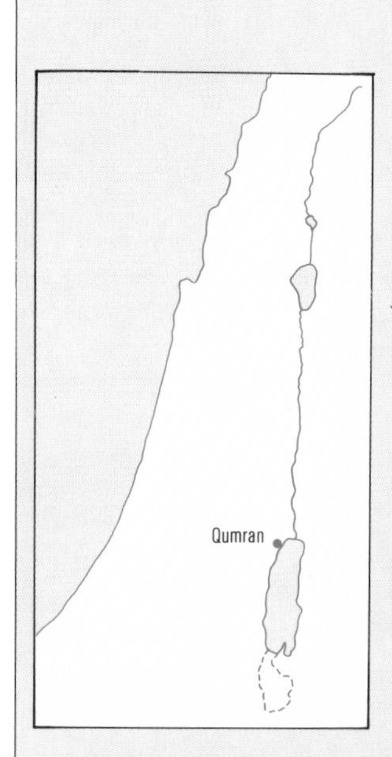

Qumran

Wie Masada wird auch Qumran nicht ausdrücklich in der Bibel genannt, wenn es nicht mit Sechacha oder Ir-Melach (der »Salzstadt«) bei Josua 15, 61–62 identisch ist. Doch ähnlich wie in Masada wurden hier seit dem Ende des Zweiten Weltkriegs bedeutsame Ausgrabungen gemacht. Daß in Qumran zwischen dem 2./1. Jahrhundert v. Chr. und dem 1. Jahrhundert n. Chr. (bis zur Zerstörung der Siedlung durch die Römer 68 n. Chr.) eine als Essener bezeichnete jüdische Gruppe oder Sekte lebte, wissen wir durch antike jüdische wie nichtjüdische Autoren (Plinius der Ältere, *Historia naturalis* V, 17). Die dort entdeckten literarischen und archäologischen Zeugnisse erbrachten den Beweis, daß die Gemeinde tatsächlich große Ähnlichkeiten mit den Essenern aufwies. Zu den literarischen Funden gehören die als »Schriftrollen vom Toten Meer« bekannten Handschriften, darunter hebräische Texte mit Teilen des Alten Testaments. Sie werden jetzt im Israel-Museum, Jerusalem, aufbewahrt.

Einige der Höhlen, in denen man auf die Schriftrollen stieß, liegen ein Stück von Qumran entfernt, Höhle 4 dagegen *(unten)* befindet sich unmittelbar unter dem Plateau, auf dem die Hauptgebäude der Gemeinde errichtet waren. Manche Schriftrollen wurden zwecks besserer Konservierung in verschlossenen Krügen aufbewahrt *(unten rechts)*. Die Handschrift *(ganz unten rechts)* ist ein Teil der Jesaja-Rolle und enthält die Passagen Jesaja 34, 14–36, 2. Der Kopist ließ die letzten Wörter von Jesaja 34, 17 sowie die beiden Verse 35, 1–2 aus; sie wurden dann in kleinerer Schrift nachträglich eingefügt.

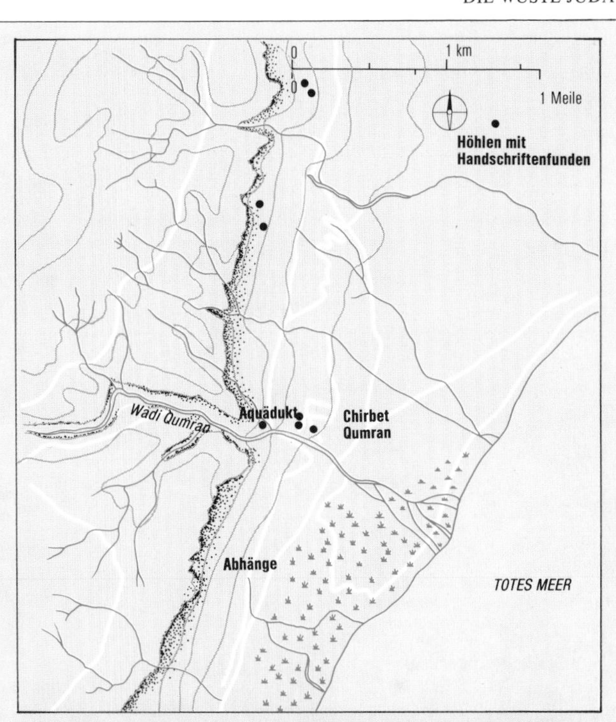

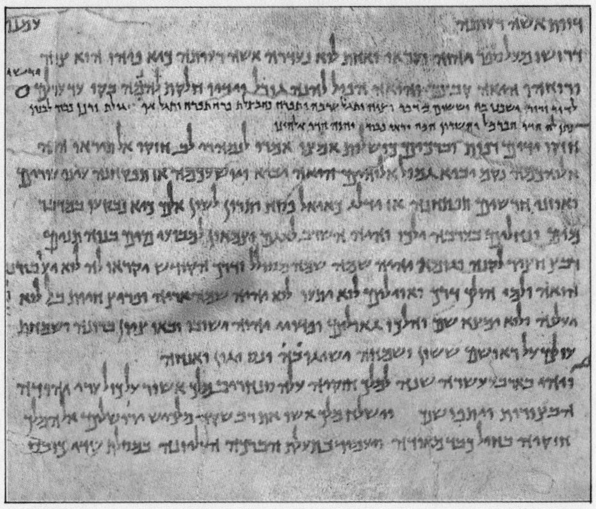

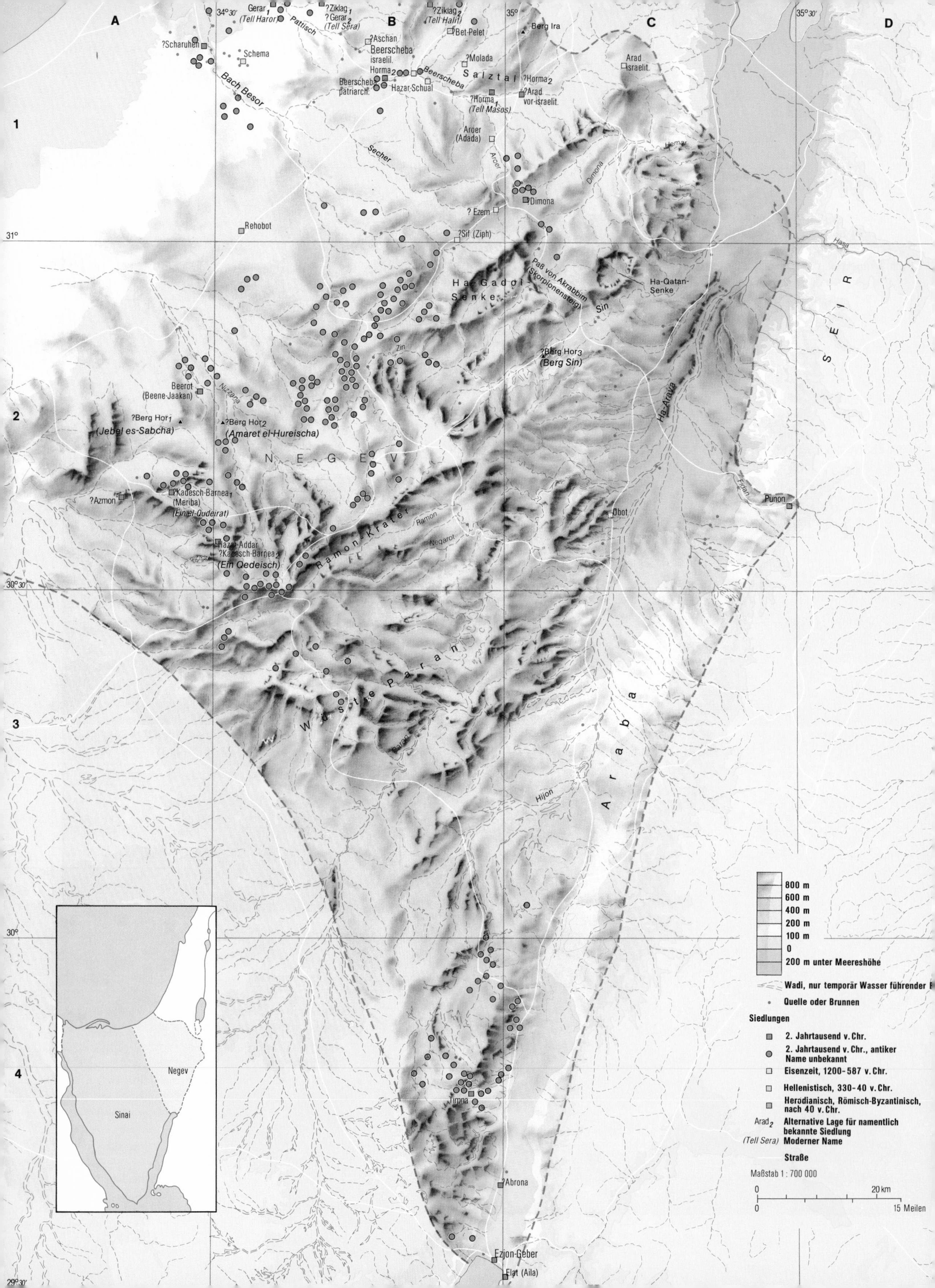

A
B
C
D
1
2
3
4
34°30'
35°
35°30'
31°
30°30'
30°
29°30'
Gerar1
(Tell Haror)
?Ziklag1
?Gerar2
(Tell Sera)
?Ziklag2
(Tell Halif)
Bet-Pelet
Berg Ira
Patrisch
?Scharuhen
Schema
?Aschan
Beerscheba
israelit.
Horma2
Beerscheba
patriarch.
Hazar-Schual
?Molada
Salztal
?Horma2
?Horma1
(Tell Masos)
?Arad
vor-israelit.
Arad
israelit.
Bach Besor
Secher
Aroer
(Adada)
Hemar
Dimona
?Dimona
? Ezem
Rehobot
?Sif (Ziph)
Hasa
Paß von Akrabbim
(Skorpionensteig)
Ha-Gadol-
Senke
Ha-Qatan-
Senke
Sin
Zin
?Berg Hor3
(Berg Sin)
S E I R
Beerot
(Beene-Jaakan)
Nizzana
?Berg Hor1
(Jebel es-Sabcha)
?Berg Hor2
(Amaret el-Hureischa)
N E G E V
Ha-Arava
?Kadesch-Barnea1
(Meriba)
(Ein el-Qudeirat)
?Azmon
Ramon-Krater
Ramon
Neqarot
Obot
Punon
Hazar-Addar
?Kadesch-Barnea2
(Ein Qedeisch)
Wüste Paran
Paran
Araba
Hijon
Negev
Sinai
Timna
?Abrona
Ezjon-Geber
Elat (Aila)
800 m
600 m
400 m
200 m
100 m
0
200 m unter Meereshöhe
Wadi, nur temporär Wasser führender F
Quelle oder Brunnen
Siedlungen
2. Jahrtausend v. Chr.
2. Jahrtausend v. Chr., antiker Name unbekannt
Eisenzeit, 1200-587 v. Chr.
Hellenistisch, 330-40 v. Chr.
Herodianisch, Römisch-Byzantinisch, nach 40 v. Chr.
Arad2 Alternative Lage für namentlich bekannte Siedlung
(Tell Sera) Moderner Name
Straße
Maßstab 1 : 700 000
0
20 km
0
15 Meilen

NEGEV UND SINAIHALBINSEL

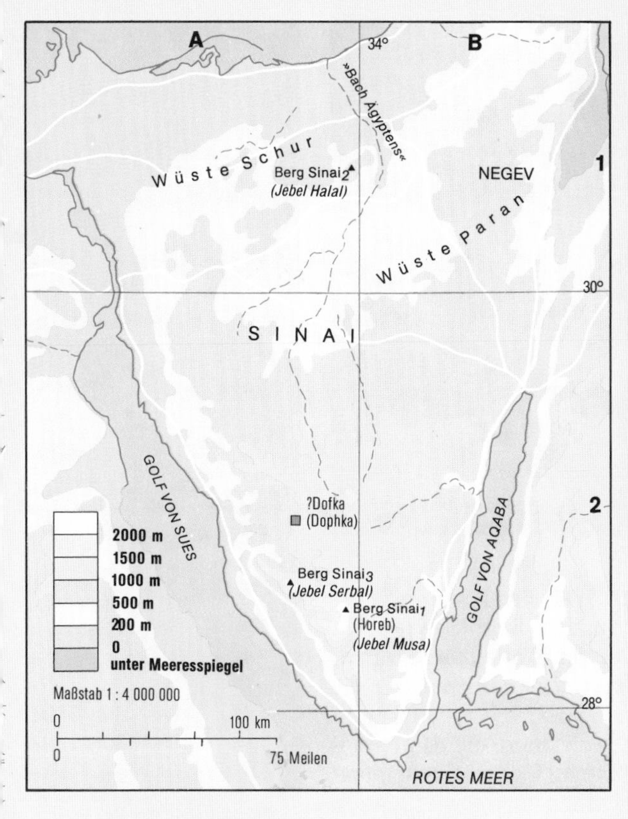

Der Negev *(links)* sowie die Sinaihalbinsel *(oben)* sind im Alten Testament Schauplatz einiger der prägendsten Ereignisse israelitischer Geschichte. Auf dem »Berg Sinai« empfing Moses die Gesetzestafeln, und an verschiedenen Punkten dieser Region wandte sich das Volk von Gott ab und stellte seine Geduld auf die Probe. Die Karte, die den Negev in bewohnbare und unbewohnbare Zonen unterteilt, zeigt auf, wo während des 2. Jahrtausends v. Chr. Besiedlung (zumindest zeitweilig) möglich war. Damit erhalten wir ein grobes Bild jener Gebiete, in denen die Israeliten auf ihrer Wanderung von Ägypten nach Kanaan möglicherweise Aufenthalte einlegten.

Oben rechts: Diese Route durch die Sinaihalbinsel könnten die Israeliten bei ihrem Exodus genommen haben.

Die Sinaihalbinsel

Alusch Num. 33, 13 (U)

Bach Ägyptens Num. 34, 5; Jos. 15, 4. 47; 1. Kön. 8, 65; 2. Kön. 24, 7; Jes. 27, 12; Ez. 47, 19; 48, 28 [A1 B1]

Dofka Num. 33, 12. 13 [A2]

Gudgoda (Hor-Gidgad, Hor-Haggidgad) Num. 33, 32. 33; Deut. 10, 7 (U)

Haschmona Num. 33, 29–30 (U)
Horeb *siehe* Sinai, Berg
Hor-Gidgad *siehe* Gudgoda

Libna Num. 30, 20. 21; 33, 20 (U)

Makhelot Num. 33, 25–26 (U)
Mara Exod. 15, 23; Num. 33, 8. 9 (U)
Mitka Num. 33, 28–29 (U)
Moserot (Moserah) Num. 33, 30.31. 38; Deut. 10, 6 (U)

Paran, Wüste, Gen. 21, 21; Num. 10, 12; 13, 4. 27; 1. Kön. 11, 18 [B3]

Refidim Exod. 17, 1. 8; 19, 2; Num. 33, 14. 15 (U)
Rimmon-Perez Num. 33, 19–20 (U)
Rissa (Ressa) Num. 33, 21–22 (U)
Ritma Num. 33, 18–19 (U)
Rotes Meer Exod. 13, 18; 15, 22; 23, 31; 1. Kön. 9, 26 [B3]

Schur, Wüste, Gen. 16, 7; 20, 1; 25, 18; Exod. 15, 22; 1. Sam. 15, 7; 27, 8 [A1]
Sinai, Berg (Horeb) Exod. 3, 1; 17, 6; 33, 6; 19, 1. 11ff; 19, 20ff.; Deut. 1, 2ff.; 4, 10ff.; Ps. 68, 9. 18; Neh. 9, 13; Apg. 7, 30 [A1 A2]

Tabera Num. 11, 3; Deut. 9, 22 (U)
Tahat Num. 33, 26. 27 (U)
Tarach (Thare) Num. 33, 27. 28 (U)

Der Negev

Abkürzung: (U) = Unlokalisiert

Abrona Num. 33, 34–35 [B4]
Adada *siehe* Aroer
Aila *siehe* Elat
Arad Num. 21, 1; 33, 40; Jos. 12, 14 [C1]
Aroer (Adada) Jos. 15, 22; 1. Sam. 30, 28 [B1]
Aschan Jos. 15, 42; 19, 7; 1. Chr. 4, 32; 6, 59 [B1]
Azmon (Asemona) Num. 34, 4. 5; Jos. 15, 4 [A2]

Baala (Bala) Jos. 15, 29; 19, 3 (U)
Bealot Jos. 15, 24 (U)
Beer-Lahaj-Roi Gen. 16, 14; 24, 62; 25, 11 (U)
Beerot-Bene-Jaakan Num. 31, 31. 32; Deut. 10, 6; 2. Sam. 4, 2; 1. Chr. 1, 42 [A2]
Beerscheba Gen. 21, 14. 31–33; 22. 19; 26, 23. 33; 28, 10; 46, 1. 5; Jos. 15, 28; 19, 2; Richt. 20, 1; 1. Sam. 8, 2; 2. Sam. 3, 10; 17, 11; 24, 2. 7. 15; 19, 3; 2. Kön. 23, 8; 1. Chr. 21, 2; 2. Chr. 30, 5; Neh. 11, 27. 30; Amos 5, 5; 8, 14 [B1]
Bene-Jaakan *siehe* Beerot
Bered Gen. 16, 14 (U)
Bet-Pelet Jos. 15, 27; Neh. 11, 26 [B1]
Bisjotja (Baziothia) Jos. 15, 28 (U)

Dimona Jos. 15, 22; Neh. 11, 25 [C1]

Eder Jos. 15, 21 (U)
Elat (Aila) Deut. 2, 8; 2. Kön. 14, 22; 16, 6 [C4]
Elim Exod. 15, 27; 16, 1; Num. 33, 9–10 (U)
El-Paran Gen. 14, 6 (U)
En-Mischpat *siehe* Kadesch-Barnea
Esek Gen. 26, 20 (U)
Eter Jos. 15, 42; 19, 7 (U)
Ezem 1. Chr. 4, 29 [B1]
Ezjon-Geber Num. 33, 35; Deut. 2, 8; 1. Kön. 9, 26; 22, 49; 2. Chr. 8, 17; 20, 36 [B4]

Gerar Gen. 10, 19; 20, 1. 2; 26, 1. 6. 17. 20. 26; 2. Chr. 14, 13 14 [B1]
Geschur Jos. 13, 2; 1. Sam. 27, 8 (U)

Halak, Berg, Jos. 12, 7 (U)
Hazar-Addar Num. 34, 4 [B2]
Hazar-Gadda Jos. 15, 27 (U)
Hazar-Schual Jos. 15, 28; 19, 3; 1. Chr. 4, 28; Neh. 11, 27 [B1]
Hazar-Susim (Hazar-Susa) Jos. 19, 5; 1. Chr. 4, 31 (U)
Hezron Jos. 15, 3. 25 (U)
Hor, Berg, Num. 20, 22 [A2 B2 C2]
Horma (Zefat, Sefat) Num. 14, 45; 21, 3; Deut. 1, 44; Jos. 12, 14; 15, 30; 19, 4; Richt. 1, 17; 1. Sam. 30, 30; 1. Chr. 4, 30 [B1 C1]

Kadesch-Barnea (Massa, Meriba, En-Mischpat) Gen. 14, 7; Exod. 17, 7; Num. 20, 13. 14. 16; 32, 8; 33, 36. 37; 34, 4; Deut. 1, 2. 19. 46; 2, 14; 9, 22. 23; Jos. 10, 41; 14, 6. 7; 15, 3; Richt. 11, 16. 17 [A2 B2]

Molada Jos. 15, 26; 19,2; 1. Chr. 4, 28; Neh. 11, 26 [B1]

Obot Num. 21, 10–11; 33, 43–44 [C2]

Paran, Wüste, Gen. 14, 6; 21, 21; Num. 10, 12; 13, 3; Deut. 1, 1; 33, 2; 1. Kön. 11, 18 [B3]
Punon (Phinon) Num. 33, 42–43 [C2]

Rehobot Gen. 10, 11; 26, 22; 36, 37; 1. Chr. 1, 48 [B1]

Scharuhen (Schaarajim, Schilhim) Jos. 15, 32; 19, 6; 1. Chr. 4, 31 [A1]
Schema Jos. 15, 26 [B1]
Schilhim *siehe* Scharuhen
Sif Jos. 15, 24; 15, 55; 1. Sam. 23, 14. 24; 26, 2; 2. Chr. 11, 8 [B1]

Timna Jos. 15, 10; 19, 43; Richt. 14, 1–2. 5; 2. Chr. 28, 18 [B4]
Tochen 1. Chr. 4, 32 (U)

Zefat (Sefat) *siehe* Horma
Ziklag Jos. 15, 31; 19, 5; 1. Chr. 4,30; 1. Sam. 27, 6 [B1]
Zif *siehe* Sif

Rechts: Die Wüste: in der Bibel eine Landschaft voller Symbolkraft.

Ganz rechts: Danach ließ Moses die Israeliten vom Schilfmeer aufbrechen; sie zogen hinaus zur Wüste Schur. Drei Tage lang wanderten sie in der Wüste und fanden kein Wasser.
(Exodus 15, 22)

Die Wüste als Symbol
Abgesehen vom eigentlichen Auszug aus Ägypten hielten die Bibelautoren keinen Abschnitt der israelitischen Geschichte für wichtiger als die sich daran anschließende Wüstenwanderung. Dieses Ereignis wird in den Büchern Exodus (2. Mose) und Numeri (4. Mose), desgleichen am Anfang des Buches Deuteronomium (5. Mose) behandelt, doch auch andere Teile des Alten Testaments enthalten zahlreiche einschlägige Anspielungen. Dem Verfasser des 95. Psalms zum Beispiel diente die Zeit in der Wüste als Mahnung, wenn er Gott die folgenden Worte sagen läßt:

Verhärtet euer Herz nicht wie zu Meriba,
wie am Tage von Massa in der Wüste,
da mich eure Väter versuchten,
mich prüften - und sie sahen doch mein Tun!
Vierzig Jahre hatte ich Abscheu
vor jenem Geschlechte und sprach:
Sie sind ein Volk irren Geistes -
und noch erkannten sie meine Wege nicht.
So schwur ich denn in meinem Zorn:
Sie sollen nicht eingehen zu meiner Ruhestatt.

Ja, der Autor des Psalms 106 widmet der Schuld der Israeliten, die Jahwe während ihres Wüstenzugs ungehorsam wurden und der Götzenanbeterei frönten, sogar volle 35 Verse.

Andererseits aber konnte Jeremia die Wüstenwanderung durchaus auch als eine Art Brautzeit zwischen Gott und seinem auserwählten Volk hinstellen:

Und es erging an mich das Wort des Herrn:
Gehe hin und predige vor den Ohren Jerusalems
und sprich:
So spricht der Herr: Ich gedenke dir's, wie du mir hold warst in deiner Jugend, wie du mich liebtest in deiner Brautzeit, wie du mir folgtest in der Wüste, im saatlosen Lande. Heilig war Israel dem Herrn wie ein Erstling der Ernte: wer von dem ißt, muß büßen, Unheil kommt über ihn, spricht der Herr.
(Jeremia 2, 1-3)

Nicht zuletzt jedoch sah man dies als eine Phase an, in der Maßstäbe für später gesetzt wurden. Beispielsweise legt der Prophet Amos (5, 25) Gott die Worte in den Mund: *Habt ihr mir Schlachtopfer und Gaben dargebracht in der Wüste, vierzig Jahre lang, Haus Israel?* Das ist wohl mehr als eine rhetorische Frage zu verstehen, die daran erinnern sollte, daß die Israeliten damals Gebote für ihr moralisches Verhalten, für ihr Zusammenleben sowie für ihren Kult empfangen hatten, daß also der Religion der Wüstenwanderungszeit etwas Normatives, Prägendes anhaftete. Bei Jeremia 35, 1-11 hören wir von einer Gruppe von Israeliten, die an dem festhielten, was man bisweilen als »Wüsten-Ideal« bezeichnet. Es waren die Rechabiter. Einer ihrer frühen Anführer hatte ihnen verboten, Häuser zu bauen, Weingärten zu pflanzen oder auch nur Wein zu trinken. Nur in Zelten sollten sie leben. Ob diese Rechabiter einfach eine Art »Überhang« aus der Zeit des Wüstenzugs darstellten oder sich erst wenige Generationen vor Jeremia auf das »Wüsten-Ideal« wiederbesonnen hatten, wissen wir nicht. Auf jeden Fall dokumentieren sie, welche Symbolkraft dem Wüstenzug innewohnte.

Während des Babylonischen Exils fand die Hoffnung, Gott werde sein Volk im Triumph aus Babylon zurückführen, so wie er es einst aus Ägypten getan hatte, stärksten Ausdruck in einer Bildersprache, die an die einstige Wüstenwanderung anknüpfte. So vernehmen wir nicht nur den Ruf: *In der Wüste bahnet den Weg des Herrn; machet in der Steppe eine gerade Straße unserm Gott!* (Jesaja 40, 3), sondern werden auch mit der Vision einer Wüste konfrontiert, die da aufblüht, wenn Jahwe seine Herrlichkeit offenbart:

Freuen sollen sich die Wüste und das dürre Land,
frohlocken die Steppe und blühen!
Gleich der Narzisse soll sie blühen und frohlocken,
ja frohlocken und jubeln!
Die Herrlichkeit des Libanon wird ihr gegeben,
die Pracht des Karmel und der Saronflur.
Jene sollen die Herrlichkeit des Herrn,
die Pracht unseres Gottes schauen . . .
Alsdann wird der Lahme springen wie ein Hirsch,
und die Zunge des Stummen wird jauchzen;

denn in der Wüste brechen Wasser hervor und Bäche in der Steppe, und der glühende Sand wird zum Teiche und das durstige Land zu Wasserquellen. An der Wohnstatt, wo Schakale lagerten, ist eine Stätte für Rohr und Schilf . . .
Und die Befreiten des Herrn werden heimkehren und nach Zion kommen mit Jauchzen, ewige Freude über ihrem Haupte. Freude und Wonne wird bei ihnen einkehren, und Leid und Seufzen werden fliehen.
(Jesaja 35, 1–2; 6–7; 10)

Im Neuen Testament beschwor der Apostel Paulus die Ereignisse des Wüstenzugs, um die Christen in Korinth vor satter Selbstzufriedenheit zu warnen. Der Wortlaut: *Das Volk setzte sich nieder, um zu essen und zu trinken, und sie standen auf, um zu tanzen* (1. Korinther 10, 7) bezieht sich auf die Verehrung des Goldenen Kalbes (Exodus 32, 6), die Bemerkung, 23 000 seien an einem Tage gefallen (1. Korinther 10, 8) auf Numeri 25, 1–18, wo gleichfalls von Götzendienst und Unzucht die Rede ist, und die Anspielung auf die Schlangenplage auf Numeri 21, 5–9. Auch das Johannesevangelium (Johannes 3, 14–15) bezieht sich auf die letztgenannte Stelle:

Und wie Mose in der Wüste die Schlange erhöhte, so muß der Sohn des Menschen erhöht werden, damit jeder, der glaubt, in ihm ewiges Leben habe.

Die Wüste, und ganz besonders die des Negev und der Sinaihalbinsel, hat so in der Bibel starke, wenn auch ambivalente Symbolkraft. Der Aufenthalt in der Wüste war für die Israeliten eine normative Periode, auf die man später idealisierend zurückblickte, aber auch eine Zeit der Auflehnung. Zweifellos hing die nachträgliche Verherrlichung des Lebens in der Wüste zum Teil mit den Enttäuschungen zusammen, die das Leben in der Stadt mit sich brachte, wo es Steuern und Abgaben, Zwangsarbeit und soziale Ungerechtigkeit gab. Man konnte die Wüste aber auch als einen Ort betrachten, dessen Mangel an Annehmlichkeiten mehr als genug dadurch aufgewogen wurde, daß er zu harter Disziplin und Zähigkeit erzog und Gelegenheit bot, Vertrauen in die Vorsehung Gottes zu lernen. Das Buch Deuteronomium (5. Mose) 8, 3–6 ruft die Wüstenwanderungs-Generation ins Gedächtnis:

Er demütigte dich und ließ dich hungern und speiste dich dann mit Manna, das du und deine Väter nicht gekannt hatten, um dir kundzutun, daß der Mensch nicht vom Brot allein lebt, sondern von allem, was das Wort des Herrn schafft. Schon vierzig Jahre sind nun deine Kleider an dir nicht zerfallen, und deine Füße wurden nicht geschwollen. So erkenne denn in deinem Herzen, daß dich der Herr, dein Gott, in Zucht nimmt, wie einer seinen Sohn in Zucht nimmt, und halte die Gebote des Herrn . . .

Bevor wir uns nun mit dem Negev beschäftigen, seien einige vorausschickende Anmerkungen erlaubt. Bei dem Namen Negev handelt es sich um ein hebräisches Wort, dessen genaue Herleitung unbekannt ist. Im nachbiblischen Hebräisch steht es oft mit dem Verbum *nagav* in Verbindung, das »trocken sein« bedeutet. Im Alten Testament bezeichnet der Name das trockene Land südlich der Anhöhen von Hebron. Allerdings findet man die Grenzen des betreffenden Gebiets nirgendwo scharf umrissen. Statt dessen ist Negev nicht selten mit dem Namen der jeweiligen Landesbevölkerung verknüpft. So spricht das 1. Buch Samuel (27, 10) vom »Negev von Juda«, vom »Ne-

Arad

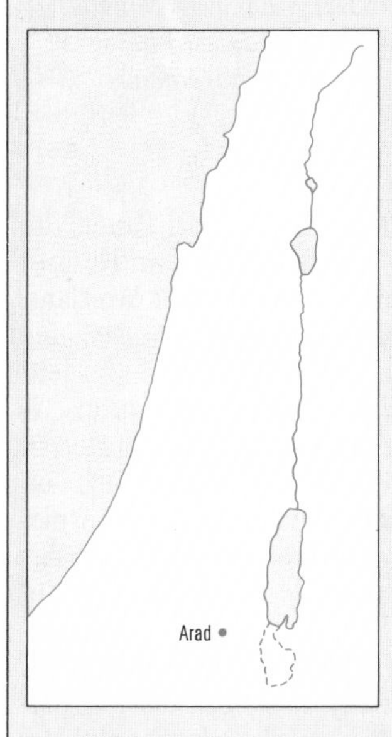

Arad liegt am südöstlichen Rand der Hebronberge. Es besteht aus zwei Besiedlungsschichten: einer Unterstadt, die zwischen 3000–2650 v. Chr. bewohnt war, und einer vom 12./11. - 2. Jahrhundert v. Chr. bewohnten Oberstadt. Biblische und andere Quellen (so eine Siegesstele des Pharaos Schischak I.) machen wahrscheinlich, daß es zwei Arads gegeben hat, und einige Forscher lokalisieren das von den Israeliten im 13. Jahrhundert v. Chr. (Numeri 21, 1–3) eroberte Arad in Tell Malhata. Laut Richter 1, 16 fiel die Stadt bei der Aufteilung Kanaans an den Stamm Juda. Im 10. Jahrhundert ließ Salomo Arad als befestigte Stadt errichten. Die Wehranlagen wurden viermal wiederaufgebaut, doch im Jahr 587 v. Chr. durch den babylonischen König Nebukadnezzar endgültig zerstört. Aus dieser Zeit hat man eine Keramikschale entdeckt, auf der in Aramäisch siebenmal der Name Arad erscheint. Von besonderer Bedeutung war die Ausgrabung eines Jahwe-Tempels, der in etwa dem Salomonischen Tempel in Jerusalem entsprach.

Rechts: Tell Arad - die Oberstadt.

Unten: Das 1964 entdeckte Ostrakon stammt aus dem Jahre 598/97 v. Chr. und enthält (vermutlich in Jerusalem verfaßte) Instruktionen für Eljaschib, der Standortkommandant in Arad war und wohl dem Königshaus angehörte. Das Schreiben endet mit der Mitteilung, Schallum werde im Haus (oder Tempel) Jahwes bleiben - wahrscheinlich ist damit der Tempel in Jerusalem gemeint.

Ganz unten rechts: Rekonstruktion des Tempels von Arad, wie er in den Tagen Salomos aussah. Man beachte die beiden Pfeiler am Eingang des zu der Nische führenden kleineren Hofes. Auch im Jerusalemer Tempel gab es zwei derartige Säulen am Eingang zum Heiligtum.

Ganz unten rechts außen: Die Rauchopferaltäre in der Nische.

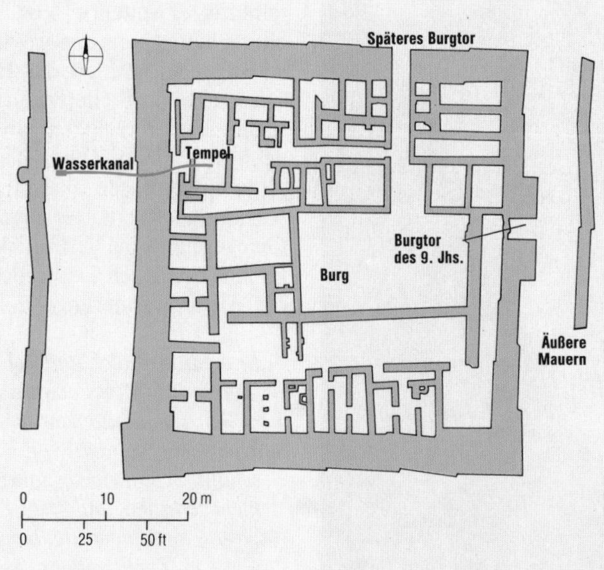

Rechts: Das interessanteste Gebäude in der Planskizze ist der Tempel aus der Zeit Salomos in der oberen linken Ecke. Er besaß einen weiten Hof mit einem Altar in der Mitte; ein im Osten angrenzender kleinerer Hof führte zu einer Nische, die einen heiligen Stein sowie Rauchopferaltäre enthielt. Auf diesem Plan, der die Verhältnisse am Ende des 8. Jahrhunderts zeigt, ist der Haupthof wesentlich kleiner, und der nicht ganz zentral liegende Altar wird von Mauern eingefaßt.

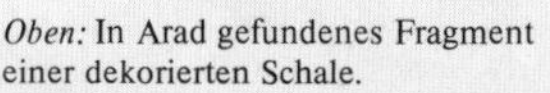

Oben: In Arad gefundenes Fragment einer dekorierten Schale.

Darunter: Ein Siegel Eljaschibs.

gev der Jerachmeeliter« und vom »Negev der Keniter«. Josua (15, 21–32) zählt 29 Städte (und die dazugehörenden Dörfer) des Stammes Juda im Negev auf, über deren Lokalisierung noch zu sprechen sein wird. Schließlich benennt Negev im Alten Testament auch die Himmelsrichtung Süden, und bei Daniel 11 bezieht es sich rätselhafterweise sogar auf Ägypten.

Im heutigen Sprachgebrauch versteht man unter Negev ein weites, keilförmiges Gebiet südlich der Hebronberge, dessen Westgrenze vom Golf von Aqaba längs der israelisch-ägyptischen Demarkationslinie in nordwestlicher Richtung unmittelbar bis hin zum Gazastreifen verläuft. Gewöhnlich unterteilt man es in vier Hauptabschnitte. Am deutlichsten zeichnet sich davon die südliche Fortsetzung des Jordangrabens, das Wadi Araba, ab, das vom Südende des Toten Meers nach Aqaba und den Bergen nördlich von Elat verläuft. Die Hauptgrenze zwischen den beiden anderen Regionen, dem nördlichen und dem zentralen Negevgebiet, ist das Nahal Sin.

Das nördliche Negevgebiet

Dieser Bereich ist in drei Abschnitte gegliedert. Der erste, die Küstenzone erstreckt sich von der Küstenebene unterhalb des Nahal Schiqma ostwärts zu den Kreidehügeln, die Beerscheba umgeben, sowie zu den ausgedehnten Sanddünen südwestlich davon. Charakteristisch für die-

sen Teil ist ein breiter Dünengürtel an der Küste, auf den eine Ebene mit Lößboden folgt, die nach Osten allmählich bis zu einer Höhe von 200 m ansteigt. Bei Regen bildet dieser Löß eine harte Kruste, die das Einsickern der Niederschläge verhindert. Das Wasser stürzt folglich durch natürliche Abflußrinnen rapide talwärts und spült die Betten und Ränder der so entstehenden Nahals immer weiter aus. Resultat davon ist jenes unkultivierbare Ödland, das für diesen Teil der Wüste so typisch ist. Wo es Bodenvertiefungen gibt, sammelt sich das Regenwasser und bildet natürliche Zisternen, an denen Hirten ihre Herden tränken können. Ständig besiedelt scheint dieses Gebiet nie gewesen zu sein – mit Ausnahme der Küste, wo die Nahals (Regenbäche) ins Meer münden, man denke an Tell Sera, Tell Haror und Tell Scharuhen.

Tell Haror wurde mit Gerar gleichgesetzt, das im Buch Genesis (1. Mose) in Zusammenhang mit den Erzählungen erscheint, die davon berichten, daß der Frau eines der biblischen Patriarchen von einem fremden Herrscher Gefahr drohte. Gerar lag an einer Route, die von der Negevküste sowie von Beerscheba nach Lachisch und weiter landeinwärts führte, und war während der Mittleren und Späten Bronzezeit bewohnt. Laut Genesis 26 begab sich Isaak, um einer Hungersnot zu entgehen, zu Abimelech, dem König von Gerar, der auch als »König der Philister« bezeichnet wird (dies ist aber wohl so zu verstehen, daß Abimelech Fürst einer Stadt war, die später – irgendwann im 12. Jahrhundert v. Chr. – von Philistern besiedelt wurde, also im späteren Philistergebiet lag). Genesis 25, 11 zufolge befand sich Isaak in Beer Lahai-Roi, einem noch nicht identifizierten Ort bei Kadesch (ebenda 16, 14). Wenn man Genesis 25, 11 mit Genesis 26 verknüpfen darf, können wir davon ausgehen, daß Hungersnöte ein Ausweichen entweder in südlicher Richtung nach Ägypten oder nach Norden hin erforderlich machten. So war Abraham nach Ägypten gezogen (Genesis 12, 10–19), doch Isaak erhielt die göttliche Weisung (Genesis 26, 2–5), im Gelobten Land zu bleiben. Also begab er sich in das Tal von Gerar, wo es einige Quellen gab. Laut biblischem Berichten gruben seine Leute dort eine Reihe von Brunnen aus, die von Abraham angelegt, dann aber zugeschüttet worden waren.

Genesis 20 enthält weniger Details, doch die dort geschilderten Ereignisse weisen enge Parallelen zu der Erzählung in Genesis 26 auf. Abraham zieht irgendwo aus der Umgebung von Kadesch nach Gerar. Von einer Hungersnot ist allerdings nicht die Rede. Abermals lautet der Name des dortigen Stadtkönigs Abimelech, ohne daß indes von Philistern gesprochen wird – mit Ausnahme des Endes von Kapitel 21, wo es heißt: *Und er* [Abraham] *weilte noch lange Zeit als Fremdling im Philisterland.* Daß sich Abraham von Gerar dann nach Beerscheba wandte, läßt sich aus Genesis 21, 25–33 erschließen. Im 2. Buch der Chronik (14, 9–15) findet man einen kurzen Bericht, wonach Asa, der 908–867 v. Chr. König von Juda war, über den Kuschiter (Äthiopier) Serach bei Marescha siegte, ihn bis Gerar verfolgte und dann sämtliche Städte in der Umgebung von Gerar angriff. Über den historischen Wahrheitsgehalt der Niederlage Serachs bei Marescha und über die Identität dieses Herrschers bestehen allerdings divergierende Ansichten. Manche Gelehrte setzten ihn mit dem ägyptischen Pharao Osorkon I., dem Sohn Schischaks I., gleich.

Einer der von Asa angegriffenen Orte war Ziklag, wenn es sich dabei um Tell Sera handelt (nach anderer Auffassung lag Ziklag bei Tell Halif, 15 km nordöstlich von Beerscheba). Ziklag war die Stadt, die Achisch, der König von Gat, David zum Lehen gab, als dieser ein Vasall der Philister wurde (1. Samuel 27, 6). Von Ziklag aus unternahm David gnadenlose Feldzüge gegen die Amalekiter, wobei er niemanden davonkommen ließ, der Achisch von seinen wahren Taten hätte berichten können, erwartete man von ihm doch eigentlich Überfälle auf mit Juda verbündete Stämme wie etwa die Kalebiter und Keniter (1. Samuel 27, 8–12). Als David gezwungen war, den langen Marsch nach Gilboa anzutreten, wo Saul sein letztes Gefecht gegen die Philister verlieren sollte, nutzten die Amalekiter diese Gelegenheit zum Gegenschlag: Bei der Rückkehr von der Schlacht gegen Saul, an der seine Truppen allerdings nicht teilnehmen durften (1. Samuel 29, 3–11), fand David Ziklag in Flammen, Frauen und Kinder verschleppt. Er setzte dem Feind mit sechshundert Mann nach, von denen allerdings zweihundert bereits nach einem Marsch von nur 25 km - vermutlich aus Erschöpfung - am Nahal Besor ausfielen. Mit Hilfe eines aufgegriffenen Informanten konnte David jedoch überraschend über die Amalekiter herfallen, als sie gerade ihren Sieg feierten: *Und David schlug sie von der Dämmerung an bis zum Abend und vollstreckte an ihnen den Bann, so daß keiner von ihnen entkam außer vierhundert Knechten, die auf die Kamele stiegen und flohen* (1. Samuel 30, 17). Aus Solidarität teilte er die Beute dann auch mit den besagten zweihundert erschöpften Kriegern.

Den zweiten Abschnitt des nördlichen Negev bildet eine Plateau- und Beckenlandschaft mit Beerscheba als wichtigstem Siedlungsplatz. Der bei weitem größte Teil dieses Gebiets besteht aus der bedeutendsten Sanddünen-Anhäufung im heutigen Israel. Durch diese Sandwüste zieht sich der Nahal Besor, der sie gleichzeitig in zwei Hälften teilt. An ihrem Südostsaum geht sie in Kreidehügel über, die vom Nahal Beerscheba in ostwestlicher Richtung durchschnitten werden. Beerscheba selbst liegt am gleichnamigen Bach, in einer etwa 5 km breiten Vertiefung zwischen den Kreidehügeln. Im Osten der Stadt befinden sich das Becken von Beerscheba und das höhergelegene Becken von Arad. Im Altertum gab es hier eine lange Reihe befestigter Siedlungen, die ostwärts bis nach Arad reichte.

Daß Beerscheba im nördlichen Negevgebiet eine bedeutende Rolle spielte, ergab sich schon aus der geographischen Situation. Es lag an Überlandwegen, die zur Küstenebene, zur Schefela, zu den Bergen von Hebron und zum Jordangraben führten, und obwohl die Niederschlagsmenge in den Becken von Beerscheba und Arad nicht mehr als 200 mm pro Jahr beträgt, war hier Ackerbau möglich.

Wie bereits erwähnt, begegnet uns Beerscheba in der Bibel erstmals als einer der Orte, wo sich Abraham aufhielt (Genesis 21, 31-34 sowie ebenda 22, 19). Außerdem läßt sich aus Genesis 26, 33 und 28, 10 erschließen, daß auch Isaak in Beerscheba lebte, als er Esau aufforderte, für ihn zur Jagd zu gehen, und Jakob die Gelegenheit nutzte, sich den eigentlich Esau gebührenden Segen seines Vaters zu erschleichen (Genesis 27, 1-29). Zu dem Betrugsmanöver gehörte es, daß Rebekka ihrem Sohn Jakob riet, zwei Ziegen der väterlichen Herde zu schlachten, so daß sie ihrem Mann davon sein Mahl bereiten konnte (Genesis 27, 9). Vermutlich jagte Esau also Wildziegen, die - wenn das Ereignis in den Winter, d.h. in die Regenzeit fiel - zur Äsung bis in den Negev gekommen sein könnten. Sonst hätte Esau nach Norden bis in die Höhen von Hebron oder hinunter in die Jordansenke an eine Wasserstelle wandern müssen.

Aufschlußreich ist der Vergleich zwischen den Segenssprüchen, die Isaak seinen beiden Söhnen erteilt, wenn man den Gegensatz zwischen dem wasserreichen Land im Norden von Beerscheba und der Trockenregion südlich der Stadt bedenkt. Die Esau zugedachten Segensworte, die Jakob sich erschlich, lauteten:

Gott gebe dir vom Tau des Himmels
und vom Fett der Erde
und Korn und Wein die Fülle!
Völker sollen dir dienen
und Nationen sich vor dir beugen!
Sei ein Herr über deine Brüder,
und deiner Mutter Söhne sollen sich vor dir beugen!
Verflucht ist, wer dir flucht
und gesegnet, wer dich segnet!
(Genesis 27, 28-29)

Beerscheba

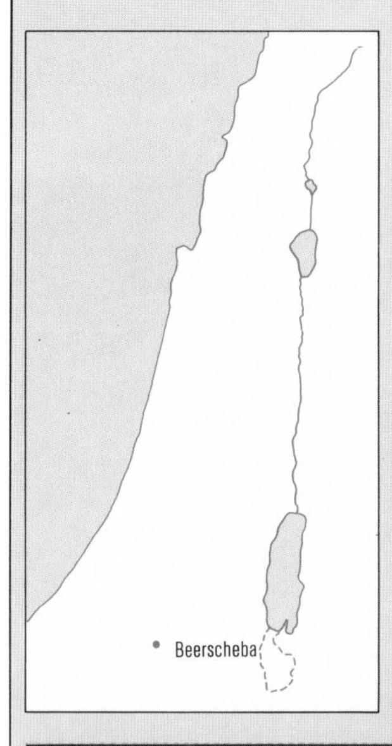

Bei dieser Ausgrabungsstätte fühlen wir uns an die Patriarchen Abraham, Isaak und Jakob erinnert, die hier einst ihre Herden weideten. Der Name Beerscheba (»Brunnen der Sieben«) geht auf Abraham zurück, der Abimelech, dem König von Gerar, sieben Lämmer als Zeugnis dafür gab, daß die Israeliten den Brunnen an dieser Stelle gegraben hatten (Genesis 21, 30). Der Siedlungshügel enthält als älteste Schicht eine Stadt des 11. Jahrhunderts v. Chr. Unter Salomo wurde sie mit einer massiven Mauer befestigt. Obwohl im 10. Jahrhundert - vermutlich von den Ägyptern unter Pharao Schischak I. (Sheshonq) - zerstört, baute man Beerscheba wieder auf, und es bestand als südliche Grenzstadt Judas weiter bis zu der Eroberung durch den Assyrer Sanherib im Jahr 701/700 v. Chr. Danach erlangte es nie mehr seinen früheren Glanz zurück. Die bei den Ausgrabungen ab 1969 entdeckten Gegenstände befinden sich im Städtischen Museum Beerschebas.

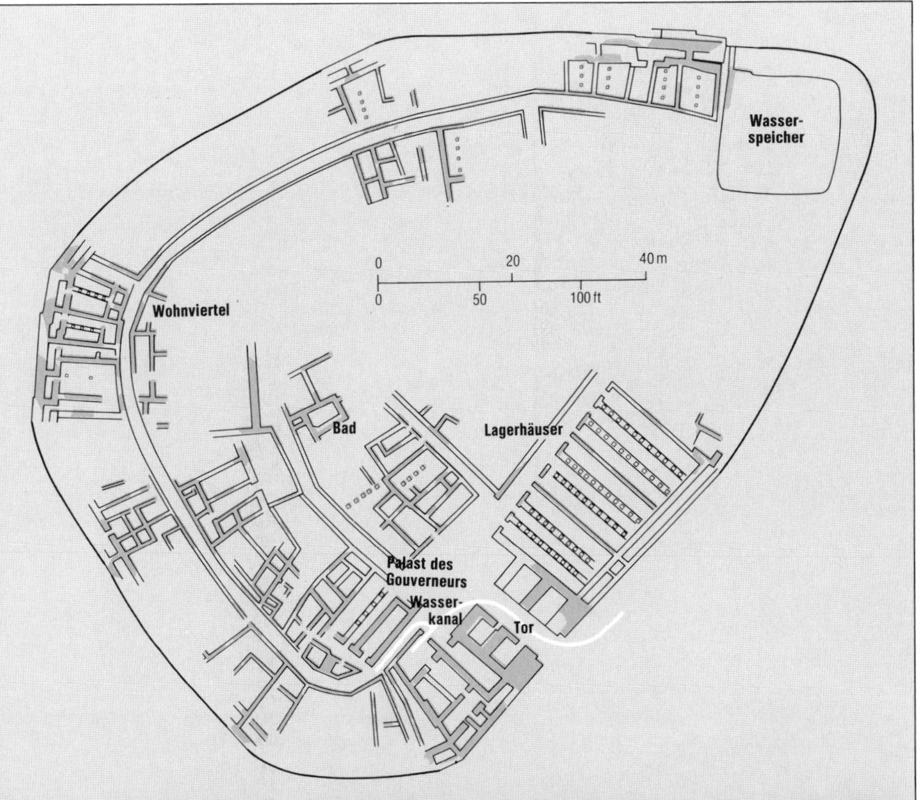

Oben: Das heutige Beerscheba mit seinen etwa 112 000 Einwohnern ist berühmt für seinen Kamelmarkt. Die Stadt liegt an der Grenze zwischen Kultur- und Weideland; die Beduinen decken hier ihren Bedarf an Gütern.

Ganz links: Luftaufnahme des Tell Beerscheba von Süden. Im Vordergrund ist das Bett des Nahal Beerscheba zu sehen. Die moderne Stadt erstreckt sich – auf dem Bild nicht mehr sichtbar – zur linken Seite des Hügels. Im Hintergrund erkennt man die Ortschaft Omer.

Links: Eine im alten Beerscheba gefundene Frauenstatuette.

Der Trostspruch jedoch, wenn man ihn so nennen will, den er für den betrogenen Esau übrig hatte, klang weit bescheidener:

Sieh, fern vom Fett der Erde soll deine Wohnung sein
und fern vom Tau des Himmels droben.
Von deinem Schwerte mußt du leben,
und deinem Bruder sollst du dienen.
Doch wird's geschehen: wenn du dich mühst,
wirst du sein Joch vom deinem Halse reißen.

Jakob mußte nun vor Esau fliehen und suchte Zuflucht in Haran (Genesis 28, 10). Beerscheba sollte er erst wiedersehen, als er nach Ägypten zog, um mit seinem langvermißten Sohn Josef zusammenzutreffen, der dort inzwischen zu höchsten Würden gelangt war (Genesis 46, 1). Während dieses Ägyptenzugs wird Jakob in Beerscheba die Verheißung zuteil, Gott werde sein Volk als große Nation aus Ägypten zurückführen. Hierin spiegelt sich vielleicht die Tatsache, daß man Beerscheba stets als den südlichsten Punkt des Gelobten Landes betrachtete, wie es die stereotype Redewendung *ganz Israel von Dan bis Beerscheba* (1. Samuel 3, 20 und andernorts) zum Ausdruck bringt.

Abgesehen von den Geschichten, in deren Mittelpunkt Abraham, Isaak und Jakob stehen, wird Beerscheba in der Bibel kaum noch erwähnt; doch selbst aus den wenigen Stellen wird deutlich, welch große Bedeutung man dieser Stadt beimaß. Samuel ernannte dort seine Söhne zu Richtern über Israel (1. Samuel 8, 2), sie war die Heimat der Mutter des judäischen Königs Joasch (2. Könige 12, 1), Joschija (640–609) setzte die Priester des »Höhenheiligtums« von Beerscheba ab (2. Könige 23, 8), und nach dem Babylonischen Exil wurden auch wieder Juden dort angesiedelt, die aus Babylonien heimgekehrt waren (Nehemia 11, 27). Archäologische Ausgrabungen lassen vermuten, daß die biblischen Patriarchen ebenso wie die Juden der Zeit nach dem Exil genau dort ihre Wohnsitze hatten, wo sich das heutige Beerscheba erhebt. Der Siedlungshügel Tell Beerscheba etwa 6 km nordöstlich der jetzigen Stadt ist der Rest einer Niederlassung aus der Frühphase des israelitischen Königtums, die Ende des 8. Jahrhunderts v. Chr. zerstört wurde. Über die Geschichte Beerschebas in hellenistischer und römischer Zeit ist dann nur noch sehr wenig bekannt. Aus der byzantinischen Periode besitzen wir Bruchstücke des Bodenmosaiks einer Kirche, danach setzte allem Anschein nach ein kontinuierlicher Verfall der Siedlung ein.

Südöstlich von Beerscheba liegt Tell Masos – eine Trümmerstätte, die man mit dem biblischen Horma gleichzusetzen versucht hat. In Numeri (4. Mose) 14, 45 ist von einer israelitischen Niederlage bei Horma die Rede, und zwar durch die Amalekiter und Kanaanäer. Es ging darum, daß die Israeliten ohne ausdrückliche Billigung Gottes in das Gelobte Land eindringen wollten. Tell Masos befindet sich sehr nahe an der Stelle, wo der zu den Höhen um Hebron gehörende Berg Ira die Becken von Beerscheba und Arad voneinander trennt. Das in Numeri 21, 1–4 berichtete Ereignis (vgl. auch die Anspielung darauf in Numeri 33, 40) fügt sich ebenfalls gut in den geographischen Rahmen dieser Region, vorausgesetzt, daß Tell Masos mit Horma identisch ist. Es heißt, der König von Arad habe erfahren, daß die Israeliten heranrückten, und einige von ihnen gefangengenommen. Daraufhin schlugen die Israeliten zurück und zerstörten die Städte der dortigen Gegend. Arad selbst, bei dessen Ausgrabung ein Tempel und Ostraka (beschriftete Scherben) zum Vorschein kamen, wird außer in Numeri nur noch im Buch Josua 12, 14 erwähnt.

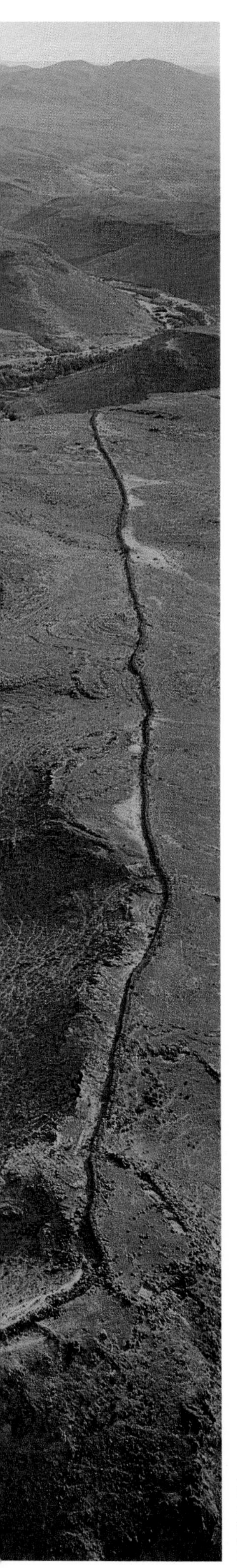

Eine weitere Siedlung in strategisch günstiger Lage war Aroer südöstlich von Horma, das als eine der Städte Judas erwähnt wird (Josua 15, 22, wo man Aroer statt Adad oder Arara usw. zu lesen hat). Es war jene Stadt, der David einen Teil seiner Beute sandte, nachdem er sich an den Amalekitern gerächt hatte (1. Samuel 30, 28).

Über den dritten Hauptabschnitt des nördlichen Negev läßt sich anhand der biblischen Berichte nicht viel sagen. Es handelt sich um ein bemerkenswertes Gebiet mit einer Reihe emporgefalteter Bergketten. In zwei Fällen hinterließ die natürliche Abtragung tiefe Krater. In biblischer Zeit verlief von Aroer, entlang dem Nahal Aroer, eine Straße bis dorthin, wo heute Dimona liegt. Von hier führte sie durch einen Taltrog zwischen zwei Bergketten weiter zum jetzigen Sede Boger. Bodenuntersuchungen ergaben, daß diese Route in den Tagen Salomos durch Forts und befestigte Außenposten geschützt war; es handelte sich wohl um die Hauptstrecke nach Ezjon-Geber am Golf von Aqaba. Möglicherweise wurden all diese Befestigungsanlagen bereits während des Feldzugs zerstört, den der ägyptische Pharao Schischak (Sheshonq I.) unternahm, als Rehabeam (um 930–910) König von Juda war.

Der Zentralnegev

Der Zentralnegev wird meist in zwei Teile gegliedert: das Negevhochland und die Zentralbecken. Wie der Name sagt, ist das Negevhochland durch die höchsten Bodenerhebungen im gesamten Negevgebiet gekennzeichnet. Das beherrschende Element bildet ein von Ostnordost nach Westsüdwest verlaufender Gebirgszug, der sich bis zu einer maximalen Höhe von 1033 m auftürmt. Charakteristisch für die Hauptkette ist jedoch eine durch Erosion entstandene, mächtige Senke, die eine Art Kessel von 40 km Länge, 8 km Breite und 500 m Tiefe bildet. Westlich dieses Zentralmassivs liegen Berge und Hochplateaus, die allmählich nach der Küste hin abfallen, im Osten breiten sich weite Ebenen aus.

Für die Autoren des Alten Testaments war die bedeutendste Siedlungsstätte des Negevhochlands Kadesch-Barnea an der Grenze zwischen Negev und Sinai. Über ihre genaue Lage ist man sich allerdings noch uneins. Viele Alttestamentler vermuten es beim heutigen Ein el-Qudeirat, andere denken eher an Ein Qedeisch etwa 10 km südöstlich davon. Den unterschiedlichen Landschaftscharakter beider Orte schildert C. H. J. de Geus (*The Tribes of Israel,* Amsterdam 1976): *Ein Qedeisch ist ein offener Platz mit nicht sonderlich viel Wasser und, so scheint es, nur wenig anderen natürlichen Hilfsquellen. Ein es-Qudeirat dagegen hat Wasser genug, desgleichen Weideplätze für Ziegen und Schafe. Allerdings liegt es in einem tiefeingeschnittenen, engen Tal.* Zwar scheint wegen der größeren Wasservorkommen mehr für Ein el-Qudeirat zu sprechen, doch de Geus zufolge gibt es auch keinen überzeugenden Einwand gegen Ein Qedeisch, worin vielleicht der alte Ortsname Kadesch noch fortlebt.

Doch wo immer man es zu suchen hat – dem Alten Testament nach war Kadesch eine der bedeutendsten Siedlungen in jener Zeit, als Alt-Israel seine charakteristische Prägung erhielt. Im Buch Genesis 16, 14 nur als Wegmarke angeführt, wird es erstmals in Numeri (4. Mose) 13, 26–27 ausführlicher erwähnt. Hier (ebenso in Deuteronomium 1, 19–25) ist von den Kundschaftern die Rede, die aus dem Gelobten Land zurückkehrten:

Nach vierzig Tagen aber, als sie das Land ausgekundschaftet hatten, kehrten sie um, und sie wanderten und kamen zu Mose und Aaron und zu der ganzen Gemeinde der Israeliten in die Wüste Paran, nach Kadesch . . .

Von diesen zwölf Kundschaftern brachten zehn schlechte Nachrichten mit, so daß die Israeliten murrten und nach Ägypten heimkehren wollten. Zur Strafe für diesen Mangel an Vertrauen verurteilte Gott alle in Kadesch Anwesenden, die zwanzig oder mehr Jahre zählten, nie ihren Fuß auf den Boden des Gelobten Landes zu setzen. Sogar Moses war davon betroffen; nur Josua und Kaleb waren ausgenommen.

Wenn wir annehmen, daß sich die in den Kapiteln 16–19 des Buches Numeri (4. Mose) geschilderten Ereignisse in Kadesch zutrugen (Numeri 20, 1 setzt die Ankunft in Kadesch voraus), so ergibt sich folgendes: Korach, Datan, Abiram und On führten eine Rebellion gegen Moses an (Numeri 16, 1 ff.). Sie empörten sich, weil Moses sie nicht in das Gelobte Land geführt hätte; er und Aaron hätten auch kein Recht auf eine besondere priesterliche Autorität. Da verschlang ein Erdbeben die Rebellen samt ihren Familien, und Feuer vom Himmel vernichtete ihre Anhänger (Numeri 16, 31–35). Als die übrigen Israeliten wegen der harten Strafen an Korach und seinen Mitverschworenen protestierten, sandte Gott ihnen eine Seuche, die erst zum Stillstand kam, als Aaron um Gnade bat.

Laut Deuteronomium (5. Mose) 1, 46 blieben die Israeliten in Kadesch »lange Zeit«, und dies veranlaßte die Bibelwissenschaftler zu der Annahme, daß es der Ort war, wo das Volk Israel sich als Glaubensgemeinschaft konsolidierte und sich gleichzeitig zu einer Zweckgemeinschaft zusammenschloß, um in das Land der Verheißung zu ziehen und es in Besitz zu nehmen. Mag sein, daß dies zutrifft, obwohl das Alte Testament keinen eindeutigen Anhaltspunkt dafür enthält. Für die Autoren des Alten Testaments blieb Kadesch jedenfalls ein Symbol der Mahnung an die Israeliten, Gott nicht zu versuchen, indem man seine Macht und sein Wohlwollen in Zweifel zog.

Nachdem die Israeliten Kadesch verlassen hatten, zogen sie weiter zum Berg Hor, wo Aaron starb. Wo der Berg Hor lag, ist ungewiß, doch nach jüngst geäußerten Ansichten hat man ihn an der von Kadesch ausgehenden Route zu suchen, die am Nordrand des Negevhochlands entlang und durch das Tal des Nahal Sin in den Jordangraben führt. Manche Gelehrten halten den Berg Hor für den heutigen Jebel es-Sabcha, eine isolierte Reihe von Anhöhen, die bis zu 451 m ansteigen, andere vermuten ihn bei Amaret el-Hureischa. Moderne Karten Israels wiederum setzen ihn oft mit dem Berg Sin gleich, einem am Nahal Sin gelegenen Hügel von 268 m Höhe. Wenn Obot (Numeri 21, 10) mit Mesad Rachel identisch ist, hat man die Errichtung der berühmten »Ehernen Schlange« durch Moses (Numeri 21, 4–9) wahrscheinlich in der Gegend des Nahal Sin zu lokalisieren.

Der Jordangraben

Zwei weitere Orte im Negev sind zu erörtern: beide liegen im Jordangraben. Der erste ist Ezjon-Geber, heute Tell el-Cheleife an der jordanischen Seite der Nordspitze des Golfs von Aqaba. Zwar wird dieser Ort bereits in den Wegelisten der Wüstenwanderung (Numeri 33, 36 und Deuteronomium 2, 8) erwähnt, doch mit größerer Bedeutung taucht er erstmals im Zusammenhang mit Salomos Bautätigkeit im 1. Buch der Könige 9, 26 auf. Dort heißt es, daß Salomo in Ezjon-Geber eine Flotte erbauen ließ, um den Handel mit jenen Teilen des Vorderen Orients auszuweiten, die man vom Golf von Aqaba aus zur See erreichen konnte. An der fraglichen Stelle wird Ezjon-Geber zu

Links: Luftaufnahme des Wadi el-Qudeirat von Westen. Man beachte die Mauer am rechten Bildrand. Ihr genauer Zweck ist unbekannt: Man nimmt an, daß sie entweder ein Heiligtum umgab, Tiere fernhalten oder Bodenerosion verhindern sollte. Auf einem der Hügel, die sich hinter den Pflanzungen erheben, wurde eine Festung des 8.–6. Jahrhunderts v. Chr. entdeckt. Rechts oben im Bild liegt Ein-el Qudeirat.

Links: Die Wüste Sin. In diesem Teil des Negev weisen Felsen, die ursprünglich durch Druck aus der Tiefe an die Erdoberfläche gepreßt wurden, starke Erosionsspuren auf.

Unten: Die Nordspitze des Golfs von Aqaba. Hier, auf dem Tell el-Cheleife, entdeckte der amerikanische Archäologe Nelson Glueck 1939 Ezjon-Geber, eine von Salomo gegründete Stadt, in der dieser eine Flotte erbauen ließ. In Ezjon-Geber ging vermutlich auch die legendäre Königin von Saba an Land, die sich von der Weisheit Salomos überzeugen wollte.

Edom gezählt - ein klarer Hinweis darauf, daß Salomo damals Edom oder wenigstens Gebiete davon beherrschte.

Die Ausgrabungen am Tell el-Cheleife lassen erkennen, daß Ezjon-Geber nach dem Tod Salomos durch Feuer zerstört wurde. Joschafat, der 870–846 v. Chr. über Juda regierte, übte abermals die Kontrolle über die wiederaufgebaute und erweiterte Stadt aus, doch die Flotte, die auch er in Ezjon-Geber auf Stapel legte, erlitt Schiffbruch (1. Könige 22, 48–49). Nach seiner Regentschaft wird Ezjon-Geber im Alten Testament nicht mehr erwähnt. Allerdings ist im 2. Buch der Könige (14, 22) davon die Rede, daß Usija (um 785–733 v. Chr.) Elat erbaute und dem Reich Juda einverleibte. Wo Elat genau lag, wissen wir nicht, doch vermutet man es (vgl. Deuteronomium 2, 8) dicht bei Ezjon-Geber. Im 2. Buch der Könige 16, 6 hören wir dann vom Verlust Elats an Edom unter Usijas Enkel Ahas (733–727 v. Chr.).

Die ersten Ausgrabungen in Tell el-Cheleife kurz vor dem Zweiten Weltkrieg fanden unter ziemlich widrigen Bedingungen statt. Aus dem Jordangraben wehte ein scharfer Wind; immer wieder sahen sich die Archäologen durch Sandstürme behindert. Sie stellten fest, daß der Ort am äußersten Westrand eines Geländes errichtet worden war, wo es noch süßes Grundwasser gab. Zweifellos hatten sich seine israelitischen Erbauer nicht weiter nach Osten vorgewagt, weil sie dabei tiefer in edomitisches Gebiet geraten wären.

Timna, das etwa 20 km nördlich von Tell el-Cheleife liegt, wird in der Bibel nicht erwähnt; jenes Timna, von dem die Bibel spricht, befindet sich in der Schefela *(vgl. Seite* 87*)*. Allerdings wurde es für Alttestamentler interessant, weil bei Ausgrabungen (1969 und 1974) ein Hathortempel zum Vorschein kam. Heute ist es, wie schon in biblischer Zeit, durch den Abbau von Kupfer bekannt, das im nubischen Sandstein gefunden wird. Beim Hathortempel zeichnen sich verschiedene Phasen ab. Am interessantesten aus bibelkundlicher Sicht ist die midianitische Periode (12. Jahrhundert v. Chr.). Damals war die Kultstätte

Timna

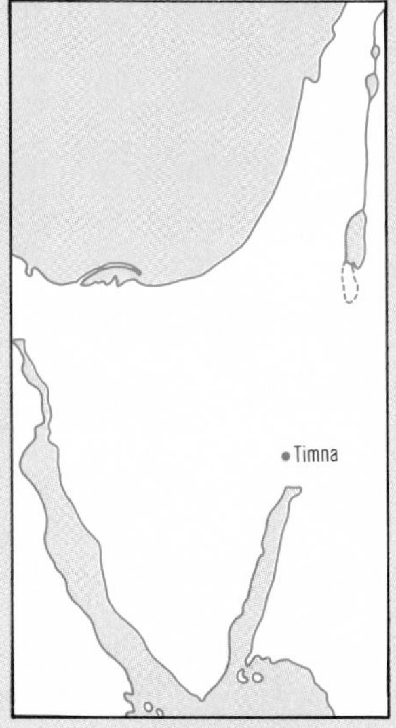

Schon während des 4. Jahrtausends v. Chr. baute man im Gebiet von Timna Kupfererz ab. Nach einer Lücke von mehr als einem Jahrtausend setzte dann im 13. Jahrhundert die Kupfergewinnung und -verarbeitung erneut ein. Im 12. Jahrhundert zeigten die Ägypter außerordentliches Interesse an Timna, doch die Minen kamen alsbald unter die Kontrolle der Midianiter, die laut Bibel durch Moses' Heirat mit der Tochter des midianitischen Priesters Jitro (Jethro) Verbindungen zu den Israeliten hatten (vgl. Exodus 3, 1). Die Ägypter errichteten in Timna einen Tempel ihrer Göttin Hathor, den die Midianiter in ein Zeltheiligtum umwandelten, das starke Ähnlichkeiten mit der israelitischen »Stiftshütte« aufwies.

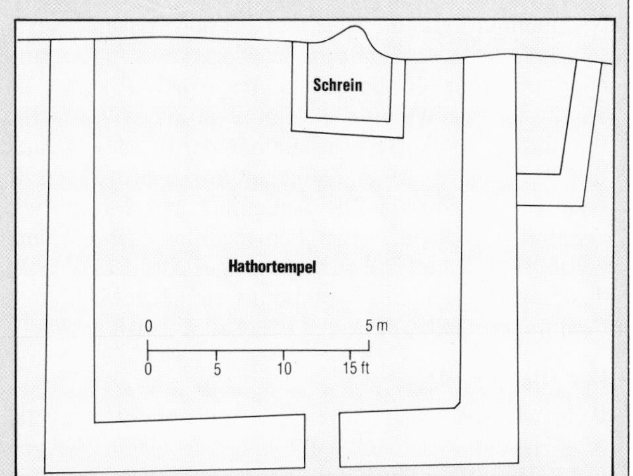

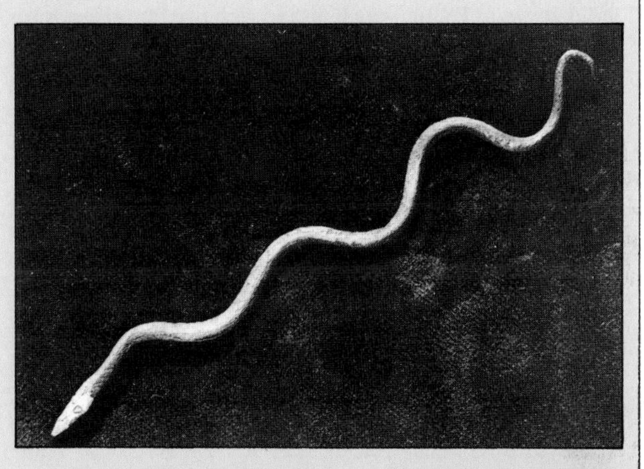

Rechts: In Timna fand man zahlreiche Fragmente von Darstellungen der ägyptischen Göttin Hathor. Sie war die Göttin des Tanzes, der Musik, der Freude und der »beglückenden Liebe«.

Ganz rechts: Beachtung verdient angesichts der biblischen Erzählung von der auf einem Pfahl aufgerichteten »Ehernen Schlange« (Numeri 21, 6–9) diese winzige Kupferschlange mit vergoldetem Kopf, die in dem midianitischen Zeltheiligtum entdeckt wurde.

Oben und rechts: Einige der Felsen und Schächte, wo man Kupfererz abbaute.

ein Zeltheiligtum, in dessen Allerheiligstem man eine 12 cm lange Kupferschlange fand. Die möglichen Verbindungen zwischen diesem midianitischen Zeltheiligtum und frühisraelitischen Kulttraditionen sind verblüffend.

Nach der biblischen Überlieferung hatte Moses zweifellos Verbindungen zu den Midianitern. Aus Ägypten geflohen (Exodus 2, 11–15), kam er »in das Land Midian«, wo er die Tochter des midianitischen Priesters Jitro heiratete. Nachdem er dann die Israeliten aus der Sklaverei Ägyptens geführt hatte, kam sein Schwiegervater zu ihm und anerkannte die Größe des Gottes Israels (Exodus 18, 10–12). Und als Moses die Zehn Gebote erhalten hatte, bewahrte man die Gesetzestafeln in der Bundeslade auf, die ihrerseits in einem Zeltheiligtum aufgestellt wurde (vgl. Exodus 40, 16–21). Außerdem hat Moses, wie erwähnt, zum Schutz gegen Schlangenbisse eine Schlangenstatue errichtet. All dies kann angesichts der im Alten Testament berichteten Verbindung zwischen Moses und dem midianitischen Priester Jitro kaum Zufall sein.

Der »Berg Sinai«

Wenn wir nun den Negev verlassen und uns der Sinaihalbinsel zuwenden, gilt unser Interesse nur einem einzigen Platz: dem »Berg Sinai«. Zwar verbrachten die Israeliten viele Jahre auf Sinai, doch lassen sich die Stationen ihres Wegs im Negev weit besser lokalisieren. Selbst die Route des Auszugs aus Ägypten ist ja umstritten *(siehe Seite 27)*, und es gibt mindestens zwei Haupttheorien über das »Rote Meer«, das die Israeliten auf wunderbare Weise durchquerten.

Die erste und wichtigste Frage lautet, ob der »Berg Sinai« ganz im Süden der Sinaihalbinsel anzusiedeln ist oder weiter im Norden, mehr in der Nähe von Kadesch (Qadesch). Tatsächlich identifizieren manche Alttestamentler ihn mit dem Jebel Helal etwa 60 km westlich von Kadesch. Allerdings spricht der Nachdruck, mit dem das Alte Testament immer wieder die beträchtliche Entfernung zwischen dem (auch als Horeb bezeichneten) »Berg Sinai« und Kadesch betont, sehr stark gegen diese Theorie. In Deuteronomium (5. Mose) 1, 2 z.B. heißt es:

Elf Tagesreisen sind es vom Horeb bis Kadesch-Barnea auf dem Wege nach dem Gebirge Seïr.

Dies wäre weit mehr als genug Zeit, um einen Marsch von 60 km zu bewältigen. Als der Prophet Elija vor dem Zorn Isebels floh, brauchte er sogar nicht weniger als »vierzig Tage und vierzig Nächte«, um von einem Punkt, der nur eine Tagesreise über Beerscheba hinaus lag, zum Berg Horeb zu gelangen (1. Könige 19, 1–8). Obwohl diese Angabe wohl nicht wörtlich zu nehmen ist, sondern nur eine Umschreibung für einen langen Zeitraum darstellt, darf man doch mit einigem Recht davon ausgehen, daß der »Berg Sinai« alias Berg Horeb sich weit im Süden der Sinaihalbinsel befand (wenn auch die genaue Lokalisierung unsicher bleibt). Uralte Überlieferungen setzen den heutigen Jebel Musa (»Mosesberg«) mit dem »Berg Sinai« der Bibel gleich. Reisende schlugen jedoch andere Bergmassive im dortigen Gebiet vor, beispielsweise den 35 km Luftlinie vom Jebel Musa entfernten Jebel Serbal. So schildert der berühmte deutsche Ägyptologe Richard Lepsius (1810–1884), der 1845 den Sinai besuchte, welche Punkte für den Jebel Serbal im Vergleich mit dem Jebel Musa sprechen:

Der von keiner Seite her sichtbare, fast versteckte und »geheime«, weder durch seine Höhe, noch durch seine Gestalt, Lage oder andre Eigentümlichkeit ausgezeichnete Jebel Musa, bot nichts dar, was die einheimischen Stäm-

Oben: Der Jebel Musa, laut Überlieferung der »Berg Sinai« der Bibel, ist Teil eines wahren Irrgartens von Gebirgsmassiven, deren höchste Gipfel 2644 m Höhe erreichen. Der Jebel Musa selbst mißt 2273 m.

Links: Der Name »Wüste Sinai« ist ein wenig irreführend, wenn man damit endlose Sandflächen assoziiert. Tatsächlich gibt es nur eine nennenswerte Sandregion. Sie scheidet das ausgedehnte Plateau, das sich vom Jebel et-Ti nach Norden erstreckt, von den Gebirgen an der Südspitze des Dreiecks zwischen dem Golf von Sues und dem Golf von Aqaba.

me oder die dort angesiedelten Ägypter zu der besonderen Bezeichnung des »Berges von Sin« hätte veranlassen können; während der von allen Seiten und aus großer Ferne die Blicke auf sich ziehende Serbal, welcher den ganzen nördlicheren Teil des Urgebirges entschieden beherrscht, nicht nur wegen seiner äußeren Erscheinung, sondern auch wegen des an seinem Fuße gelegenen Wadi Firan, von jeher der Mittelpunkt für die weitzerstreuten Bewohner des Landes und das Ziel der Reisenden war, daher für ihn die Bezeichnung des »Berges von Sin« sehr nahe lag.

Es ist nicht möglich, an dieser Stelle die Streitfrage zu klären. Immerhin haben die Argumente, die man seither gegen den Jebel Serbal vorgebracht hat, einiges Gewicht. Außer Zweifel jedoch steht die ungeheure Bedeutung, die der »Berg Sinai« alias Horeb, wo immer er lag, für den israelitischen Glauben hatte. Dort erhielt Moses den Ruf, Gottes Volk aus der Knechtschaft zu führen (Exodus 3, 1-12), und dorthin führte Moses die Israeliten, nachdem sie Ägypten verlassen hatten (Exodus 19). Und als Moses auf dem Berg die Gesetzestafeln empfing, wurde sein Volk des Wartens müde; es verleugnete Jahwe und schuf sich das Goldene Kalb (Exodus 32, 1-6). So wurde der Berg gleichzeitig Symbol für die Gnade Gottes und den Ungehorsam seines Volkes:

> *Sie machten ein Kalb am Horeb und beteten an vor dem gegossenen Bilde; so tauschten sie ihren Ruhm* [d. h. den Herrn] *an das Bild eines Rindes, das Gras frißt, und vergaßen Gottes, ihres Heilands, der große Dinge in Ägypten getan, Wunder im Lande Hams und gewaltige Taten am Schilfmeer.* (Psalm 106, 19-22)

Anderen alttestamentlichen Überlieferungen zufolge gehörte der Sinai zu den Bergen, die erbebten, wenn Gott durch Edom und durch die Wüste schritt (Richter 5, 4-5; Psalm 68, 7-8). Zum Berg Horeb floh Elija zur Zeit Ahabs (871-852 v. Chr.), und Gott sprach dort zu ihm - nicht in Donner und Blitz, wie bei der Gesetzgebung auf Sinai (Exodus 19, 16), sondern in einem »leisen, zarten Säuseln« (1. Könige 19, 12). Und die Motive Horeb, Moses und Elija werden nicht nur bei Maleachi (Malachias) 3, 22-23 miteinander verwoben, sondern auch in der neutestamentlichen Erzählung von Jesu Verklärung (Markus 9, 2-8), die auf einem anderen Berg stattfand und bei der Moses und Elija erschienen. Sie sprachen vom »Hingang« Jesu, den er vollenden sollte in Jerusalem (Lukas 9, 31).

GALILÄA

Links unten: Unweit der biblischen Stadt Dan befindet sich eine der Jordanquellen. Heute durchströmt hier der junge Fluß einen Naturpark.

Rechts: Die Region gliedert sich in Obergaliläa im Norden und Untergaliläa im Süden. Für ersteres Gebiet sind lange Täler charakteristisch, die etwa westöstlich verlaufen. Die geologische Beschaffenheit von Obergaliläa machte Besiedlung sehr schwierig; der westliche Teil läßt sich bis heute noch nicht mühelos kultivieren, weshalb hier Restbestände des ursprünglichen Eichenwalds erhalten blieben.

Abkürzung: (U) = Unlokalisiert

Abel-Bet-Maacha (Abel-Majim) 2. Sam. 20, 14. 15. 18; 1. Kön. 15, 20; 2. Kön. 15, 29; 2. Chr. 16, 4 [D1]
Achschaf Jos. 11, 1; 12, 20; 19, 25 [A3 A4]
Adama Jos. 19, 36 [D3]
Adami-Nekeb Jos. 19, 33 [C4]
Ammathus *siehe* Hammat
Anaharat Jos. 19, 19 [C5]
Arbela 1. Makk. 9, 2 [C4]
Asnot-Tabor Jos. 19, 34 [C4]

Beer Richt. 9, 21 [D5]
Beten Jos. 19, 25 [A4]
Bet-Anat Jos. 19, 38 [B3 C1 C4]
Bet-Dagon Jos. 19, 27 [C3]
Betlehem Jos. 19, 15 [B4]
Bet-Pazzaz Jos. 19, 21 (U)
Bet-Rehob (Rohob) Richt. 18, 28 (U)
Betsaida (Julias) Mat. 11, 21; Mark. 6, 45; Luk. 9, 10; 10, 13; Joh. 1, 44; 12, 21 [D3]
Bet-Schemesch Jos. 15, 10; 19, 38; Richt. 1, 33 [B2 D4]

Cana *siehe* Kana
Chasaloth (Chisloth-Tabor) *siehe* Kislot-Tabor
Chenereth *siehe* Gennesaret
Chenereth, See, *siehe* Gennesaret, See
Chisloth-Tabor *siehe* Kislot-Tabor
Chorazin Mat. 11, 21; Luk. 10, 13 [D3]

Daberat Jos. 19, 12; 21, 28; 1. Chr. 6, 72 [C4]
Dalmanuta *siehe* Tarichea
Dan (Lajisch, Leschem) Gen. 14, 14; Deut. 34, 1; Jos. 18, 29; 19, 47; Richt. 18, 7. 14. 27. 29; 20, 1; 2. Sam. 3, 10; 17, 11; 24, 2. 15; 1. Kön. 4, 25; 12, 29–30; 15, 20; 2. Kön. 10, 29; 1. Chr. 21, 2; 2. Chr. 16, 4; 30, 5; Jer. 4, 15; 8, 16; Amos 8, 14 [D1]
Dimna *siehe* Rimmon

Edrei Jos. 19, 37 (U)
En-Dor Jos. 17, 11; 1. Sam. 28, 7; Ps. 83, 11 [C5]
En-Hadda Jos. 19, 21 [C4]
En-Hazor Jos. 19, 37 [C2]
Et-Kazin Jos. 19, 13 (U)

Gabbata Jos. 19, 13 [B4]
Gennesaret Jos. 11, 2; 19, 35; 1. Kön. 15, 20; Mat. 14, 34; Mark. 6, 53 [D3]
Gennesaret, See (See von Kinneret) Num. 34, 11; Jos. 13, 27; Mat. 4, 18; 15, 29; Mark. 1, 16; 7, 31; Luk. 5, 1; Joh. 6, 1 [D4]
Gat-Hefer Jos. 19, 13; 2. Kön. 14, 25 [B4]

Hammat (Ammathus) Jos. 19, 35 [D4]
Hannaton Jos. 19, 14 [B4]
Hazor Jos. 11, 1. 10–13; 12, 19; 19, 36; Richt. 4, 2. 17; 1. Kön. 9, 15; 2. Kön. 15, 29 [D2]
Helef Jos. 19, 33 [C4]
Helkat Jos. 19, 25; 21, 31; 1. Chr. 6, 75 [A4]
Horem Jos. 19, 38 [C2]
Hukkok Jos. 19, 34 [C3]

Jabneel Jos. 19, 33 [D4]
Janoach 2. Kön. 15, 29 [B1 B3 D1]
Jafia Jos. 19, 12 [B4]
Jidala Jos. 19, 14. 27 [B4]
Jiftach-El Jos. 19, 14. 27 [B4]
Jiron Jos. 19, 38 [C2]
Jotba (Jotapata) 2. Kön. 21, 19 [B4]

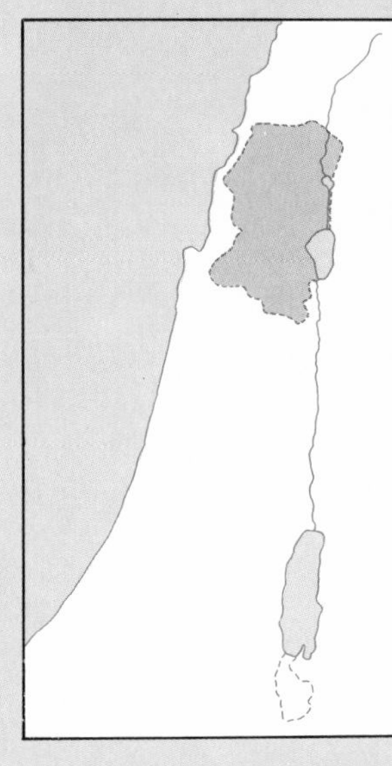

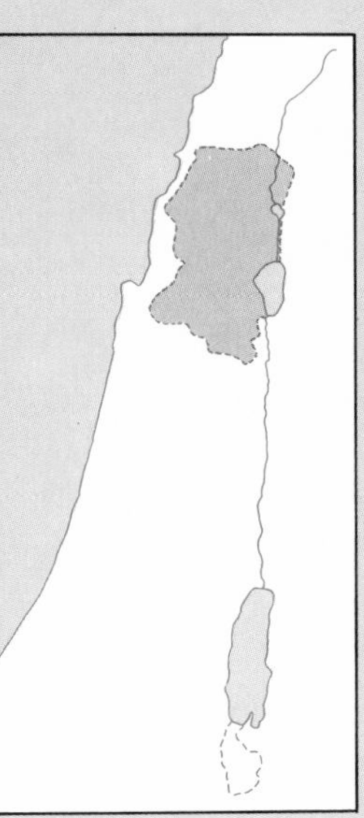

Kafarnaum (Kapernaum) Mat. 4, 13; 8, 5; 11, 23; 17, 24; Mark. 1, 21; 2, 1; 9, 33; Luk. 4, 23. 31; 7, 1; 10, 15; Joh. 2, 12; 4, 46; 6, 17 [D3]
Kana Jos. 19, 28; Joh. 2, 1. 11; 4, 46; 21, 2 [B1 B4 C4]
Karta Jos. 21, 34 (U)
Kartan (Kirjatajim) Jos. 21, 32; 1. Chr. 6, 76 [C2]
Kattat *siehe* Kitron
Kedesch (Cadasa) Jos. 12, 22; 19, 37; 20, 7; 21, 32; Richt. 4, 6. 9. 10; 2. Kön. 15, 29 [D2]
Keddesch (Ziddim) Jos. 19, 35; Richt. 4, 6 [D4]
Kinneret *siehe* Gennesaret
Kirjatajim *siehe* Kartan
Kischjon Jos. 19, 20; 21, 28 [C5]
Kislot-Tabor (Chisloth-Tabor) Jos. 19, 12. 18 [B4]
Kitron (Kattat) Jos. 19, 15; Richt. 1, 30 [A4]

Lajisch *siehe* Dan
Lakkum Jos. 19, 33 [D4]
Leschem *siehe* Dan

Madon (Adama) Jos. 11, 1; 12, 19; 19, 36 [C4]
Magdala *siehe* Tarichea
Mareal Jos. 19, 11 (U)
Merom Jos. 11, 5–7 [C3 D2]
Merom, Wasser von, Jos. 11, 5–7 [C3 D2]
Meschilot 1. Makk. 9, 2 (U)
Migdal-El Jos. 19, 38 [D2]
More, Berg, Richt. 7, 1 [C5]

Naftali, Land, Richt. 7, 23; 1. Chr. 27, 19; 2. Chr. 34, 6; Ps. 68, 28; Jes. 9, 1; Ez. 48, 3. 34; Mat. 4, 13. 15 [C3]
Nahalol Jos. 19, 15; 21, 35; Richt. 1,30 [A4 B4]
Nain Luk. 7, 11 [C5]
Nazaret Mat. 2, 23; 21, 11; Mark. 1, 24; 14, 67; 16, 6; Luk. 1, 26; 2, 51; 4, 16; 4, 34; 18, 37; 24, 19; Joh. 1, 45. 46; 18, 5. 7; 19, 19; Apg. 2, 22; 3, 6; 10, 38; 26, 9 [B4]
Nea Jos. 19, 13 (U)

Ofra Richt. 6, 11. 24; 8, 22. 32; 9, 5 [B5 C5]

Rakkat Jos. 19, 35 [D4]
Rama Mat. 2, 18 [C3]
Rama Jos. 19, 29 [B2]
Rehob Jos. 19, 28 [B2]
Rimmon (Dimna, Remmona), Jos. 19, 13; 21, 35; 1. Chr. 6, 77 [B4]
Ruma 2. Kön. 23, 36 [B4]

Sarid Jos. 19, 10. 12 [B5]
Schahazajim Jos. 19, 22 [C5]
Schimron (Simonias) Jos. 12, 20 [B4]
Schion Jos. 19, 19 [C4]
Schunem Jos. 19, 18; 1. Sam. 28, 4; 2. Kön. 4, 8 [C5]
Simonias *siehe* Schimron

Tabor, Berg, Jos. 19, 22; Richt. 4, 6. 12. 14; Ps. 89, 13; Jer. 46, 18; Hos. 5, 1 [C4]
Tarichea (Dalmanuta, Magdala) Mat. 27, 56. 61; 28, 1; Mark. 15, 40. 47; 16, 1. 9; Luk. 8, 2; 24, 10; Joh. 19, 25; 20, 1. 18 [D4]
Tiberias Joh. 6, 1. 23; 21, 1 [D4]
Tiberias, See siehe Gennesaret, See

Zaanannim Jos. 19, 33; Richt. 4, 11 [C4]
Zer Jos. 19, 35 (U)
Ziddim *siehe* Kedesch

A
B
C
D
35°10'
20'
30'
40'
?Janoach 2
?Schimron-Meron
Achschaf 2
(Achsaph)
Abel-Bet-Maacha
Dan
(Lajisch, Leschem)
Dafne
(Daphne)
Dan
Hermon
1
Kana
?Bet-Anat 3
Dabbe
?Janoach 1
10'
Ain Azzije
Jattir
Migdal-El
Jordan
?Kartan
(Kirjataim)
?Rehob
?Rama
En-Hazor
Kedesch
CADASA
?Merot
OBERGALILÄA
2
Jiron
?Merom 1
(Horbat Sevi)
HULESEE
Horem
?Wasser von Merom
Dischon
?Bet-Schemesch 2
Admon
820m
Sasa
Gischala
Hazor
Kem
Hazor
Dallon
33°00'
MERONHÖHEN
?Merom 2
?Janoach 3
Kenaan
995m
Gat
Bet-Dagon
Rosch Pinna
Jordan
Adama
Rama
Schezor
Bet-Hakerem
3
?Wasser von Merom (Ammud)
Chorazin
NAFTALI (NAPHTALI)
?Betsaida 1
JULIAS
Korazim
?Betsaida 2
Hukkok
Kafarnaum
(Kapernaum)
?Achschaf 1
Heptapegon (Tabga)
Kinneret
(Chenereth, Gennesaret)
Zalmon
Sebulontal
Gathhata
50'
Jotba
(Jotabata)
Kana 1
(Horbat Qana)
TARICHAEA
(Dalmanuta, Magdala)
Arbela
KINNERET
SEE GENNESARET
SEE KINNERET
SEE TIBERIAS
Bet-Anat 2
Rakkat
?Madon
(Adama)
Ruma
Rimmon
Hannaton
UNTERGALILÄA
TIBERIAS
?Kitron
?Beten
Hammat
(Ammathus)
?Helkat
Jiftach-El
Jiftach-El
Zippori
Adami-Nekeb
Sepphoris
DIOCAESAREA
4
Kana 2
(Kafr Kanna)
Betlehem
Gat-Hefer
?Jidala
?Asnot-Tabor
?Helef
(Heleph)
Haroschet-Gojim
Zaanannim
Tibon
?Schion
Jabneel
?Lakkum
Kischon
?Schimron
(Simonias)
Nazaret
Jabneel
Daberat
Berg Tabor
TABYRIUM
Bet-Schemesch 1
Jafia
Kislot-Tabor
En-Hadda
?Nahalol 2
32°40'
Sarid
?Kischjon
Schahazajim
Jesreeltal
En-Dor
Nain
Berg More
Jordan
Tabor
5
Hore
?Anaharat
?Ofra 1
(Ophra)
?Ofra 2
(Hafarajim)
Beer
Schunem

Die Landschaft

Der Name Galiläa leitet sich von hebräisch *galil* (»Kreis«, »umgrenzter Bereich«, »Bezirk«) ab. Laut Josua 20, 32 und 21, 32 lag die Stadt Kadesch in Galiläa (oder *im* Galiläa, wie es stets im Hebräischen heißt). 1. Könige 9, 11 zufolge überließ Salomo König Hiram von Tyrus zwanzig galiläische Städte, und im 2. Buch der Könige (15, 29) erscheint Galiläa zusammen mit Städten wie Abel-Bet-Maacha, Janoach, Kedesch und Hazor als Teil des »ganzen Landes Naftali«, das um 734 v. Chr. von dem assyrischen König Tiglat-Pileser III. erobert wurde. Eine berühmte Stelle (Jesaja 8, 23) enthält die Formulierung »Galiläa der Völker« (von Luther als »der Heiden Galileae«, in der Züricher Bibel - hier 9, 1 - als »Bezirk der Heiden«, neuerdings auch als »Heidengau« übersetzt).

Der Ursprung dieses Namens bleibt umstritten. Nach *einer* Auffassung war »Galiläa der Völker« die ursprüngliche Version, die einen »Bezirk« oder »Gau« bezeichnete, wo mehrere Völkerschaften zusammenlebten. Das einfache, zusatzlose »Galiläa« wäre dann die Kurzform dieses ursprünglichen Namens. Eine gegenteilige Auffassung besagt, »Galiläa« ohne jeglichen Zusatz sei die originäre Namensform. In neutestamentlicher Zeit verstand man jedenfalls unter »Galiläa« das Gebiet von der Jesreelebene nordwärts bis an den Fluß Litani; die Ostgrenze bildete der Jordangraben.

Im folgenden wird sowohl das Küstengebiet vom Karmelmassiv an nordwärts *(siehe Seite* 72 ff.*)* als auch die Jesreelebene *(siehe Seite* 151 f.*)* übergangen. Wir beschränken uns auf den See Gennesaret und den Nordteil des Jordangrabens bis hin nach Dan, sowie auf das Grenzgebiet zwischen dem heutigen Israel und Libanon.

So definiert, gliedert sich Galiläa (vom See Gennesaret und dem Jordangraben abgesehen) in zwei Hauptteile, die man im Altertum als Ober- und Niedergaliläa bezeichnete. In Obergaliläa erreichen die Berge Höhen bis zu 1200 m, wogegen die höchsten Erhebungen Niedergaliläas nur bis zu 600 m messen. Vor allem aber ist der Landschaftscharakter in diesen beiden Gebieten völlig unterschiedlich.

Obergaliläa wird von den Meronhöhen beherrscht, die, in nordsüdlicher Richtung verlaufend, einen 10 km langen massiven Riegel bilden, der das Vorankommen von Westen nach Osten und umgekehrt erschwert. Östlich des Meronmassivs erstreckt sich eine weitere Bergkette, die von den Gipfeln des Kenaan (995 m) und des Admon (oder Ban Simra, 820 m) beherrscht wird. Dazwischen verläuft die tief eingeschnittene Schlucht des Nahal Ammud - ein weiteres schweres Hindernis für den Ostwest-Verkehr.

Obwohl die Niederschlagsmenge in Obergaliläa die höchsten Werte ganz Israels erreicht (im Durchschnitt je nach Höhe 800 und 600 mm), war dieses Gelände in alter Zeit nicht leicht zu besiedeln. Die höher gelegenen Bergregionen waren von immergrünem Eichenwald bedeckt, von dem es im Gebiet bei Sasa noch immer einige Überbleibsel gibt, und bewaldet waren auch die Abhänge im Osten und Westen. Besiedlung mußte sich weitgehend auf geeignete Plätze längs der Hauptrouten bzw. an den Gebirgssäumen beschränken, wo man Wasser antraf. In nicht seltenen Fällen aber sprudelten Quellen gerade dort, wo keinerlei ackerbaulich effektiv nutzbarer Boden existierte.

Nieder- oder Untergaliläa unterteilt man am besten in drei von Nord nach Süd verlaufende Streifen. Den Weststreifen bildet eine 15-20 km breite Kette von Kreidehügeln: die Allonimhöhen. Über der Kreide liegt eine bis zu 5 m dicke, harte Kalkmergelschicht, auf der sich kein landwirtschaftlich nutzbarer Boden bilden kann, und die auch kein Grundwasser an die Oberfläche dringen läßt. Dort hat sich der umfangreichste Bestand laubabwerfenden Eichenwaldes gebildet, den es in diesem Gebiet gibt. Der mittlere Streifen, der sich an seinen Nord- und Südenden trichterartig ausweitet, besteht aus einer Reihe von Kalksteinblöcken; er ist etwa 20 km lang und 3-10 km breit. Als isolierte Anhöhe erhebt sich an der Südostkante dieses zweiten Streifens bis zu einer Höhe von 588 m der Berg Tabor. Der dritte Streifen mißt 34 × 14 km. Hier bedeckt Basalt das tieferliegende Felsgestein. Der Nahal Tabor und seine Zuflüsse bilden einen tiefen, unregelmäßigen Taltrog, der von Nordwesten nach Südosten diesen Geländestreifen annähernd in Längsrichtung durchschneidet.

Die Niederschlagsmenge erreicht im westlichen und mittleren Streifen Untergaliläas Werte von 600-500 mm; im Ostteil regnet es weniger. Zusammen mit dem Basaltboden bewirkt diese geringere Regenmenge, daß die ackerbauliche Erschließung dort enorm große Schwierigkeiten bereitet. Tatsächlich konzentrierte sich auch die Besiedlung zu allen Zeiten stets auf den mittleren der drei Streifen.

Was den See Gennesaret angeht, so hat er mehrere Namen. Vor der Landnahme der Israeliten hieß er möglicherweise Kinneret, und als See Kinneret (bzw. Kinarot) finden wir ihn auch im Alten Testament erwähnt (Numeri 34, 11; Josua 12, 3 sowie Josua 13, 27). Im Neuen Testament heißt er Gennesaret (Lukas 5, 1), See von Tiberias (Johannes 6, 1) oder einfach »der See« (Markus 4, 1; 5, 1). Das Gewässer ist birnenähnlich geformt und maximal 20 km lang und 13 km breit. Sein Wasser füllt eine Senke im Jordangraben. Der See liegt somit 210 m unter dem Spiegel des Mittelmeers und ist an seiner tiefsten Stelle - im Nordteil - noch weitere 44 m tiefer. Mit Ausnahme des Süd- und Nordostufers ist er von steilen Bergflanken umgeben, die sich am Westufer bis zu 200 m über dem Meeresspiegel erheben, am Ostufer sogar bis zu 300 m. Die Jordan-Einmündung in den See liegt an dessen nördlichstem Punkt; ganz im Süden tritt der Fluß aus dem See aus, um zum Toten Meer weiterzufließen. Wegen seiner ausgeprägten Tiefenlage zeichnet sich das Seebecken durch besonders warmes Klima in der Winter- wie in der Sommerperiode aus.

Nördlich des Sees Gennesaret weitet sich der Jordangraben nach etwa 17 km zum Hulebecken (Ausdehnung: ca. 25 × 7 km). Von sämtlichen Gegenden, die hier beschrieben werden, hat es seit biblischer Zeit die drastischsten Veränderungen seines Landschaftsbildes erfahren. Vor der Trockenlegung in den Jahren 1951-1958 nahmen der Hulesee und die Hulesümpfe nördlich davon ein Drittel dieser Tallandschaft ein. Das ganze Altertum hindurch bildete das Seegebiet eine schier unpassierbare Barriere. Die von Osten nach Westen führenden Hauptverkehrsrouten hatten das Hulebecken im Süden und Norden zu umgehen.

W. M. Thomson (*The Land and the Book; or, Biblical Illustrations drawn from the Manners and Customs, the Scenes and Scenery of The Holy Land,* London 1905) schildert anschaulich, welches Bild diese Sümpfe und der See um die Mitte des 19. Jahrhunderts boten. Über den Hulesumpf schrieb er, nachdem er dort auf Entenjagd war:

Rechts: Blick auf Untergaliläa von Westen. Im Hintergrund sieht man die Senke des Jordangrabens, am Horizont erheben sich die Berge Transjordaniens.

Seite 132/33: Diese aus dem frühen 19. Jahrhundert stammende Ansicht des Sees Gennesaret mit Tiberias zeigt, daß das Gebiet damals ziemlich dünn besiedelt war.

City of Tiberias on the Sea of Galilee
April 22nd 1839

Der junge Jordan läuft, diesen Eindruck gewinnt man, Gefahr, von diesem verwickelten Dschungel von Röhricht und Buschwerk verschlungen zu werden ... Es ist der denkbar unpassierbarste Morast ... Plötzlich befand ich mich in schwappendem Schlamm, der bodenlos zu sein schien. Das Gewehr auf den Rücken werfend und verzweifelt kämpfend, gewann ich wieder festen Boden unter meine Füße und betrachtete fortan diese trügerischen Tiefen stets mit äußerstem Mißtrauen.

Das gesamte Gebiet - die Ebene, der Sumpf, der See und die Berge ringsum - war laut Thomson der hervorragendste Jagdgrund in ganz Syrien, wo man unter anderem Leoparden, Bären, Wölfe, Keiler und leichtfüßige Gazellen finden konnte.

Heute haben Trockenlegung und moderne landwirtschaftliche Methoden dieses Tal zu einem der ertragreichsten Anbaugebiete Israels gemacht. Daneben betreibt man auch Fischzucht großen Stils.

Der biblische Bericht

Bevor wir Galiläa, den See Gennesaret und das Huletal mit bestimmten Passagen der Bibel in Zusammenhang bringen, sei ein Blick auf die gesamte Geschichte der Region vor dem Hintergrund der biblischen Erzählungen gestattet. Das Alte Testament erwähnt Galiläa nur verhältnismäßig selten. Der Regierungssitz des Nordreiches Israel lag im Bergland Samarias, das daher naturgemäß für das Nordreich im Mittelpunkt des Interesses stand. Gegen 734 v. Chr. überrannte der Assyrerkönig Tiglat-Pileser III. wahrscheinlich ganz Galiläa und ließ von Israel nur einen Rumpfstaat übrig: das samaritanische Hochland. Während der darauffolgenden sechshundert Jahre lebten die jüdischen Gemeinden, die in Galiläa verblieben waren, unter fremder Oberhoheit. Zu Beginn des 2. Jahrhunderts v. Chr. gab es hier aber noch immer Judengemeinden, die sich an Jerusalem angeschlossen hatten und denen die Makkabäer-Herrscher zu Hilfe kamen. So heißt es im 1. Buch der Makkabäer (5, 21-23):

Simon (142-134 v. Chr.) ... *zog ... nach Galiläa. Er unternahm viele Kämpfe gegen die Heidenvölker, bis sie von ihm aufgerieben waren ... Die Juden von Galiläa und die von Arbatta nahm er samt Frauen, Kindern und allem, was sie hatten, und brachte sie unter großem Jubel nach Judäa.*

Allerdings besagt dies wohl, daß mit Simon alle Juden davonzogen, die es wollten, und nicht alle Juden Galiläas. Bis zur Zeit Aristobulus' I. (104-103) war Galiläa jedoch eher ein nichtjüdisches Land. Erst Aristobulus eroberte und vereinigte es mit Judäa und bekehrte seine Bevölkerung zwangsweise zum Judentum. Jesu Jugend und sein Wirken fanden also in einem Gebiet statt, das im Alten Testament kaum eine Rolle spielt, erst hundert Jahre vor der Geburt Christi unter jüdische Kontrolle gekommen war und erst seit dieser Zeit eine jüdische Bevölkerungsmehrheit besaß.

Die früheste Erwähnung einer galiläischen Stadt findet sich im Buch Genesis 14, 14. Dort ist davon die Rede, daß Abraham miteinander verbündete Könige bis nach Dan und darüber hinaus verfolgte, um seinen Neffen Lot zu befreien. Tatsächlich wurde bei neueren Ausgrabungen in Dan ein Torgang freigelegt, der sehr gut aus jener Zeit stammen könnte. Damals allerdings hieß die Stadt noch nicht Dan, sondern Lajisch. Ihren endgültigen Namen erhielt sie erst, als die Daniter auf den Druck der Philister hin ihre ursprünglichen Wohnplätze in der Schefela ver-

Hazor

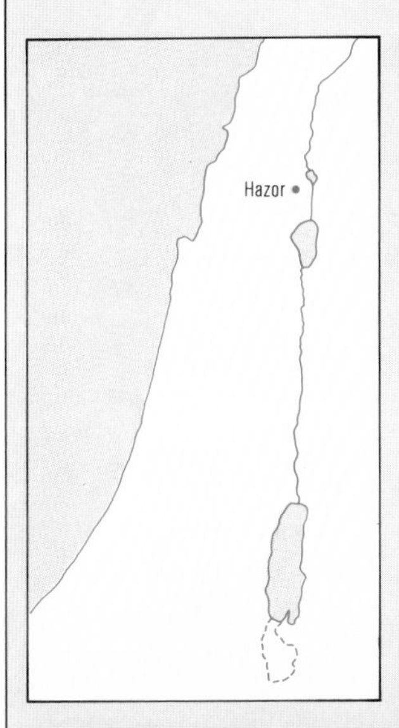

Der Name der Stadt, die an der alten Verkehrsroute zwischen Ägypten und Mesopotamien lag (der späteren *Via Maris*), erscheint erstmals in ägyptischen Quellen um 1850 v. Chr. und dann erneut auf syrischen Tontafelarchiven vom Ende des 18. Jahrhunderts. Hazor bestand vom 18.-13. Jahrhundert v. Chr. aus zwei Teilen: der sogenannten Oberstadt aus dem 3. Jahrtausend v. Chr. und der ab dem 18. Jahrhundert v. Chr. hinzugekommenen Unterstadt. Beide Teile wurden um 1230 v. Chr. von den Israeliten zerstört und alle Einwohner, die sich nicht durch Flucht retten konnten, getötet oder versklavt (vgl. Josua 11, 1-14). Nur die Oberstadt baute man wieder auf, sie erhielt unter Salomo und später dann erneut unter Omri (um 882/81-871) und Ahab (871-852) starke Befestigungsanlagen. 733 v. Chr. wurde Hazor von den Assyrern erobert, die Einwohnerschaft verschleppt. In späterer Zeit war es Sitz der babylonischen, persischen und hellenistischen Gouverneure von Galiläa.

Unten: Bei der Ausgrabung eines Areals am Nordrand der Unterstadt wurden Tempel aus vier verschiedenen Perioden freigelegt. Charakteristisch für den Tempel des 13. Jahrhunderts v. Chr. sind Basalt-Orthostaten, zu denen dieser Löwe gehört.

Unten: Eine Maske aus dem 14. Jahrhundert v. Chr., die möglicherweise an einer der Tempel-Skulpturen in der Unterstadt angebracht war. Da weder Mundöffnung noch Nasenlöcher durchbohrt und überdies sehr klein sind, wurde sie wahrscheinlich nicht von Menschen getragen.

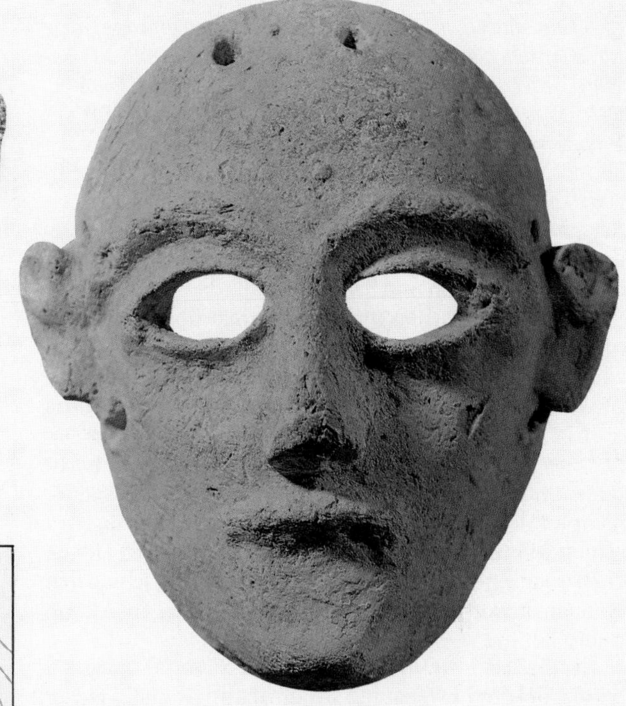

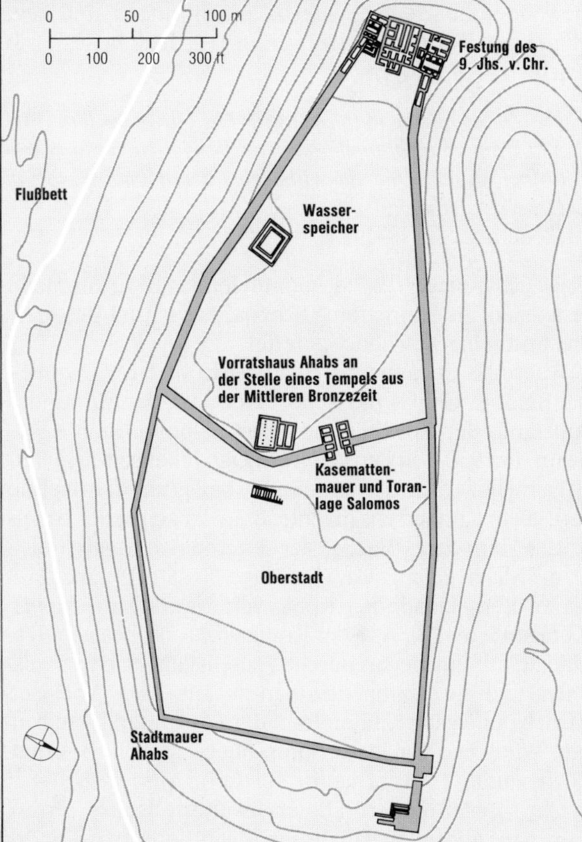

Links: Luftaufnahme von Hazor, Blick nach Südosten. Man erkennt zwei ausgegrabene Abschnitte der Oberstadt. Im unteren Abschnitt ist der große Schacht des Wasserversorgungssystems zu sehen, im oberen der berühmte Pfeilerbau aus der Zeit König Ahabs.

Oben: Plan der Oberstadt.

Rechts: In der Unterstadt fand man eine Töpferwerkstatt aus dem 14. Jahrhundert v. Chr. Zu den dort entdeckten Gegenständen zählt auch die *(oben)* gezeigte Maske.

lassen mußten und sich – in sicherer Entfernung von diesen – so weit im Norden niederließen (Richter 19).

Das Buch Josua verzeichnet eine Entscheidungsschlacht, die die Israeliten an den »Wassern von Merom« gegen einen Bund von vier kanaanäischen Städten schlugen. Der Anführer dieser Koalition war Jabin, der König von Hazor (Josua 11, 1–9), das laut Josua 10 Metropole dieser Stadtstaaten war. Der israelitische Sieg ebnete der weiteren Landnahme den Weg: *Also nahm Josua dieses ganze Land ein: das Gebirge und das ganze Südland und das ganze Land Goschen und die Niederung und die Araba und das Gebirge Israels mit seiner Niederung, von dem kahlen Gebirge, welches ansteigt gegen Seir, bis nach Baal-Gad im Tal des Libanon am Fuß des Hermongebirges . . .*(Josua 11, 16–17). Hazor, das von Josua »verbrannt« wurde, hat man identifiziert und ausgegraben (wobei sich die Zerstörung zur Zeit der israelitischen Landnahme bestätigte), Merom dagegen konnte noch nicht eindeutig lokalisiert werden. Gleiches gilt für Madon und Schimron, falls die Namen dieser Städte im hebräischen Bibeltext korrekt überliefert sind (in der griechischen Fassung haben sie eine etwas abweichende Form). Wenn Merom mit Horbat Sevi identisch ist, könnte jene »Schlacht an den Wassern von Merom« dort stattgefunden haben, wo der Nahal Dischon aus seiner engen Schlucht in das weite Huletal einmündet. Mit ihren Pferden und Streitwagen konnten die Kanaanäer nicht an den Berghängen operieren, und Josua, der mit seinen Männern »plötzlich« über sie hereinbrach (Josua 11, 7) – wohl von bewaldeten Anhöhen herab –, schlug den Gegner, bevor dessen gefürchtete Kavallerie in Aktion treten konnte.

Als Galiläa unter die israelitischen Stämme aufgeteilt wurde, fiel der Löwenanteil an den Stamm Naftali. Ascher erhielt den Küstenstreifen und Teile der Allonimhöhen *(siehe Karte Seite 29)*. Der Westabschnitt dieser Höhen sowie Bereiche der Jesreelebene bis hin zum Kischonbach gingen dagegen an den Stamm Sebulon (Josua 19, 10–16; 24–39). Das Buch der Richter (1, 33) berichtet, Naftali habe die Bewohner von Bet-Schemesch und Bet-Anat zwar nicht vertrieben, sie allerdings (später ?) zur Fronarbeit gezwungen.

Die Kapitel 4–5 des Richterbuchs schildern dann einen zweiten Zusammenstoß der Israeliten mit einem von Jabin, dem König von Hazor, angeführten Bund kanaanäischer Städte. Die Übereinstimmungen, die zwischen den Darstellungen beider Ereignisse bestehen – d.h. die doppelte Erwähnung Jabins und Hazors sowie einer kanaanäischen Koalition –, veranlaßte Bibelkommentatoren zu der Annahme, die Überlieferungen bei Josua 11, 1–9 und Richter 4–5 meinten ein und dasselbe Geschehen. Rein geographisch sind aber beide Begebenheiten in völlig verschiedenen Gegenden angesiedelt. Wenn sich die Schlacht bei Josua 11, 1–9 tatsächlich in der Nähe von Hazor abspielte, fand sie in erheblicher Entfernung nördlich des Kriegsschauplatzes statt, den das Buch der Richter 4–5 nennt: nämlich das Tal Jesreel. Zwar heißt der König der Kanaanäer in beiden Fällen Jabin, doch im Buch der Richter ist nicht er der Erzschurke, sondern sein Oberbefehlshaber Sisera, der von der Keniterin Jaël getötet wurde. Das in den Versen 6 sowie 9–10 erwähnte Kedesch (Qedesch) ist vermutlich Kedesch-Naftali am See Gennesaret, nicht jene Stadt Kedesch, die nördlich von Hazor liegt. Sowohl in der Prosafassung der Erzählung (Richter 4) als auch in ihrer dichterischen Version (Richter 5) wird der Sieg der Israeliten Gott zugeschrieben. Die folgenden berühmten Verse deuten vielleicht darauf hin, daß ein Wolkenbruch den Kischon anschwellen ließ, so daß dieser das Tal Jesreel überschwemmte und die kanaanäischen Streitwagen außer Gefecht setzte:

Vom Himmel her stritten die Sterne,
von ihren Bahnen aus stritten sie wider Sisera.
Der Kischonbach riß sie fort,
der Bach wogte ihnen entgegen, der Kischonbach.
Tritt einher, meine Seele, in Kraft!
Damals stampften die Hufe der Rosse –
der Galopp, der Galopp der Renner.
Verfluchet Meros! sprach der Engel des Herrn,
ja, fluchet seinen Bewohnern,
daß sie nicht kamen dem Herrn zu Hilfe,
dem Herrn zu Hilfe unter den Helden!
(Richter 5, 20–23)

Aus diesen Versen spricht nicht zuletzt der alttestamentliche Glaube, daß Gott seinem Volk himmlische Heerscharen zu Hilfe sendet. Der Wolkenbruch wird als Erweis der Macht Gottes über die natürliche Ordnung der Dinge gesehen. Möglicherweise hat man den Namen des Ortes, aus dem Sisera stammte (Richter 4, 2) – Haroschet-Gojim –, als »Wald« zu deuten, »in dem Heiden wohnten«.

Die nächste Bibelstelle über Galiläa findet sich im 2. Buch Samuel 20, 14–22. Als König David regierte, revoltierten die Stämme des Nordens. Ihr Anführer war Scheba, der Sohn des Bichri. Scheba wurde von Davids Feldherrn Joab und einer Eliteeinheit seiner Streitkräfte bis Abel-Bet-Maacha im äußersten Norden Israels verfolgt. Man verschonte die Stadt aber, als eine weise Frau ihre Bewohner überredete, Scheba umzubringen und sein Haupt den Belagerern zuzuwerfen. Vor Joab hielt sie ein machtvolles Plädoyer:

Vor Zeiten pflegte man zu sagen: Man frage doch in Abel und Dan, ob nicht mehr gilt, was die Getreuen Israel verordnet haben. Und du willst eine Stadt und Mutter in Israel verderben?
(2. Samuel 20, 18–19)

Angesichts dieser Worte konnte Joab nur zustimmend feststellen, die Hinrichtung Schebas habe Abel-Bet-Maacha und seine Bewohner gerettet.

Abermals ist dann im 1. Buch der Könige 12, 29 von einer Stadt in Galiläa die Rede. Jerobeam, der Führer des Aufstands der Nordstämme gegen Salomos Sohn Rehabeam (um 930–910), errichtete in Dan (ebenso wie in Bet-El) ein Heiligtum, das dem Reichsheiligtum (Tempel) in Jerusalem Konkurrenz machte. Bald danach verlor Israels dritter Herrscher, Bascha, der durch einen Staatsstreich an die Macht gelangt war (1. Könige 15, 25–30), ganz Galiläa an Ben-Hadad, den König von Aram-Damaskus (1. Könige 15, 16–20). Asa, der König von Juda, bestach Ben-Hadad, mit ihm gegen Bascha gemeinsame Sache zu machen, und die Aramäer eroberten Ijon, Dan, Abel-Bet-Maacha und ganz Kinneret mit dem gesamten Land Naftali. Wie lange Galiläa verloren blieb, ist nicht bekannt, doch wurde es wohl kaum vor Omri (um 882/81–871 v. Chr.) zurückerobert. Dieser erweiterte Israels Territorium ganz enorm, so daß dessen Machtbereich östlich des Jordans bis nach Moab reichte. Außerdem schloß er Verträge mit Tyrus und Sidon, und sein Sohn Ahab (871–852) kämpfte wiederholt gegen die Aramäer, wobei er Ben-Hadad mehrere Niederlagen bereiten konnte und ihn sogar gefangennahm (1. Könige 20).

Omri und sein Sohn Ahab sicherten sich ihre Machtpositionen auf Kosten der überlieferten Religion Israels. Ahabs Gemahlin Isebel war sogar eine eifrige Propagandistin Melkarts, des Gottes ihrer Heimatstadt Tyrus. Erbitterte Gegnerschaft erwuchs dem Hause Omris aus den Reihen der von Elija und Elischa angeführten Prophetenschulen, denen es schließlich gelang, die Omriden-Dyna-

Diese Ansicht vermittelt einen guten Eindruck davon, wie Nazaret in die umliegenden Hügel eingebettet ist. Heute beherrscht die Verkündigungskirche der Franziskaner das Stadtbild. Sie erinnert an die Verkündigung der Geburt Jesu durch den Erzengel Gabriel. In neutestamentlicher Zeit war Nazaret ein unbedeutendes kleines Dorf.

stie durch die sogenannte »Prophetenrevolution« zu stürzen. Jehu, von einem der Jünger Elischas zum König gesalbt, rottete Omris Nachkommen und all jene aus, die dem Baal-Kult gehuldigt hatten (2. Könige 9–10). Doch dieser Aderlaß hatte seinen Preis. Die internen Kämpfe schwächten Israel und ermöglichten es den Aramäern (Syrern) unter König Hasaël, dem Land schweren Schaden zuzufügen. 2. Könige 10, 32–33 setzt voraus, daß Hasaël israelitische Gebiete östlich des Jordans erobert hatte. Doch es kam noch schlimmer, wenn man 2. Könige 13, 7 wörtlich nimmt. Dort heißt es von Jehus Sohn Joahas (814–800):

Denn es war dem Joahas nicht mehr Kriegsvolk geblieben als fünfzig Reiter, zehn Streitwagen und zehntausend Mann zu Fuß; der König von Syrien hatte sie vertilgt und sie wie Staub zertreten.

Möglicherweise war Galiläa damals erneut verloren – bis unmittelbar vor der Wende des 9. Jahrhunderts v. Chr. – als der assyrische König Adadnirari III. Damaskus zerstörte und dermaßen schwächte, daß Jehus Enkel Joas in der Lage war, Israels Schicksal zu wenden (2. Könige 13, 24–25; vgl. auch 13, 5). Unter Jerobeam II. (um 789–748 v. Chr.) wurde Israels Nordgrenze weiter vorgeschoben als je zuvor oder in späterer Zeit. Doch Jerobeams Regentschaft war für Galiläa nur eine Art »Nachsommer«. Nach seinem Tod versank Israel im allgemeinen Chaos, und gegen 734 v. Chr. überrannte der Assyrerkönig Tiglat-Pileser III. Galiläa, wobei es zu Massendeportationen (ein assyrisches Quellenfragment spricht von 13 520 Menschen) der Bevölkerung kam (2. Könige 15, 29). Das Land wurde zur assyrischen Provinz Megiddo.

Wie bereits erwähnt, legte Aristobulus I. (104–103 v. Chr.) durch seine Eroberungen dann die Basis für jenes Galiläa, von dem im Neuen Testament die Rede ist. Unter Herodes dem Großen, der mit Billigung und Unterstützung Roms regierte, wurde durch die Einverleibung jener Gebiete, die Galiläa von Judäa trennten, der Brückenschlag zwischen beiden Territorien vollzogen, so daß Galiläa keine isolierte Enklave des Judentums im äußersten Norden mehr war. Nach Herodes' Tod jedoch teilte der römische Kaiser Augustus das Reich unter dessen Söhnen auf. Galiläa fiel an Herodes Antipas, und dies erklärt, warum Pilatus versuchte, vor der Kreuzigung Jesu eine Begegnung zwischen ihm und Herodes Antipas zustande zu bringen, nachdem er erfahren hatte, daß Jesus Galiläer war (Lukas 23, 6–12).

Galiläa war zur Zeit Jesu eine blühende Region. An den Ufern des Sees Gennesaret und noch im Umkreis von 5 km wurden die Überreste von nicht weniger als zwölf Städten nachgewiesen. Laut Y. Karmon (*Israel, a Regional Geography,* London 1971) muß die Bevölkerungszahl des betreffenden Gebiets im Altertum viel größer gewesen sein als heute (1971: 35 000). In Galiläa gediehen damals Oliven, Feigen, Datteln, Flachs und Wein, am See Gennesaret betrieb man vor allem Fischfang und Fischkonservierung (durch Räuchern und Einsalzen) für den Export. Wo es Basalt gab, produzierte man Reibsteine und steinerne Handpressen für die Weiterverarbeitung landwirtschaftlicher Erzeugnisse; auch von Färbereien ist die Rede. Nazaret, wo Jesus aufwuchs, war ein unbedeutender kleiner Ort. Natanaels Ausruf: *Kann denn aus Nazaret etwas Gutes kommen?* (Johannes 1, 46) ist unter diesen Umständen völlig verständlich. Sogar die Nazarener selbst mögen ähnlich empfunden haben, als sie Jesus ablehnend gegenübertraten (Markus 6, 1–6; vgl. Lukas 4, 16–30). Nicht nur, daß sie ihrem Heimatort nichts abzugewinnen vermochten – sie fanden es einfach unvorstellbar, daß auf einen, der mitten unter ihnen aufgewachsen war, die Worte Jesajas (61, 1–4) gemünzt sein sollten:

Der Geist Gottes des Herrn ruht auf mir, dieweil mich der Herr gesalbt hat; er hat mich gesandt, den Elenden frohe Botschaft zu bringen, zu heilen, die gebrochenen Herzens sind, den Gefangenen Befreiung zu verkünden und den Ge-

Kafarnaum

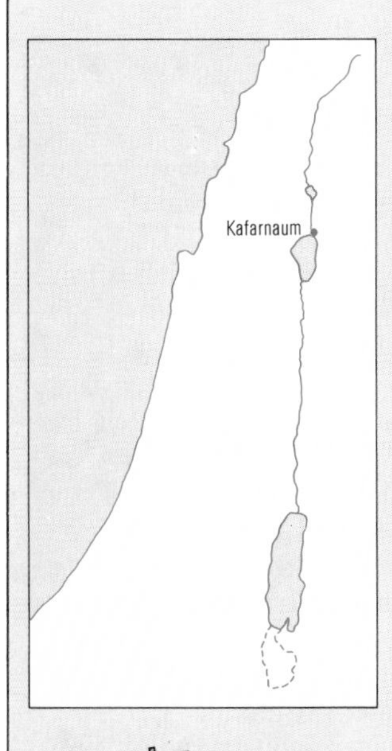

Am Nordwestufer des Sees Gennesaret gelegen, rechnete Kafarnaum (Kapernaum), das im 2. Jahrhundert v. Chr. entstand, aber weder im Alten Testament noch in anderen vorchristlichen Quellen Erwähnung findet, in den Tagen Jesu zu den bedeutendsten Städten dieser Region. Nachdem Jesus Nazaret verlassen hatte, hielt er sich vorzugsweise in Kafarnaum auf. Zweifellos spielte dabei eine Rolle, daß dort seine ersten Anhänger, darunter Petrus, wohnten. Es war eine Grenzstadt zwischen Galiläa und dem ostjordanischen Gebiet, das Philipp, einem der Söhne des Herodes, zugesprochen worden war. Jesus wirkte in Kafarnaum mehrere Wunder, andererseits aber äußerte er, am Jüngsten Tage werde es der Stadt schlechter ergehen als Sodom (Matthäus 11, 23–24). Das bemerkenswerteste Bauwerk ist die relativ gut erhaltene Synagoge, die zu den schönsten jüdischen Sakralbauten zählt. Im Haus des Petrus fand man den eingeritzten Namen des Apostels und die Zeichnung eines Fischerbootes.

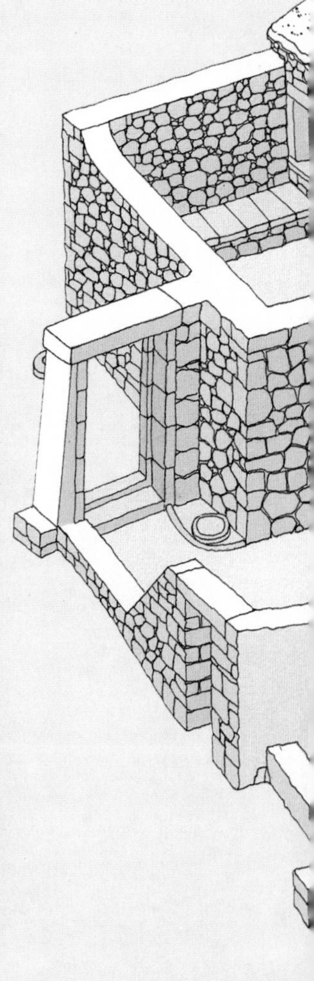

Rechts: Die Häuser Kafarnaums wurden aus für die Gegend typischem schwarzem Basaltgestein erbaut. Die Steine waren nicht zugehauen, weshalb man die entstandenen Lücken und Spalten mit Bruchstücken sowie einer Art von primitivem Mörtel füllte. Auch die Böden bestanden aus dicht nebeneinandergelegten Basaltblöcken, zwischen denen es ebenfalls Spalten und Ritzen gab, in die gelegentlich kleinere Gegenstände wie etwa Münzen rutschen konnten (vgl. Lukas 15, 8). Die Dächer fertigte man aus leichten Balken, die quer über die Mauerkronen gelegt und mit Zweigen, Stroh und Erde bedeckt wurden. Der hier rekonstruierte Komplex war seit dem 1. Jahrhundert v. Chr. bewohnt und vermittelt einen Eindruck davon, wie relativ einfach man in Kafarnaum ein Dach abdecken und einen Gelähmten auf seiner Matratze durch die Öffnung hinablassen konnte (Markus 2, 1–12).

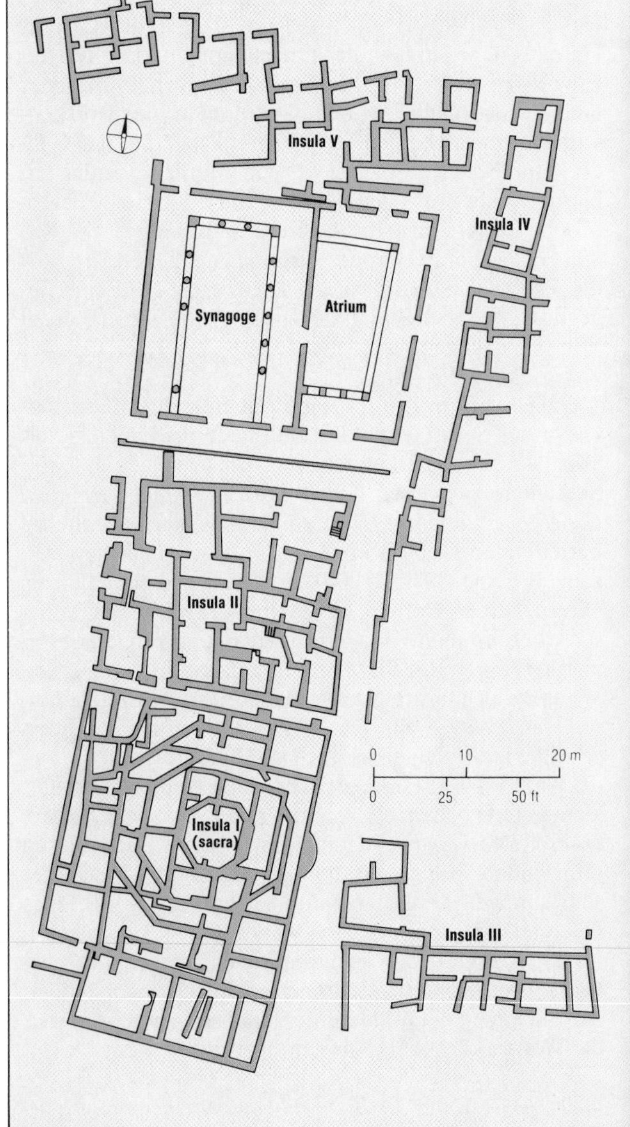

Oben links: Luftaufnahme Kafarnaums von Südosten. Rechts erhebt sich die Synagoge, das große Dach links von der Bildmitte deckt den Platz, wo das Haus des Petrus und die in der Folgezeit dort errichteten Kirchen standen. Die Synagoge stammt neuesten Untersuchungen zufolge erst aus dem 4./5. Jahrhundert und hatte zumindest einen Vorgängerbau. Die Synagoge, in der Jesus lehrte (Markus 1, 22), ist bislang nicht gefunden worden.

Links: Darstellung der Bundeslade auf einem in Kafarnaum erhaltenen monumentalen Steinblock.

Ganz links: Aus dem Plan der Ausgrabungsstätte wird die Lage der Synagoge, des Hauses des Petrus (Insula I) sowie des Wohnhauskomplexes (Insula II) deutlich.

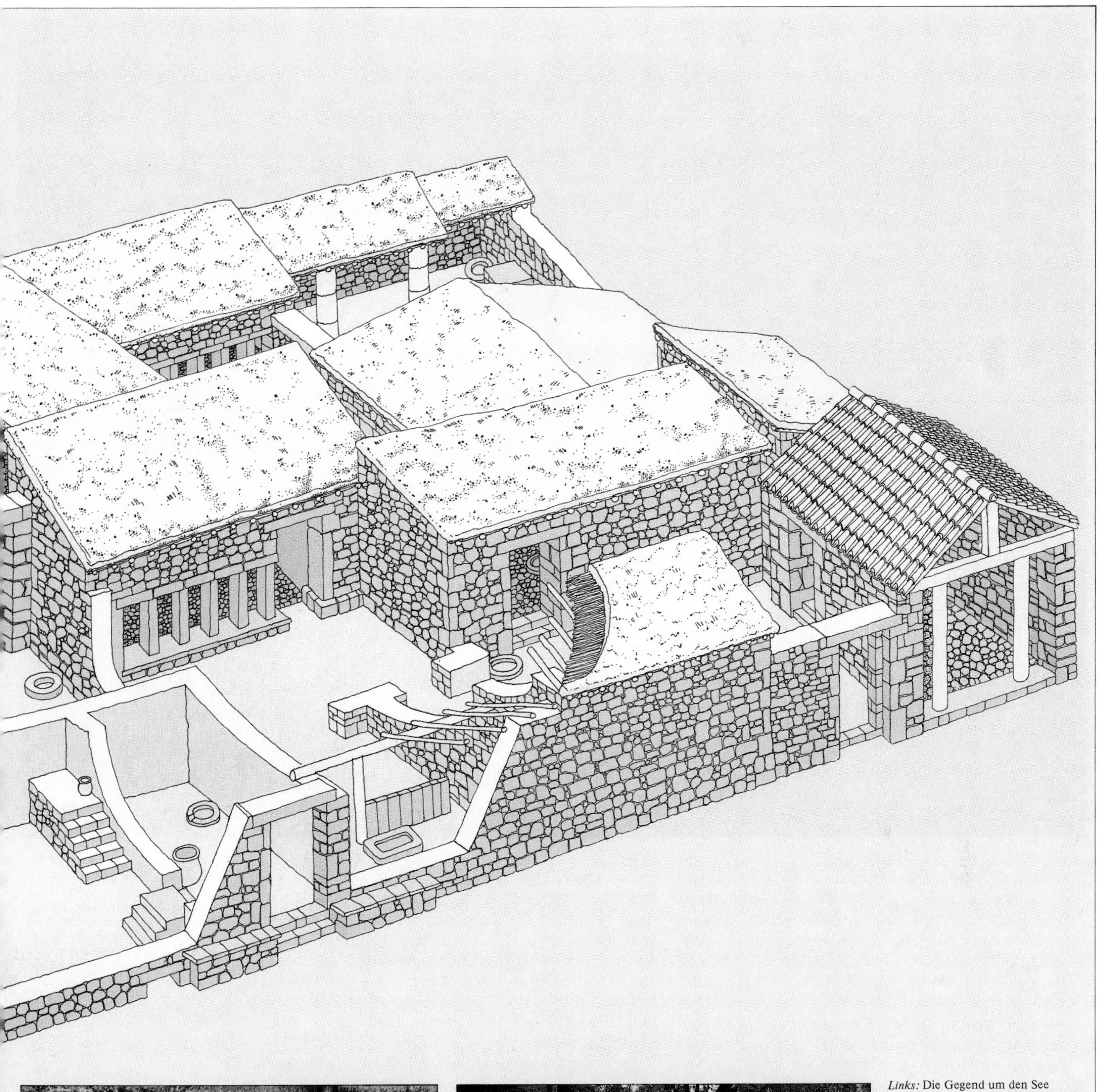

Links: Die Gegend um den See Gennesaret ist bekannt für die Herstellung landwirtschaftlicher Gerätschaften aus Basalt. Zu sehen sind hier mehrere Reibsteine sowie *(ganz links)* eine Olivenpresse.

Oben: Nach der Überlieferung war der Berg Tabor Schauplatz der Verklärung Christi: Leicht links vom Gipfel erkennt man die Kirche, die die Erinnerung an dieses Ereignis bewahrt. Die Aufnahme zeigt eindrucksvoll, wie der Tabor das umliegende Gelände überragt. Er bildete somit eine ideale Stelle für Truppenstationierungen (Richter 4, 6; 4, 12 und 4, 14).

bundenen Lösung der Bande, auszurufen ein Gnadenjahr des Herrn und einen Tag der Rache unsres Gottes, da alle Trauernden getröstet werden, da ihnen ein Kopfschmuck gegeben wird statt der Asche, Freudenöl anstatt der Trauerhülle, Lobgesang statt verzagenden Geistes, da man sie nennt »Terebinthen der Gerechtigkeit«, »Pflanzung des Herrn« ihm zur Verherrlichung. Da werden sie die Trümmer der Vorzeit wieder bauen und die Ruinen der Altvordern aufrichten, erneuern die Städte, die verwüstet liegen, die Ruinen früherer Geschlechter.

Das Wirken Jesu in Galiläa

Im wesentlichen konzentrierte sich Jesu Wirken auf das Gebiet rings um den See Gennesaret. Nachdem man ihn in Nazaret zurückgewiesen hatte, begab er sich nach Kafarnaum (Matthäus 4, 13), und dort berief er seine ersten Jünger (Matthäus 4, 18–22). Allerdings setzt Johannes 1, 35–42 voraus, daß Jesus schon zuvor Andreas und Petrus im Gebiet von Jericho getroffen hatte. Kafarnaum war vermutlich im 2. Jahrhundert v. Chr. gegründet worden. Die Bewohner lebten von Fischfang, Landwirtschaft und Handel. Ihre Häuser bestanden aus unbehauenen schwarzen Basaltblöcken, wie es sie in der dortigen Gegend massenhaft gibt. Außerdem war Kafarnaum Grenzort zwischen Galiläa, wo Herodes Antipas herrschte, und dem Philipp zugesprochenen Gebiet, das östlich der Jordan-Einmündung in den Nordteil des Sees Gennesaret begann. Die bedeutendste Stadt im dortigen Bereich war das nur etwa 4 km von Kafarnaum entfernte Betsaida, der Heimatort des Apostels Petrus (Johannes 1, 44), der allerdings dann in Kafarnaum wohnte, vielleicht deswegen, weil es stärker vom Judentum geprägt war als Betsaida. Doch obwohl dies zweifellos zutrifft (vgl. Johannes 12, 20–21), gab es in Kafarnaum dennoch einen römischen Centurio (Matthäus 8, 5–13) sowie grenzüberschreitenden Handel und Zolleinnehmer. Einer dieser Zöllner, Matthäus, wurde sogar Jesu Jünger (Matthäus 9, 9).

Kafarnaum war Schauplatz mehrerer Wunderheilungen. So heilte Jesus in der dortigen Synagoge am Sabbat einen Besessenen (Markus 1, 21–28). Allerdings handelte es sich dabei nicht um jene Synagoge, deren Überreste man noch heute erblickt und die sehr viel jünger ist (4./5. Jahrhundert n. Chr.). Die Synagoge aus der Zeit Christi liegt möglicherweise unter diesen Ruinen; ihr Erbauer war der römische Centurio, dessen Diener Jesus in Kafarnaum geheilt hatte (Lukas 7, 1–10). Auch von zwei Wundern im Haus des Apostels Petrus wird berichtet: von der Heilung seiner Schwiegermutter (Markus 1, 29–30) sowie von der eines Mannes, den man mitsamt seinem Bett durch das Dach hinabließ (Markus 2, 1–12). Bei Ausgrabungen in Kafarnaum kam ein Haus zum Vorschein, dessen Graffiti den Beweis lieferten, daß Ende des 1. Jahrhunderts n. Chr. dort ein christlicher Kult praktiziert wurde. Nach späteren Überlieferungen handelte es sich dabei um das Haus des Apostels Petrus, und im 5. Jahrhundert n. Chr. erhob sich an dieser Stelle auch ein achteckiger

Rechts: Dieses in Tabga gefundene byzantinische Brot- und Fisch-Mosaik deutet darauf hin, daß man Tabga schon früh mit der Speisung der Fünftausend (Johannes 6, 1-15) in Verbindung brachte. Das Mosaik wurde kürzlich wieder vor dem Hochaltar der restaurierten Brotvermehrungskirche in Tabga angebracht.

Oben: Die Synagoge von Chorazin stammt möglicherweise aus dem 3. Jahrhundert n. Chr. Sie besteht aus den in der dortigen Gegend üblichen Basaltblöcken und wurde im klassischen Stil errichtet.

Kirchenbau. Daß man den besagten Kranken durch das Dach ins Hausinnere hinabließ, war nur möglich, weil die Dächer nicht sonderlich massiv waren. Die Häuser bestanden ja nur aus rohen Basaltblöcken mit wenig oder gar keinem Mörtel, so daß sie die Last einer schweren Dachkonstruktion kaum ausgehalten hätten. Doch obwohl Kafarnaum der Brennpunkt des Wirkens Jesu in Galiläa und Schauplatz mehrerer Wunder war, stießen er und seine Botschaft dort auf massive Ablehnung, so daß er sogar äußerte, am Jüngsten Tag werde es Sodom besser ergehen als Kafarnaum (Matthäus 11, 24).

Wo man das übrige Wirken Jesu in Galiläa anzusiedeln hat, ist weit weniger gesichert. Den Wehrufen, die er über einzelne Städte ausstieß (Matthäus 11, 20-24), läßt sich entnehmen, daß er in Betsaida und Chorazin gewesen sein muß. Doch was er in Chorazin tat, wissen wir nicht, und aus Betsaida wird nur die Heilung eines Blinden berichtet (Markus 8, 22-26). Selbstverständlich verknüpft die christliche Überlieferung einige der bekanntesten Ereignisse mit bestimmten Orten. So zeigt man heutigen Besuchern in der Nähe von Tabga die Stätte, wo Jesus die Fünftausend speiste, desgleichen – ein wenig weiter südlich – die Stelle des wunderbaren Fischzugs (Lukas 5, 1-11 sowie Johannes 21, 1-14), und dort, wo Jesus die Bergpredigt gehalten haben soll, erhebt sich nunmehr das Kloster der Seligpreisungen. Allerdings läßt die Schilderung der Bergpredigt (Matthäus 5, 1) keinerlei Rückschlüsse auf die Position des Berges zu, ja bei Lukas 6, 17 stieg Jesus sogar »hinab und blieb auf einem ebenen Platz stehen«, wo er dann predigte. Was den Fischzug angeht, so lagen die Boote seiner Jünger wahrscheinlich unweit von Kafarnaum, so daß sich das Wunder wohl dort ereignete. Und Lukas 9, 10 lokalisiert zwar die Speisung der Fünftausend bei Betsaida, doch eignet sich dazu viel besser das Gelände am Ostufer des Sees. Tatsächlich geht aus Johannes 6, 16-25 hervor, daß Jesus nach der Speisung zum jenseitigen Ufer übersetzte und sich nach Kafarnaum begab. Dies macht es schwierig, sich vorzustellen, daß Betsaida Schauplatz des Wunders war. Außerdem heißt es ausdrücklich bei Johannes, aus Tiberias sei man mit Booten zu der Wunderstätte gefahren. Ferner suchte Jesus vielleicht Magdala auf, die Heimatstadt Maria Magdalenas. Sie zählte zu jenen drei Frauen, die er von bösen Geistern und Krankheiten geheilt hatte (Lukas 8, 2-3).

Einer der wenigen Orte in Galiläa, die tatsächlich im Zusammenhang mit einem Ereignis aus dem Leben Jesu erwähnt werden, ist Nain, ein gutes Stück südlich des Sees Gennesaret am Nordhang jener Höhen, die heute den Namen Givat Ha-More tragen und die Grenze zur Ebene Jesreel bilden. Hier erweckte Jesus den Sohn einer Witwe neu zum Leben (Lukas 7, 11-17). Interessanterweise liegt an der Südseite desselben Höhenzuges jenes Schunem, wo auch schon der Prophet Elischa dem Sohn einer alleinstehenden Frau, der Schunemiterin, das Leben wiedergab (2. Könige 4, 8-37).

Ein weiterer Ort in Galiläa, der ausdrücklich namentlich erwähnt wird, ist Kana. Hier verwandelte Jesus Wasser in Wein (Johannes 2, 1-11), und hier war es auch, wo er von einem königlichen Beamten gebeten wurde, dessen krank darniederliegenden Sohn zu heilen (Johannes 4, 46-54). Was die Lokalisierung Kanas angeht, so gibt es einige Unklarheiten, obwohl die christliche Überlieferung es mit dem heutigen Kafr Kanna an der Straße von Nazaret nach Tiberias gleichsetzt.

Weiter genannt wird der Berg Tabor als Stätte der Verklärung (Markus 9, 2-8), nach der Jesus Petrus anwies (Matthäus 17, 27), die Tempelsteuer zu zahlen: ... *geh an den See, wirf die Angel aus und nimm den ersten Fisch, der heraufkommt, und wenn du sein Maul öffnest, wirst du ein Vierdrachmenstück finden; das nimm und gib es ihnen für mich und dich!* Gewiß ist der Tabor eine imponierende Bodenerhebung, und im Verhältnis zum umliegenden Gelände kann er auch als »hoch« bezeichnet werden. Außerdem ergibt es topographisch einen Sinn, wenn es heißt, Jesus sei auf dem Weg von eben diesem Berg nach Kafarnaum durch Galiläa gezogen (Markus 9, 30-33), wenn der Tabor wirklich der Berg war, um den es geht. Andererseits aber hegt man keinerlei Zweifel an der evangelischen Tradition, daß die Verklärung *nach* dem Bekenntnis stattfand, das der Apostel Petrus in Caesarea Philippi ablegte (Markus 8, 27-33), und dieser Ort liegt in Luftlinie nicht weniger als 70 km vom Berg Tabor entfernt. Zwar verstrichen den Evangelisten zufolge 6-8 Tage zwischen Petri Bekenntnis und Jesu Verklärung (Markus 9, 2; Lukas 9, 28), doch gewinnt man nicht den Eindruck, daß Jesus diese ganze Zeit wandernd verbracht hätte, um von Caesarea Philippi zum Tabor zu gelangen. Möglicherweise fand also die Verklärung Jesu im Norden von Caesarea Philippi – vielleicht im Hermongebiet – statt.

Man hat darauf hingewiesen, daß die Evangelien überraschenderweise gewisse besonders bedeutende Siedlungszentren in Galiläa unerwähnt lassen. So fehlt der geringste Anhaltspunkt dafür, daß Jesus während seines öffentlichen Wirkens je die Hauptstadt Galiläas, Sepphoris, aufsuchte, die lediglich 6 km von Nazaret entfernt ist, oder daß er je in Tiberias war, dessen Entfernung von Kafarnaum nur ganze 10 km beträgt.

Alltagsleben in biblischer Zeit

Mehr als 3000 Jahre trennen uns von den Israeliten, die im Reich Davids lebten, und noch immer 1900 Jahre liegen zwischen uns und der Periode des Neuen Testaments. Im Gegensatz zu Ägypten, wo eine Fülle von Grabreliefs mit begleitenden Texten Einblick in das Alltagsleben der jeweiligen Epochen vermittelt, sind entsprechende Darstellungen aus dem alten Israel nicht vorhanden. Man pflegte daher lange Rückschlüsse von den gegenwärtigen Verhältnissen auf die Sitten und Gebräuche der Vergangenheit zu ziehen. Dies geschieht auch hier, doch seien einige vorausschickende Bemerkungen erlaubt: Heutige Dorfbewohner und Beduinen Israels sind das Produkt zahlreicher Faktoren, die sie von ihren biblischen Vorfahren wesentlich unterscheiden. Beispielsweise wurde das Kamelnomadentum erst möglich, seit es Kamelsättel gab, und deren Erfindung datiert nicht vor dem 1. Jahrtausend n. Chr. Ferner erfolgte eine Vermischung der bäuerlichen Bevölkerung des Heiligen Landes mit den unteren sozialen Schichten der fremden Okkupatoren und Oberherren – so mit Griechen, Römern, christlichen Kreuzfahrern und Türken. Dennoch blieben gewisse Grundtechniken der Nahrungsmittelproduktion wahrscheinlich jahrhundertelang unverändert. Allerdings führte die Eroberung durch die Muslime dazu, daß sich Weinanbau nur in den wenigen von Christen bewohnten Gebieten erhielt, denn der Koran verbietet nun einmal den Genuß aller Arten von alkoholischen Getränken.

Worfeln von Getreide △

Nicht so die Frevler! Wie Spreu sind sie, die der Wind verweht.

(PSALM 1, 4)

Dreschen mit dem Dreschschlitten

◁

Siehe, zu einem scharfen Dreschschlitten, zu einem neuen mit vielen Schneiden, mache ich dich.

(JESAJA 41, 15)

Das Verirrte werde ich suchen, das Versprengte heimführen.

(EZECHIEL 34, 16)

Schafhirte

... um unseretwillen steht es geschrieben: Der Pflüger soll in der Hoffnung pflügen ... am Ertrag teilzuhaben.

(1. KORINTHER 9, 10)

Beim Pflügen

Das Himmelreich ist gleich einem Sauerteig, den eine Frau nahm und unter drei Maß Mehl mischte, bis das Ganze durchsäuert war.

(MATTHÄUS 13, 33)

Brotbacken

*Hat der
Herr Gefallen …
an ungezählten
Strömen von Öl?*

(MICHA 6, 7)

▷

Ölpresse

Öllampe

Grab

Ossuarien

△

Er ließ die Gebeine aus den Gräbern nehmen.

(2. KÖNIGE 23, 16)

*Sie … warfen über
mein Gewand das Los.*

(LUKAS 23, 34)

▷

Würfel

Wessen ist dies Bild und die Aufschrift?

(MATTHÄUS 22, 20)

Münzform

Münze aus Tyrus

Da sah er [David] *vom Dach aus ein badendes Weib.*

(2. SAMUEL 11, 2)

Badende

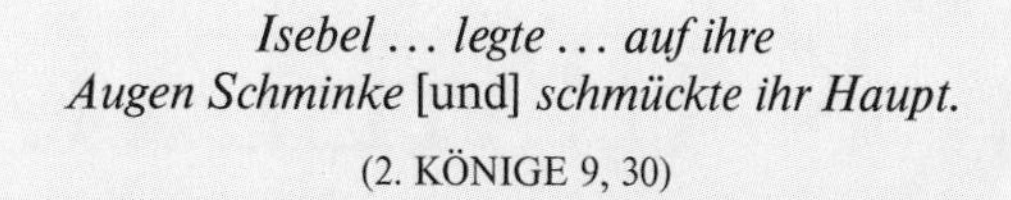

Isebel ... legte ... auf ihre
Augen Schminke [und] *schmückte ihr Haupt.*

(2. KÖNIGE 9, 30)

Kosmetika

Steingewichte

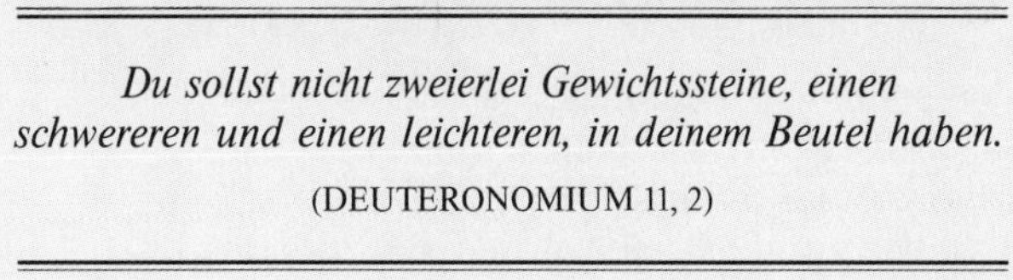

Du sollst nicht zweierlei Gewichtssteine, einen schwereren und einen leichteren, in deinem Beutel haben.

(DEUTERONOMIUM 11, 2)

Krug

Kommt! Ich hole Wein!
Lassen wir uns mit
etwas Kräftigem vollaufen!
So sei es heute wie
morgen – einfach großartig
über alle Maßen.

(JESAJA 56, 12)

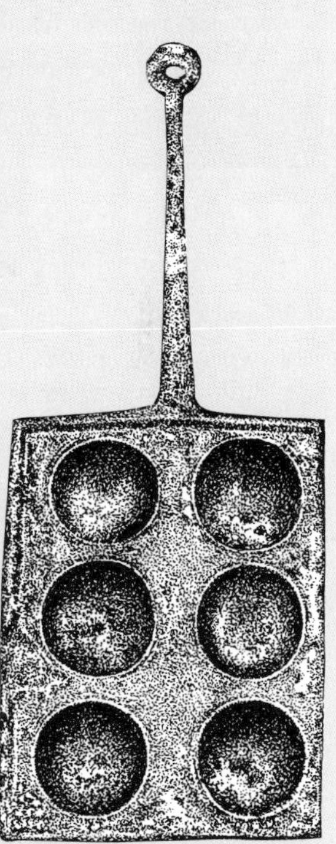

Bratpfanne

Sie nahm die
Pfanne
und trug ihm auf.

(2. SAMUEL 13, 9)

HOCHLAND VON BET-EL UND SAMARIA, KARMELMASSIV, JESREELTA

Links und rechts: Das Jesreeltal (in der Photographie von Norden gesehen) scheidet Untergaliläa vom Bergland Samarias. Es bildete einen wichtigen Verbindungsweg von West nach Ost, von der Küstenebene zum Jordantal. Während der Trockenzeit war das Gelände ideal geeignet für breit angelegte Kriegführung mit Streitwagen. Der Zugang zum Jesreeltal von Süden führte über den Karmel, weshalb seinen Pässen strategische Bedeutung zukam. Die günstigen geologischen Verhältnisse der an den Karmel anschließenden Menaschehöhen erlaubten hier nicht nur eine wesentlich dichtere Besiedlung als in anderen Teilen der Region, über diese Höhen verlief auch einer der Hauptpässe, der an seinem nördlichen Ende von Megiddo kontrolliert wurde.

Die Landschaft

Der folgende Abschnitt faßt Gebiete zusammen, die in geographischen Werken gewöhnlich separat beschrieben werden. Der Grund für diese Zusammenfassung liegt darin, daß sie das Kernland des Nordreiches Israel bilden, das sich mit der Teilung des Salomonischen Reiches konstituierte. Wie schon im Abschnitt über Galiläa hervorgehoben, hielt Israel das Gelände nördlich des Jesreeltals (auch Jesreelebene, Große Ebene, Ebene von Esdrelon, Ebene von Megiddo genannt) nicht immer fest im Griff. Doch selbst in Schwächeperioden – bis zur Zerschlagung des Nordreichs durch die Assyrer im Jahre 721 v. Chr. – konnte es seine Besitzansprüche auf Bet-El und das Hochland von Samaria erfolgreich verteidigen. Die gemeinsame Darstellung ermöglicht es ferner, den wichtigen Gegensatz zwischen den Kernländern beider Staaten – dem Südreich Juda und dem Nordreich Israel – deutlicher herauszuarbeiten.

Wir sahen bereits, daß die geographische Beschaffenheit Judas hohe Anforderungen an die Bewohner stellte. Die Wüste bot lediglich Weidemöglichkeiten für Schafe, und Landwirtschaft beschränkte sich auf die Berge von Hebron sowie auf die östliche Schefela. Um die westliche Schefela stand es besser, doch selbst hier gingen die Niederschläge zurück, je weiter man nach Süden kam. Die Höhen von Bet-El ähneln den Hebronbergen, sind allerdings viel ausgedehnter, denn sie erstrecken sich im Westen bis zur Küstenebene. Die Berge Samarias wiederum sind durch Täler gekennzeichnet, die nach Norden hin

Abkürzung: (U) = Unlokalisiert

Atarot Num. 32, 3. 34; Jos. 16, 2. 7 [B5]

Balamon (Balbalim, Bebai, Belmain) Judit 4, 4; 7, 3; 8, 3; 15, 4 (U)
Besek 1. Sam. 11, 8 [D4]
Bet-Eked 2. Kön. 10, 12. 14 [B4]
Bet-Haggan (En-Gannim) 2. Kön. 9, 27; Jos. 19, 21; 21, 29 [C4]
Bet-Millo Richt. 9, 20 (U)
Bet-Schitta Richt. 7, 22 [D3]
Bileam *siehe* Jibleam

Dabbeschet Jos. 19, 11 [B3]
Dotan Gen. 37, 17; 2. Kön. 6, 13 [C4]

Ebez Jos. 19, 20 (U)
En-Gannim *siehe* Bet-Haggan
Esdrelon, Ebene von, *siehe* Jesreeltal

Geba Judit 3, 10 [C5]
Gilboa 1. Sam. 28, 4; 31, 1; 2. Sam. 21, 12 [D4]

Hafarajim Jos. 19, 19 [B3]
Harod Richt. 7, 1; 2. Sam. 23, 25; 1. Chr. 11, 27 [D3]
Haroschet-Gojim Richt. 4, 2. 13. 16 [B2]

Jesreel Jos. 19, 18; 1. Sam. 25, 43; 29, 1. 11; 1. Kön. 4, 12; 18, 45. 46; 21, 1. 4; 2. Kön. 8, 29; 9, 10. 15. 16. 36; 10, 6. 7; 2. Chr. 9, 30. 36; 10, 6–7. 11; 22, 6 [C3]
Jesreeltal (Ebene von Esdrelon, Ebene von Megiddo) Jos. 17, 16; Richt. 6, 33; 2. Chr. 35, 22; Hos. 1, 5; Sach. 12, 11 [C3]
Jibleam (Bileam) Jos. 17, 11; Richt. 1, 27; 2. Kön. 9, 27; 1. Chr. 6, 70 [C4]
Jokneam (Jokmoam) Jos. 12, 22; 19, 11; 21, 34; 1. Kön. 4, 12; 1. Chr. 6, 68 [B3]

Kattat *siehe* Kitron
Kischon, Fluß, Richt. 4, 7. 13; 5, 21; 1. Kön. 18, 40 [C3]
Kitron (Kattat) Jos. 19, 15; Richt. 1, 30 [B1 B3]

Megiddo Jos. 12, 21; 17, 11; Richt. 1, 27; 5, 29; 1. Kön. 4, 12; 9, 15; 2. Kön. 9, 27; 23, 29–30; 1. Chr. 7, 29; 2. Chr. 35, 22; Sach. 12, 11; Off. 16, 16 [C3]
Megiddo, Ebene von, *siehe* Jesreeltal

Ofra Richt. 6, 11. 24; 8, 27. 32; 9, 5 [C3 D3]

Rabbit Jos. 19, 20 [D4]
Samaria 1. Kön. 13, 32; 16, 24. 28; 20, 1. 10. 17; 22, 37–39. 51; 2. Kön. 1, 2; 6, 24; 7, 1. 18; 10, 1; 18, 10. 34; 21, 13. 18; 2. Chr. 18, 2; 25, 13; 28, 15; Esra 4, 10; Neh. 4, 2; Jes. 9, 9; 10, 9–11; Jer. 23, 13; 31, 5; Hos. 7, 1; 8, 5. 6; 10, 5. 7; 13, 16; Amos 3, 9; 4, 1; 6, 1; 8, 14; Obad. 19; Mi. 1, 1. 5. 6; Luk. 17, 11; Joh. 4, 4. 9; Apg. 8, 1. 5. 14 [C5]
Taanach Jos. 12, 21; 17, 11; 21, 25; Richt. 1, 27; 5, 19; 1. Kön. 4, 12; 1. Chr. 7, 29 [C3]
Tebez Richt. 9, 50; 2. Sam. 11, 21 [D5]
Tirza Jos. 12, 24; 1. Kön. 14, 17; 15, 21. 33; 16, 6. 8. 9. 15. 17. 23; 2. Kön. 15, 14. 16; H. L. 6, 4 [D5]

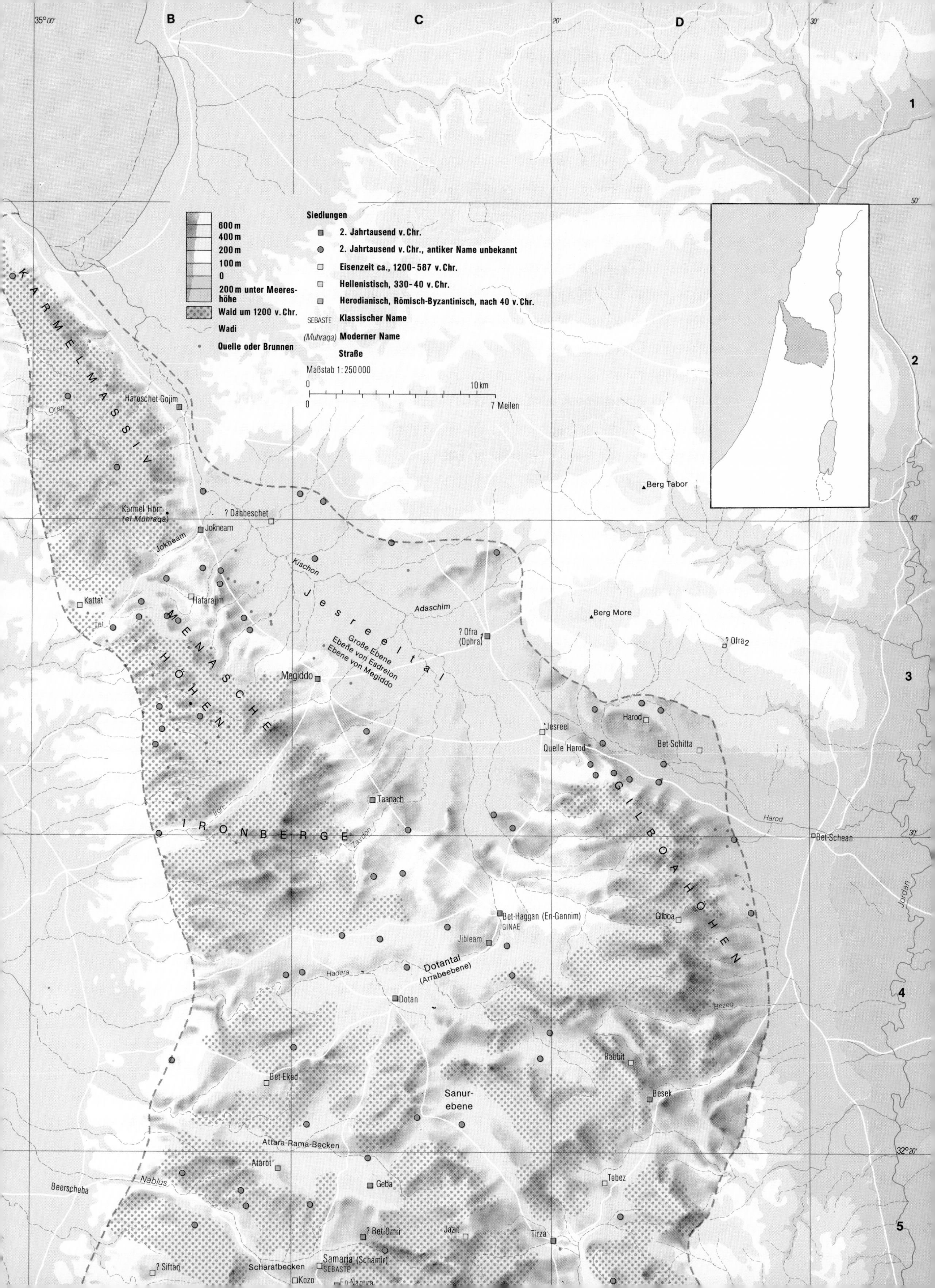

B
C
D
35°00'
10'
20'
30'
50'
40'
30'
32°20'
1
2
3
4
5
600 m
400 m
200 m
100 m
0
200 m unter Meereshöhe
Wald um 1200 v. Chr.
Wadi
Quelle oder Brunnen
Siedlungen
2. Jahrtausend v. Chr.
2. Jahrtausend v. Chr., antiker Name unbekannt
Eisenzeit ca., 1200-587 v. Chr.
Hellenistisch, 330-40 v. Chr.
Herodianisch, Römisch-Byzantinisch, nach 40 v. Chr.
SEBASTE Klassischer Name
(Muhraqa) Moderner Name
Straße
Maßstab 1:250 000
0
10 km
0
7 Meilen
KARMELMASSIV
Haroschet-Gojim
Oren
Karmel Horn (el Muhraqa)
? Dabbeschet
Jokneam
Jokneam
Kischon
Kattat
Hafarajim
Tel
MENASCHE-HÖHEN
Jesreeltal
Adaschim
? Ofra 1 (Ophra)
Große Ebene
Ebene von Esdrelon
Ebene von Megiddo
Megiddo
Berg Tabor
Berg More
? Ofra 2
Harod
Jesreel
Quelle Harod
Bet-Schitta
GILBOAHÖHEN
Taanach
Iron
IRONBERGE
Zavdon
Harod
Bet-Schean
Jordan
Bet-Haggan (En-Gannim)
GINAE
Jibleam
Gilboa
Dotantal (Arrabeebene)
Hadera
Dotan
Bezeq
Rabbit
Bet-Eked
Sanurebene
Besek
Attara-Rama-Becken
Atarot
Tebez
Nablus
Beerscheba
Geba
? Bet-Omri
Jazit
Tirza
? Siftan
Scharafbecken
Samaria (Schamir)
SEBASTE
Kozo
En-Nagura

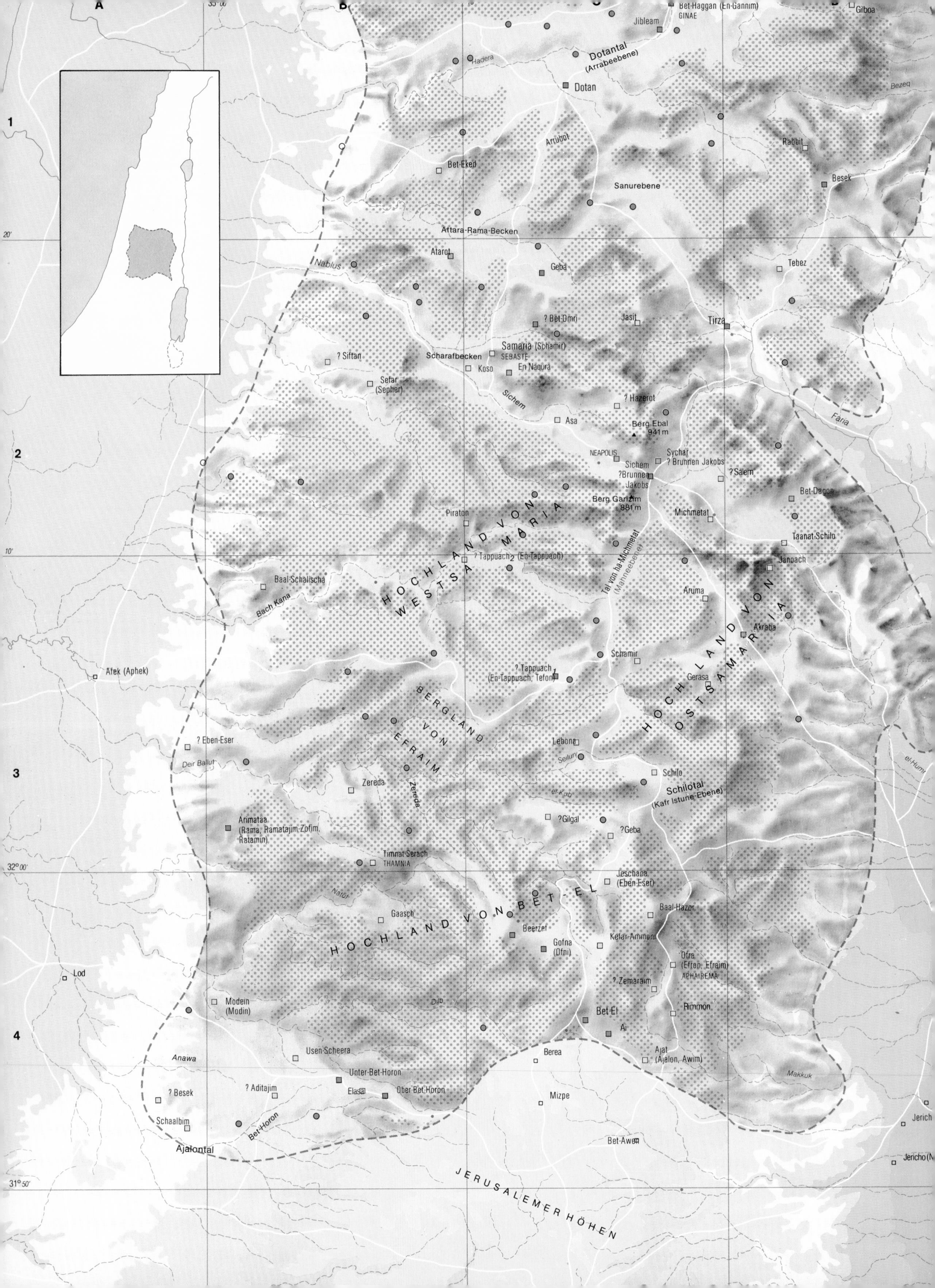

A
B
C
D
1
2
3
4
20'
10'
32° 00'
31° 50'
Bet-Haggan (En-Gannim)
GINAE
Gilboa
Jibleam
Dotantal
(Arrabeebene)
Hadera
Dotan
Bezeq
Arrubot
Rabbit
Bet-Eked
Sanurebene
Besek
Attara-Rama-Becken
Atarot
Nablus
Geba
Tebez
? Bet-Omri
Jasit
Tirza
Samaria (Schamir)
SEBASTE
? Siftan
Scharafbecken
Koso
En Naqura
Sefar
(Sepher)
Sichem
? Hazerot
Faria
Asa
Berg Ebal
941 m
NEAPOLIS
Sichem
Sychar
? Brunnen Jakobs
?Brunnen
Jakobs
?Salem
Berg Garizim
881 m
Bet-Dagon
Piraton
Michmetat
HOCHLAND VON
WESTSAMARIA
Taanat-Schilo
? Tappuach 2 (En-Tappuach)
Janoach
Tal von ha-Michmetat
(Manneebene)
Baal-Schalischa
Aruma
Bach Kana
HOCHLAND VON
OSTSAMARIA
Akraba
Schamir
Afek (Aphek)
? Tappuach 1
(En-Tappuach, Tefon)
Gerasa
BERGLAND
VON
EFRAIM
? Eben-Eser
Lebona
Seilun
el-Humr
Deir Ballut
Schilo
Zereda
Zereda
Schilotal
(Kafr Istune-Ebene)
el-Kab
?Gilgal
Arimataa
(Rama, Ramatajim-Zofim,
Ratamin)
?Geba
Timnat-Serach
THAMNIA
Jeschana
(Eben-Eser)
Natuf
Baal-Hazor
Gaasch
HOCHLAND VON BET-EL
Beerzet
Kefar-Ammoni
Gofna
(Ofni)
Ofra
(Efron, Efraim)
APHAIREMA
Lod
? Zemaraim
Modein
(Modin)
Dib
Rimmon
Bet-El
Ai
Anawa
Usen-Scheera
Berea
Ajat
(Ajalon, Awim)
Makkuk
Unter-Bet-Horon
? Besek
? Aditajim
Elasa
Ober-Bet-Horon
Mizpe
Schaalbim
Bet-Horon
Ajalontal
Bet-Awen
Jerich
Jericho (N
JERUSALEMER HÖHEN

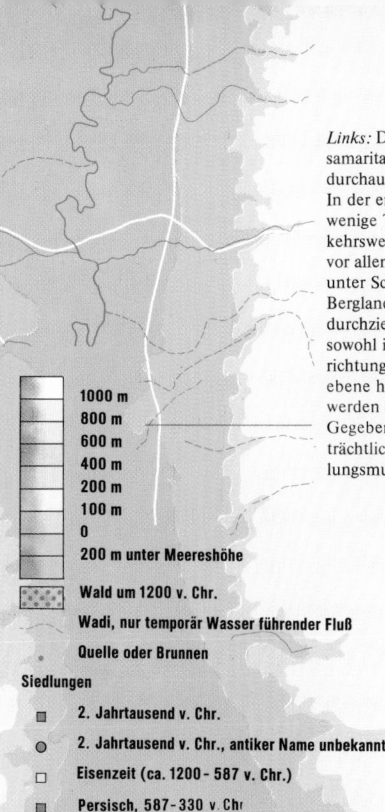

Links: Die Hügel von Bet-El und das samaritanische Hochland sind zwei durchaus unterschiedliche Regionen. In der erstgenannten gibt es lediglich wenige Täler, die bedeutende Verkehrswege darstellen; die Besiedlung, vor allem der Westseite, war hier nur unter Schwierigkeiten möglich. Das Bergland von Samaria hingegen durchziehen viele natürliche Routen, sowohl in Nordsüd- wie in Ostwestrichtung. Je näher sie an die Jesreelebene heranführen, um so breiter werden die Täler. Diese natürlichen Gegebenheiten hatten nicht unbeträchtlichen Einfluß auf das Siedlungsmuster.

immer breiter werden, bis man schließlich die recht ansehnlichen Ebenen Marj Sanur und Sahel Arrabe (das Tal von Dotan) erreicht. Ein paar Kilometer von der Sahel Arrabe entfernt liegt die Stadt Jenin am Rand des Jesreeltals, das sich als weite Ebene zwischen die Berge Samarias und Untergaliläas schiebt und maximal 20 km Breite erreicht.

Im Zuge einer detaillierteren Beschreibung der einzelnen Gebiete können wir zunächst feststellen, daß die Höhen von Bet-El im Altertum wenig Anreiz boten, sich dort niederzulassen. Das Kalkgestein, das den größten Teil des Berglandes bedeckt, machte landwirtschaftliche Nutzung unmöglich; Siedlungen lagen meist an Hängen oberhalb von Wasserläufen. Außerdem läßt das Siedlungsmuster des 2. Jahrtausends v. Chr. erkennen, daß das Gelände bewaldet war. Beispielsweise fällt auf, daß man im Kern der Berge um Bet-El Siedlungsplätze an den Ost- oder Westflanken der Bodenerhebungen bevorzugte. Die Fortbewegung wurde dadurch erschwert, daß die Wasserläufe in diese Berglandschaft tiefe Rinnen gefräst hatten, die aber nicht etwa durchgehende natürliche Routen bildeten, auf denen man das Gebiet durchqueren konnte. Die geographische Scheide zwischen den Höhen von Bet-El und dem Jerusalemer Sattel entsprach in alttestamentlicher Zeit in etwa der Grenze zwischen den Stämmen Benjamin (im Süden) und Efraim (im Norden). Vergleiche dazu die Karte auf Seite 29.

Das Hochland von Samaria beginnt im Süden an einer Linie, die etwa in westöstlicher Richtung längs der Wadis Deir Ballut, el-Kub und Seilun bis zur Sahel Kafr Istune (dem Tal von Schilo) verläuft. Seine Nordgrenze bilden die Sahel Arrabe (das Tal von Dotan), die Ebene Jesreel und die Gilboahöhen. Eine Trennlinie durch die Sahel Mahne (Emek ha-Michmetat) nach Tubas teilt das Hochland in eine Ost- und eine Westhälfte. Der Westteil der Samariterberge wird durch das hohe Zentralmassiv mit seinen berühmten Gipfeln Jebel et-Tur (Berg Garizim, 881 m) und Jebel Islamije (Ebal, 941 m) beherrscht. Zwischen diesen Gipfeln liegt das Wadi Nablus. Südlich des Zentralmassivs breiten sich die Westberge am weitesten

Abkürzung: (U) = Unlokalisiert

Aditajim Jos. 15, 36 [B4]
Ai (Aja) Gen. 12, 8; 13, 3; Jos. 7, 2–5; 8, 1–29; 9, 3; 10, 1; Esra 2, 28; Neh. 7, 32; 11, 31 [C4]
Aja 1. Chr. 7, 28 (U)
Ajat (Ajalon, Awim) Jos. 18, 23; Jes. 10, 28 [C4]
Akraba (Akrabatta, Akrabattene) Judit 7, 18; 1. Makk. 5, 3 [D3]
Arimatäa (Rama, Ramatajim-Zofim, Ratamin) 1. Sam. 1, 1. 19; 2, 11; 7, 17; 8, 4; Mat. 27, 57; Mark. 15, 43; Luk. 23, 50; Joh. 19, 38 [B3]
Aruma Richt. 9, 31. 41 [C3]
Awim *siehe* Ajat

Baal-Hazor 2. Sam. 13, 23 [C4]
Baal-Schalischa 2. Kön. 4, 42 [B3]
Berea (Beerzeth) 1. Makk. 9, 4 [C4]
Besek Richt. 1, 4–5 [A4]
Bet-El (Bet-Awen, Lus) Gen. 12, 8; 13, 3; 28, 19; 31, 13; 35, 1; 36, 8. 15–16; Jos. 8, 9. 12. 17; 12, 16; 16, 1. 2; 18, 13. 22; Richt. 4, 5; 1. Sam. 7, 6; 13, 2; 1. Kön. 12, 29–33; 13, 1. 4. 32; 2. Kön. 2, 2. 3. 23; 10, 29; 1. Chr. 7, 28; 2. Chr. 13, 19; Jer. 48, 13; Hos. 12, 5; Amos 3, 14; 5, 5; 7, 10. 13 [C4]
Bet-Horon (Unter-) Jos. 16,3; 18, 13; 1. Kön. 9, 17; 2. Chr. 8, 5; (Ober-) Jos. 16, 5; 2. Chr. 8, 5; (beide zusammen) Jos. 18, 14; 21, 22; 1. Chr. 6, 68; 7, 24 [B4]
Betulia Judit 4, 6; 6, 10. 11. 14; 7, 1. 3. 6. 13. 20 (U)
Bochim Richt. 2, 1. 5 (U)

Chephar-Ammoni *siehe* Kefar-Ammoni

Ebal, Berg, Deut. 11, 29; Jos. 8, 30. 33 [C2]
Eben-Eser *siehe* Jeschana
Elasa 1. Makk. 9, 5 [B4]
En-Tappuach Jos. 17, 17 (U)

Gaasch Jos. 24, 30; Richt. 2, 9; 2. Sam. 23, 30; 1. Chr. 11, 32 [B4]
Garizim, Berg, Deut. 11, 29; 27, 12; Jos. 8, 33; Richt. 9, 7 [C2]
Geba Jos. 21, 17 [C3]
Gedor 1. Chr. 12, 7 (U)
Gilgal Deut. 11, 30; 2. Kön. 2, 1; 4, 38 [C3]
Gofna (Ofni) Jos. 18, 24 [C4]

Hazerot Deut. 1, 1; Num. 11, 35; 33, 17 [C2]

Jakobs Brunnen Joh. 4, 6 [C2]
Janoach Jos. 16, 6. 7 [D3]
Jeschana (Eben-Eser) 1. Sam. 7, 12; 2. Chr. 13, 19 [C4]

Kefar-Ammoni (Chephar-Ammoni) Jos. 18, 24 [C4]

Lebona Richt. 21, 19 [C3]

Michmetat Jos. 16, 6; 17, 7 [C2]
Modein (Modin) 1. Makk. 2, 1. 15. 23. 70; 9, 19; 13, 25. 30; 2. Makk. 13, 14 [B4]

Ofni *siehe* Gofna
Ofra (Aphairema, Efron, Efrain) Jos. 18, 23; 1. Sam. 13, 17; 2. Sam. 13, 23; 2. Chr. 13, 19; Joh. 11, 54 [C4]

Piraton (Paraton) Richt. 12, 15; 2. Sam. 23, 30; 1. Chr. 11, 31; 1. Makk. 9, 50 [C2]

Rama, Ramatajim-Zofim, Ratamin *siehe* Arimatäa

Salem Gen. 14, 18 [C2]
Schaalbim (Saalabin, Saalbon, Salbim) Jos. 19, 42; Richt. 1, 35; 2. Sam. 23, 32; 1. Kön. 4, 9; 1. Chr. 11, 33 [B4]
Schamir Richt. 10, 1, 2 [C3]
Schechem *siehe* Sichem
Schilo Jos. 18, 1. 8. 9. 10; 21, 2. 19. 21; 22, 9. 12; Richt. 18, 31; 21, 19; 1. Sam. 1, 24; 3, 21; 4, 3. 4; 1. Kön. 2, 27; 14, 2. 4; Ps. 78, 60; Jer. 7, 12. 14; 26, 6. 9; 41, 5 [C3]
Sichem (Schechem) Gen. 12, 6; 33, 18; 34, 26; 35, 4; 37, 12–14; Num. 26, 31; Jos. 17, 2. 7; 20, 7; 21, 21; 24, 1. 25. 32; Richt. 8, 31; 9, 1–41. 46. 47. 49. 57; 21, 19; 1. Kön. 12, 1, 1. Chr. 6, 67; 7, 28; 2. Chr. 10, 1; Ps. 60, 6; 108, 7; Jer. 41, 5; Apg. 7, 16 [C2]

Taanat-Schilo Jos. 16, 6 [D2]
Tappuach (Tefon) Jos. 12, 17; 16, 8; 17, 7. 8; 2. Kön. 15, 16 [B3]
Timnat-Serach (Thamna, Timnat, Timnat-Heres) Jos. 19, 50; 24, 30; Richt. 2, 9; 1. Makk. 9, 50 [B3]

Usen-Scheera 1. Chr. 7, 24 [B4]

Zemaraim Jos. 18, 22 [C4]
Zereda 1. Kön. 11, 26 [B3]

nach Osten und Westen hin aus. Das Felsgestein ist hier sehr hart, und tiefeingefräste Täler zerschneiden das Gelände, das kaum landwirtschaftlich nutzbar ist. Die Siedlungsmuster des 2. Jahrtausends v. Chr. deuten an, daß dieser Südabschnitt des westlichen Berglands nur spärlich besiedelt war, und wenn, dann zumeist an den Quellen von Wasserläufen.

Oberhalb des Wadi Nablus bestehen die Berge vorwiegend aus kreidigem Gestein; es gibt mehrere Becken, insbesondere die von Deir Scharaf und Attara-Rama, desgleichen das Marj Sanur und die Sahel Arrabe. Im Nordsektor der Westberge ist während des 2. Jahrtausends v. Chr. eine deutliche Zunahme von Ansiedlungen zu verzeichnen, sowohl rings um die Becken als auch längs der von Wasserläufen in die Kreide-Anhöhen eingefressenen breiteren Täler. Im Norden der Sahel Arrabe beginnt das Karmelmassiv.

Auch das östliche Hochland von Samaria hat einen gebirgigen Kern, der nahezu mit dem westlichen Hochland vergleichbare Höhen erreicht, bevor es steil zum Jordangraben hin abfällt. Die Besiedlung in dieser Region war während des 2. Jahrtausends v. Chr. sehr viel spärlicher als im Westabschnitt; im Norden gab es praktisch überhaupt keine Niederlassungen; im Südteil konzentrierten sie sich entlang dem Wadi Faria sowie an den äußersten Ost- oder Westhängen des Gebirgskerns, an den Ursprüngen der Wasserläufe oder in der Nähe von Quellen.

Das Karmelmassiv unterteilt man gewöhnlich in drei Teile. Der Nordabschnitt – etwa nördlich des Nahal Tut und des Nahal Jokneam – erhebt sich steil aus dem Kischonbach zu einem Kamm, dessen Höhe nach Süden hin ansteigt und maximal 548 m erreicht. Westlich davon liegt ein Becken, das teilweise der Nahal Oren berührt. Noch weiter westlich fallen die Anhöhen flacher zur Küstenebene hin ab und werden von Wasserläufen durchschnitten, die in das Mittelmeer münden. Am Südostrand dieses ersten Sektors erhebt sich jener 482 m hohe Karmelgipfel (el-Muhraqa), wo nach der Überlieferung der Wettstreit zwischen dem Propheten Elija und den Propheten Baals stattfand (1. Könige 18).

Den zweiten Abschnitt der Karmelkette bezeichnet man als Menaschemassiv (bzw. als Menaschehöhen). Es besteht aus Kreidekalk, erstreckt sich über etwa 18 mal 12 km und steigt um so höher an, je weiter man nach Süden kommt. Unter dem Aspekt der landwirtschaftlichen Nutzbarkeit unterscheidet es sich erheblich von den weiter nördlich und südlich gelegenen Regionen. Die Besiedlungsmuster des 2. Jahrtausends lassen erkennen, wie gut es sich – verglichen mit den anderen Teilen des Karmel – für Subsistenzwirtschaft eignete. An seiner Südgrenze verlief – hauptsächlich durch das Tal des Nahal Iron – eine der wichtigsten internationalen Handelsrouten in biblischer Zeit, die Küstenstraße *Via Maris* von der Küstenebene hin zum Jesreeltal. Die höchsten Erhebungen im Kern dieser Landschaft erreichen Höhen bis zu 538 m und bilden in etwa einen Bogen. An der Nord- und Südflanke dieses »Kerns« fällt das Gelände steil in das Harodtal bzw. in das Tal von Bet-Schean ab, die beide etwa 100 m unter dem Meeresspiegel liegen. Im Altertum beschränkte sich die Besiedlung auf die Oberabschnitte dieser Täler, weil es dort weit mehr Quellen gab als anderorts.

Das Jesreeltal besitzt etwa 365 km^2 Flächenausdehnung. Von seinem Nordost- und Südost-Zipfel gehen kleinere Täler aus, womit eine Verbindung zwischen der Küstenebene nördlich von Haifa und dem Jordangraben hergestellt wird. Es ist ein riesiges Auffangbecken für den Kischonbach, der vor der Anlage der heutigen Entwässerungskanäle von Zeit zu Zeit Überschwemmungen verursachte. Wie wir noch sehen werden, war das Jesreeltal in

Oben: Das Wadi Faria ist eines der verkehrsmäßig wichtigsten Täler im ostsamaritanischen Bergland. Ein kleines Stück nördlich von Nablus beginnend, verläuft es in südöstlicher Richtung bis hin zum Jordantal.

Links: Der Zugang zu Nablus, Zeichnung von David Roberts, 1839. Der Ort liegt in einem engen, für seine Schönheit und Fruchtbarkeit bekannten Tal.

biblischer Zeit Schauplatz bedeutender Schlachten. Die Niederlassungen konzentrierten sich, am Rand der Talebene, besonders dort, wo es vom Menaschemassiv begrenzt wird.

Ein Gesamtüberblick über die hier zusammengefaßten Regionen legt die Vermutung nahe, daß - von der Jesreelebene und den Becken Westsamarias abgesehen - das gesamte Gebiet im Altertum bewaldet war. Noch immer gibt es Restbestände immergrüner Pinien- und Eichenwälder im nördlichen Karmel, während auf den Menaschehöhen die Taboreiche gedieh. Obwohl der britische Gelehrte W. M. Thomson wohl irrte, wenn er die Wälder am Jordan-Westufer für den biblischen »Wald Efraim« hielt, in dem David gegen Abschalom kämpfte (2. Samuel 18, 6-7), so enthält sein 1905 erschienener Reisebericht *(The Land and the Book...)* doch wertvolle Informationen über die natürlichen Verhältnisse, wie sie noch in der zweiten Hälfte des 19. Jahrhunderts herrschten: *Das Gebiet, wo die Schlacht ausgetragen wurde, ist nach wie vor mit dicken Eichen, stachligen Büschen und kriechenden Dorngewächsen über zerklüfteten Felsen bedeckt.*

Der biblische Bericht

Die früheste Erwähnung der Region findet sich im Buch Genesis 12, 6. Dort ist davon die Rede, daß Abraham bis zur »Orakeleiche« bei Sichem gewandert sei. Die Bedeutung der Stadt - das heutige Tell Balata - ergibt sich aus ihrer Lage. Sie erhob sich zwischen den Bergen Ebal und Garizim im Wadi Nablus an dessen Einmündung in die Sahel Mahne. Damit lag sie an der Kreuzung einer Nordsüd- mit einer Ostwestroute in einem wenig erschlossenen Gebiet. Als Abraham in Sichem weilte, erhielt er das Versprechen, Gott werde seinen Nachkommen das Land Kanaan geben (Genesis 12, 7). Auch Jakob machte hier halt, als er aus Paddan Aram (Mesopotamien) zurückkehrte. Wie es weiter heißt, erwarb er in der Stadt sogar Grund und errichtete dem Gott Israels einen Altar (Genesis 33, 18-20).

Eine etwas abgeschmackte Episode erzählt das Buch Genesis 34. Zwei der Söhne Jakobs, Simeon und Levi, überlisteten demnach die Männer von Sichem mit einem üblen Trick. Der Hiwiterprinz, der ebenfalls Sichem hieß, hatte Jakobs Tochter Dina vergewaltigt, doch wurde aus seinem Verlangen nach ihr echte Liebe und er wollte sie heiraten. Jakobs Söhne aber forderten, bevor Dina oder sonstjemand aus ihrer Familie einen Sichemiter ehelichten, müßten sich diese beschneiden lassen. Die Sichemiter stimmten zu. Doch während sie, durch das der Beschneidung folgende Wundfieber geschwächt, krank darniederlagen, fielen Simeon und Levi - gegen Jakobs Einspruch - über sie her und erschlugen sie. So wurde die ihrer Schwester zugefügte Schmach gerächt. Manchen Alttestamentlern zufolge zeugt diese Geschichte von einer frühen Eroberung Sichems noch vor der eigentlichen Landnahme durch die Israeliten. Beispielsweise hat man darauf hingewiesen, daß das Buch Josua mit keinem Wort von der Eroberung des Gebiets von Sichem spricht, und doch versammeln sich dort (am Ende des Buches; Kapitel 24) die Stämme Israels. Eine denkbare Erklärung wäre, daß Sichem nicht mehr eingenommen zu werden brauchte, weil es sich bereits vor Josua in der Hand von Israeliten befand, die nicht nach Ägypten gezogen waren.

In Deuteronomium 27 heißt es, Moses habe seinem Volk geboten, nach der Überschreitung des Jordans auf dem Berg Garizim einen Altar zu erbauen, auf dessen Steine Gottes Gesetze einzuschreiben seien. Außerdem ist ein Ritual überliefert, bei dem sechs Stämme auf dem Berg Garizim und sechs auf dem Berg Ebal Aufstellung nehmen mußten, wonach die Leviten mit feierlicher Stimme Gottes zwölf Gesetze in Form von zwölf Verboten rezitierten (sogenannter Sichemitischer Dodekalog).

Bei der Landverteilung unter die Stämme wurde das gesamte Gebiet, um das es hier geht, Efraim und Manasse zugewiesen, wobei Manasse den Löwenanteil erhielt (Josua 17, 7-18). Es ist interessant festzustellen, wie Josua auf die Enttäuschung der beiden Stämme über ihre Anteile reagierte. Die Stämme klagten:

> *Warum hast du uns als Erbbesitz nur ein Los und ein Teil gegeben, wo wir doch ein großes Volk sind, da uns der Herr bisher gesegnet hat? Da sprach Josua zu ihnen: Wenn ihr ein großes Volk seid, so zieht hinauf ins Waldland und rodet daselbst im Lande der Peresiter und Rafaiter, weil euch das Gebirge Efraim zu enge ist. Da sprachen die vom Stamme Josef: Das Gebirge reicht nicht für uns; alle Kanaanäer aber, die in der Ebene wohnen, haben eiserne Wagen, die in Bet-Schean und seinen Nebenorten und die in der Ebene Jesreel. Da sprach Josua zum Hause Josefs, zu Efraim und Manasse: Du bist ein großes Volk und hast große Kraft. Du sollst nicht nur ein Los haben, sondern Bergland soll dir zufallen; wenn es Wald ist, so rode ihn aus, und es sollen seine Ausläufer dein sein. Denn du wirst die Kanaanäer vertreiben, obschon sie eiserne Wagen haben und stark sind.* (Josua 17, 14-18)

Das Schlußkapitel des Josua-Buches enthält dann eine Ansprache, die Josua vor den in Sichem versammelten Stämmen und ihren Anführern hielt. Diese Rede schloß auch die Aufforderung ein, ausschließlich zum wahren Gott zu halten:

> *Und ich gab euch ein Land, um das ihr euch nicht abgemüht, und Städte, die ihr nicht gebaut und doch zum Wohnsitz bekommen habt; ihr esset von Weinbergen und Ölbäumen, die ihr nicht gepflanzt habt. So fürchtet nun den Herrn und dienet ihm aufrichtig und treu; tut die Götter von euch, denen eure Väter jenseits des* [Euphrat-] *Stromes und in Ägypten gedient haben, und dienet dem Herrn. Gefällt es euch aber nicht, dem Herrn zu dienen, so wählet heute, wem ihr dienen wollt: den Göttern, denen eure Väter jenseits des Stromes gedient haben, oder den Göttern der Amoriter, in deren Land ihr wohnt. Ich aber und mein Haus, wir wollen dem Herrn dienen.*
> (Josua 24, 13-15)

Die Zeit der Richter

Während der Richterzeit fanden im Tal Jesreel zwei bedeutende Schlachten statt. Bei der ersten, von der das Buch der Richter in den Kapiteln 4-5 berichtet, ging es gegen eine Koalition kanaanäischer Städte *(siehe Seite 136)*. Kapitel 4 des Richterbuches legt die Folgerung nahe, daß sich die Hauptstreitmacht der Israeliten aus den in Galiläa lebenden Stämmen Sebulon und Naftali rekrutierte. Die dichterische Darstellung in Kapitel 5 jedoch läßt vermuten, daß auch Kontingente aus den Stämmen Manasse (Machir), Efraim und Benjamin an dem Treffen teilnahmen, denn hier (5, 13-15) ist zu lesen:

> *Da zog Israel hinab, ein Heer von Gewaltigen,*
> *das Volk des Herrn ihm zu Hilfe gleich Helden.*
> *Aus Efraim stiegen sie zu Tale,*
> *hinter ihnen Benjamin mit seinen Scharen.*
> *Aus Machir stiegen Führer herab*
> *und aus Sebulon die Szepterträger.*
> *Die Fürsten in Issachar folgten Debora,*
> *und Naftali mit Barak;*
> *ins Tal zogen sie ihm nach auf dem Fuße.*
> *In den Gauen Rubens gab's lange Überlegungen.*

Möglicherweise ließ der Sieg von Debora und Barak über die kanaanäischen Städte im Norden ein Machtvakuum entstehen, das sich jene Feinde zunutze machten, die – laut Richter 6 – die Israeliten unterdrückten. Es handelte sich um die Midianiter und Amalekiter, umherschweifende Völkerschaften, die man gewöhnlich im Negev sucht *(siehe Seite* 119*)*. Vielleicht waren sie durch die dortige Trockenheit gezwungen, in den fruchtbareren Norden auszuweichen. Manche Gruppen zogen wohl durch die Küstenebene nach der Stadt Gaza (Richter 6, 4), während andere durch das Jordantal kamen und durch das Bet-Schean- und Harodtal in die Jesreelebene eindrangen, wenn sie sich nicht östlich von Edom und Moab hielten und den Jordan sodann südlich des Sees Gennesaret überquerten.

Der Held des israelitischen Triumphs über die Midianiter und Amalekiter war Gideon vom Stamm Manasse, dessen Heimatstadt Ofra man in Afule in der Jesreelebene wiedererkannt haben will. Trifft dies zu, dann holte Gideon die geographisch am nächsten wohnenden Stämme zu Hilfe: seinen eigenen Stamm Manasse sowie Sebulon und Naftali (Richter 6, 35), wenn auch Issachar unerwähnt bleibt. Die gegnerischen Kräfte sammelten sich in der Jesreelebene – die Midianiter bei Givat Hamore (dem »Hügel More«; Richter 7, 1), während Gideon an der bedeutenden Quelle des Harod (En Charod) Aufstellung nahm. Sie lag im Harodtal, und Josua reduzierte hier seine Streitmacht auf drei Hundertschaften. Zugrunde lag dieser Maßnahme die Beobachtung des Verhaltens seiner Männer beim Wassertrinken. Wer dabei wachsam blieb, wurde der kämpfenden Truppe einverleibt (Richter 7, 4–7). Gewonnen wurde die Schlacht durch eine List: Gideon rückte zur Nachtzeit an das feindliche Lager heran, die hell leuchtenden Fackeln unter Krügen verborgen. Auf ein vereinbartes Signal nahm man die Krüge von den Fackeln, der Feind aber geriet in Panik, denn er glaubte sich plötzlich von einer gewaltigen israelitischen Übermacht umzingelt (Richter 7, 15–23).

Die besiegten Midianiter flohen jordanabwärts und durchquerten das Tal, das zu den Bergen im Osten führt. Gideon verfolgte sie bis über den Jordan und rief die Männer des Stammes Efraim auf, sämtliche Jordanfurten zu besetzen, damit der Gegner nicht über den Fluß zurück konnte. Wir dürfen wohl davon ausgehen, daß die Efraimiter von der Sahel Kafr Istume (dem Tal von Schilo) an den Jordan hinabzogen. Gideons Erfolg war von derartiger Bedeutung, daß er auch in andere alttestamentliche Textpassagen einging. Psalm 83, 10–16 beschwört die Erinnerung daran ebenso herauf wie die an Debora und Barak:

Tu ihnen wie Midian und Sisera,
wie Jabin am Bache Kischon,
die vernichtet wurden zu En-Dor,
zum Dünger wurden für den Acker.
Mache ihre Edlen wie Oreb und wie Seeb,
wie Seba und Zalmunna all ihre Fürsten,
die da sprechen: Wir wollen für uns
die Wohnstatt Gottes einnehmen.
Mein Gott, mache sie wie Spreu,
wie Stoppeln vor dem Winde.
Dem Feuer gleich, das den Wald verzehrt,
der Flamme gleich, die Berge versengt,
so jage sie mit deinem Wetter
und schrecke sie mit deinem Sturm!

Weiter heißt es im Zusammenhang mit der Verheißung der Geburt bzw. Krönung des kommenden Friedensfürsten bei Jesaja 9, 3–4:

Du machst des Jubels viel, machst groß die Freude;
sie freuen sich vor dir, wie man sich freut in der Ernte,
wie man jubelt, wenn man die Beute teilt.
Denn das Joch, das auf ihm lastet,
den Stab auf seiner Schulter und den Stock seines Treibers zerbrichst du wie am Tag Midians.

Nach Gideons Tod ernannte sich sein Sohn Abimelech in Sichem zum König und regierte drei ereignisreiche Jahre lang (Richter 9). Die Behauptung, daß Gideon in Sichem eine Nebenfrau hatte (Richter 8, 31), ist mit Vorsicht zu betrachten, wenn man seine Heimatstadt Ofra mit Afule gleichsetzt. Zwar eignet sich Afule ausgezeichnet als Schauplatz der Schlacht Gideons gegen die Midianiter, andererseits aber ist es von Sichem doch recht weit entfernt, wenn man dort eine Geliebte hat. Allerdings genoß Gideon vielleicht – trotz seiner Ablehnung des Königstitels (Richter 8, 23) – ein Ansehen im Land, das weit über die Grenzen seiner Heimatstadt hinausreichte und es ihm ermöglichte, in mehreren Städten Konkubinen zu unterhalten.

Abimelech scheint seinerseits aus Aruma (Horbat el-Urma) gekommen zu sein, das südöstlich von Sichem liegt (Richter 9, 31 und 9, 1). Nachdem er die Sichemiter überredet hatte, ihn zum König zu erheben (Richter 9, 6), erklomm Jotam, Gideons einziger Sohn in Sichem, den die von Abimelech gedungenen Mörder nicht umgebracht hatten (Richter 9, 4–5), einen Vorsprung des Berges Garizim und wandte sich von dort herab mit seiner berühmten Fabel vom König der Bäume an das Volk (Richter 9, 7–20). Doch nach kurzer Zeit verschlechterten sich die Beziehungen zwischen Abimelech und den Sichemitern. Schließlich machte er die Stadt dem Erdboden gleich und streute Salz auf die Ruinen (Richter 9, 45). Die Zitadelle ließ er niederbrennen, wobei alle den Feuertod erlitten, die dort Zuflucht gefunden hatten (Richter 9, 46–49). Er selbst kam bei der Belagerung von Tebez ums Leben – nach einer Ansicht handelt es sich dabei um das heutige Tubas, nach einer anderen aber um Tirza (Tell el-Fara; Richter 9, 50–58).

Wie wir noch sehen werden, spielte Sichem auch lange nach der Richterzeit noch eine bedeutende Rolle in der Geschichte Israels. Doch zunächst wenden wir uns einer weiteren Stadt zu, die in der prämonarchischen Phase eine wichtige Funktion als Kultstätte hatte: Schilo (das heutige Seilun) liegt am Nordrand einer kleinen Ebene, von der aus man durch das Wadi Fassail oder Wadi el-Humr leicht hinab ins Jordantal gelangt. Nach Josua 18, 1ff. versammelten sich dort die Israeliten, und sieben Stämme erhielten dort Landanteile. Bei dieser Josua-Stelle ist außerdem davon die Rede, daß die Israeliten ihr Heiliges Zelt (die Stiftshütte) in der Stadt aufstellten. Angesichts dessen mutet es freilich seltsam an, daß die Bundeslade sich damals – laut Richter 20, 27 – nicht in Schilo, sondern in Bet-El befand, einem anderen wichtigen Heiligtum, auf das wir später noch zurückkommen werden. Das alljährliche Fest in Schilo aber bot den Männern des Stammes Benjamin, denen es an heiratsfähigen Frauen fehlte, willkommene Gelegenheit, einige der dabei anwesenden Mädchen zu entführen.

Schilo bildet auch den Rahmen für die einleitenden Passagen des 1. Samuelbuchs – es handelt sich um die berühmte Erzählung von Anna, die Gott anflehte, den Fluch der Kinderlosigkeit von ihr zu nehmen und ihr einen Sohn zu schenken, der wiederum Gott geweiht sein sollte (1. Samuel 1). Der Knabe, den Anna gebar, war kein anderer als Samuel, der später im Heiligtum diente und eines Abends eine Stimme vernahm, die ihn rief. Es war Gottes Stimme (1. Samuel 3). Der Herr sprach, er werde das Haus des

Priesters Eli wegen der Verworfenheit von Elis Söhnen bestrafen (1. Samuel 2, 12–17 und 3, 10–14). In Erfüllung ging diese Drohung, als die Philister Israel bei Afek besiegten, die auf das Schlachtfeld getragene Bundeslade in ihren Besitz brachten und zwei der Söhne Elis töteten. Der Wortlaut in 1. Samuel 4 enthält keinerlei Anhaltspunkte dafür, daß Schilo damals zerstört wurde. Vielmehr ergibt sich bei genauerem Hinsehen aus 1. Samuel 4, 17 ff., daß es damals gar nicht zerstört worden sein kann, denn Eli hielt sich ja dort auf, als man ihm die Nachricht überbrachte, seine Söhne seien tot und die Bundeslade verloren. Zur Zeit Jeremias (spätes 7. Jahrhundert v. Chr.) erzählte man sich indessen, Gott habe Schilo vernichtet (Jeremia 7, 12). Mag sein, daß die Philister die Stadt in Trümmer legten, *nachdem* sie ihren Sieg bei Afek errungen hatten. Afek beherrschte eine der wenigen Ostwestrouten quer durch das Bergland von Samaria und lag nahezu auf gleicher Höhe wie Schilo.

Dieser Kopf einer ägyptischen Figurine aus Jokneam erinnert an den Feldzug, den Tuthmosis III. (1479–1426) kurz nach dem Tod der Königin Hatschepsut (um 1459/1458) unternahm. Er errang damals bei Megiddo einen entscheidenden Sieg über eine Koalition kanaanäischer Fürsten.

Die Tatsache, daß die Philister die Bundeslade nach Afek brachten (1. Samuel 4, 1–4), und die Vermutung, daß sie Schilo erst *nach* ihrem militärischen Erfolg bei Afek niederrissen, fügen sich ausgezeichnet in den Rahmen der geographischen Verhältnisse. Von Schilo ist dann erst wieder bei Jeremia 41, 5 die Rede. Hier erfahren wir, daß nach Jerusalems Zerstörung (587 v. Chr.) und der Ermordung des Statthalters Gedalja (etwa 582 v. Chr.) Männer aus Schilo, Samaria und Sichem nach Mizpe kamen, wo sich der Sitz der babylonischen Verwaltung befand. Diese Männer waren unterwegs, um dem »Haus des Herrn« Opfergaben zu bringen. Sie wurden fast alle von Gedaljas Mördern (als unliebsame Zeugen?) umgebracht.

Seit dem Aufstieg König Davids bis zur Einnahme durch die Babylonier hatte Jerusalem alle anderen traditionsreichen Städte wie Beerscheba, Hebron, Sichem und Bet-El in den Schatten gestellt. Nach Salomos Tod waren die Stämme des Nordens jedoch entschlossen, nicht länger jene Benachteiligung zu dulden, der sie unter ihm ausgesetzt waren. Also versammelten sie sich in Sichem und legten Salomos Sohn Rehabeam (Regierungszeit: um 930–910) ihre Forderung vor (1. Könige 12, 1–11). Interessanterweise war Rehabeam nach Sichem gereist, um dort die Königswürde Israels zu empfangen, während David noch in Hebron zum König über ganz Israel (einschließlich des Gebiets der Nordstämme) und Salomo in Jerusalem zum König des gesamten Reichs (1. Könige 1, 38–40) ausgerufen worden war. So stand Sichem zwar zweifellos noch immer hinter Jerusalem zurück, hatte aber offensichtlich an Ansehen und Bedeutung gewonnen. Rehabeam weigerte sich, auf die Forderungen einzugehen, und so kam es zum Abfall der Nordstämme unter Jerobeam (1. Könige 12, 16–24), der sich von einem Propheten namens Ahija aus Schilo unterstützt wußte. Dieser hatte sein Gewand in zehn Stücke zerrissen und sie an die zehn Stämme der nördlichen Reichshälfte gesandt (1. Könige 11, 26–32). So wollte er zum Ausdruck bringen, Gott habe dem Haus Davids die Herrschaft über den Nordteil des Reiches genommen. Anfangs baute Jerobeam Sichem zur Hauptstadt aus (1. Könige 12, 25), doch dann verlegte er seine Residenz wohl nach Penuel im Jordangraben. Vermutlich hatte dies mit dem Feldzug zu tun, den der ägyptische Pharao Schischak (Sheshonq I.) im Jahre 924 v. Chr. gegen Palästina unternahm, wobei er sowohl Israel als auch Juda überfiel und verwüstete. Dies ist die letzte nennenswerte Erwähnung Sichems im Alten Testament, wenn man von der oben angeführten Jeremia-Stelle absieht.

Das Heiligtum von Bet-El

Mit die bedeutendste Tat König Jerobeams I. von Israel bestand darin, daß er Bet-El zu einer der Hauptkultstätten seines Reiches machte (1. Könige 12, 29). Die Stadt (das heutige Beitin) liegt am Südrand der Bet-El-Berge an einer Kreuzung zweier Straßen, die von Norden nach Süden bzw. von Osten nach Westen führen. Sie verfügte über genügend Quellwasser, ihre Position im Verteidigungsfall war allerdings nicht sehr stark. Die Bibel erwähnt Bet-El erstmals im Buch Genesis 12, 8. Dort hatte Abraham, als er von Sichem nach dem Negev und dann weiter nach Ägypten wanderte, einen Altar errichtet, und er kehrte auch nach seinem kurzen Aufenthalt in Ägypten dorthin wieder zurück (Genesis 13, 1–4). In Bet-El trennten sich Abraham und Lot, da auf den bewaldeten Höhen ringsum kein Platz für ihre beiden Herden war. Von der Stadt sieht man hinab ins Jordantal, und Lot beschloß, in diese Gegend zu ziehen, die »vollständig bewässert war wie der Garten des Herrn« (Genesis 13, 10).

Wir begegnen Bet-El dann wieder in der Jakobserzählung. Es war der Ort, in dem Jakob seinen berühmten Traum von der Himmelsleiter hatte (Genesis 28, 10–22), auf der Engel auf- und abstiegen. Eine lebhafte Schilderung der Siedlung und der beachtlichen Steinsäulen nördlich davon, die vielleicht diesem Traum zugrunde liegen, gibt der amerikanische Gelehrte J. P. Peters in seinem Buch *Early Hebrew Story. Its Historical Background* (London 1908):

> *Man befindet sich hoch über Jerusalem, das im Süden von weitem sichtbar ist und blickt über eine Folge von Anhöhen und über die gewaltige, tiefe Kluft des Jordangrabens hinüber nach Gilead und Moab ... Hier hat die Natur sich eine so einzigartige Laune erlaubt, daß es schwerfällt zu glauben, dies sei wirklich ein Spiel der Natur und nicht Menschenwerk. Riesige Steine scheinen aufeinandergetürmt, so daß sie Säulen von 9 oder 10 Fuß* [2, 7–3 m] *Höhe bilden ... Wer auf einer der Bergeshöhen oberhalb von Bet-El steht, und vor allem abends, wird die faszinierende Erzählung von Jakobs Flucht völlig neu verstehen, in der geschildert wird, wie er von der hereinbrechenden Nacht in der Nähe von Bet-El überrascht wurde, und auf dieser Höhe, die dem Himmel so viel näher war als die Landschaft um ihn herum, erblickte er die »Himmelsleiter«.*

Zu dieser Beschreibung paßt es ausgezeichnet, daß Jakob am Morgen danach eine Säule aufstellte und mit Öl salbte. Laut Josua 12, 16 war ein König von Bet-El unter jenen Fürsten, die Josua besiegte. Die Eroberung der Stadt allerdings wird erst im Buch der Richter (1, 22–25) behandelt. Nicht weit von Bet-El liegt Ai (das heutige Chirbet et-Tell), dessen Einnahme Josua nach seinem Sieg über Jericho zunächst nicht gelang (Josua 7, 2–5). Dem archäologischen Befund zufolge war Ai jedoch zwischen etwa 2400 und 1200 v. Chr. – also noch zur Phase der israelitischen Landnahme – überhaupt nicht bewohnt. Zu den Versuchen, beide Aussagen miteinander in Einklang zu bringen, gehört der Vorschlag, Ai als damaligen Außenposten von Bet-El anzusehen (vgl. Josua 8, 17). Da Ai im Hebräischen »Ruine« bedeutet, entbehrt die Erzählung vielleicht nicht einer gewissen beabsichtigten Ironie und besagt einfach, die Israeliten hätten versucht, eine Ruine zu erobern und seien dabei gescheitert.

Der Ruf, den Bet-El als Heiligtum genoß, hatte zur Folge, daß dort während der Richterzeit die Bundeslade aufgestellt wurde (Richter 20, 27) und Jerobeam es – wie schon eingangs erwähnt – zu einer der Hauptkultstätten des Nordreiches Israel machte. Dieses Heiligtum in Bet-El, als Gegengewicht gegen Jerusalem gedacht, sollte für die Autoren der Bücher der Könige, die die Geschichte der Israeliten während der folgenden drei Jahrhunderte aufzeichneten, eine Quelle beständigen Ärgers werden. Nach der Einweihung der Kultstätte, so schreiben sie, sei ein »Gottesmann aus Juda« nach Bet-El gekommen und habe zum Rauchopferaltar gesprochen:

Altar, Altar! So spricht der Herr: Siehe, es wird dem Hause Davids ein Sohn geboren werden mit Namen Joschija; der wird auf dir die Höhenpriester schlachten, die auf dir opfern, und man wird Menschengebeine auf dir verbrennen. (1. Könige 13, 2-3)

Bis sich diese Weissagung zur Zeit Joschijas erfüllte (2. Könige 23, 15-20), verurteilen die Königsbücher jeden Herrscher des Nordreiches, weil er ein Nachfolger Jerobeams war.

Aus anderen Gründen urteilte auch der Prophet Amos sehr streng über Bet-El. Während die Verfasser der Königsbücher in dem Heiligtum einen Verstoß gegen das Gebot des Deuteronomiums (12, 13-14) sahen, Gott dürfe nur an jenem Ort geopfert werden, den er selbst sich ausersehen habe, meinte Amos, der Kult in Bet-El beleidige Gott, weil seine Anhänger in ihrem sonstigen Tun und Lassen dem Herrn nicht wohlgefällig waren, vor allem, was die soziale Gerechtigkeit betraf:

Hört es und zeugt wider das Haus Jakob, spricht Gott der Herr, der Gott der Heerscharen. An dem Tage, wo ich an Israel seine Freveltaten heimsuche, da suche ich sie heim an den Altären von Bet-El; da werden die Hörner des Altars abgehauen und fallen zu Boden. Und ich zerschlage das Winterhaus mitsamt dem Sommerhaus; aus ist's dann mit den Elfenbeinhäusern, die Ebenholzhäuser verschwinden, spricht der Herr. (Amos 3, 13-15)

Sich voller Ironie an die Frommen wendend, fordert er sie auf: *Kommt nach Bet-El und frevelt!* (Amos 4,4). Später aber erklärt er: *Bet-El wird zunichte.* (Amos 5,5). Diese und andere Äußerungen gegen die Stadt provozierten den dortigen Priester Amasja:

Seher, geh, fliehe ins Land Juda; dort iß dein Brot und dort prophezeie! In Bet-El aber darfst du nicht mehr prophezeien; denn das ist ein Königsheiligtum und ein Reichstempel. (Amos 7, 12-13)

Amos aber ließ sich nicht so ohne weiteres abschieben. Mochten die Traditionen des Königsheiligtums auch bis zu Abraham und Jakob zurückreichen – für den Propheten zählte einzig sein Auftrag von Gott:

... Ich bin kein Prophet und kein Prophetenjünger, sonder ein Viehhirt bin ich und ziehe Maulbeerfeigen. Aber der Herr hat mich hinter der Herde weggenommen, und der Herr hat zu mir gesprochen: Gehe hin und weissage wider mein Volk Israel. Und nun, höre das Wort des Herrn! Du verbietest mir, wider Israel zu weissagen und zu reden wider das Haus Isaak. Darum spricht der Herr also: Dein Weib wird zur Dirne in der Stadt, deine Söhne und Töchter fallen durch das Schwert, dein Land wird mit der Meßschnur verteilt; du aber wirst in unreinem Lande sterben, und Israel muß in die Verbannung, hinweg aus seinem Lande.
(Amos 7, 14-17)

Die Hauptstadt Samaria

Amos lebte um die Mitte des 8. Jahrhunderts. Zwar stellte Bet-El zu seiner Zeit noch ein bedeutendes Heiligtum dar, die Hauptstadt des Nordreiches Israel war jedoch seit mehr als hundert Jahren Samaria, das von Omri (um 882/81-871 v. Chr.) errichtet worden war. Omri, ein Feldherr, hatte den Thron nach einem Staatsstreich und anschließendem Bürgerkrieg an sich gerissen (1. Könige 16, 15-22). Vielleicht wurde ihm bewußt, daß sein Reich ein neues Zentrum brauchte, als er Tirza belagerte, das seit den Tagen Jerobeams nach Sichem und Penuel Residenz gewesen war. Gewöhnlich identifiziert man Tirza mit Tell el-Fara.

Samaria liegt nordwestlich von Sichem, nahe der Ebene von Deir Scharaf in den Bergen Samarias, an einer Route, die durch das Wadi Nablus hinab zur Küstenebene führt. Die Stadt erhebt sich auf einer 463 m hohen, weitgerundeten Kuppe. Omris Wahl seiner Residenz war klug, was sich schon dadurch belegen läßt, daß sie sich 722/721 v. Chr. erst nach dreijähriger Belagerung den Assyrern ergab (2. Könige 17, 5). Bis dahin war Samaria ohne Unterbrechung die Metropole des Nordreiches gewesen.

Trotz der unzweifelhaften politischen und wirtschaftlichen Leistungen Omris, widmet die Bibel ihm nur ganze 14 Zeilen, während viel ausführlicher über Omris Sohn Ahab (871-852) und dessen Gemahlin Isebel berichtet wird, in deren Regierungszeit der Prophet Elija und andere Prophetenschulen einen erbitterten Kampf gegen das Königshaus führten, bei dem es darum ging, wer Israels Gott sein sollte. Elija prophezeite dem Land eine Dürre, die tatsächlich eintrat. Ahab war nach drei Jahren genötigt, das Land nach Wasser und Futter für seinen Viehbestand zu durchkämmen:

Komm, wir wollen das Land durchziehen nach allen Wasserquellen und nach allen Bächen! Vielleicht finden wir Gras, daß wir Pferde und Maultiere am Leben erhalten und nicht einen Teil der Tiere töten müssen.
(1. Könige 18, 5)

Es folgt die Auseinandersetzung zwischen Elija und den Baalspropheten auf dem Berg Karmel. Nach der Überlieferung fand diese auf der Karmelspitze statt, einem Punkt am südlichen Rand des Karmelgebirges wo die Kämme zweier Hauptketten zusammenstoßen. Heute befindet sich dort ein wenig unterhalb der 482 m hohen Erhebung das Mutterkloster der Karmeliter. Zwar läßt sich nicht beweisen, daß der Prophetenwettstreit hier anzusiedeln ist, doch kann an diesem eindrucksvollen Ort durchaus jener Altar gestanden haben, der bei der Auseinandersetzung eine Rolle spielte.

Die Bedingungen des Gottesurteils lauteten: Jede Partei sollte zu ihrem Gott beten, er möge Feuer vom Himmel fallen lassen, das ein auf dem Altar liegendes Opfer verzehren sollte. Gegen Elija waren 450 Baalspropheten angetreten, aber trotz ihrer Gebete und Beschwörungen, der Verwundungen, die sie sich mit Schwertern und Spießen beibrachten, sowie der seltsamen Tänze, die sie vollführten, fiel kein zündender Strahl vom Himmel. Dies geschah vielmehr erst, als Elija den Gott Israels anrief. Vielleicht war es ein Blitz, der den vorbereiteten Holzstoß auf dem Altar in Flammen setzte – jedenfalls berichtet die Bibel, das Feuer habe nicht nur das Opfer verzehrt, sondern sogar das Wasser in dem Graben, der den Altar umgab. Daraufhin wurden die Baalspropheten in der Jesreelebene, im Tal des Kischonbaches, umgebracht, wohin tatsächlich ein Pfad von der Karmelspitze führt. Nach dem Prophetenwettstreit sah Elijas Diener ein winziges Wölkchen über dem Meer, und als der Himmel anfing sich zu verdüstern, riet Elija König Ahab, sich auf schnellstem Wege nach Jesreel zu begeben, um vor dem Wolkenbruch und einem möglichen Über-die-Ufer-Treten des Kischon dort einzutreffen. Jesreel, wahrscheinlich Ahabs Winterresidenz, lag ganz im Osten der Jesreelebene, wo diese mit

Oben rechts außen: Zu den Funden aus dem israelitischen Samaria des 9. Jahrhunderts v. Chr. gehören die berühmten Elfenbeinschnitzereien, die einst den prachtvollen Königspalast Ahabs (871-852) schmückten. Die Aufnahme zeigt eine Sphinx in einem Lotusdickicht.

Oben: Das von Herodes dem Großen umgebaute und in Sebaste (»Augustusburg«) umbenannte Samaria weist noch zahlreiche Spuren aus der Römerzeit auf, darunter diese einstige Römerstraße.

Rechts: Unweit der Stätte des alten Bet-El liegt heute das Araberdorf Beitin. Dem Alten Testament zufolge errichtete Abraham in Bet-El einen Altar, und Jakob ließ hier ein kultisches Steinmal (eine Massebe) aufstellen. Später wurde der Ort eines der bedeutendsten Heiligtümer des Nordreichs Israel.

dem Tal Harod und dem Tal von Bet-Schean zusammentrifft - also etwa 30 km vom Ort des Gottesurteils entfernt. So brach Ahab denn unverzüglich nach der Stadt auf, Elija aber, von der Kraft Gottes geleitet, überholte seinen Wagen zu Fuß und war bereits vor ihm am Ziel (1. Könige 18, 41-46). Auf dem Karmel scheint auch der Prophet Elischa einen seiner Schlupfwinkel gehabt zu haben, denn dorthin ging die Schunemiterin, als ihr Sohn gestorben war (2. Könige 4, 25).

Aus der Zeit der Propheten Elija und Elischa und der mit ihnen verfeindeten Herrscher Omri und Ahab sind ferner aufschlußreiche Erzählungen überliefert, in denen Samaria eine Rolle spielt. So lesen wir beispielsweise im 1. Buch der Könige 20, der Aramäerkönig Ben-Hadad habe mit zahlreichen Pferden und Streitwagen Samaria bedrängt; vermutlich lagerten seine Truppen in der Ebene von Deir Scharaf.

Die Aramäer wurden geschlagen (1. Könige 20, 16-21) und legten sich für ihre unverhoffte Niederlage folgende Erklärung zurecht:

> *Ihr Gott ist ein Gott der Berge; darum haben sie uns überwunden. Wenn wir dagegen in der Ebene mit ihnen kämpfen könnten, gewiß würden wir sie überwinden!*
> (1. Könige 20, 23)

Im Frühjahr darauf (also bei Ende der Regenzeit) zog man erneut in die Schlacht (1. Könige 20, 26). Die Straßen waren jetzt leichter passierbar als im Winter, und es gab Gras für die Tiere sowie Feldfrüchte für die Soldaten. Diesmal wurde bei Afek (Aphek) in der Küstenebene gekämpft, wo einst die Philister über die Israeliten gesiegt hatten. Die Aramäer zogen abermals den Kürzeren, doch Ahab schonte Ben-Hadad, obwohl ein Prophet ihm bedeutete, dies sei Ungehorsam gegen Gott (1. Könige 20, 35-43).

In Samaria fand auch das Treffen zwischen Ahab und dem König von Juda, Joschafat, statt, als dessen Folge es zur Schlacht bei Ramot-Gilead kam (1. Könige 22). Bei diesem Anlaß trat der Prophet Micha, der Sohn Jimlas, gegen vierhundert andere Propheten auf, die Ahab einen glänzenden Sieg verhießen. Micha berief sich auf eine göttliche Vision und riet von der militärischen Konfrontation ab. Dennoch entschied man sich für die Schlacht, und Ahab fiel. Die Autoren der Bibel betrachteten seinen Tod als Strafe für sein Verhalten gegenüber Nabot, dessen Weinberg Ahab um jeden Preis hatte besitzen wollen (1. Könige 21). Besagter Weinberg lag in Jesreel neben Ahabs Palast und stach ganz besonders Ahabs Gemahlin Isebel in die Augen. Da Nabot sich weigerte, ihn dem König zu verkaufen, ließ Isebel ihn der Gotteslästerung anklagen und zu Tode steinigen. Doch diese Hinterlist trug Ahab den schärfsten Tadel Elijas ein, der ihm vorhersagte, die Hunde würden sein Blut lecken, wie sie das Blut Nabots aufgeleckt hatten. Und dies traf auch ein, als man den gefallenen König zur Bestattung nach Samaria brachte (1. Könige 22, 38).

Unter der Regierung von Ahabs zweitem Sohn, Joram, belagerten die Aramäer zum wiederholten Male Samaria und setzten der Stadt dermaßen zu, daß sie beinahe kapitulierte (2. Könige 6, 24–7, 20). Die Hungersnot nahm so entsetzliche Formen an, daß man Kinder kochte und verspeiste. Doch Elischa verhieß ein rasches Ende der Belagerung. Tatsächlich flohen die Aramäer in panischem Schrecken, weil sich unter ihnen das Gerücht verbreitete, die Könige der Hethiter und Ägyptens eilten dem Herrscher Israels zu Hilfe, um Samaria zu befreien. Vier Aussätzige, die die Stadt nicht betreten durften, drangen in das verlassene Lager der Aramäer ein und machten sich ein paar angenehme Stunden, indem sie nach Herzenslust aßen und tranken. Doch einem von ihnen kamen bei dieser Schwelgerei Bedenken:

Es ist nicht recht, was wir da tun; der heutige Tag ist ein Tag froher Botschaft. Wenn wir schweigen und warten, bis es heller Morgen wird, so trifft uns Schuld. Wohlan, denn, laßt uns hineingehen und es im Palast des Königs sagen. Und als sie hinkamen, riefen sie die Torhüter der Stadt an und meldeten ihnen: Wir sind zum Lager der Syrer [= Aramäer] *gekommen, aber es war kein Mann zu sehen und nichts von einem Menschen zu hören, nur die Pferde und Esel angebunden, und ihre Zelte, wie sie lagen und standen.* (2. Könige 7, 9–10)

Die frohe Kunde verbreitete sich in Windeseile in der Stadt. Da man jedoch zunächst eine Kriegslist befürchtete, sandte man zwei Pferdegespanne und Kundschafter aus, die den gesamten Fluchtweg der Aramäer bis hin zum Jordan mit weggeworfenen Kleidern und Waffen bedeckt fanden.

Die Feindschaft zwischen den Propheten Elija und Elischa einerseits sowie den Familien Omris und Ahabs andererseits führte schließlich dazu, daß einer der Schüler Elischas nach Ramot-Gilead ging und dort einen hohen Offizier, Jehu, zum Herrscher von Israel salbte, mit dem Auftrag, die Familien Omris und Ahabs auszurotten (2. Könige 9, 1–10). König Joram erholte sich gerade in Jesreel von den Wunden, die er im Kampf bei Ramot-Gilead davongetragen hatte. Jehu eilte so rasch nach Jesreel, daß er dort noch vor der Nachricht von seiner Proklamation und Salbung eintraf. In der Stadt hielt sich aber nicht nur der nichtsahnende Joram auf, sondern auch Achasja, der König Judas, der Joram einen Besuch abstattete. Als beide vor den Palast traten, um den Ankömmling zu begrüßen, schoß Jehu Joram mit einem Pfeil nieder und verfolgte dann Achasja, der in Richtung Bet-Haggan (Jenin) flüchtete. Nachdem er auch Achasja getötet hatte, ließ Jehu Ahabs Gattin Isebel umbringen, desgleichen die 70 in Samaria lebenden Söhne Ahabs, deren Köpfe die beflissenen Stadtältesten nach Jesreel brachten, wo man sie beiderseits des Stadttores in zwei Haufen aufstapelte.

Der Sieg dieser von Elija und Elischa inspirierten, von Jehu aber durchgeführten »Prophetenrevolution« bedeutete allerdings noch keine dauerhafte Rückkehr der Bevölkerung Israels zu ihrem Bundesgott. So beklagten im 8. Jahrhundert die Propheten erneut den Götzendienst und die Ungerechtigkeit der Bewohner Samarias. Hosea sprach von »Samarias Bosheit« (Hosea 7, 1) und prophezeite: *Vernichtet ist Samarien, sein König gleicht dem Splitter, der auf dem Wasser treibt* (10, 7–8), während Amos (4, 1) die Klage erhob: *Hört dieses Wort, ihr Baschankühe auf dem Berge Samariens! die ihr die Geringen bedrückt und die Armen zermalmt und zu euren Männern sagt: Schaff her, daß wir zechen!*

Für Micha war Samaria sogar die Hauptursache der Verderbnis des Nordreiches:

Woher die Missetat Jakobs? Nicht von Samaria? . . . So will ich denn Samaria zum Steinhaufen im Felde, zum Pflanzland für Reben machen, will seine Steine zu Tale stürzen und seine Grundfesten bloßlegen. All seine Bilder sollen zerschlagen und all seine Weihgeschenke verbrannt werden, und all seine Götzen will ich verwüsten; denn von Dirnenlohn sind sie zusammengebracht, und zu Dirnenlohn sollen sie wieder werden. (Micha 1, 5–7)

Mit der Zerstörung Samarias im Jahr 722/21 v. Chr. gingen dann all diese Weissagungen in Erfüllung, obwohl sie keineswegs das Ende der Existenz Samarias bedeutete und nicht einmal den völligen Verlust seiner Bedeutung als Hauptstadt zur Folge hatte. Im übrigen sollte auch eine eher wunderbare Episode nicht unerwähnt bleiben, die das Alte Testament berichtet und in der Samaria eine Rolle spielt.

Und zwar heißt es in der biblischen Erzählung über das Wirken des Propheten Elischa (2. Könige 6, 8–23), der aramäische König habe eine Armee ausgesandt, um ihn gefangenzunehmen, weil er sonst – dank seiner Sehergabe – sämtliche Pläne des Aramäer-Herrschers an den König Israels verriete. Als Elischas Diener frühmorgens aufstand, fand er die Stadt Dotan, in der sich Elischa aufhielt, von Pferden und Streitwagen umstellt und meldete dies seinem Herrn. Da sprach der Prophet die denkwürdigen Worte: *Fürchte dich nicht! denn derer, die bei uns sind, sind mehr als derer, die bei ihnen sind* (2. Könige 6, 16). Er betete dann, auch sein Diener möge sehen, was er sehe: Rings um Elischa war der gesamte Berg voller Pferde und Wagen aus Feuer. Dann bat der Prophet den Herrn, die feindliche Armee vorübergehend mit Blindheit zu schlagen und führte sie mitten nach Samaria in die Gewalt des Königs von Israel, wollte aber nicht zulassen, daß man die Gegner tötete.

Nachdem Samaria 722/21 v. Chr. gefallen war, deportierten die Assyrer deren Einwohner und siedelten an ihrer Stelle Personen aus anderen Teilen des Assyrerreichs an (2. Könige 17, 24). Dies gab dem Heidentum neuen Auftrieb, und es wird berichtet, Gott habe die Bevölkerung durch eine Löwenplage bestraft (2. Könige 17, 25). Vermutlich kümmerte sich in den unruhigen Kriegszeiten und nach der Zwangsumsiedlung niemand mehr um die Löwenjagd, so daß sich diese Raubkatzen ungehindert vermehren konnten. Samaria selbst wurde nun assyrische Provinzhauptstadt.

Eine andere bedeutende Stadt Alt-Israels, die jedoch in der Bibel nur selten genannt wird, war Megiddo. Es besaß grandiose Wehranlagen und erhob sich an einem strategisch äußerst günstigen Punkt in Hanglage über der Jesreelebene, und zwar an der Nordostecke der Menaschehöhen, die die Straße von der Küstenebene durch das Hochland in die Jesreelebene beherrschen. Laut Josua 12, 21 ist Megiddos König getötet worden, aber im Buch der Richter 1, 27 lesen wir, der Stamm Manasse habe die Einwohner der Stadt und der dazugehörigen

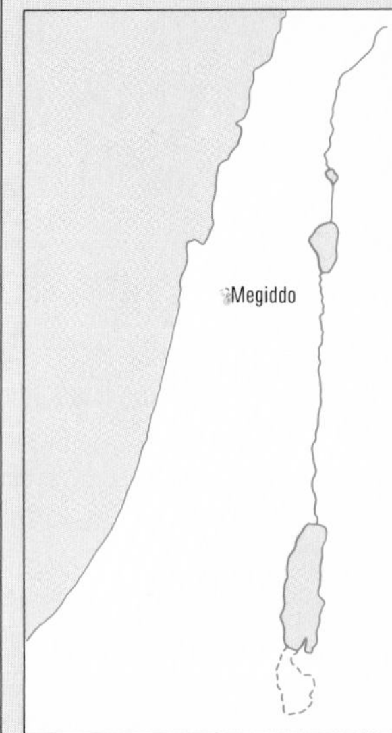

Rechts: Diese Elfenbeinarbeit zeigt einen Herrscher auf seinem Thron bei der Parade der siegreichen Soldaten mit ihren Kriegsgefangenen. Das Fragment stammt aus dem 14. oder 13. Jahrhundert v. Chr. und verrät ägyptischen Einfluß.

Ganz rechts: Das Jaspis-Siegel aus dem 8. Jahrhundert trägt die Legende: *Besitz Schemas, des Dieners Jerobeams.*

Oben: Hörneraltar aus dem 10./9. Jahrhundert v. Chr.

Rechts: Luftaufnahme von Megiddo mit Blick nach Norden. In der Bildmitte erkennt man das runde israelitische Getreidesilo. Links unterhalb davon lagen die berühmten Pferdeställe. Jenseits des Tells erstreckt sich die Jesreelebene.

Megiddo

Obwohl die Ansiedlung im Alten Testament nur relativ selten erwähnt wird, ergaben Ausgrabungen, daß sie während des Großteils ihrer Geschichte (4. Jahrtausend - 4. Jahrhundert v. Chr.) außerordentliche Bedeutung besaß. Im Laufe des 2. Jahrtausends ging das ursprünglich kanaanäische Megiddo durch ägyptische, israelitische und philistäische Hände, bis es unter König David (um 1000) dem Reich Israel einverleibt wurde. Salomo machte es zur Metropole eines seiner Verwaltungsbezirke. Ihm wurde auch lange der Bau der imposanten Ställe zugeschrieben, in denen 450 Pferde untergebracht waren: nach neuesten Untersuchungen entstand die Anlage jedoch unter der Regierung von Ahab (871–852). In der Folge wurde die Stadt dann zweimal von den Assyrern zerstört (732 durch Tiglat-Pileser III., 723 durch Salmanassar V.), aber wiederaufgebaut. In der Perserzeit (ab 538) war Megiddo nicht mehr als ein unbedeutendes Dorf, das man irgendwann im 4. Jahrhundert ganz aufgab.

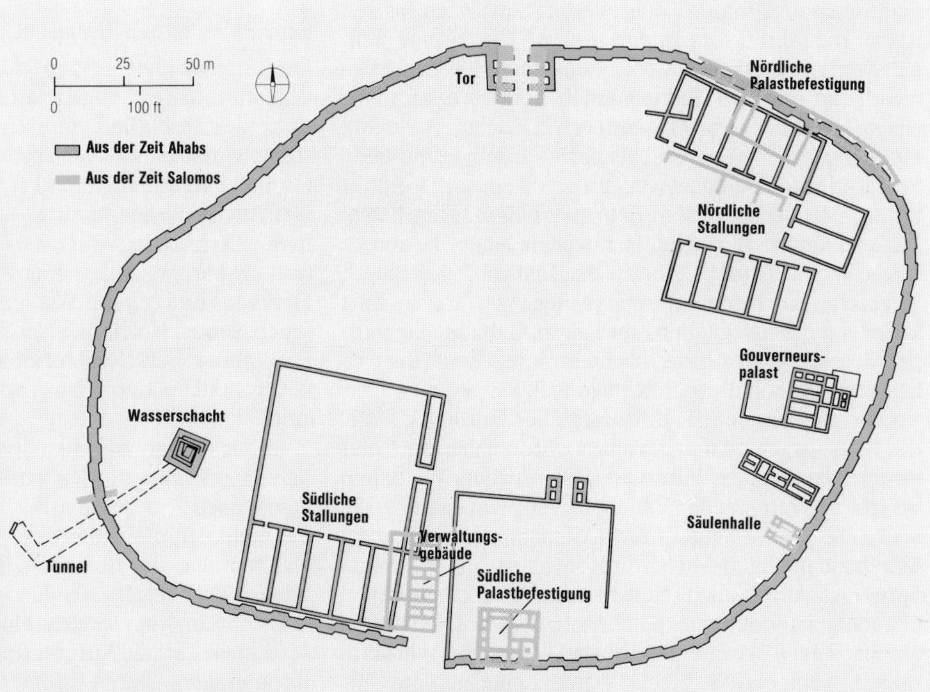

Unten: Teil des Tunnels, der der Stadt aus einer Quelle am Nordwestfuß des Tells Wasser zuführte. Der Tunnel entstand wahrscheinlich zur Zeit König Ahabs.

Ganz unten: Figurinen eines Widders und eines Affen aus Megiddo.

Dörfer nicht vertrieben. In den Tagen Salomos befand sie sich in israelitischer Hand (1. Könige 4, 12), und bei Ausgrabungen stieß man auf ausgedehnte Stallungen aus den Regierungsjahren Omris und Ahabs. Die einzige nennenswertere Erwähnung Megiddos nach der Zeit Salomos hängt mit dem Tod des judäischen Königs Joschija (Josia, 640–609 v. Chr.) zusammen (2. Könige 23, 29–30). Und zwar trat er 609 v. Chr. bei der Stadt dem ägyptischen Pharao Necho II. entgegen; allem Anschein nach wollte er die Ägypter daran hindern, dem assyrischen Herrscher zu Hilfe zu kommen, der bei Haran seine letzte Bastion zu halten versuchte (dem hebräischen Text von 2. Könige 23, 29 zufolge zog Necho indes *gegen* die Assyrer!) Joschija kam bei seinem Vorhaben ums Leben. Ganz zufällig starb bei Megiddo auch Ahasja, nachdem Jehus Leute ihn tödlich verwundet hatten (2. Könige 9, 27).

Obwohl nach dem Fall Samarias das Nordreich Israel mit Nicht-Israeliten neu bevölkert wurde, gab es auch hier weiter Israeliten, die Jahwe die Treue hielten. Wir haben bereits auf Jeremia 41, 5 hingewiesen, wonach um 582 v. Chr. 80 Männer aus Samaria, Sichem und Schilo zum Sitz der damaligen Verwaltung Judas in Mizpe kamen. Ferner scheinen auch Neuansiedler den israelitischen Glauben angenommen zu haben. Laut Esra 4, 1–3 boten, als um 520 v. Chr. unter Serubbabel (Zorobabel) der Jerusalemer Tempel neu errichtet wurde, Leute aus dem Norden, die als »Feinde Judas und Benjamins« apostrophiert werden, ihre Hilfe bei den Bauarbeiten an und begründeten ihr Angebot wie folgt: *Wir ... verehren euren Gott wie ihr, und wir opfern ihm seit der Zeit Asarhaddons, des Königs von Assyrien, der uns hier heraufgeführt hat.* Serubbabel wies das Anerbieten jedoch zurück. Während der Statthalterschaft von Nehemia (um 445 v. Chr.) opponierte dann Sanballat, der Statthalter Samarias, gegen den Wiederaufbau der Mauern Jerusalems. Im allgemeinen nimmt man an, daß Samaria damals einen gewissen Vorrang vor dem rivalisierenden Jerusalem hatte, den man erhalten wollte, zumal eine wachsende Bedeutung Nehemias in Jerusalem vielleicht Sanballats eigenem Prestige abträglich sein konnte.

Zusammen mit ein bis zwei anderen zeigen diese Bibelpassagen, daß selbst nach der Eroberung Samarias auf dem Territorium des ehemaligen Nordreiches noch immer Menschen lebten, die sich als Anhänger Jahwes sowie als Erben der alten Überlieferungen und der Verheißungen an das Volk Israel betrachteten. Wie und wann genau es zur Abspaltung der Samariter-Sekte (Samaritaner) kam, wissen wir nicht. Wahrscheinlich hatten gegen Ende des 4. Jahrhunderts v. Chr. die alten Rivalitäten zwischen Nord und Süd ein solches Ausmaß erreicht, daß gewisse formale Konsequenzen unvermeidlich waren und es zur Loslösung der Samariter vom Judentum kam. Sie verfügten über einen Tempel auf dem Berg Garizim oberhalb von Sichem, eine eigene Priesterschaft und praktizierten auch eigene Rituale. Obwohl Johannes Hyrkanus irgendwann zwischen 128 und 107 v. Chr. Sichem sowie den Tempel auf dem Berg Garizim zerstörte und das Gebiet Samarias an Judäa angliederte, hielten die Samariter weiter an ihrer religiösen Eigenständigkeit fest. Ihre Heilige Schrift sind die fünf Bücher Mose mit einigen Textvarianten (samaritanischer Pentateuch), wohingegen die später gesammelten Teile des Alten Testaments (Propheten, Schriften, Chronik) nicht übernommen wurden. Ihre Lehre kennt keine Auferstehung von den Toten, und als Messias erwarten Sie lediglich einen »Propheten wie Mose«, den sie Taeb nennen und der den Kult auf dem Berg Garazim erneuern werde. In byzantinischer Zeit wurden die Samariter durch Verfolgungen und diskriminierende Gesetze stark dezimiert; einige hundert Mitglieder der Sekte leben heute noch in der Gegend um Nablus.

Samaria im Neuen Testament

Die Situation in neutestamentlicher Zeit läßt sich wie folgt skizzieren: Ab 6 n. Chr. befanden sich Samaria und Judäa unter der Herrschaft römischer Statthalter. Die Hauptstadt Samarias war Sebaste – das von Herodes dem Großen neu errichtete und zu Ehren des römischen Kaisers Augustus (lateinisch *augustus,* »erhaben«, entspricht dem griechischen Wort *sebastos)* umbenannte Samaria. Sichem war zwischen seiner Zerstörung durch Johannes Hyrkanus und seinem Wiederaufbau (unter dem griechischen Namen Neapolis, »Neustadt«, der noch in dem heutigen arabischen Namen Nablus nachklingt) im Jahre 72 n. Chr. unter Kaiser Vespasian eine eher verlassene Siedlung.

In der Region zwischen Judäa und Galiläa gab es die bereits am Ende des letzten Kapitels erwähnte religiöse Gemeinschaft der Samariter. Ihre Heilige Schrift waren die ersten fünf Bücher des Alten Testaments, und sie glaubten u.a., der Berg Garizim sei der Ort, wo Gott von seinem Volk verehrt werden wolle.

Diese Samariter spielten eine wichtige Rolle im Wirken Jesu sowie für die Ausbreitung des Urchristentums. Die Beziehungen, die während des 1. Jahrhunderts der christlichen Ära zwischen Juden und Samaritern bestanden, waren mehr oder weniger kühl bis feindselig. Juden, die von Galiläa nach Judäa und zurück reisten, umgingen Samaria und nahmen lieber den Weg durch das Jordantal, es sei denn, sie zogen in größeren Gruppen zu einem der bedeutenderen jährlichen Pilgerfeste. Nach Lukas 9, 51–56 erhielten Jesus und seine Jünger einst in einem samaritanischen Dorf keine Unterkunft, »weil er [Jesus] nach Jerusalem unterwegs war«. Jakobus und Johannes brachten bei dieser Gelegenheit wohl nur zum Ausdruck, was Juden generell über Samariter dachten, wenn sie äußerten:

> *Herr, willst du, daß wir Feuer vom Himmel fallen und sie verzehren heißen?*

Weitere Anzeichen der Verachtung, die Juden den Samaritern entgegenbrachten, finden wir bei Johannes 8, 48, wo Jesus mit den Worten angegriffen wird: *Sagen wir nicht mit Recht, daß du ein Samariter bist und einen Dämon hast?* Bei Lukas 17, 11 lesen wir, Jesus sei bei seiner Wanderung nach Jerusalem durch die Grenzgebiete von Samaria und Galiläa gekommen und habe dabei vor einem Dorf zehn Aussätzige geheilt. Das kann sehr wohl bedeuten, daß er durch das Harodtal und das Tal von Bet-Schean gezogen war, um ins Jordantal zu gelangen, und auf diese Weise Samaria umging. Einer der Aussätzigen war ein Samariter, und als er allein zu Jesus kam, um für seine Heilung zu danken, quittierte dies jener mit den Worten:

> *Sind nicht die Zehn rein geworden? Wo sind aber die Neun? Haben sich keine gefunden, die zurückgekehrt wären, um Gott die Ehre zu geben, als nur dieser Fremde?* (Lukas 17, 17–18)

Andererseits diente im Gleichnis vom Barmherzigen Samariter, das für alle künftigen Zeiten dem Wort Samariter einen positiven Beiklang verlieh, ausgerechnet einer dieser Sektierer aus Samaria als Beispiel tätiger Nächstenliebe, und nicht ein Jude.

Am meisten von all den Ereignissen, die das Neue Testament schildert, lebt die Begegnung Jesu mit der Samariterin am Jakobsbrunnen (Johannes 4, 1–42) von ihrem samaritanischen Kontext. Erneut unterwegs von Judäa nach Galiläa, mußte er wieder durch Samaria reisen. Wenn die Erzählung im 4. Kapitel des Johannesevangeliums geographisch unmittelbar an den vorhergehenden Text anknüpft, so erscheint es recht seltsam, daß Jesus nicht weiter durch die Jordansenke nach Galiläa zog, sondern den (schwer einleuchtenden) Umweg durch das zentrale Hochland machte. Der Jakobsbrunnen befand sich angeblich in der Nähe einer Stadt namens Sychar; wenn sie mit dem heutigen Askar im Nordosten des modernen Sichem identisch ist, wirft dies weitere Fragen auf. Askar liegt etwa 1,5 km vom traditionellen Ortsansatz des Jakobsbrunnens – nämlich Balata, der Platz des alten Sichem – entfernt und verfügt über einen eigenen Brunnen. Warum bediente sich die Samariterin nicht hieraus? Ein plausibler Grund könnte gewesen sein, daß die Frau, die allem Anschein nach nicht im besten Rufe stand, den ortsüblichen Brunnen absichtlich mied und deshalb den beträchtlichen Fußmarsch auf sich nahm. Auch Jesus könnte denselben Brunnen benutzt haben, um sich in Askar nicht der Feindseligkeit der Samariter auszusetzen.

Wenn diese Vermutung richtig ist, dann trafen an jenem biblischen Jakobsbrunnen zwei grundverschiedene Menschen zusammen, die aus ganz unterschiedlichen Gründen den unmittelbar bei Sychar gelegenen Brunnen mieden und einander rein zufällig begegneten. Zunächst unterhielten sie sich darüber, ob der Berg Garizim oder der Berg Zion in Jerusalem der von Gott erwählte Ort der wahren Anbetung sei, doch dann erreichte ihr Gespräch eine Ebene, auf der solche Erörterungen ihre Bedeutung verloren. Vielmehr sah sich die Frau einer Person gegenüber, aus deren Worten sie neue Hoffnung und neuen Glauben schöpfte.

In dieser Begegnung, die sich im Schatten des Berges Garizim abspielte, kommt so manches von den Paradoxien der christlichen Glaubensbotschaft zum Ausdruck. Jesus setzt sich keineswegs nur über trennende Barrieren hinweg, indem er mit der Samariterin spricht, sondern nicht zuletzt bereits dadurch, daß er aus ihrem Gefäß trinkt. Moderne Bibelkommentare neigen zu der Auffassung, daß die Worte bei Johannes 4, 9, die man gewöhnlich durch die Floskel »Juden verkehren nämlich nicht mit Samaritern« wiederzugeben pflegt, in Wirklichkeit bedeuten: Juden und Samariter benutzen keine Gefäße gemeinsam – dies aus Furcht vor ritueller Unreinheit. Und weiterhin unterhielt sich Jesus nicht nur mit ihr, obwohl er von ihrem schlechten Ruf wußte, sondern versprach ihr sogar, Wasser des ewigen Lebens zu geben. Daraufhin wird die Frau – gleich, wieviel sie von Jesu Worten wirklich begriffen haben mochte – zur Missionarin bei ihrem eigenen Volk. Die Erzählung schließt mit einer eindrucksvollen Glaubensbekundung der Samariter Sychars:

> [Sie] *sagten zu der Frau: Wir glauben nicht mehr um deiner Rede willen; denn wir haben selbst gehört und wir wissen, daß dieser in Wahrheit der Heiland der Welt ist.*
> (Johannes 4, 42)

Außerdem war Samaria laut Neuem Testament derjenige Ort, wo es die ersten Christen außerhalb Jerusalems gab. Nach der Steinigung des Stephanus (Apostelgeschichte 7, 54–60) bewirkte eine Christenverfolgung in Jerusalem, daß sich die Mitglieder der dortigen Christengemeinde »über das Land Judäa und Samaria« zerstreuten (Apostelgeschichte 8, 1). Philippus ging zu einer nicht näher bezeichneten Stadt in Samaria, wo er durch seine Predigten und Wunder viele zum Christentum bekehrte. Dann besuchten Petrus und Johannes die Stadt, um den Neugetauften die Hände aufzulegen, damit sie den Heiligen Geist empfingen. Sie verwahrten sich energisch gegen das Ansinnen eines gewissen »Zauberers« Simon (Simon Magus), der ihnen diese Fähigkeit abkaufen wollte. Danach kehrten Petrus und Johannes nach Jerusalem zurück und predigten unterwegs in vielen Städten Samarias.

Die Sekte der Samariter bzw. Samaritaner umfaßt heute nur noch insgesamt 500–600 Mitglieder. Ihr Zentrum ist Nablus. Sie schlachten ihr Passah-Lamm alljährlich an einer heiligen Stätte auf dem Berg Garizim, der Nablus überragt.

Nichtmosaische Religionen

Unten links: Ein kanaanäischer Weihrauchbehälter. Das Schlangenmotiv symbolisiert Fruchtbarkeit, zurückzuführen auf die Fähigkeit des Reptils, seine Haut zu erneuern.

Unten: Das Kalb war im Nahen Osten gleichfalls ein gängiges Fruchtbarkeitssymbol. Gemäß Exodus 32 gossen die Israeliten ein goldenes Kalb und beteten es an, während Moses auf dem Berg Sinai das Gesetz empfing. Nach der Reichsteilung 928 v. Chr. ließ auch Jerobeam in Bet-El und Dan zwei goldene Kälber aufstellen (1. Könige 12,28). Es wird allge-

Immer wieder berichtet das Alte Testament, daß die Israeliten sich treulos gegenüber Gott verhielten und sich anderen Göttern zuwandten. Besondere Anziehungskraft besaß der tyrische Baal (Melkart), dessen Kult Ahab (871–852) am königlichen Hof einführte und dem er in Samaria einen Tempel erbaute. Dieser Abfall wird manchmal in dem Bild von Israel als einem Weib, das zur Hure geworden ist und seinen Mann verlassen hat, ausgedrückt (Jeremia 3,1–10). Drei besondere Kennzeichen anderer lokaler Religionen der damaligen Zeit waren Fruchtbarkeitskulte, Totenkulte sowie Hexerei und Zauberei. Es handelt sich dabei um religiöse Handlungen, mit deren Hilfe das einfache Volk versuchte, Einfluß auf die Erscheinungen des täglichen Lebens zu gewinnen, die sich ganz oder zumindest weitgehend ihrer Macht entzogen: Regen oder Dürre, Tod und Heimsuchungen wie Krankheiten oder Unglücksfälle. Beispielsweise hoffte man durch simulierte Fruchtbarkeit in der Form heiliger Prostitution die Harmonie mit den Kräften der Natur herzustellen und auf diese Weise die Fruchtbarkeit auf den Feldern und in den Ställen zu unterstützen. Der Totenkult half, mit dem persönlichen Verlust fertig zu werden. Hexerei und Zauberei sollten Unheil abwenden und Dämonen vertreiben, die man für Krankheiten verantwortlich glaubte. Im Gegensatz zur Volksreligion bestanden die Propheten Israels darauf, daß materielles Wohlergehen vom Gehorsam gegenüber dem Gesetz Jahwes und von sozialer Gerechtigkeit abhing, besonders wenn es darum ging, die Rechte der Armen und Schwachen zu verteidigen. Doch es scheint, daß für zahlreiche Israeliten die Religionen ihrer Nachbarvölker viel anziehender waren als die moralischen Postulate des göttlichen Gesetzes und der Propheten.

Unten: Die Aufstellung heiliger Steine war in alter Zeit überall im Nahen Osten verbreitet; auch Jakob stellte laut Genesis 28,18 in Bet-El einen solchen Stein auf. Sie hatten viele religiöse Bedeutungen: als Symbol der Gottheit, als Bezeichnung für den Ort, an dem Opfer dargebracht werden sollten, schließlich als Mahnmal für die Verschiedenen. Die hier gezeigten Steine aus Geser erreichen eine Höhe bis zu 3,25 m, während jene im »Stelen-Tempel« in Hazor nicht höher als 65 cm waren. Man nimmt an, daß sie alle der Toten gedachten.

mein angenommen, daß in der frühen israelitischen Religion (12.–10. Jahrhundert v. Chr.) Kälber nur eine Art Thron für die unsichtbare Gottheit darstellten. Ihre enge Verbindung zu Fruchtbarkeitsriten war aber wohl eine der wahrscheinlichen Ursachen für den Glaubensverfall und die Übernahme fremder Kultpraktiken unter dem einfachen Volk Israels.

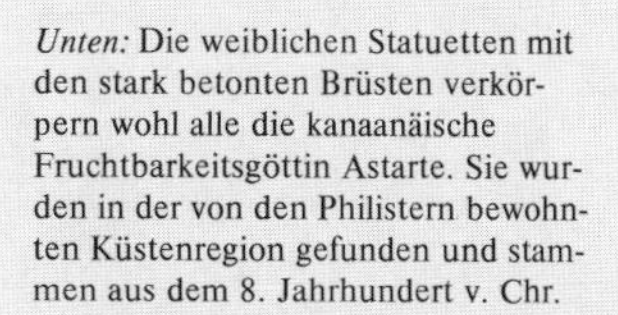

Unten: Die weiblichen Statuetten mit den stark betonten Brüsten verkörpern wohl alle die kanaanäische Fruchtbarkeitsgöttin Astarte. Sie wurden in der von den Philistern bewohnten Küstenregion gefunden und stammen aus dem 8. Jahrhundert v. Chr.

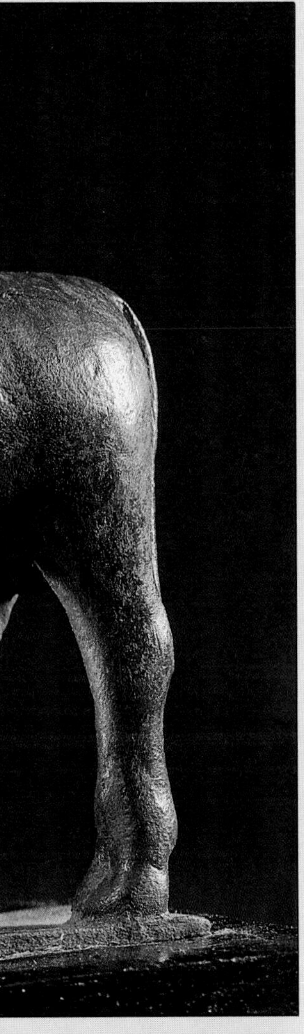

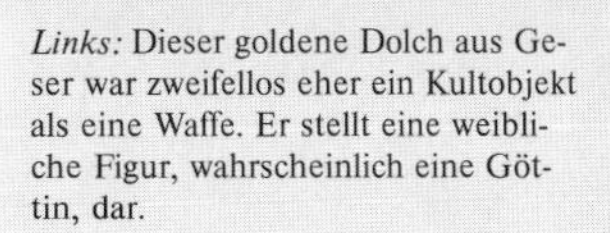

Links: Dieser goldene Dolch aus Geser war zweifellos eher ein Kultobjekt als eine Waffe. Er stellt eine weibliche Figur, wahrscheinlich eine Göttin, dar.

Oben: Ein anthropoider Sarkophag der Philister. Über Einzelheiten ihrer Religion ist wenig bekannt, bestimmte Eigenheiten ihrer Begräbniszeremonien deuten auf eine Verbindung zur ägäischen Region, aus der die Philister im 12. Jahrhundert v. Chr. nach Syrien, Israel und Ägypten kamen.

Oben: Eine Dämonenfigur, wie sie in der mesopotamischen Magie üblich war. Das Alte Testament beschreibt Babylon als das Land der Hexenmeister und der Zauberei (Jesaja 47,12), jedoch wurde die schwarze Kunst auch in Israel ausgeübt und in Deuteronomium 18,10–14 verurteilt.

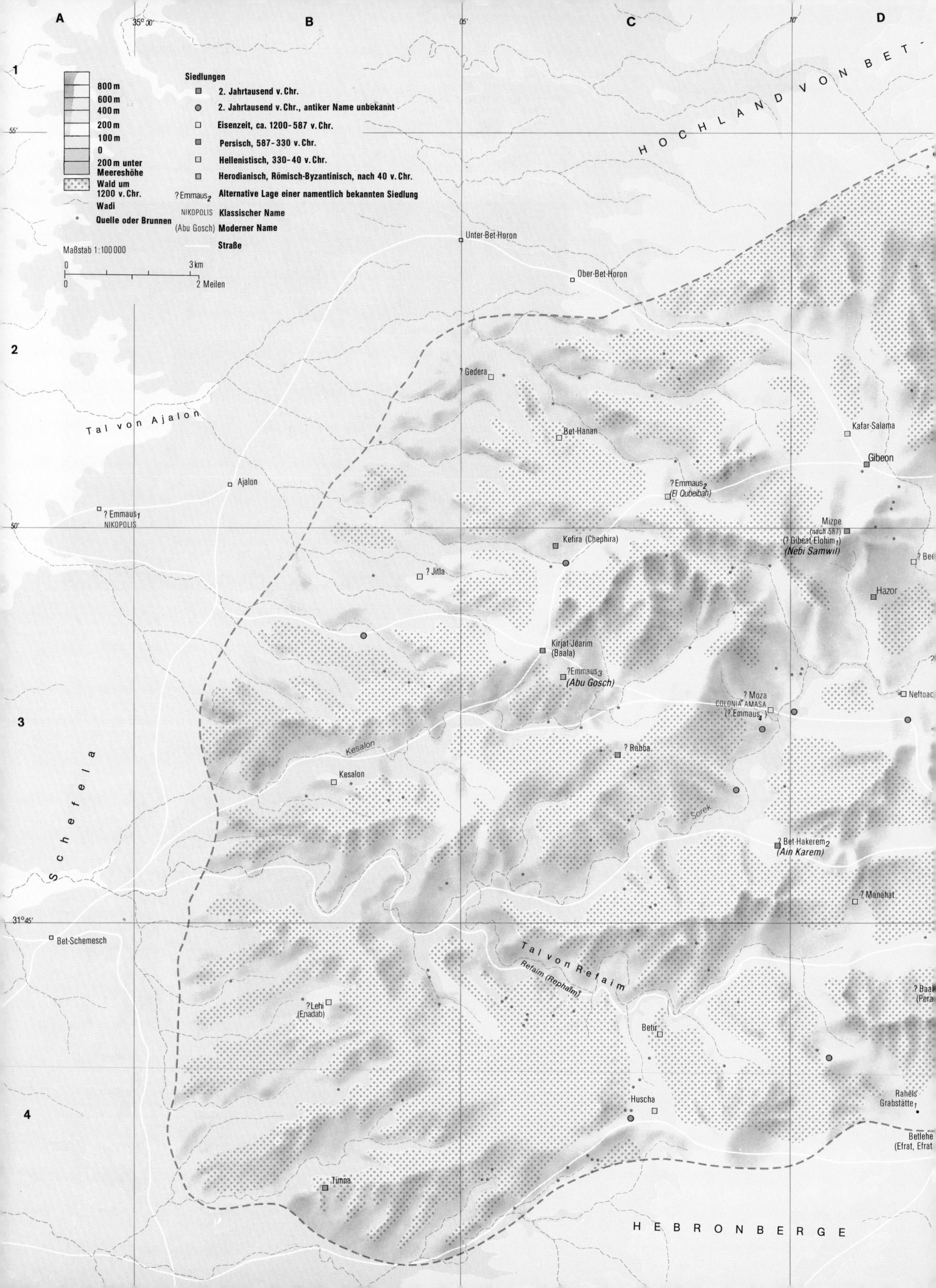

A
B
C
D
35° 30'
05'
10'
1
2
3
4
55'
50'
31°45'
800 m
600 m
400 m
200 m
100 m
0
200 m unter Meereshöhe
Wald um 1200 v. Chr.
Wadi
Quelle oder Brunnen
Siedlungen
2. Jahrtausend v. Chr.
2. Jahrtausend v. Chr., antiker Name unbekannt
Eisenzeit, ca. 1200-587 v. Chr.
Persisch, 587-330 v. Chr.
Hellenistisch, 330-40 v. Chr.
Herodianisch, Römisch-Byzantinisch, nach 40 v. Chr.
? Emmaus2 Alternative Lage einer namentlich bekannten Siedlung
NIKOPOLIS Klassischer Name
(Abu Gosch) Moderner Name
Straße
Maßstab 1:100 000
0
3 km
0
2 Meilen
HOCHLAND VON BET-
Unter-Bet-Horon
Ober-Bet-Horon
? Gedera
Tal von Ajalon
Bet-Hanan
Kafar-Salama
Gibeon
Ajalon
? Emmaus2
(El Qubeibah)
? Emmaus1
NIKOPOLIS
Mizpe
(nach 587)
(? Gibeat-Elohim1)
(Nebi Samwil)
Kefira (Chephira)
? Jitla
Hazor
Kirjat-Jearim
(Baala)
?Emmaus3
(Abu Gosch)
? Moza
COLONIA AMASA
(? Emmaus4)
Neftoa
Kesalon
? Rabba
Kesalon
Schefela
Sorek
? Bet-Hakerem2
(Ain Karem)
? Manahat
Bet-Schemesch
Tal von Refaim
Refaim (Rephaim)
?Lehi
(Enadab)
Betir
Huscha
Rahels Grabstätte1
Betlehe
(Efrat, Efrat
Timna
HEBRONBERGE

DAS HOCHLAND VON JERUSALEM

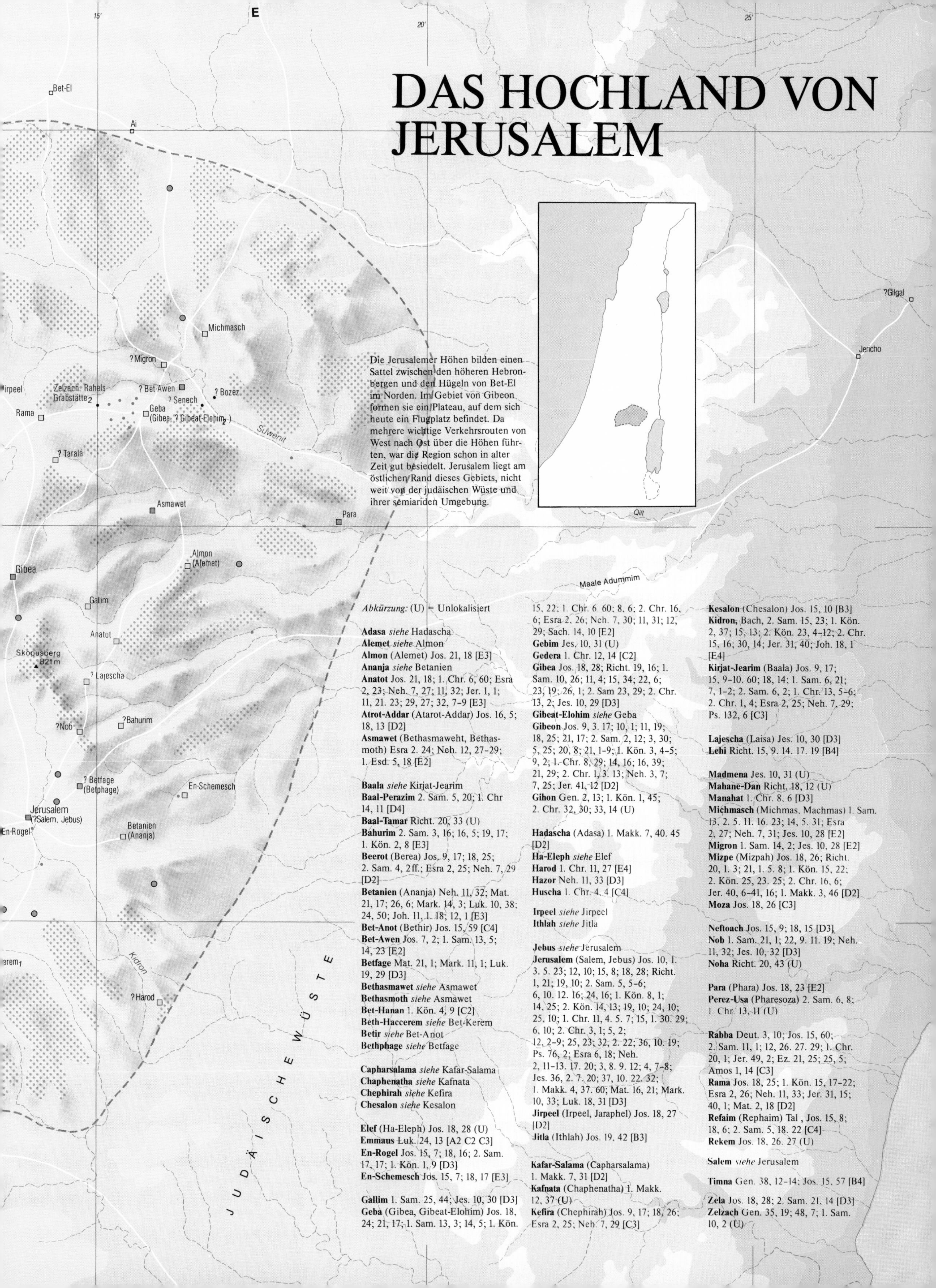

Die Jerusalemer Höhen bilden einen Sattel zwischen den höheren Hebronbergen und den Hügeln von Bet-El im Norden. Im Gebiet von Gibeon formen sie ein Plateau, auf dem sich heute ein Flugplatz befindet. Da mehrere wichtige Verkehrsrouten von West nach Ost über die Höhen führten, war die Region schon in alter Zeit gut besiedelt. Jerusalem liegt am östlichen Rand dieses Gebiets, nicht weit von der judäischen Wüste und ihrer semiariden Umgebung.

Abkürzung: (U) = Unlokalisiert

Die Landschaft

Das Hochland von Jerusalem bildet einen Sattel zwischen den Höhen von Hebron im Süden sowie den nördlichen Höhen von Bet-El. Dieser Sattel liegt etwa 200 m niedriger als die höchsten Erhebungen der Hebron- und Bet-El-Berge. Die sich nach Westen hin zum Mittelmeer ergießenden Wasserläufe erreichen die Küstenebene durchweg an weit in die Schefela vorspringenden Punkten. Der beträchtlichste dieser Vorsprünge ist das breite Tal von Ajalon. Als Folge dieses naturgegebenen Abfluß-Musters gibt es längs der Wasserläufe mehrere vergleichsweise leicht begehbare Ostwestrouten. Und da Jerusalem sich auf annähernd der gleichen geographischen Breite befindet wie die Nordspitze des Toten Meeres, muß auch jede Westostroute, die weiter landeinwärts führt, zwangsläufig nahe der Stadt verlaufen. Von Jerusalem nach Osten hin in den Jordangraben zu gelangen, ist mithin sehr viel einfacher als beispielsweise von Hebron aus.

Im 2. Jahrtausend v. Chr. gruppierten sich Städte und Dörfer rings um Jerusalem sowie entlang der Wasserscheide in Richtung Bet-El. Westlich von Jerusalem lagen die Siedlungsschwerpunkte an den Westflanken der Berge, und zwar in talbeherrschender Hanglage. Diese Höhen waren wahrscheinlich wenigstens zu Beginn der alttestamentlichen Zeit noch bewaldet. Der Stadtname Kirjat-Jearim bedeutet »Stadt der Wälder«, und David erhielt, als er im Refaimtal südwestlich von Jerusalem gegen die Philister kämpfte, von Gott die Weisung, diese gegenüber den »Bakabäumen« anzugreifen. Und der Prophet Elischa verfluchte, als er von Jericho nach Bet-El wanderte, die Knaben, die ihn wegen seiner Kahlköpfigkeit verspottet hatten, so daß zwei Bären aus dem nahen Wald kamen und 42 Kinder zerrissen (2. Könige 2, 24).

Heute sind die Höhen bei Jerusalem vergleichsweise kahl, abgesehen von den Stellen, die man in den letzten Jahren neu aufgeforstet hat. Offenkundig gab es auch bereits im 11. Jahrhundert n. Chr. hier keine Wälder mehr, als die Kreuzfahrer die Stadt belagerten. S. Runciman schildert im ersten Band seiner Kreuzzugsgeschichte die damalige Situation anhand der Quellen wie folgt:

> *Aber es war noch immer nötig, Holz zum Bau der Maschinen aufzutreiben. Auf den kahlen Hügeln rings um Jerusalem war nur wenig zu finden; die Kreuzfahrer mußten im meilenweiten Umkreis zusammensuchen, was sie brauchten. Erst als Tankred und Robert von Flandern bis in die Wälder rund um Samaria vordrangen und schwer beladen mit Stämmen und Brettern zurückkehrten, die von Kamelen oder mohammedanischen Gefangenen geschleppt wurden, konnte die Arbeit beginnen.*

Vielleicht wird uns die Ursache dieser Entwaldung etwas klarer, wenn wir uns vergegenwärtigen, wieviel Holz man für den Brandopferkult im Jerusalemer Tempel (der mehr als neun Jahrhunderte lang vorgeschrieben war) und an anderen Kultstätten benötigte. Falls Salomo auf dem Altar von Gibeon wirklich tausend Brandopfer darbrachte (1. Könige 3, 4; der hebräische Originaltext setzt sogar voraus, daß er dies mehrmals tat), kann man überschlagen, wie viele Bäume allein hierfür ihr Leben lassen mußten.

Jerusalem erhebt sich am Ostrand des gleichnamigen Sattels. Nur wenige Kilometer weiter östlich nehmen die Niederschläge geradezu dramatisch ab, und es herrschen die Klimabedingungen der Wüste Juda *(vgl. Seite* 104 ff.*)*. Obwohl recht alt, kann Jerusalem hinsichtlich seiner natürlichen Lage nicht mit Städten wie Lachisch oder Megiddo konkurrieren. Hätte nicht David es zu seiner Residenz erhoben, wäre es vielleicht eine wenig bedeutende Ortschaft an einer Kreuzung der nordsüdlich verlaufenden Wasserscheide mit einer von der Küste her kommenden Handelsstraße geblieben. Im Osten wird die Stadt von Anhöhen eingerahmt. Zur Zeit Davids gab es auch einen noch nicht besiedelten höheren Hügel im Westen, der die Ausläufer der Jebusiterstadt überragte. Bevor wir uns jedoch eingehender mit Jerusalem befassen, sei ein Blick auf die übrige Region gerichtet.

Der biblische Bericht

Zwar müssen die Patriarchen Abraham und Jakob auf ihren Wanderungen durch Jerusalem gekommen sein, doch nirgendwo ist davon die Rede, daß sie hier Opfer darbrachten oder Altäre errichteten. Vielmehr tauchen in den Patriarchenerzählungen immer wieder andere Städte auf: Sichem, Bet-El und Hebron, wo die Erzväter begraben wurden.

Die erste Erwähnung der Jerusalemer Höhen findet sich bei Josua 9, 3–27. Hier hören wir von einer List, die die Bewohner von Gibeon gegenüber Josua anwandten, um die Zerstörung ihrer Stadt zu vermeiden. Die Gibeoniter und ihre Bundesgenossen kleideten sich so, als ob sie einen langen Marsch zurückgelegt hätten, zogen zum etwa 30 km entfernten Lager der Israeliten nach Gilgal und schlossen mit Josua einen Friedensvertrag. Als dann die israelitischen Krieger Gibeon und die mit ihm verbündeten Städte erreichten, erinnerte deren Bevölkerung Josua an den Vertrag. Der König von Jerusalem war über dieses Abkommen zutiefst beunruhigt, »denn Gibeon war eine große Stadt, wie eine der Königsstädte, und sie war noch größer als Ai, und alle ihre Männer waren streitbar« (Josua 10, 2).
Er stellte daraufhin zusammen mit den Königen von Hebron, Jarmut, Lachisch und Eglon eine Streitmacht auf, die gegen Gibeon vorrückte. Josua allerdings kam den Gibeonitern zu Hilfe und fügte den Angreifern eine bittere Niederlage zu. Die geflohenen fünf Könige wurden aufgegriffen, und über ihr weiteres Schicksal berichtet die Bibel wie folgt:

> [Josua ließ] *sie totschlagen und an fünf Pfähle hängen. Und sie hingen an den Pfählen bis zum Abend. Als aber die Sonne unterging, gebot Josua, daß man sie von den Pfählen nehme und in die Höhle* [von Makkeda] *werfe, darin sie sich verborgen hatten. Dann legte man große Steine vor den Eingang der Höhle; die sind noch dort bis auf den heutigen Tag* (Josua 10, 26–27).

Bei der Landzuweisung an die Stämme Israels *(vgl. Karte Seite* 29*)* reichte die Nordgrenze Judas bis hin zum Nahal Kesalon, dann entlang des Nahal Sorek und schloß auch noch Kirjat-Jearim mit ein (Josua 15, 9). Jerusalem dagegen lag knapp außerhalb des Stammesgebiets. Andererseits aber setzt Josua 15, 63 voraus, daß die Stadt dem Stamm Juda zugewiesen war, denn es heißt ausdrücklich, die »Söhne Judas« hätten die Jebusiter nicht vertreiben können. Die Details, die Josua 18, 11–28 über den Grenzverlauf und die Städte des Stammes Benjamin gibt, bestätigen, daß eine gemeinsame Grenze mit Juda bestand. »Die Jebusiterstadt« (Jerusalem) wird hier auf das Territorium von Benjamin verlegt, und auch Kirjat-Jearim wird zu Benjamin gerechnet, obwohl es zuvor (Josua 15, 9) ausdrücklich heißt, es sei im Besitz des Stammes Juda gewesen. Ohne Zweifel spiegeln diese Diskrepanzen ganz einfach Grenzberichtigungen zwischen Juda und Benjamin im Laufe der Zeit wider.

Im Buch der Richter 1, 8 ist zwar davon die Rede, daß der Stamm Juda Jerusalem eingenommen habe, dann aber erfährt man (Vers 21): *Die Jebusiter aber, die Jerusalem bewohnten, zu vertreiben, gelang den Benjaminitern*

Oben: Ansicht Jerusalems vom Ölberg aus, wie sie sich dem englischen Dichter und Maler Edward Lear (1812–1888) gegen Mitte des 19. Jahrhunderts darbot. Schon zur Kreuzfahrerzeit im 11. Jahrhundert n. Chr. waren die Hügel baumlos und kahl.

Seite 166/67: Luftbild von El-Jib, der Stätte des alten Gibeon, Blick von Norden. Das heutige Dorf liegt am Nordende des Kulturhügels. Die Ausgrabungen, die in den Jahren 1956–1962 durchgeführt wurden, förderten einen großen runden Wasserspeicher innerhalb der Stadtmauern zutage, ferner entdeckte man unter anderem 63 Weinkeller sowie Gärungsbecken und eine Abfüllanlage.

nicht; so blieben die Jebusiter neben den Benjaminitern in Jerusalem wohnen. Allem Anschein nach besagen diese Angaben nichts anderes, als daß beide Stämme versuchten, Jerusalem unter ihre Kontrolle zu bringen: die Judäer, indem sie es zwar plünderten, aber nicht auf Dauer eroberten, und die Benjaminiter, indem sie mit den Einwohnern ein Übereinkommen schlossen, das diesen den weiteren Aufenthalt erlaubte.

Richter 3 berichtet von einem Mann namens Ehud aus dem Stamm Benjamin, der die Israeliten aus großer Gefahr rettete. Eglon, der König von Moab, hatte in einer Schlacht gesiegt und »die Palmenstadt« (wahrscheinlich Jericho) gestürmt. Ehud verschaffte sich Zutritt bei ihm und brachte ihn mit einem Kurzschwert um, das er unter seinem Gewand verborgen hatte. Anschließend glückte ihm die Sammlung der Israeliten, welche die Jordanfurten besetzten. Damit war das Heer der Moabiter, das noch am Westufer des Flusses stand, in der Falle. Nur wenige konnten sich retten.

Die Schlußkapitel des Richterbuches schließlich schildern ein Ereignis, das größtenteils in den Höhen um Jerusalem stattfand. Ein Levit, der in den entlegenen Berggebieten Efraims wohnte, besaß eine Nebenfrau, die aus Betlehem stammte. Sie hatte vier Monate bei ihrem Vater gelebt, und der Mann war gekommen, um sie zurückzuholen. Er trat mit ihr den Heimweg nach Efraim an. Als der Abend hereinbrach, befanden sie sich in der Nähe Jerusalems. Der Levit aber wollte nicht in dieser Stadt übernachten, da sie in den Händen der Jebusiter war. Statt dessen beschloß er, nach Gibea weiterzuziehen (Richter 19, 12). Wenn Gibea tatsächlich das heutige Tell el-Ful ist, lag es nur wenige Kilometer nördlich von Jerusalem. Die Reisenden fanden dort Nachtquartier bei einem Mann, der gleichfalls aus Efraim stammte. Im Lauf des Abends waren es aber ausgerechnet die israelitischen Einwohner Gibeas, die ein Ansinnen stellten, das man nur als Aufforderung zu homosexuellem Verkehr deuten kann. Nach längeren Disputen lieferte man den Leuten schließlich die besagte Nebenfrau aus. Sie wurde zu Tode vergewaltigt. Am nächsten Morgen fand der Levit sie auf der Schwelle seiner Unterkunft liegend. Er nahm den Leichnam mit nach Hause, zerstückelte ihn, sandte die einzelnen Teile an die israelitischen Stämme und rief sie so zum Rachezug gegen Gibea auf.

Daraufhin versammelten sich die Israeliten – mit Ausnahme der Bewohner von Jabesch-Gilead und der Benjaminiter, die zu ihren Landsleuten aus Gibea hielten – in Mizpe. Von dort zogen sie nach Bet-El, um zu hören, was Gott beschlossen hatte. Als es zur Schlacht kam, erlitten sie durch die Krieger des Stammes Benjamin schwere Verluste. Am dritten Tage gab man vor, geschlagen zu sein und lockte dadurch die Gegner aus ihrer Stadt, in die nun eine eigene Einheit eindrang. So wurden letztendlich die Benjaminiter besiegt. Man legte Feuer, und die Metzelei war so furchtbar, daß nur noch sechshundert von ihnen überlebten. Die verbündeten Israeliten hatten geschworen, keiner von ihnen werde seine Tochter einem Benjaminiter zur Frau geben. Da aber der Stamm nicht völlig aussterben sollte, veranstaltete man abermals eine Strafexpedition – diesmal gegen Jabesch-Gilead, das an dem Zug gegen Gibea nicht teilgenommen hatte. Man tötete alle Einwohner der Stadt, abgesehen von vierhundert Jungfrauen, die den Benjaminitern geschickt wurden. Weitere zweihundert Mädchen holten sich diese selbst gewaltsam in Schilo. So war der Stamm wieder mit Frauen versorgt, ohne daß der Schwur hätte gebrochen werden müssen.

Dieser seltsame Vorfall ist schwierig zu erklären. Angesichts der noch nie dagewesenen Einmütigkeit der Stämme Israels, erblickten viele Alttestamentler in ihm einen Beweis für die Existenz einer politischen und religiösen Institution, die man als Amphiktyonie bezeichnet – eines Bundes von Städten oder – in diesem Fall – von Stämmen mit einem gemeinsamen Zentralheiligtum und gemeinsamem Gesetz. Gegenwärtig ist jedoch die Amphiktyonie-Hypothese wieder in Mißkredit geraten. Zwar kennt die Richterzeit nicht allzuviele gesamtisraelitische Aktionen, doch wurde wohl das Verbrechen der Vergewaltigung, ja sogar Tötung einer schutzlosen jungen Frau von sämtlichen Stämmen als so schwerwiegend angesehen, daß nur durch geschlossenes Vorgehen aller gegen die Übeltäter und ihre Helfershelfer der Gerechtigkeit Genüge getan werden konnte.

Die Zeit der Könige

Über Samuel, jene bedeutende Persönlichkeit, mit der die Periode der Richter zu Ende geht und die der Monarchie beginnt, besteht in der Forschung kein einmütiges Bild. Die biblischen Bücher, die seinen Namen tragen, geben lediglich einen fragmentarischen Bericht über sein Wirken. Laut 1. Samuel 1–3 verbrachte er seine Kindheit bei den Priestern des Heiligtums in Schilo. In einer der Schriftrollen vom Toten Meer wird er als Seher charakterisiert, der die Zukunft voraussagen konnte, und auch 1. Samuel 9–10, 16 bezeichnet ihn als Seher. Augenfällig ist hier allerdings der sagenhafte Zug, wird doch berichtet, er habe aus weiter Entfernung den Pilgern in ihre Körbe blikken können. In 1. Samuel 19 wiederum wird er als Anführer einer Prophetenschar geschildert, aber welcher Art seine Beziehungen zum institutionalisierten Prophetentum waren, bleibt im dunkeln. Etwas klarer wird das Bild erst, wenn es um die Anfänge des Königtums geht. Samuel erscheint in diesen Textpassagen als allgemein anerkannter Führer, als weltliches und geistliches Oberhaupt Israels in einer Person. Als das Volk dann an ihn herantrat, einen König zu bestimmen, konnte er sich nur zögernd mit diesem Gedanken anfreunden, weil er in der Institution der Monarchie einen Abfall von Gott sah. Nach der Salbung Sauls hat er diesen dann aber unterstützt. Doch wenden wir uns nun der biblischen Erzählung zu, soweit sie die an dieser Stelle behandelte Region betrifft.

Samuels Wirken spielte sich im Gebiet des Stammes Benjamin ab. Als sein Heimatort wird Rama angegeben (1. Samuel 7, 17), und als Richter suchte er regelmäßig die Städte Bet-El, Gilgal und Mizpe auf. Ein Bericht über sein Vorgehen gegen die Philister (1. Samuel 7,5–14) spricht davon, daß er in Mizpe opferte, worauf es der Herr gegen die Philister »gewaltig donnern« ließ, so daß sie in Verwirrung gerieten und die Israeliten ihnen eine schwere Niederlage zufügten. Trotz dieses Erfolgs forderten die Gemeindeältesten in Rama von ihm einen König: *Siehe, du bist alt geworden, deine Söhne aber wandeln nicht in deinen Wegen; so setze nun einen König über uns, daß er uns regiere, wie es bei allen Völkern Brauch ist* (1. Samuel 8, 5). Samuels Entgegnung lautete, man solle die Hoffnung nicht auf einen irdischen König setzen, später aber berief er dann doch »das Volk zum Herrn nach Mizpe« (1. Samuel 10, 17).

Es schließt sich eine Erzählung an, deren geographische Einzelheiten recht unklar sind. Sie berichtet von Saul und dessen Suche nach den entlaufenen Eselinnen seines Vaters. Dabei war er, von Efraim ausgehend, durch die »Länder« Schalischa, Schaalim und Benjamin gekommen, bevor er die Gegend von Zuf (Zuph) erreichte. Falls es sich bei diesen »Ländern« um den Grundbesitz verschiedener Familien in Efraim handelte und wenn Baal-Schalischa (2. Könige 4, 42) im Osten von Kafr Malik lag, dann begab sich Saul zunächst über 20 km von Gibea aus nach Nordosten, bevor er wieder nach Rama zurückkehrte (1. Samuel 9, 5–10). Eine Verbindung zwischen dem Land Zuf und Rama ergibt sich möglicherweise aufgrund von 1. Samuel 1, 1 – einer Stelle, deren Deutung allerdings umstritten ist. In der Textfassung Luthers heißt es: *Es war ein Mann von Ramatajim-Zofim vom Gebirge Efraim,* während die Übersetzung der Züricher Bibel lautet: *ein Mann unter den Bürgern von Rama, ein Zufit vom Gebirge Efraim.* Ramatajim-Zofim könnte bedeuten: *Rama der Zufitenfamilie.* Wenn dies zutrifft, legte Saul auf seiner Suche einen ellipsenförmigen Weg zurück, dessen Endpunkt etwa 4 km nördlich vom Ausgangspunkt lag. Nach Rama ging er, um Samuel, der als Seher bekannt war, nach dem Verbleib der vermißten Eselinnen zu fragen. Er wurde von Samuel, dem er noch nie zuvor begegnet war, freundlich willkommen geheißen, und beim Abschied salbte ihn dieser auf Gottes Geheiß zum Fürsten über das Volk Israel (1. Samuel 10, 1), wobei er die Worte sprach: *Du sollst herrschen über das Volk des Herrn, und du sollst es erretten aus der Hand seiner Feinde ringsumher.*

Außerdem weissagte Samuel, Saul werde »beim Grab Rahels ... zwei Männer« treffen, die ihm Auskunft über den Verbleib der Eselinnen geben würden (1. Samuel 10, 2). Die Erwähnung des Rahel-Grabes wirft ein Problem auf. Reisende, die heute von Jerusalem nach Betlehem unterwegs sind, erblicken die überlieferte Grabesstelle kurz hinter einer Rechtsabzweigung der Straße in Richtung Bet Jala, also noch ein gutes Stück innerhalb des einstigen Gebiets von Juda. Dies stimmt mit Genesis 35, 19–20 überein, wo es heißt: *So starb Rahel und ward begraben am Wege nach Efrat, das ist Betlehem. Und Jakob errichtete auf ihrem Grabe einen Malstein. Das ist der Malstein des Rahelgrabes bis auf den heutigen Tag.* Die Gleichsetzung von Betlehem mit Efrat findet sich auch in der berühmten Passage des Buches Micha 5, 2–3:

> *Und du, Betlehem-Efrat, du kleinster unter den Gauen Judas, aus dir soll mir hervorgehen, der Herrscher in Israel werden soll; sein Ursprung ist in der Vorzeit, in unvordenklichen Tagen. Darum gibt er sie preis bis zu der Zeit, da sie, die gebären soll, geboren hat . . .*

In 1. Samuel 10, 2 jedoch wird das Grab Rahels nach Zelzach verlegt, ein nicht genau lokalisierbarer Ort. Nach 1.

Samuel 10, 5 vermag man aber wenigstens die Gegend festzulegen, wo Zelzach zu finden sein könnte. Saul wird angewiesen, sich von Rahels Grab nach Gibeat-Elohim zu wenden, »wo der Vogt der Philister wohnt« (Luther: »da der Philister Schildwacht ist«, womit wohl gemeint ist, daß sich dort eine Garnison der Philister befand). Falls besagtes Gibeat-Elohim mit Geba identisch ist, wo es laut 1. Samuel 13, 3 tatsächlich eine philistäische Garnison gab, muß Rahels Grab an der Route von Rama nach Geba gelegen haben. Geba ist wohl auch jenes Gibea, von dem in 1. Samuel 10, 10 die Rede ist. Dorthin wanderte Saul und schloß sich einer Schar ekstatischer Propheten an, so daß man fragte: *Was ist denn mit dem Sohn des Kisch geschehen? Ist Saul auch unter den Propheten?* Dann knüpft die Erzählung wieder an 1. Samuel 8, 4–22 an. Samuel ruft die Israeliten in Mizpe zusammen, warnt sie erneut vor den Gefahren irdischen Königtums, läßt aber dann darüber losen, wer Herrscher werden soll. Das Los fällt auf Saul, er wird zum König ausgerufen und kehrt nach Gibea zurück.

In 1. Samuel 11 geht Saul in seiner Heimatstadt Gibea friedlich seiner Arbeit als Landwirt nach, als Männer aus Jabesch-Gilead zu ihm kommen, das von dem Ammoniterkönig Nahasch bedroht wird. Daß es zwischen den Benjaminitern und den Leuten von Jabesch-Gilead eine Verbindung gab, wurde bereits erwähnt. Saul zerhieb sein Rindergespann in zwölf Stücke, ließ diese an alle Stämme Israels senden und forderte sie auf diese Weise auf, gemeinsam gegen die Ammoniter zu ziehen. Nach einem glänzenden Sieg wird Saul in Gilgal zum König ausgerufen. Das ist nun schwer damit in Einklang zu bringen, daß er bereits in Mizpe zum König gekrönt worden war, ja daß Samuel ihn schon in Rama zum »Fürsten«, wenn auch nicht ausdrücklich zum König gesalbt hatte.

Die Schilderung der eigentlichen Regierungszeit Sauls beginnt mit verschiedenen Begebenheiten im Jerusalemer Hochland (1. Samuel 13). So rekrutierten Saul und Jonatan aus den besten Männern der Israeliten Soldaten für ihre Streitkräfte. Dreitausend Mann behielten sie als stehendes Heer, wovon zweitausend bei Saul in Michmasch, die übrigen tausend bei Jonatan in Gibea stationiert wurden. Ein erfolgreicher Überfall Jonatans auf die Garnison der Philister in Geba (Gibea) provozierte diese zum Handeln (1. Samuel 13, 3–7): *Die Philister aber hatten sich schon gesammelt, wider Israel zu streiten, dreitausend Streitwagen, sechstausend Reiter, und Fußvolk so viel wie der Sand am Gestade des Meeres; die zogen herauf und lagerten sich in Michmasch, östlich von Bet-Awen,* während Saul sich nach Gilgal ins Jordantal zurückzog, von wo er bei Bedarf rasch in das Bergland jenseits des Jordan verschwinden konnte. Allerdings ist unwahrscheinlich, daß die Philister ein dermaßen starkes Truppenaufgebot (selbst wenn die angegebenen Zahlen stark übertrieben wären) an einem Punkt konzentriert haben sollten. Doch wie dem auch sei, ihre Maßnahmen hatten durchschlagenden Erfolg:

> *Als nun die Männer Israels sahen, daß sie in Not gerieten, weil sie bedrängt wurden, verkrochen sich die Leute in Höhlen und Löchern, in Felsen, Grüften und Zisternen, andre aber gingen über die Jordanfurten in das Gebiet von Gad und Gilead* (1. Samuel 13, 6–7).

An diesem Punkt schlägt die Erzählung einen Bogen zurück zur Salbung Sauls durch Samuel in Rama (vgl. 1. Samuel 10, 8 und 13, 8). Samuel hatte Saul damals gesagt: *Gehe mir voran nach Gilgal hinab; ich werde dann zu dir kommen, um Brandopfer und Heilsopfer darzubringen. Sieben Tage sollst du warten, bis ich zu dir komme und dir sage, was du tun sollst* (1. Samuel 10, 8). Im 13. Kapitel sehen wir, daß Saul tatsächlich wie befohlen in Gilgal auf Samuel gewartet hatte. Doch als sich dieser verspätete und das Volk von Saul abfiel, brachte er die Opfer auf eigene Faust dar. Für Samuel ist dies Anlaß, ihn zu tadeln, weil er seine Befugnis überschritten habe. Dieser Rückgriff auf die frühere Erzählung scheint aber nicht mehr zu sein als der Eingriff eines Bearbeiters, der wohl zeigen wollte, daß Saul, nachdem er nur ganze sieben Tage regiert hatte, schon seinen ersten schwerwiegenden Fehler beging und von Gott abgewiesen wurde. An sich ist – wenn wir von diesem Brückenschlag der Erzählung absehen – das Dilemma recht gut zu verstehen, in dem Saul sich befand. In seiner Verzweiflung brachte er eigenständig das Opfer dar, weil er hoffte, Gott dadurch zum unmittelbaren Eingreifen zu veranlassen.

Der nächste Abschnitt der Erzählung ist in der hebräischen Bibel-Originalfassung unklar, denn Samuel kehrt aus Gilgal nach Gibea zurück, und auch Saul ist plötzlich in Gibea (im hebräischen Text: Geba) anzutreffen. Vielleicht sollten wir hier der ältesten griechischen Übersetzung (der *Septuaginta)* folgen, die Angaben enthält, welche aufgrund des Fehlers eines Kopisten im überlieferten hebräischen Text fehlen. Hier liest sich die Stelle wie folgt:

> *Dann machte sich Saul auf, zog von Gilgal hinweg [und ging seines Weges; der Rest des Volkes aber zog hinter Saul her, dem Kriegsvolk entgegen,] und sie kamen von Gilgal nach Gibea in Benjamin. Da musterte Saul die Leute, die sich bei ihm befanden . . .* (1. Samuel 13, 15).

Der in eckigen Klammern eingefügte Satz (von *und ging* bis *entgegen*) ist nur in der griechischen Übersetzung zu finden. Wir können jetzt die Vermutung wagen, daß Saul nach Gibea zog, obwohl die Stärke seiner Streitkräfte auf sechshundert Mann zusammengeschrumpft war. Er hatte insofern eine Niederlage erlitten, als die Philister nun Michmasch in der Hand hatten, das früher sein Hauptquartier gewesen war. Von Michmasch aus entsandten die Philister Plünderungskommandos in drei Richtungen, die wohl Proviant besorgen sollten.

In der Folge wird von einem Angriff Jonatans und seines Waffenträgers auf die Garnison in Michmasch berichtet. Die Einzelheiten sind verwirrend, doch darf man annehmen, daß Jonatan sich von Gibea aus nach Nordosten zum cañonartigen Wadi Suweinit begab und dort bis hinauf nach Michmasch vordrang, das nur wenig mehr als einen Kilometer vom Nordwest-Ausgang des Cañons entfernt ist. Jonatan und sein Begleiter hatten vereinbart, die Philister nur dann zu attackieren, wenn sie von diesen dazu aufgefordert würden. Also zeigten sie sich den Philisterposten, welche spotteten: *Sieh, da kommen ja Hebräer aus den Löchern hervor, darein sie sich verkrochen haben* (1. Samuel 14, 11). Und dann riefen sie den beiden zu: *Kommt nur herauf zu uns, so wollen wir ein Wörtchen mit euch reden!* (1. Samuel 14, 12) Ihr darauf folgender tollkühner Angriff verursachte solche Panik, daß sogar die Wächter in Gibea (Geba) merkten, in Michmasch müsse etwas im Gange sein. So erhielt Saul die Chance, seine Streitkräfte zu mobilisieren und einen geballten Schlag gegen die Philister zu führen, die schließlich die Flucht ergriffen und bis in das Tal von Ajalon verfolgt wurden. Als die Schlacht im vollen Gange war, ließ Saul sein Volk schwören, nicht den kleinsten Bissen zu sich zu nehmen, bis der Sieg vollständig sei. Doch die Truppen kamen in einen Wald voller Waben, von denen Honig troff. Niemand aß, nur Jonatan, der von dem Schwur nichts wußte. Dies war Anlaß genug, daß Gott, von Saul befragt, keine Antwort

erteilte, bis Jonatans »Verbrechen« entdeckt war (1. Samuel 14, 24–37). Der hebräische Originaltext ist an dieser Stelle etwas schwer zu verstehen, so daß neuere Bibelübersetzungen nicht mehr von einem »Wald« sprechen, wie es ältere – beispielsweise die Übertragung Martin Luthers – noch tun. Der Rest der Saulsgeschichte, soweit diese in den Bergen um Jerusalem spielt, handelt von seiner Regentschaft in Gibea, wo er – getrieben von Eifersucht und Argwohn – sich zu einem Mordversuch an David hinreißen ließ (1. Samuel 18, 11). David floh zu Samuel nach Rama. Die Männer, die Saul ihm nachschickte, gerieten im Kreis der Propheten von Rama in Ekstase, ebenso erging es später Saul, als er sich selbst in die Stadt begab (1. Samuel 19, 18–24). David floh anschließend weiter zum Heiligtum von Nob – möglicherweise das heutige Dorf El-Isawija östlich des Skopusberges, wo sich jene Begebenheit ereignete, auf die später Jesus Bezug nimmt. Ahimelech, der Priester von Nob, gab David und seinen hungrigen Männern die heiligen Schaubrote zu essen, die man vor Gott auszulegen pflegte und die folglich nicht mehr als gewöhnliches Brot galten (1. Samuel 21, 3–6). In der Auseinandersetzung um die Sabbatheiligung bei Markus 2, 23–28 verweist Jesus auf diesen Vorfall als Beispiel dafür, daß sakrale Einrichtungen um der Menschen willen da seien, nicht umgekehrt. Ahimelechs Tat wurde Saul verraten, der darauf alle Priester in Nob und ihre Angehörigen ermorden ließ, mit Ausnahme Abjatars, der entkam und sich David anschloß.

Über Saul berichtet auch das Ende des 2. Buches Samuel. Gott führt hier eine drei Jahre andauernde Hungersnot zur Zeit Davids darauf zurück, daß auf Saul und seiner Familie Blutschuld laste, weil er in religiösem Eifer die Gibeoniter umgebracht habe (2. Samuel 21, 1). Diese Passage erinnert an Josua 9, 3–27 und an die List, mit der sich die Gibeoniter ein Bündnis mit den Israeliten erschlichen hatten. Saul hatte vermutlich den einst geschworenen Eid mißachtet, obwohl nicht klar ist, wie viele Gibeoniter tatsächlich durch ihn den Tod fanden. Er wollte wohl aus rein religiösen Motiven eine nicht-israelitische Enklave innerhalb seines Reiches entfernen. Andererseits bildeten die Gibeoniter auch eine Gefahr, denn sie konnten zu den Philistern überlaufen, sobald deren Aktien stiegen. Möglicherweise wollte Saul Gibeon auch nur schwächen, war es doch eine bedeutende Rivalin seiner eigenen Hauptstadt Gibea. Bei Josua 10, 2 wird Gibeon als »große Stadt« beschrieben, »wie eine der Königsstädte«, und nach 2. Samuel 21, 6 und 9 gab es dort einen »Berg des Herrn« (wenn diese Lesart richtig ist). Da Kirjat-Jearim mit Gibeon verbündet war (Josua 9, 17) und die Bundeslade in Kirjat-Jearim stand, bevor David sie nach Jerusalem bringen ließ (1. Samuel 7, 2), vermutete man, in Gibeon und Kirjat-Jearim sei eine Art von offiziellem Staatskult praktiziert worden. Dies ist wahrscheinlich reine Spekulation, doch daß Gibeon eine gewisse Bedeutung hatte, steht fest, und dies mag Saul zu seinem Argwohn veranlaßt haben. Zur Buße für Sauls Verbrechen an den Gibeonitern übergab David diesen sieben Enkelsöhne Sauls, die sie »auf dem Berge vor dem Herrn« hinrichteten, wobei der besagte Berg wohl der imponierende Nebi Samwil ist, der 2 km südöstlich von Gibeon liegt.

Bei Gibeon stieß auch die Armee Davids mit derjenigen Eschbaals, Sauls Sohn, unmittelbar nach dem Tode Sauls zusammen (2. Samuel 2, 12–17). Man darf davon ausgehen, daß David damals noch Vasall der Philister war, die ihm gerne gestatteten, in den Bergen rings um Jerusalem die eine oder andere Aktion gegen die Kräfte Eschbaals durchzuführen, dessen Operationsbasis Mahanajim im Jordantal war. Die von Joab bzw. Abner angeführten Truppen Davids und Eschbaals trafen am

Teich von Gibeon zusammen. Ob es sich bei diesem »Teich« um die große Zisterne handelt, die 1956/57 bei den Ausgrabungen in der Stadt entedeckt wurde, bleibt ungeklärt. Wie in der Erzählung von David und Goliat wurden Vorkämpfer ausgewählt, die die Auseinandersetzung eröffnen sollten. Auf jeder Seite traten zwölf von ihnen an, die offensichtlich mit Kurzschwertern bewaffnet waren. Nach dieser Ouvertüre fielen die Heere übereinander her, und Abner wurde geschlagen, doch auf der Flucht tötete er Joabs Bruder Asael, der ihm nachsetzte. Joab rächte sich dafür, indem er ihn später am Stadttor von Hebron ermordete.

Die Stadt Davids

Nachdem Abner und Eschbaal tot waren, rief man David in Hebron, von wo aus er mehr als sieben Jahre lang über Juda regiert hatte, auch zum König der Nordstämme aus (2. Samuel 5, 1-5). Nun beschloß er, seine Residenz weiter nach Norden, nach Jerusalem zu verlegen, das direkt hinter der Grenze Judas lag. Er ging damit so weit nördlich wie irgend möglich, ohne den unmittelbaren Kontakt mit den Judäern zu verlieren. Jerusalem kontrollierte wichtige Handelsrouten und wurde noch immer von Nicht-Israeliten, den Jebusitern, bewohnt. David konnte es daher zu seiner Metropole ernennen, ohne allzuviel Eifersucht seitens anderer Städte befürchten zu müssen. In strategischer Hinsicht indes wies Jerusalem wenig Vorzüge auf. Der Felssporn, auf dem sich die Jebusiterstadt erhob, war zwar im Osten, Süden und Westen durch tiefe Täler geschützt, doch im Norden überragte ihn der Berg, von dem dieser Felssporn ausging. Die Wasserversorgung wurde durch die Gihonquelle einigermaßen gesichert, aber den Zugang zur Quelle überragten weitere Anhöhen im Osten und Westen. Allerdings hatte man dermaßen starke Befestigungen angelegt, daß die Jebusiter über David spotteten: *Da kommst du nicht hinein, sondern die Blinden und Lahmen werden dich vertreiben* ... (2. Samuel 5, 6).

Wie David dann doch in die Stadt eindrang, ist unbekannt. Der Text von 2. Samuel 5, 8 bietet große Übersetzungsschwierigkeiten (weshalb die Züricher Bibel einige Worte als unverständlich ausläßt), vor allem bei dem Begriff »Sinnor«. Luther übersetzt ihn mit »Dachrinne«, neuere Übertragungen ziehen »Wassertunnel« vor. Man hat aber auch Bedeutungen wie »Enterhaken« und »Klettereisen« sowie den Gedanken erwogen, ob es sich um eine Art von Waffe gehandelt haben kann. Die gängigste Ansicht ist, daß Davids Männer durch ein mit der Gihonquelle verbundenes System von Schächten und Stollen ins Stadtinnere gelangten.

Nach der Eroberung ließ David Jerusalem »ringsum, vom Millo an einwärts« ausbauen (2. Samuel 5, 9). Unklar ist wieder die Bedeutung des Wortes »Millo«. Möglicherweise hängt es mit dem hebräischen Verbum für »füllen« zusammen und bezieht sich auf eine bauliche Besonderheit der ältesten Stadt, die durch archäologische Ausgrabungen nachgewiesen ist. Man erweiterte nämlich die bebaubare Grundfläche, indem man an den steilen Flanken des Felssporns Stützmauern errichtete. Der Zwischenraum zwischen diesen Stützmauern und der natürlichen Böschung wurde aufgefüllt, so daß Terrassen entstanden. Vielleicht bezog sich »Millo« auf diese aufgefüllten Plattformen.

Im übrigen herrschen geteilte Meinungen über die zeitliche Abfolge der bei 2. Samuel 5 berichteten Ereignisse. Wie wir dort lesen, nahm David zuerst Jerusalem ein und siegte dann in zwei Schlachten über die Philister. Viele Alttestamentler glauben jedoch, David habe Jerusalem erst in seinen Besitz gebracht, nachdem er die Philister geschlagen hatte. Das Problem stellt sich, weil es in 2. Samuel 5, 17-20 heißt:

Als aber die Philister hörten, daß man David zum König über ganz Israel gesalbt hatte, zogen sie alle herauf, um David zu suchen. Sowie David das erfuhr, ging er nach

Seite 170/71: Luftaufnahme des Dorfes Jeba jenseits des Wadi Suwenit. Bei Jeba handelt es sich wahrscheinlich um das ehemalige Geba, das in alttestamentlicher Zeit auf dem Gebiet des Stammes Benjamin lag. Außerhalb des linken Bildrandes geht das Wadi Suwenit in einen Cañon über, durch den Jonatan schlich, um die Philistergarnison in Michmasch, dem heutigen Dorf Muchmasch, zu überraschen.

Jerusalem von Westen gesehen. Die Mauern wurden im 16. Jahrhundert von den Türken erbaut. Links von der Bildmitte erkennt man die Zitadelle, an deren Stelle sich einst der obere Palast des Herodes befand. Ganz rechts ist der klobige Turm der »Entschlafungskirche« *(Dormitio)* zu sehen. Im Hintergrund erhebt sich der Ölberg, gekrönt vom Glockenturm des russischen Frauenklosters (der rechte der drei Türme auf der Kammhöhe). Der Turm ganz links am Horizont liegt auf dem Skopusberg.

der Bergfeste hinab. Als nun die Philister eingedrungen waren und sich in der Ebene Refaim ausgebreitet hatten, da befragte David den Herrn und sprach: Soll ich wider die Philister hinaufziehen? Wirst du sie in meine Hand geben? Der Herr antwortete David: Ziehe hinauf, denn ich werde die Philister sicherlich in deine Hand geben. Da zog David nach Baal-Perazim und schlug sie dort; und er sprach: Der Herr hat meine Feinde vor mir her durchbrochen, wie das Wasser den Damm durchbricht. Daher nannte man jenen Ort Baal-Perazim [d. h. Herr der Durchbrüche].

Die strittige Frage lautet, von welcher Bergfeste hier die Rede ist und von wo aus David dorthin ging. Was die Feste angeht, so denkt man zumeist an die Ortschaft Adullam, in der David sich als Flüchtling vor Saul verborgen hatte *(vgl. Seite* 87*)*. Da die Philister aber im Tal von Refaim aufmarschierten, scheinen sie erwartet zu haben, ihn in Jerusalem vorzufinden, denn das Refaimtal gehört zu einer jener Westostrouten, die von der Küstenebene ins Landesinnere führen, und erreicht das zentrale Bergland leicht südlich von Jerusalem. Wenn Davids Hauptquartier hingegen immer noch Hebron war, hätten die Philister sicherlich ihre Truppen nicht in einem Tal massiert, das mehr als 20 km nördlich dieser Stadt liegt. Sie vermuteten David demnach in Jerusalem, der über sie triumphierte, weil er aus einer unerwarteten Richtung angriff. 2. Samuel 5, 23–24 enthält die ausdrückliche Weisung Gottes:

Ziehe ihnen nicht entgegen, sondern falle ihnen in den Rücken und komme von den Bakabäumen her über sie. Wenn du es in den Wipfeln der Bakabäume einherschreiten hörst, dann brich los; denn alsdann ist der Herr vor dir her ausgezogen, das Heer der Philister zu schlagen.

Dies ist wohl so zu verstehen, daß David und seine Getreuen ihren Umgehungsmarsch bei Nacht unternahmen und die Bäume das Aufkommen der Morgenbrise ankündigten, die vom Land nach dem Meer zu wehte und die morgendliche Erwärmung des Bodens durch die aufsteigende Sonne signalisierte. Selbstverständlich nahm man im alten Israel an, daß zu Gottes Streitmacht auch die Kräfte der Natur gehörten, und David wird angewiesen, das Rauschen von Schritten in den Wipfeln als Zeichen zu nehmen, daß Gott auf seiner Seite kämpft.

Jerusalems religiöse Bedeutung

Nachdem David Jerusalem eingenommen hatte, brachte er die Bundeslade in die Stadt und stellte sie dort in einem besonderen Zelt auf (2. Samuel 6). Außerdem errichtete er auf der Tenne des Jebusiters Arauna einen Altar (2. Samuel 24, 18–25). Das wichtigste Höhenheiligtum der Jerusalemer Berge lag aber immer noch in Gibeon (bzw. auf dem Nebi Samwil). Vor dem Bau des Tempels in Jerusalem opferte Salomo in Gibeon (1. Könige 3, 4), und ebenfalls hier, nicht in Jerusalem, hatte er seinen Wahrtraum, in dem er Weisheit erbat, als Gott ihm zu geben versprach, was immer er wünsche (1. Könige 3, 5–15).

Als jedoch der Tempel auf dem Tempelberg nördlich der Davidsstadt vollendet war (ca. 955 v. Chr.), wurde Jerusalem zum Haupttheiligtum der Israeliten. Es gab zwar Rivalen, beispielsweise Bet-El *(vgl. Seite* 153*)*, aber von nun an war Jerusalem nach der Darstellung der Bibel Brennpunkt des politischen und religiösen Geschehens und damit Symbol des künftigen Gottesreiches. In Zusammenhang mit Jerusalem ging in die Religion Israels auch eine Fülle von Symbolen ein, die der religiösen Vorstellungswelt des Nahen Ostens im weiteren Sinne angehörten. So beschreibt etwa Psalm 68, wie Gott vom Berg Sinai zum Berg Zion in Jerusalem kam. Die Ankunft Jahwes wird als Triumph über dessen Feinde hingestellt:

Der Wagen Gottes sind vielmal tausend,
tausend und aber tausend;

Das alttestamentliche Jerusalem

Unten: Am südlichen Ende der Davidsstadt befindet sich eine Nekropole, von der einige Gelehrte glauben, daß sie das ursprüngliche Grab Davids enthalte. Die Vertiefung am Ende des hier gezeigten Grabganges könnte einen 1,20 m breiten Sarkophag umfaßt haben. Von diesem Grabzugang genießt man einen großartigen Blick über das Kidrontal.

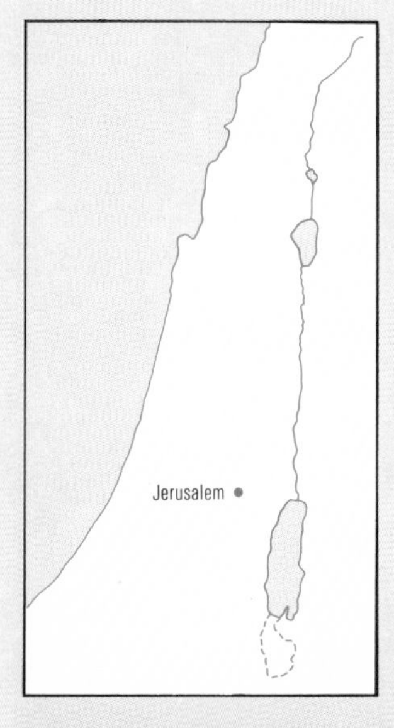

Der Ofel südlich der jetzigen Altstadt wurde bereits im 4. Jahrtausend v. Chr. besiedelt. Der Name Jerusalem erscheint als *Urusalim* (gebildet aus *Uru* »Stadt« und *Salim* »Heil«) erstmals auf Tontafelarchiven aus der Frühen Bronzezeit IV (ca. 2400–2150 v. Chr.), die man in Ebla in Nordsyrien fand. Bei der Landnahme konnte die von den Israeliten Jebus (Richter 19, 10) genannte Stadt nicht erobert werden. Erst David nahm sie um 998 in Besitz und machte sie zu seiner Residenz sowie zum religiösen Zentrum. Salomo erweiterte das Stadtgebiet in Richtung des Bergs Moria, auf dem er seinen Palast und den Tempel errichtete. 597 wurde Jerusalem dann durch den babylonischen König Nebukadnezzar gestürmt und zerstört, seine Bevölkerung deportiert; aber nach dem Exil baute man es einschließlich des Tempels wieder auf. Danach ging es durch griechische und seleukidische Hände, bis schließlich der römische Feldherr Pompeius es im Jahr 63 v. Chr. der Oberhoheit des Imperium Romanum unterstellte.

Oben: Krüge und Kopfplastiken, die in der Davidsstadt ausgegraben wurden.

Rechts: Diese Luftaufnahme Jerusalems mit Blick nach Norden zeigt den Felssporn mit der Davidsstadt (untere Bildhälfte, vor den Mauern der Kreuzfahrerstadt). Rechts des Felsvorsprunges erkennt man das Kidrontal.

In der Mitte der ummauerten Tempelplattform erhebt sich der Felsendom, der Ende des 7. Jahrhunderts n. Chr. fertiggestellt wurde und das drittwichtigste Heiligtum des Islam ist. (Der Legende nach trat Mohammed in Jerusalem vom Berg Moria aus seine nächtliche Himmelsreise an.) Auf dieser Plattform standen der Erste und der Zweite Tempel.

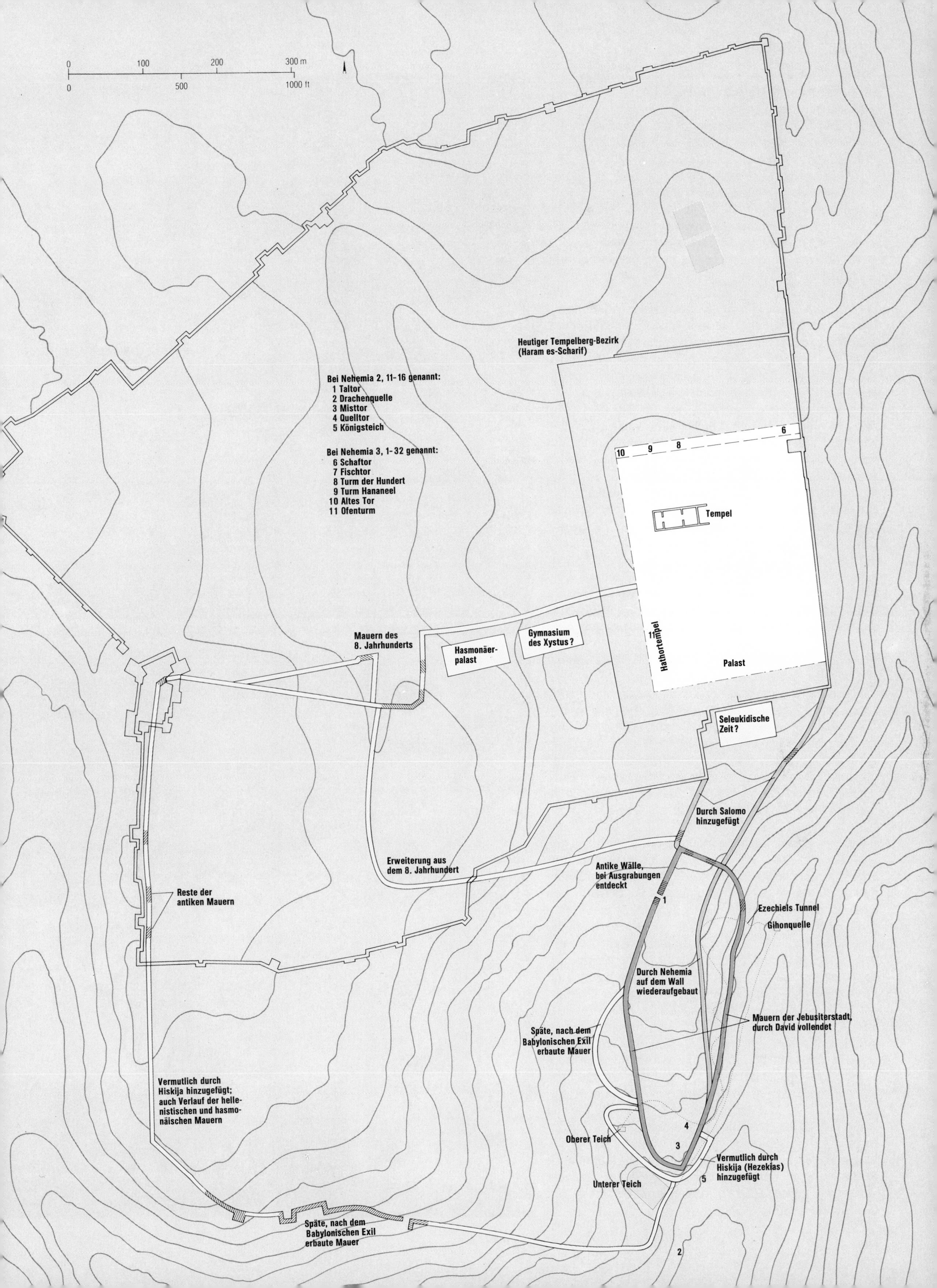

0
100
200
300 m
0
500
1000 ft
Heutiger Tempelberg-Bezirk
(Haram es-Scharif)
Bei Nehemia 2, 11-16 genannt:
1 Taltor
2 Drachenquelle
3 Misttor
4 Quelltor
5 Königsteich
Bei Nehemia 3, 1-32 genannt:
6 Schaftor
7 Fischtor
8 Turm der Hundert
9 Turm Hananeel
10 Altes Tor
11 Ofenturm
10
9
8
6
Tempel
11
Hathortempel
Palast
Mauern des
8. Jahrhunderts
Hasmonäer-
palast
Gymnasium
des Xystus?
Seleukidische
Zeit?
Durch Salomo
hinzugefügt
Erweiterung aus
dem 8. Jahrhundert
Antike Wälle,
bei Ausgrabungen
entdeckt
1
Reste der
antiken Mauern
Ezechiels Tunnel
Gihonquelle
Durch Nehemia
auf dem Wall
wiederaufgebaut
Mauern der Jebusiterstadt,
durch David vollendet
Späte, nach dem
Babylonischen Exil
erbaute Mauer
Vermutlich durch
Hiskija hinzugefügt;
auch Verlauf der helle-
nistischen und hasmo-
näischen Mauern
4
Oberer Teich
3
Vermutlich durch
Hiskija (Hezekias)
hinzugefügt
5
Unterer Teich
Späte, nach dem
Babylonischen Exil
erbaute Mauer
2

der Herr ist vom Sinai hergekommen ins Heiligtum.
Du bist emporgestiegen zur Höhe,
hast Gefangene weggeführt.
Du hast Gaben empfangen unter den Menschen;
auch die widerstrebten, werden nun wohnen
bei Gott, dem Herrn.
Gelobt sei der Herr Tag für Tag!
Uns trägt der Gott, der unsre Hilfe ist.
Gott ist uns ein Gott des Sieges,
Gott, der Herr, errettet vom Tode.
Ja, Gott zerschmettert das Haupt seiner Feinde,
den Scheitel dessen, der einherschreitet in seiner Schuld.
(Psalm 68, 18–22)

Diese alttestamentliche Stelle griff man dann im Epheserbrief 4, 8 auf und deutete sie auf Christi Himmelfahrt um. Gottes Gegenwart in Jerusalem wurde in solchem Maße Anlaß menschlichen Hoffens, daß der Psalm 46 den zuversichtlichen Refrain enthält: *Mögen tosen, mögen schäumen seine Wogen, die Berge erzittern bei seinem Aufruhr: der Herr der Heerscharen ist mit uns, eine Burg ist uns der Gott Jakobs* (Vers 4). Und im selben Psalm wird Gott als ein »Strom« bezeichnet, »dessen Arme die Gottesstadt erfreuen« (Vers 5). Hier werden wohl die beiden Quellen Jerusalems, die Gihon- und die Rogelquelle, als sichtbare Manifestationen des Paradiesstromes angesehen, von dem man im antiken Vorderen Orient glaubte, er fließe unter heiligen Bergen hindurch. Die gleiche Vorstellung spricht aus Ezechiels (47, 1–12) Vision des unter der Tempelschwelle entspringenden und die Jordansenke sowie das Tote Meer befruchtenden Wunderstromes. Und wenn die Propheten das künftige Gottesreich der Gerechtigkeit und des Friedens schauen, findet dies nicht selten Ausdruck in überhöhenden Schilderungen Jerusalems:

Und es wird geschehen in den letzten Tagen, da wird der Berg mit dem Hause des Herrn festgegründet stehen an der Spitze der Berge und die Hügel überragen; und Völker werden zu ihm hinströmen, und viele Nationen werden sich aufmachen und sprechen: Kommet, lasset uns hinaufziehen zum Berge des Herrn, zu dem Hause des Gottes Jakobs, daß er uns seine Wege lehre und wir wandeln auf seinen Pfaden; denn von Zion wird Weisung ausgehen, und das Wort des Herrn von Jerusalem.
(Micha 4, 1–2; vgl. Jesaja 2, 2–3)

Jerusalem bildete auch den Nährboden einer Ideologie, nach der der König am Tage seiner Krönung von Gott angenommen, ja »geboren« wurde, um unter den Wächtern des Gottesvolkes die Stellung eines Verantwortlichen einzunehmen, der sich dem Herrn gegenüber für die Wahrung des Rechts und den Schutz der Armen verbürgt. So wird im Psalm 2, 7 dem neugekrönten Herrscher verkündet: ... *Mein Sohn bist du, ich habe dich heute gezeugt*, wogegen er im Psalm 110, 4 zum Erben uralter Rechte und Privilegien der Priesterkönige Alt-Jerusalems erklärt wird: *Du bist Priester in Ewigkeit nach der Weise Melchisedeks.* Beide Passagen werden im Neuen Testament aufgegriffen und auf Jesus bezogen. Der Vers aus dem 2. Psalm kehrt in abgewandelter Form im Zusammenhang mit Jesu Taufe wieder (Markus 1, 11), und der Hebräerbrief (5, 5–10) zitiert sogar beide Psalmstellen in einem Abschnitt über das Priestertum Jesu. Unklar bleibt, wie viel von dieser Zions- und Königs-Ideologie schon in den Tagen Davids und Salomos vorhanden war. Es sei nur betont, daß die Verlegung der Hauptstadt von Hebron nach Jerusalem in geopolitischer Hinsicht zweifellos das wichtigste und folgenreichste Einzelereignis der biblischen Geschichte darstellte.

Ungeachtet der großen Erfolge stieß Davids Regentschaft aber nicht nur auf Zustimmung. Teile des Volkes waren unzufrieden mit den politischen und sozialen Veränderungen und wünschten die Wiederherstellung der alten Institutionen der Richterzeit. Vor diesem Hintergrund ist der Aufstand Abschaloms gegen seinen Vater zu sehen, der in Hebron begann (2. Samuel 15). Trotz der starken Befestigungsanlagen Jerusalems suchte David sein Heil in der Flucht, nachdem er erfahren hatte, daß der Großteil der Bevölkerung hinter Abschalom stand: *Auf, laßt uns fliehen! denn sonst gibt es für uns kein Entrinnen vor Abschalom. Machet euch eilends auf den Weg, damit er uns nicht ereile und Unheil über uns bringe und die Stadt mit der Schärfe des Schwertes schlage* (2. Samuel 15, 14). 2. Samuel 15, 30 entwirft dann ein trauriges Bild des Königs, wie er weinend, barfüßig und verhüllten Hauptes den Ölberg hinan schreitet. Und daran schließt sich eine sehr aufschlußreiche Bemerkung über den Gipfel des Ölberges an, »wo man Gott anzubeten pflegt« (2. Samuel 15, 32). Als Joschija 622/21 v. Chr. seine Kultreform durchführte, ließ er »die Opferhöhen östlich von Jerusalem . . . entweihen« (2. Könige 23, 13). Es kann daher sehr gut sein, daß in der Anfangsphase Jerusalems als Reichsmetropole das einfache Volk der Stadt und ihrer Umgebung eine Kultstätte auf dem Ölberg besaß.

Nach dem Verlassen Jerusalems suchte David Zuflucht in Mahanajim. Es gelang ihm, eine – vor allem aus Bewohnern des Ostjordanlands bestehende – Streitmacht gegen die Rebellen zusammenzustellen. Im Wald von Efraim kam es schließlich zur Schlacht, bei der Davids Gefolgsleute einen glänzenden Sieg errangen und Abschalom ums Leben kam. Obwohl David danach versuchte, durch partielle Zugeständnisse der Unzufriedenheit Herr zu werden, brach eine zweite Revolte aus, die von den Nordstämmen ausging. Doch auch diesmal wurde er mit der Bedrohung fertig. In dem betreffenden Bericht ist auch von Gibeon die Rede. David hatte Abschaloms Heerführer Amasa nach dem Sieg zu seinem eigenen Oberbefehlshaber ernannt. Als die Nordstämme revoltierten, befahl er diesem, innerhalb von drei Tagen die wehrfähigen Männer Judas aufzubieten und dann bei ihm zum Rapport zu erscheinen (2. Samuel 20, 4). Da Amasa sich verspätete, schickte David Abischai und seine Leibgarde in den Kampf. Auch Joab, der von Amasa als Oberbefehlshaber abgelöst worden war, stieß später zu der Truppe. Amasa fanden sie »bei dem großen Stein in Gibeon« (2. Samuel 20, 8) – ein seltsamer Aufenthaltsort, wenn er wirklich im Begriff war, die Judäer zu mobilisieren. Mag sein, daß Joab Verdacht gegen Amasa hegte und an dessen Treue zu David zweifelte – doch hatte er auch allen Grund, auf diesen Mann eifersüchtig zu sein. Er stellte sich also Amasa gegenüber freundlich, so daß dieser sich sicher fühlte, und streckte ihn dann mit einem Schwertstoß nieder. Darauf sammelte er alle Anhänger Davids und zog gegen die Aufständischen im Norden.

Als David bereits hochbetagt war, wetteiferten seine beiden noch lebenden Söhne Adonija und Salomo um die Herrschernachfolge (1. Könige 1). Der nächste Thronanwärter nach dem toten Abschalom war Adonija, der seinen Anspruch durch Prachtentfaltung zu unterstreichen versuchte. Eines Tages arrangierte Adonija eine Opferfeier an der Rogelquelle. Er opferte Schafe und Rinder, und die Gäste, die er geladen hatte, bejubelten ihn als künftigen König. Daraufhin bildete sich mit Billigung Davids eine Gegendemonstration aus Anhängern einer Thronanwartschaft Salomos. An Jerusalems anderer Quelle, der Gihonquelle, wurde Salomo in Gegenwart des Propheten Natan von dem Priester Zadok zum König gesalbt. Als Adonija davon hörte, erkannte er, daß er verloren hatte, und flüchtete zu einem Altar. Salomo verzieh ihm, ließ ihn aber später dann doch umbringen.

Die Reichsteilung

Ein Charakteristikum von Salomos Regierungszeit war die rege Bautätigkeit überall im Land. Er ließ strategisch wichtige Städte wie Hazor, Megiddo und Geser befestigen, vor allem aber baute er seine Residenz Jerusalem aus und errichtete dort den Ersten (oder Salomonischen) Tempel. Die Finanzierung und Ausführung dieser aufwendigen Projekte, verbunden mit den hohen Kosten für das Berufsheer und den aufgeblähten Beamtenapparat, bürdete dem Volk allerdings schwere Lasten auf. Es kam zur Zwangsrekrutierung von Arbeitskräften (nur die Bevölkerung Judas scheint davon ausgenommen gewesen zu sein), die sehr streng durchgeführt wurde. 1. Könige 5, 27–29 berichtet von insgesamt 30000 Fronarbeitern, die auf dem Libanon eingesetzt waren, daneben ist von 70000 Lastträgern und 80000 Steinmetzen im »Gebirge« die Rede. Zwangsläufig wuchs durch das Fronsystem und die harte Abgabenregelung in den zwölf neu geschaffenen Verwaltungsbezirken (Juda besaß hierbei wiederum eine privilegierte Stellung) die Unzufriedenheit in weiten Teilen des Volkes, zumal sich am Ende von Salomos Regentschaft auch noch wirtschaftliche und außenpolitische Probleme einstellten. Als nach Salomos Tod sein Sohn Rehabeam sich weigerte, das Los der Nordstämme zu mildern, kam es zum Aufstand unter Jerobeam und zur Teilung des Reiches. Eine wichtige Rolle bei der Erhebung spielte der Prophet Ahija, der als symbolischen Akt seinen Mantel in zwölf Stücke zerriß, von denen er zehn Jerobeam gab (1. Könige 11, 30–31). Die Zahl Zehn, nicht Elf, erklärt sich daraus, daß Juda, das dem Hause Davids stets treu blieb, in Wirklichkeit aus Juda und Benjamin bestand. Als mithin Rehabeam beschloß, gegen die abtrünnigen Nordstämme zu ziehen, versammelte er »das ganze Haus Juda und den Stamm Benjamin« (1. Könige 12, 21).

Kaum war das Reich in Israel und Juda zersplittert, als beide Teile einen Angriff der Ägypter (um 924 v. Chr.) unter deren Pharao Schischak (Sheshonq I.) erlitten. Die Bibel berichtet:

> *Es begab sich aber im fünften Jahre des Königs Rehabeam, daß Schischak, der König von Ägypten, wider Jerusalem heraufzog. Und er nahm die Schätze des Tempels und die Schätze des Königspalastes, alles nahm er weg, auch alle goldenen Schilde, die Salomo hatte machen lassen.*
> (1. Könige 14, 25–26)

Vielleicht handelt es sich bei dieser lapidar formulierten Stelle um einen Auszug aus den Tempelannalen, die wohl geführt wurden, um den Überblick über die Besitzungen nicht zu verlieren. Möglicherweise ist dies auch der Grund, weshalb ausschließlich von Jerusalem berichtet wird, so daß der Eindruck entsteht, Schischak habe es einzig und allein auf diese Stadt abgesehen gehabt. Aus einer ägyptischen Inschrift, welche die Orte auflistet, die Schischak erobert haben soll (die aber Jerusalem überhaupt nicht erwähnt), läßt sich der Verlauf seines Feldzugs einigermaßen rekonstruieren: er richtete sich gegen befestigte Städte im Negev, in der Küstenebene, in den Bergen um Jerusalem und Samaria, im Jordantal sowie in der Jesreelebene. In der Nachbarschaft Jerusalems griff Schischak Geser, Ajalon, Kirjat-Jearim, Bet-Horon und Gibeon an. Man darf vermuten, daß der Pharao in Gibeon von Rehabeam entweder Tributzahlungen forderte oder daß dieser freiwillig zahlte, um Schischak zum Abzug nach Norden zu bewegen.

Zwar schwächte der ägyptische Angriff die Kräfte beider Königreiche, doch kämpften Israel und Juda noch generationenlang miteinander, und Schauplatz ihrer militärischen Konfrontationen waren in der Regel die Jerusalemer Höhen. Rehabeams Sohn Abija (um 910–908) glückte es, Judas Nordgrenze über Bet-El hinaus nach Norden vorzuverlegen (2. Chronik 13, 19–20). Bascha von Israel (906–883) hingegen verlagerte seine Südgrenze wieder weiter nach Süden und baute Rama aus, so daß niemand von Juda »aus und ein gehen« konnte (1. Könige 15, 17). Dies deutet auf eine feste Kontrolle der Nordsüdroute hin, und um die Aufhebung dieser Blockade zu erreichen, sandte König Asa von Juda (908–867) dem Aramäerkönig Ben-Hadad Tribut. Als Gegenleistung sollte er die nördlichsten Städte Israels angreifen. Diese Politik erwies sich als so erfolgreich, daß Bascha sich zurückzog. Asa befestigte Mizpe sowie Gibea (Geba), wodurch der Grenzverlauf zwischen Israel und Juda stabilisiert wurde. So lange das Südreich existierte, umfaßte es auch den größten Teil des Stammesgebiets der Benjaminiter.

Die Angriffe Assyriens und Babyloniens

Das nächste bedeutsame historische Ereignis, das sich im Bergland um Jerusalem abspielte, war die Invasion Judas durch den Assyrerkönig Sanherib (701 v. Chr.). Damals regierte in Jerusalem Hiskija (um 727–698). Er verfolgte eine weitgehend antiassyrische Politik – riskant genug angesichts der Tatsache, daß die Assyrer 721 v. Chr. dem Nordreich Israel ein Ende bereitet hatten und Hiskijas Vater Ahas assyrischer Vasall gewesen war. Prompt kam es zum militärischen Eingreifen der Assyrer und zu schweren Verwüstungen, die Jesaja (1, 7–9) zu der bitteren Klage veranlaßten:

> *Euer Land liegt wüst, eure Städte sind verbrannt;* [die Frucht] *des Ackers vor euren Augen verzehren Fremde. Eine Wüste ist es wie das zerstörte Sodom. Und die Tochter Zion ist übriggeblieben wie ein Häuslein im Weinberg, wie eine Nachthütte im Gurkenfeld, wie ein Turm in der Nacht. Wenn nicht der Herr der Heerscharen von uns einen Rest gelassen, fast wären wir wie Sodom geworden und gleich wie Gomorra.*

Laut assyrischen Quellen nahm Sanherib 43 judäische Städte ein, und nur Jerusalem, die Tochter Zion, blieb verschont. Der genaue Ablauf von Sanheribs Feldzug ist unter Alttestamentlern nach wie vor umstritten, das gleiche gilt für die Frage, warum die Assyrer die Belagerung Jerusalems abbrachen und sich zurückzogen. Den assyrischen Annalen zufolge soll Hiskija sein Vasallenverhältnis erneuert und so die Stadt gerettet haben. 2. Könige 18, 13–16 dagegen berichtet, daß Sanherib trotz hoher Tributzahlungen seitens Hiskijas auf der Übergabe Jerusalems bestand, das dann nur durch ein Wunder verschont wurde. Doch von diesem ungeklärten Punkt jetzt abgesehen, ist von großem Interesse, wie Hiskija die Stadt befestigen ließ. Die ausführlichste Schilderung der Maßnahmen findet sich in 2. Chronik 32, 2–8, wo es heißt:

> *Als nun Hiskija sah, daß Sanherib heranzog mit der Absicht, Jerusalem anzugreifen, beschloß er mit seinen Fürsten und Helden, die Quellwasser, die sich außerhalb der Stadt befanden, zuzuschütten, und sie halfen ihm dabei: es versammelte sich viel Volk, und sie schütteten alle Quellen und den Bach zu, der mitten durch das Land strömte, indem sie sprachen: Warum soll der König von Assyrien, wenn er kommt, so viel Wasser finden? Dann ging er wacker ans Werk, baute die ganze Mauer, soweit sie schadhaft war, wieder aus und errichtete auf ihr Türme, dazu außerhalb eine andre Mauer, befestigte das Millo in der Davidsstadt und ließ Wurfgeschosse und Schilde in Menge anfertigen. Und er bestellte Kriegsobersten über das Volk, versammelte diese um sich auf dem freien Platz am Stadttor und sprach ihnen folgendermaßen zu: Seid fest und unentwegt, fürchtet euch nicht und verzaget nicht vor dem König von Assyrien und vor dem ganzen Haufen, der mit ihm zieht; denn mit uns ist ein Größerer als mit ihm.*

Diese Strategie Hiskijas, die Quellen den Angreifern unzugänglich zu machen, hat eine bemerkenswerte Parallele im Vorgehen der islamischen Verteidiger Jerusalems gegenüber den Kreuzrittern im Jahr 1099 n. Chr. S. Runciman (*Geschichte der Kreuzzüge,* Bd. 1) schreibt:

> *Auf die Kunde vom Herannahen der Franken ergriff er* [der fatimidische Statthalter Iftikhar ad-Daula] *die Vorsichtsmaßnahme, die Brunnen außerhalb der Stadt zu verstopfen oder zu vergiften . . . Die Kreuzfahrer ihrerseits hatten bald Schwierigkeiten mit ihrer Wasserversorgung. Iftikhars Maßnahmen hatten ihre Wirkung getan. Die einzig nicht verunreinigte Quelle, die den Belagerern zur Verfügung stand, war der Tümpel von Siloam unterhalb der Südmauer, der in gefährlicher Weise den Geschossen aus der Stadt ausgesetzt war. Um sich zusätzliches Wasser zu verschaffen, mußten die Belagerer sechs Meilen und weiter ins Land hinausziehen.*

Hiskija hatte zwischen diesem Schiloach-Teich und der Gihonquelle einen Tunnel anlegen lassen. Er ist etwa 535 m lang und verläuft unterirdisch längs der Bergflanken. Beim Bau arbeiteten zwei Trupps von entgegengesetzten Seiten aus. Der Punkt, an dem sie zusammentrafen, ist heute noch leicht an gewissen Richtungskorrekturen unmittelbar davor zu erkennen. Reisende, die im 19. Jahrhundert den Tunnel untersuchten, fanden ihn voller Ablagerungen und an manchen Stellen nur ganze 56 cm hoch, dies bei 30 cm Wassertiefe. Heute kann man ihn dagegen ohne allzugroße Unbequemlichkeit durchwaten, wenn man sich auch zuweilen bücken muß, da er teilweise nicht höher als 152 cm ist. Unklar bleibt, ob der Tunnel zur Zeit Hiskijas innerhalb der Stadtmauern verlief. Untersuchungen legen die Vermutung nahe, daß der Teich Schiloach damals außerhalb der Stadt lag und man sich allerlei einfallen ließ, um diese wichtige Wasserstelle zu tarnen. Falls indes die in 2. Chronik 32, 5 erwähnte »äußere Mauer« den Teich umschloß und in das Stadtgebiet einbezog, erscheint Hiskijas Tunnelbau viel sinnvoller.

Trotz Sanheribs Abzug konnte sich Juda auf Dauer nicht gegen Assyrien behaupten. Während der Regierung von Hiskijas Sohn Manasse (698–642) war Juda lange assyrischer Vasallenstaat. Als jedoch 640 der damals erst achtjährige Joschija Manasses Nachfolge antrat, verlor Assyrien rapide an Macht, so daß man die Unabhängigkeit zurückerlangte. Im Jahr 622/21 v. Chr., nach dem Fund des »Gesetzbuchs« im Tempel, begann Joschija mit seiner Kultreform. Die Identifizierung dieser Schrift ist für die Bibelforschung stets von zentraler Bedeutung gewesen. Nach vorherrschender Ansicht muß es sich dabei um das Buch Deuteronomium gehandelt haben, denn nur dort (12, 5) findet sich das ausdrückliche Verbot, den Herrn an anderen Orten als in Jerusalem zu verehren. Welche Wichtigkeit man der Entdeckung beimaß, wird im 2. Buch der Könige eindrucksvoll geschildert:

> *Als der König die Worte des Gesetzbuches hörte, zerriß er seine Kleider. Und der König gab . . . den Befehl: Geht,*

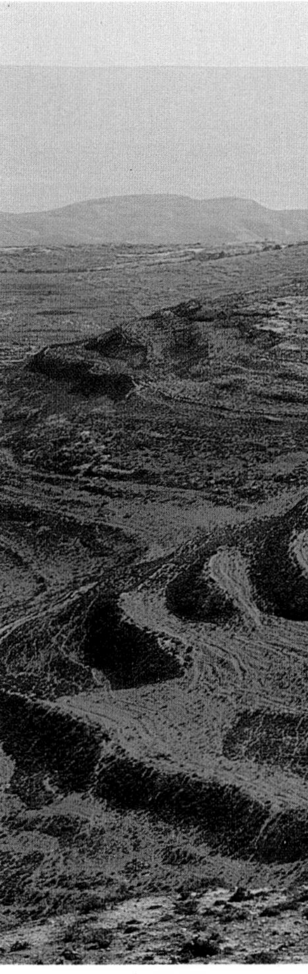

Oben: Diese Inschrift, die am Südwestende des von Hiskija während der assyrischen Belagerung Jerusalems angelegten Schiloach-Tunnels gefunden wurde, erinnert an das Zusammentreffen der beiden Bohrtrupps sowie an den Wasserschwall, der ihrem Durchbruch folgte.

Seite 176: Das sogenannte »Grab Abschaloms« im Kidrontal besteht aus einem würfelförmigen Unterbau mit ionischen Säulen, einem zylindrischen Aufsatz und einer kegelförmigen Spitze. Ob es sich tatsächlich um ein Grabmal handelte, ist umstritten, und die Verbindung zu Abschalom ist wohl fromme Legende. Vielleicht markierte es nur den Eingang zu einer dahinterliegenden Grabanlage, dem »Grab Joschafats«. Der ganze Komplex stammt aus dem 1. Jahrhundert v. Chr.

befragt den Herrn für mich und das Volk und für ganz Juda über dieses Buch, das man gefunden hat; denn groß ist der Grimm des Herrn, der über uns entbrannt ist, weil unsre Väter nicht auf die Worte dieses Buches gehört haben ... Dann ging der König hinauf in den Tempel des Herrn, und alle Männer von Juda und alle Bewohner von Jerusalem mit ihm, auch die Priester und die Propheten und alles Volk, klein und groß, und er las ihnen alle Worte des Bundesbuches vor, das im Tempel des Herrn gefunden worden war. Hierauf trat der König auf das Gerüst und verpflichtete sich vor dem Herrn, ihm anzuhangen und seine Gebote, Verordnungen und Satzungen von ganzem Herzen zu halten, um so die Worte dieses Bundes, die in diesem Buch geschrieben standen, in Kraft zu setzen. Und das ganze Volk trat dem Bunde bei.
(2. Könige 22, 11–13; 23, 2–3)

Sämtliche Kultstätten außer dem Jerusalemer Tempel wurden jetzt beseitigt, Priester, die sich des Götzendienstes schuldig gemacht hatten, ihres Amtes enthoben. Bei einigen dieser »Höhenheiligtümer« dürfte es sich um lokale Opferstätten gehandelt haben, die von Israeliten benutzt wurden. Andere hatte Salomo errichten lassen, damit seine ausländischen Haremsdamen ihren vertrauten Kulten nachgehen konnten (2. Könige 23, 13).

Während der Regierungsjahre Joschijas trat auch der Prophet Jeremia erstmals auf. Der Anfang des Buches, das seinen Namen trägt, nennt ihn »Sohn Hilkijas, eines der Priester, die zu Anatot im Lande Benjamin wohnten« (Jeremia 1, 1). Bei Anatot handelt es sich wahrscheinlich um das heutige Anata, etwa 3 km nordöstlich von Jerusalem. Interessant ist der Zusatz »im Lande Benjamin«. Obwohl das Dorf von Anfang an zum Südreich Juda gehörte, zählte man es immer noch zum Gebiet des Stammes Benjamin. Die Priesterschaft in Anatot stammte möglicherweise von Abjatar ab, jenem Priester, der David gedient, aber in der Frage der Nachfolge auf seiten Adonijas, nicht Salomos, gestanden hatte, weshalb er von Jerusalem nach Anatot verbannt worden war (1. Könige 2, 26–27). Die Interpretation des Jeremiabuches wirft bisweilen schwer zu beantwortende Fragen auf. Beispielsweise wissen wir nicht, wie Jeremia zu Joschijas Kultreform stand, obwohl man oft die Vermutung hören kann, der Prophet habe sie abgelehnt, weil sie nur den äußeren Rahmen der betroffenen Kulte berühre, aber nichts von dem zu ändern vermöge, was sich im Innern eines Menschen abspielt. Wir können auch nur vermuten, ob Joschijas Reform Auswirkungen auf das Einkommen und den Status der Priester von Anatot hatte, oder ob für Jeremia, zumal er betont, aus dem Stammesgebiet von Benjamin zu kommen, irgendein Grund vorlag, gegen die ausschließlich dem Stamm Juda angehörenden Monarchen in Jerusalem Groll zu hegen. Jedenfalls spielte Jeremia eine ausschlaggebende Rolle bei den Ereignissen, die der Zerstörung Jerusalems im Jahr 587 vorangingen und nachfolgten.

Schon 597 hatte der babylonische König Nebukadnezzar Jerusalem eingenommen, König Jojachin nach Babylon verschleppt und mit ihm mindestens 10000 angesehene Bürger, hohe Offiziere und Handwerker. Den Thron Judas erhielt Jojachins Onkel Zidkija (2. Könige 24, 17). Der Prophet Hananja aus Gibeon war zuversichtlich, die Verbannung werde nicht länger als zwei Jahre dauern (Jeremia 28, 1–4). Jeremia dagegen glaubte an ein langes Exil und schrieb an die Deportierten nach Babylon (29, 5–6):

Bauet Häuser und wohnet darin; pflanzet Gärten und esset ihre Frucht; nehmet euch Frauen und zeuget Söhne und Töchter; werbet um Frauen für eure Söhne und

Ganz oben: Ansicht des Dorfes Anata, vermutlich der Platz des biblischen Anatot, woher der Prophet Jeremia stammte.

Rechts: Der pittoreske Eingang zur Gihonquelle, wo der Schiloach-Tunnel beginnt.

gebt eure Töchter Männern, damit sie Söhne und Töchter gebären, daß ihr euch dort mehret und eurer nicht weniger werden.

Im Jahr 588 erhob sich Zidkija gegen Nebukadnezzar, der daraufhin Jerusalem belagerte. Jeremia verkündete, die Stadt werde fallen, denn Gott sei gegen sie, und Kapitulation sei das Gebot der Stunde. Es überrascht nicht, daß man derartige Äußerungen als Verrat ansah. Jeremias Leben war bedroht, und zeitweilig wurde er inhaftiert. Aber er glaubte auch an eine Erneuerung des Lebens der Israeliten. Als man ihn aufforderte, seine Verwandtenpflicht zu erfüllen und von seinem Vetter in Anatot einen Acker zu erwerben, tätigte Jeremia den Kauf, ließ jedoch die Urkunden für die Nachwelt aufbewahren und erklärte (32, 15):

Denn so spricht der Herr der Heerscharen, der Gott Israels: Man wird in diesem Lande wieder einmal Häuser und Äcker und Weinberge kaufen.

Als Jerusalem 587 gefallen war, setzten die Babylonier in Mizpe eine Verwaltungsbehörde ein. Ihr Leiter war Gedalja, der Sohn Ahikams (Jeremia 40, 1-6). Gewöhnlich setzt man Mizpe mit Tell en-Nasbe gleich, obwohl es Anzeichen dafür gibt, daß das in den Kapiteln 40-41 des Jeremiabuches erwähnte Mizpe anderswo zu suchen ist. Erstens wurde Jeremia, als man ihn nach Babylon deportieren wollte, in Rama freigelassen (Jeremia 40, 1), und man empfahl ihm, zu Gedalja zurückzukehren. Rama aber befindet sich südlich von Tell en-Nasbe, und es ist sehr seltsam, daß Jeremia in eine Stadt zurückkehren sollte, die man noch gar nicht erreicht hatte. Zweitens floh Jischmael, nachdem er Gedalja und seinen Stab ermordet hatte, über den Jordan in das Land der Ammoniter (Jeremia 41, 10), um der Vergeltung der Babylonier zu entgehen. Doch israelitische bzw. judäische Streitkräfte unter dem Kommando Johanans hörten von Jischmaels Bluttat und beschlossen, den Attentäter gefangenzunehmen. Johanan traf Jischmael am großen Teich zu Gibeon (Jeremia 41, 12). Gibeon aber liegt 5 km südwestlich von Tell en-Nasbe, und es mutet unwahrscheinlich an, daß Jischmael diese Fluchtrichtung gewählt haben sollte, wenn er doch beabsichtigte, nach Osten hin ins Jordantal zu entkommen. Folglich muß jenes Mizpe, wo Gedalja als babylonischer Statthalter residierte, wohl Nebi Samwil gewesen sein. Jedenfalls ergeben bei diesem Ortsansatz die geographischen Angaben bei Jeremia 40-41 noch am ehesten einen Sinn.

Fast fünfzig Jahre lang lag Jerusalem nun in Trümmern. Vielleicht brachte man aber in den Ruinen des Tempels noch immer Opfer dar (Jeremia 41, 4-5). Im Jahr 540 erließ dann der persische Großkönig Kyrus II., der Große, ein Edikt, das den Juden gestattete, nach Jerusalem zurückzukehren und den Tempel wieder aufzubauen (Esra 1, 1-4). Allerdings ist die Interpretation der Esra-Kapitel 1-6 schwierig. Es wird vermutet, daß ein Teil des Materials in den Kapiteln 4-5 (besonders die Briefe in 4, 11-16 und 4, 17-22) nicht aus der Zeit der Rückkehr aus dem Exil, sondern aus der Mitte des darauffolgenden Jahrhunderts stammt. Bei oberflächlicher Durchsicht von Esra 1-6 gewinnt man den Eindruck, daß die unter Führung von Scheschbazzar aus dem Exil Zurückgekehrten mit dem Wiederaufbau des Tempels begannen, die Arbeiten aber dann unterbrochen werden mußten, weil dem persischen Großkönig die Dinge in falschem Licht dargestellt wurden. Schließlich nahm man die Arbeit mit ausdrücklicher königlicher Erlaubnis wieder auf, nachdem Darius unter Berufung auf Kyrus' früheren Erlaß eine entsprechende Anweisung erteilt hatte. Daraufhin wurde der Tempel von Serubbabel vollendet und 516 v. Chr. feierlich neugeweiht (Esra 6, 15).

Unbekannt ist das Schicksal Jerusalems zwischen diesem Zeitpunkt und dem Eintreffen Esras (458 v. Chr.) und Nehemias (445 v. Chr.). In welcher Beziehung beide standen und wie man ihr Wirken einander zeitlich zuzuordnen hat, läßt sich nicht leicht beantworten. Als Nehemia, aus der persischen Hauptstadt Susa eingetroffen, sich heimlich nachts in Jerusalem umsah, bot sich ihm folgendes trauriges Bild:

Und ich ritt bei Nacht zum Taltor hinaus gegen die Drachenquelle und das Misttor hin und betrachtete die Mauern Jerusalems, wie sie so zerrissen, und seine Tore, wie sie vom Feuer verzehrt waren. Dann ritt ich hinüber zum Quelltor und zum Königsteich. Als aber kein Raum mehr da war für mein Tier, um mit mir durchzukommen, stieg ich bei Nacht das Tal hinauf und besichtigte die Mauern; hernach kehrte ich um und kam durch das Taltor wieder heim.
(Nehemia 2, 13-15)

Diese Beschreibung und die Schilderung der Wiederaufbauarbeiten bei Nehemia, Kapitel 3, geben uns ein grobes Bild der Stadt im 5. Jahrhundert v. Chr. Die Davidsstadt war noch bewohnt, allerdings haben archäologische Ausgrabungen ergeben, daß ihre Ostmauern sich oben auf dem Kamm erhoben. Das Stadtgebiet war also sehr viel kleiner. Im Norden breitete sich das besiedelte Areal nach Westen hin zu den Hügeln aus, die dem Tempelberg gegenüberliegen. Der Wiederaufbau der Mauern durch Nehemia, während Sanballat, der Statthalter von Samaria, seine Störversuche unternahm, die Verkündigung des Gesetzes durch Esra und die Konsolidierung jüdischer Religiosität und kultischer Gottesverehrung in Jerusalem legten feste Fundamente für die Zukunft.

Das Jerusalem Esras und Nehemias unterschied sich in mancher Hinsicht recht erheblich vom Jerusalem der neutestamentlichen Zeit. Die erste Phase dieser Entwicklung ist um 175 v. Chr. anzusetzen. Die Eroberungen Alexanders des Großen (ab 334-323 v. Chr.) hatten das gesamte Antlitz der antiken Welt verändert. Zu den eroberten Territorien gehörten auch die Gebiete des ehemaligen Nordreiches Israel sowie des Südreiches Juda, die seit 323 v. Chr. bald dem einen, bald dem anderen hellenistischen Nachfolgestaat unterworfen waren. Um 175 v. Chr. ließ eine Gruppe von Juden, die eine Öffnung hin zum Griechentum befürworteten, in Jerusalem ein Stadion für sportliche Wettkämpfe errichten, wie sie bei den Griechen üblich waren. Dies ermutigte Antiochus IV., einen Hohenpriester einzusetzen, der für die Einführung weiterer griechischer Sitten und Gebräuche eintrat. Das Ende dieser Entwicklung war, daß Antiochus 167 v. Chr. den Tempel entweihte, indem er ihn in ein griechisches Heiligtum umwandelte. Damals erbaute man auch auf dem Westhügel, der die Stadt Davids überragte, eine Stadt griechischen Gepräges. Heftig umstritten ist die Lokalisierung der Zitadelle, der Akra, die unter anderem geschaffen wurde, um den Anhängern des Griechentums Schutz zu gewähren. Tatsächlich kam es zum Aufstand gegen die griechischen Oberherren. Der Kampf dauerte 26 Jahre. Die Führung lag in den Händen der Söhne des jüdischen Priesters Mattatias, die unter ihrem Beinamen Makkabäer (»Hämmerer«) in die Geschichte eingingen. Zwar wurde der Tempel schon 164 v. Chr. zurückgewonnen und neugeweiht, doch erst im Jahr 141 v. Chr. eroberte man die verhaßte Zitadelle und riß sie nieder. Darauf umgaben die Makkabäer die Stadt mit neuen Mauern,

Oben: Das Dorf Ein Karim (das biblische Bet-Kerem) liegt 4,8 km westlich von Jerusalem. Nach der Überlieferung wurde hier Johannes der Täufer geboren, und hier soll auch Maria ihre Base Elisabet besucht haben, um ihr in den Tagen vor und nach der Niederkunft beizustehen.

Rechts: Die Johanneskirche von Ein Karim wurde zwischen 1675 und 1690 von Franziskanern über den Fundamenten älterer Kirchenbauten errichtet. Unter dem Portikus der Kirche entdeckte man 1895 Bodenmosaike einer byzantinischen Kapelle.

doch dauerte es noch lange, bis Jerusalem so aussah wie zur Zeit des Neuen Testaments.

Der Tempel des Herodes

Der Architekt jenes Jerusalem, in dem Jesus lehrte und wirkte, war Herodes der Große. Er erweiterte die Plattform des Tempels und ließ ihn prunkvoll umbauen. Hierauf spielten die Juden an, die bei Johannes 2, 20 auf Jesu Bemerkung, er werde diesen Tempel in drei Tagen wiederaufbauen, wenn sie ihn niederrissen, erwiderten: *In sechsundvierzig Jahren ist dieser Tempel gebaut worden, und du willst ihn in drei Tagen wiedererstehen lassen?* Der jüdische Historiker Flavius Josephus gerät geradezu ins Schwärmen, wenn er das neue Heiligtum beschreibt: *Das Äußere des Tempels wies alles auf, was Herz und Augen staunen läßt. Denn über und über war der Tempel mit dicken Goldplatten umhüllt. Und wenn die Sonne aufging, dann gab er einen Glanz wie Feuer von sich, so daß der Beschauer sein Auge wie vor den Strahlen der Sonne abwenden mußte.* (*Über den Jüdischen Krieg,* V, 5, 6)

Herodes errichtete auch einen Königspalast auf dem Westhügel und eine Festung unmittelbar an der Nordwestecke des Tempelplatzes, der er – zu Ehren des römischen Feldherrn und Politikers Marc Anton – den Namen »Antonia« gab. Zudem verbesserte er die Wasserversorgung der Stadt, so daß die 70000 Einwohner nunmehr über genügend Wasser verfügten.

Auch ganz zu Anfang des Lukasevangeliums ist vom Tempel die Rede, in dem Zacharias ein Engel erscheint. Herodes' Tempel betrat man von seinem großen Hof aus durch eines von 13 Toren. Über Stufen gelangte man hinauf auf eine Terrasse, von der drei Tore in den Vorhof der Frauen führten. Von dort ging es über weitere Stufen hinauf zum Nikanor-Tor (dem »Schönen Tor«) und in den Vorhof der Israeliten – ein schmales Areal, das Laien betreten konnten, wenn sie ein Opfer darbringen wollten. Dahinter befand sich der Priesterhof mit dem Altar und dahinter dann jenes Bauwerk, das das Heiligtum und das Allerheiligste enthielt, die durch einen Vorhang voneinander getrennt waren.

Bei Lukas 1, 5–22 hat Zacharias das Los gezogen, das es ihm erlaubte, ein einziges Mal das Allerheiligste zu betreten, um dort ein Opfer darzubringen, das im Abbrennen von Weihrauch bestand. Während der Vorbereitungen hatte er eine Vision des Erzengels Gabriel, der ihm und seiner Frau Elisabet einen Sohn verhieß. Zacharias aber sollte bis zur Geburt und Namengebung des Kindes stumm sein. Es heißt dann weiter, Maria habe, aus Nazaret kommend, »in einer Stadt Judas« ihre Base Elisabet besucht. Der Überlieferung nach stammte Johannes der Täufer aus Bet-Kerem (das heutige Ein Karim), wo folglich auch das Haus seiner Mutter Elisabet gestanden haben müßte. Ein Karim ist ein kleines Dorf wenige Kilometer südwestlich von Jerusalem, und es ist durchaus nicht sicher, ob Johannes wirklich von dorther stammte.

Der Tempel ist auch Schauplatz zweier weiterer Szenen, die Lukas schildert: die Reinigung Marias und den Disput des zwölfjährigen Jesusknaben mit den Rechtsgelehrten (Lukas 2, 22–52). Was Marias Reinigung angeht, so war es Sitte, durch ein Opfer gleichsam die Periode ritueller Unreinheit zu beenden, die, wie man glaubte, jeder Geburt folgte (Leviticus 12, 2–8). Außerdem war es religiöse Pflicht frommer Juden, das erstgeborene Kind Gott zu weihen (Exodus 13, 2). Maria und Josef brachten Gaben dar, wie sie Armen gestattet waren. Derartige Opfergaben konnte man im Tempelvorhof erwerben. Auch Jesu Disput mit den Gesetzeslehrern müßte im großen Tempelvorhof stattgefunden haben. Weiter ist

Der Jerusalemer Tempel

Historiker sprechen oft von der Zeit des Ersten (um 955–587 v. Chr.) und des Zweiten Tempels (515 v. Chr.–70 n. Chr.), obwohl es strenggenommen einen dritten Tempel, den des Herodes, gab. Er ließ ab 20 v. Chr. die Plattform erweitern, auf welcher der Ende des 6. Jahrhunderts v. Chr. von Serubbabel errichtete Tempel stand. Der Erste (oder Salomonische Tempel) war anfangs vor allem eine Art »Hofkirche« gewesen. Hier feierte der Hof die großen religiösen Feste, während die Bevölkerung den Gott Israels in kleineren lokalen Heiligtümern verehrte. Erst nach Joschijas Kultreform im Jahr 622/21 wurde der Tempel zum Nationalheiligtum – ein Prozeß, den die veränderten Verhältnisse der Periode nach dem Babylonischen Exil (587–539 v. Chr.) noch förderten.

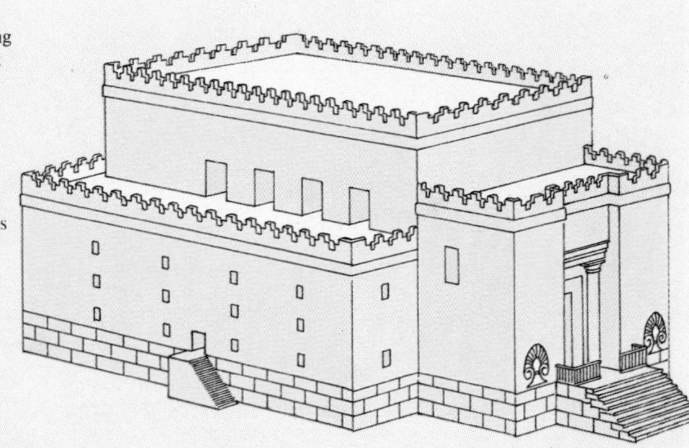

Rechts: Eine detaillierte Beschreibung des Salomonischen Tempels zur Zeit Ezechiels gibt 1. Könige 6, 2–38. Demnach scheint er eine von zwei Pfeilern flankierte Vorhalle besessen zu haben, durch die man in die Haupthalle (das Heiligtum) und schließlich in das Allerheiligste mit der Bundeslade gelangte. Ferner wies der Tempel einen dreistöckigen Umbau mit Wohnungen für Priester, Magazinen und Schatzkammern auf, die man über eine Außentreppe erreichte.

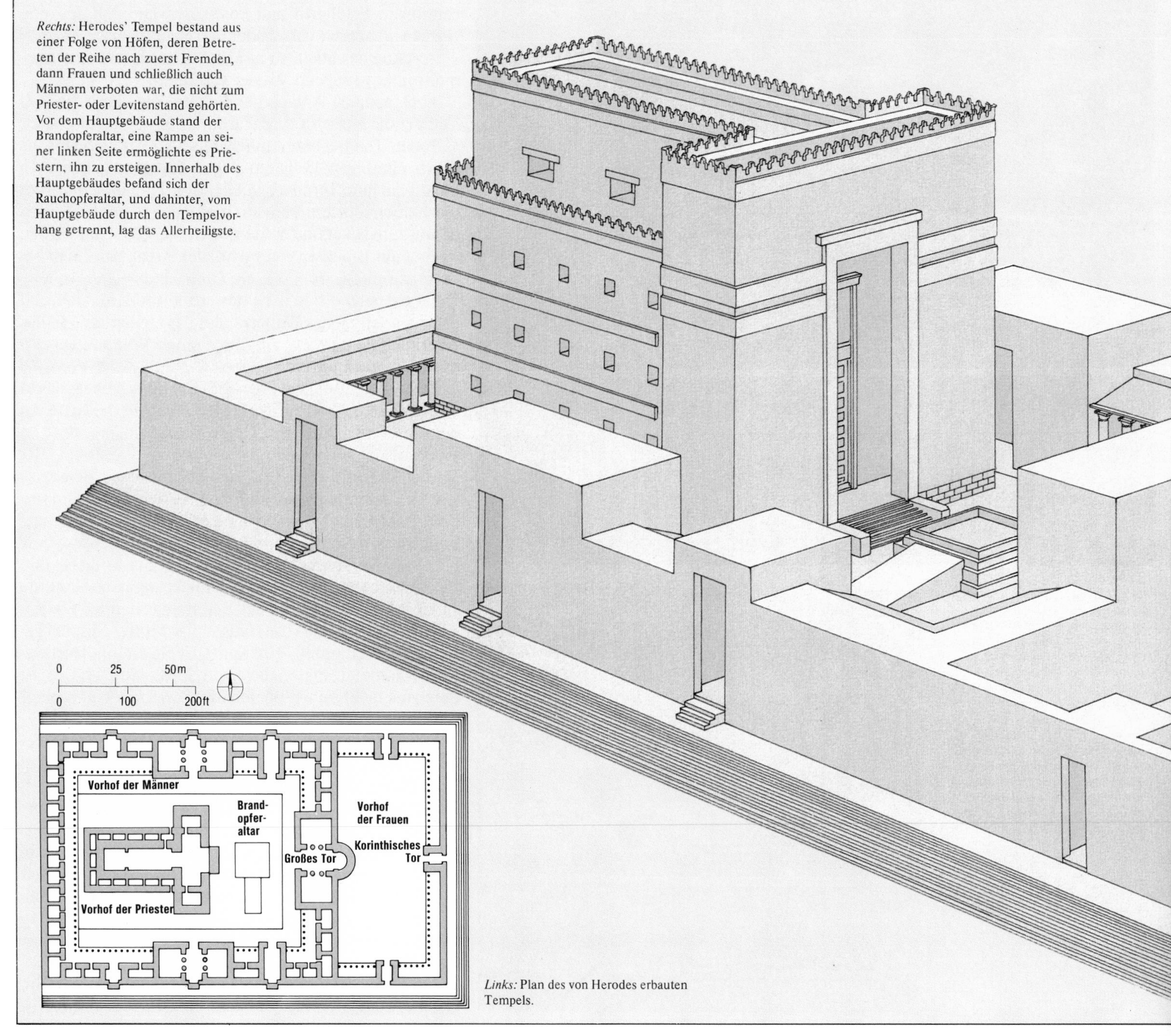

Rechts: Herodes' Tempel bestand aus einer Folge von Höfen, deren Betreten der Reihe nach zuerst Fremden, dann Frauen und schließlich auch Männern verboten war, die nicht zum Priester- oder Levitenstand gehörten. Vor dem Hauptgebäude stand der Brandopferaltar, eine Rampe an seiner linken Seite ermöglichte es Priestern, ihn zu ersteigen. Innerhalb des Hauptgebäudes befand sich der Rauchopferaltar, und dahinter, vom Hauptgebäude durch den Tempelvorhang getrennt, lag das Allerheiligste.

Links: Plan des von Herodes erbauten Tempels.

Unten: Zeichnung nach einem in Kafarnaum gefundenen Steinrelief, das vielleicht zu der Synagoge des 4. Jahrhunderts n. Chr. gehörte. Es stellt die Überführung der Bundeslade nach Jerusalem unter David dar. Möglicherweise läßt es sich aber auch als Darstellung des Tempels interpretieren.

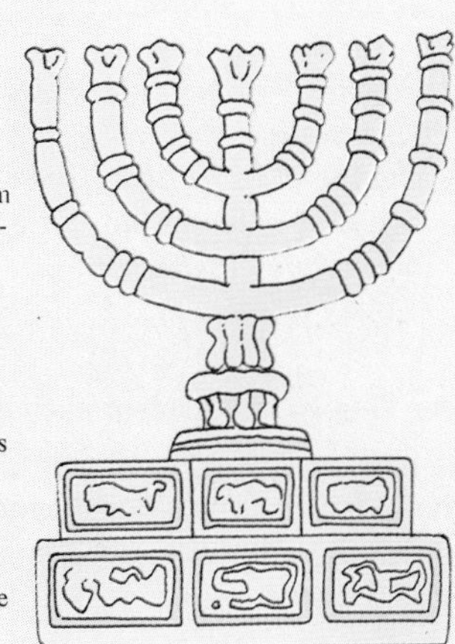

Rechts: Reliefs am Titusbogen in Rom zeigen nicht nur eine Prozession jüdischer Gefangener nach der Eroberung Jerusalems im Jahre 70 n. Chr., sondern auch Stücke aus der Kriegsbeute. Zu den abgebildeten Gegenständen gehört der siebenarmige Leuchter *(menora)*. Ob es sich dabei allerdings wirklich um die *menora* aus dem Tempel handelte, ist nicht geklärt. Vielleicht symbolisiert die Darstellung nur den römischen Sieg, zumal man davon ausgehen kann, daß die Priester die heiligen Tempelgeräte rechtzeitig in Sicherheit brachten.

Diese drei Rekonstruktionsversuche der Fassade des Herodestempels neigen alle zur Vereinfachung. Schicks Arbeit von 1896 *(oben links)* basiert zwar auf einer Untersuchung der wesentlichen Quellen über den Tempel, ist aber der deutschen Renaissance-Architektur am Ende des 19. Jahrhunderts verpflichtet. Carl Watzinger *(oben Mitte)* nahm als Grundlage seiner Rekonstruktion (1935) die Einzelheiten, die im Traktat *Middot* angegeben sind. L. H. Vincent und A. M. Steve (1956, *oben)* bieten eine säulenlose Front und unterscheiden sich darin von einem Modell des Zweiten Tempels, das im Holyland Hotel in Jerusalem steht.

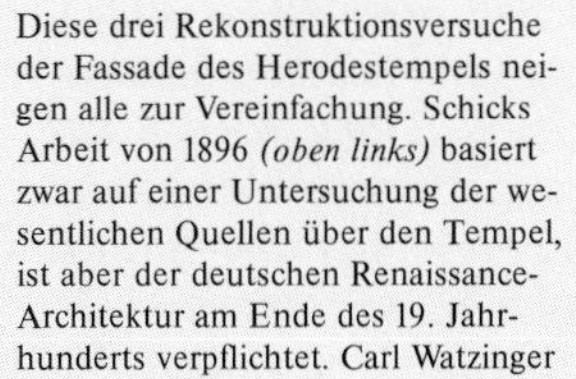

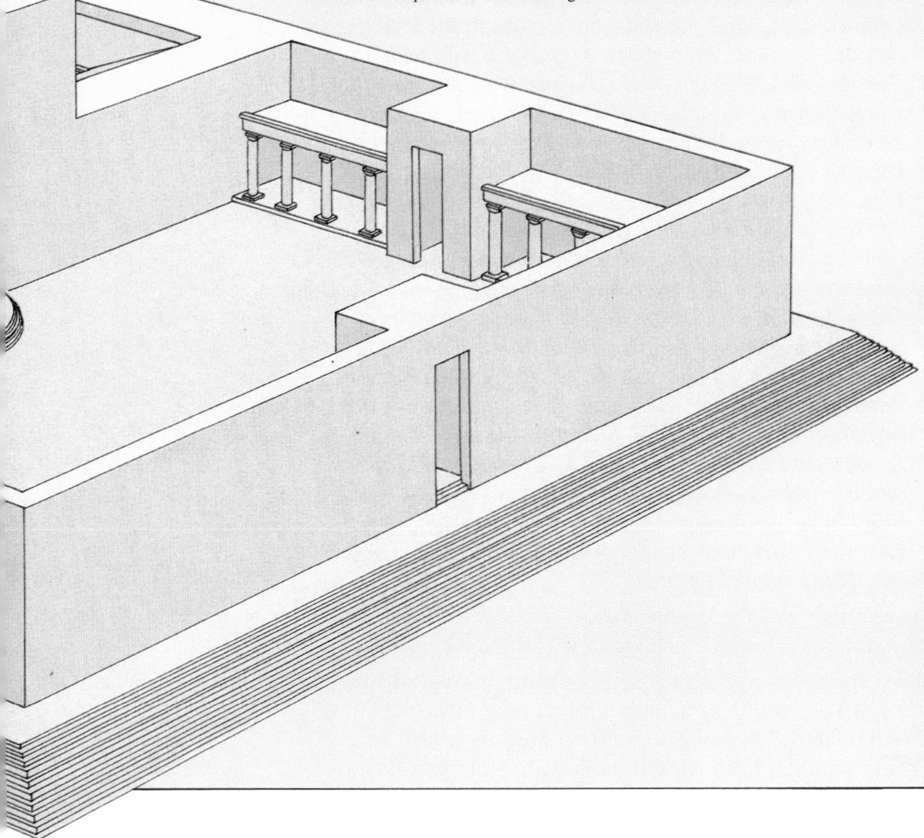

dann in den Evangelien im Zusammenhang mit der Versuchung Jesu vom Tempel die Rede. Der Teufel führte Jesus in die heilige Stadt, stellte ihn auf die Zinne des Tempels und sprach zu ihm:

Bist du Gottes Sohn, so stürze dich hinab; denn es steht geschrieben: Er wird seinen Engeln deinethalben Befehl geben, und sie werden dich auf den Händen tragen, damit du deinen Fuß nicht etwa an einen Stein stoßest. (Matthäus 4, 6)

Der höchste Punkt des Tempelkomplexes dürfte jenes Gebäude gewesen sein, das das Heiligtum und das Allerheiligste enthielt, und die »Zinne« war wohl irgendein Zierat an der Vorderfront. Nach der Zerstörung des Tempels 70 n. Chr. blieb als höchster Punkt nur noch die Südostecke der Tempelplattform übrig, die so in den Ruf kam, die »Zinne« zu sein.

Jesus in Jerusalem

In den drei ersten Evangelien wird aus dem Leben Jesu bis auf seine letzte Lebenswoche kein Ereignis mehr berichtet, das sich in Jerusalem und seiner Umgebung abspielte. Johannes dagegen verzeichnet noch mehrere frühere Aufenthalte Jesu in der heiligen Stadt. So lesen wir von der sogenannten Tempelreinigung, bei der er die Geldwechsler und Opfertier-Verkäufer aus dem Tempel jagte (Johannes 2, 13-22). Wo genau diese Leute ihre Stände hatten, ist nicht bekannt. Ihre Anwesenheit war notwendig, damit die Gläubigen ihre Opfertiere nicht von weither mit sich führen mußten. Auch die Geldwechsler wurden gebraucht, damit jeder seine Tempelabgaben in passender Münze und in der richtigen Währung entrichten konnte. Zweifellos erzielten all diese Händler einen erheblichen Gewinn, an dem sicher auch die Tempelverwaltung beteiligt war. Doch Jesus geht es bei ihrer Vertreibung nicht darum, sie als schlechte Menschen hinzustellen, die im Tempel nichts verloren haben. Seine Tat war vielmehr eine radikale Aussage über seine Lehre und sein Wirken: in Konsequenz seiner Handlung sollten Opfer schließlich unnötig werden. Wo Jesus damals wohnte, wissen wir nicht, und auch nicht, wo sein nächtliches Gespräch mit Nikodemus stattfand (Johannes 3).

Vom nächsten Besuch Jesu in Jerusalem ist bei Johannes 5 die Rede. Im Mittelpunkt steht die Heilung eines Kranken am Teich Betesda. Der Name der Wunderstätte differiert in der Überlieferung: Wir finden die Formen Betzata, Betsaida und Betesda. In der Kupferrolle aus Qumran, mit den Angaben über Aufbewahrungsorte verborgener Schätze, wird auch ein Ort erwähnt, dessen Namen manche Gelehrte als Beteschdatain (»Stätte [oder: Haus] der beiden Güsse«) lesen. Wenn dies zuträfe, wäre Betesda als korrekte Lesart gesichert. Da die Schrift aber nicht leicht zu entziffern ist, könnte möglicherweise auch ein Schatzversteck namens Bet-ha-eschuhain (»Haus der beiden Teiche«) gemeint sein.

Der Überlieferung nach ereignete sich das Wunder auf einem zur St.-Anna-Kirche gehörigen Platz innerhalb der heutigen Stadtmauern am Stefanstor. Dort legte man die beiden antiken Teiche, aber auch Höhlen frei. Die Grabungsergebnisse deuten darauf hin, daß die Stätte nach 135 ein Heiligtum war. Manche Details der Geschichte sind allerdings unklar, und es wäre zumindest voreilig, die beiden Teiche als jene Becken mit heilendem Wasser zu identifizieren, auf das sich der Kranke bezog, als Jesus ihn fragte, ob er gesund werden wolle:

Herr, ich habe keinen Menschen, der mich in den Teich bringt, wenn das Wasser bewegt wird; während ich aber

komme, steigt ein andrer vor mir hinab. Jesus sagt zu ihm: Steh auf, hebe dein Bett auf und geh umher! Und alsbald wurde der Mensch gesund, hob sein Bett auf und ging umher.
(Johannes 5, 7)

Daraus wird ersichtlich, daß es sich tatsächlich um einen Teich handelt, aber es könnte auch ein Teich östlich der beiden archäologisch belegten Hauptteiche gemeint sein, der in dem Höhlenkomplex lag, wo man noch im 2. Jahrhundert n. Chr. eine Art Heilkult betrieb. In der Darstellung des 4. Evangeliums macht das Geschehen das radikal neue Element im Wirken Jesu sichtbar. Der Mann, dem er hier begegnet, ist krank und schwach. Er schafft es nicht, in den Teich zu steigen, wenn das Wasser aufwallt. Um das zu können, müßte er bereits besitzen, was er durch seine Heilung wiederzugewinnen sucht: Stärke und Beweglichkeit. Er verkörpert gleichsam den schwachen Menschen. Erst als Jesus zu ihm kommt und Gottes heilende Kraft verspricht, beginnt er zu hoffen.

Der nächste Vorfall, den das Johannesevangelium nach Jerusalem verlegt (abgesehen von Jesu Lehrtätigkeit im Tempel), ist die Heilung eines Blindgeborenen. Jesus strich einen Brei aus Speichel und Erde auf seine Augen und hieß ihn zum Teich Schiloach gehen, um sich dort zu waschen (Johannes 9, 6–7). Wir erwähnten bereits, daß der judäische König Hiskija durch den in seinem Auftrag erbauten Schiloach-Tunnel die Wasser der Gihonquelle in den Teich Schiloach leiten ließ (701 v. Chr.). Zur Zeit Jesu war dieser Teich an den Rändern überdacht, die Mitte lag unter freiem Himmel. 16 im Wasser stehende Säulen trugen das Dach. Es kann aber auch sein, daß sich Johannes 9, 7 gar nicht auf diesen, sondern auf den sogenannten »unteren« Teich bezieht, der wahrscheinlich bereits vor Hiskijas Tunnelanlage existierte. Er lag am Südostfuß des Ofelbergs (auf dem sich die Davidsstadt erhob) und wurde von der Gihonquelle durch einen Kanal, der das Tal entlanglief, versorgt. Fraglos konnte diese Anlage einem Feind nützlich sein, der die Davidsstadt belagerte, und zweifellos wurde sie von Hiskija aus diesem Grund außer Betrieb gesetzt. In den Tagen Jesu aber wurde dieser Teich genutzt. Lukas 13, 4 erwähnt sogar einen »Turm am Schiloach«, der einstürzte und 18 Personen tötete. Tatsächlich wurde im Kidrontal ein Turm entdeckt, der wahrscheinlich aus der Makkabäerzeit stammt und durchaus jener Turm gewesen sein kann, von dem bei Lukas die Rede ist.

Zu den im Neuen Testament geschilderten Begebenheiten, die sich in Jerusalem und Umgebung ereigneten, gehört auch die Auferweckung des Lazarus (Johannes 11). Die Bibel verlegt dieses Wunder Jesu nach Betanien, einem Dorf, in dessen heutigem Namen El-Azarija der biblische Name Lazarus nachklingt. Jesus hielt sich in der Nähe der Stelle am Jordan auf, wo Johannes taufte, als er die Nachricht erhielt, Lazarus sei schwer erkrankt und liege im Sterben. Zwei Tage später brach er nach Betanien auf. Dabei muß er den üblichen Weg durch das »Tal des Todesschattens« (Psalm 23, 4) und über die berüchtigte »Blutsteige« (Wadi el-Qelt und Adummim-Steige) genommen haben, der Jericho und Jerusalem miteinander verband und durch Jesu Gleichnis vom Barmherzigen Samariter berühmt wurde:

Ein Mensch ging von Jerusalem nach Jericho hinab und fiel Räubern in die Hände; die zogen ihn aus und schlugen ihn und gingen davon und ließen ihn halbtot liegen. Zufällig aber ging ein Priester jene Straße hinab; und er sah ihn und ging vorüber. Ebenso kam auch ein Levit an den Ort, sah ihn und ging vorüber. Ein Samariter aber, der unterwegs war, kam in seine Nähe, und als er ihn sah, hatte er Erbarmen mit ihm und trat hinzu, verband seine Wunden, indem er Öl und Wein darauf goß, hob ihn auf sein Tier, brachte ihn in eine Herberge und pflegte ihn. Und am folgenden Tage nahm er zwei Denare heraus, gab sie dem Wirt und sagte: Pflege ihn! und was du mehr aufwenden wirst, will ich dir bezahlen, wenn ich wiederkomme. Welcher von diesen dreien, dünkt dich, sei der Nächste dessen gewesen, der den Räubern in die Hände gefallen war? Er aber sagte: Der, welcher ihm die Barmherzigkeit erwiesen hat. Da sprach Jesus zu ihm: Geh auch du hin, tue desgleichen!
(Lukas 10, 30–37)

Der Weg von Jerusalem nach Jericho

Seit frühester Zeit war die Straße von Jerusalem nach Jericho Teil einer wichtigen Westostverbindung von der Küstenebene zum Jordantal, der Jerusalem seine strategische Bedeutung verdankte. Auf einer Länge von 20 km senkt sie sich von etwa 720 m auf über 260 m unter dem Meeresspiegel. Der obere Abschnitt führt durch die Kalkhügel östlich von Jerusalem, der untere durchschneidet ein Band rötlicher Tonschiefer- und Sandsteinformationen. Dem rötlichen Aussehen dieser Felsen verdankt der Weg seinen unheimlichen Namen »Blutsteige« (Maale Adummim). Er wird im Buch Josua 15, 7 und 18, 17 im Zusammenhang mit der Schilderung von Grenzverläufen erwähnt. Unter den Reiseberichten des 19. Jahrhunderts von dieser Route ist sicher derjenige, den wir H. B. Tristram (*The Land of Israel: a Journal of Travels in Palestine*..., 3. Aufl., London 1876) verdanken, am eindrucksvollsten. Vom oberen Teil dieser Straße berichtet Tristram:

Wir ließen Betanien, heute ein erbärmliches Dorf, links liegen, und es ging, allerdings zu Fuß, rasch die Felsstufen hinab, die hier auf einer Strecke von mehreren hundert Fuß die Straße bilden... drei Stunden lang wanden wir uns durch die Täler der Wüste Juda hinab – wenn man sie überhaupt Täler nennen kann: tiefe, von winterlichen Gießbächen ausgefressene Runsen in den Flanken rundköpfiger Hügel, die sich hier, einer hinter dem anderen, förmlich drängeln... Im unteren Wegabschnitt änderte sich die Szenerie: *Statt durch Kies und Geröll winterlicher Regenbäche zu stapfen... bewegten wir uns nun am schrecklichen Abgrund des Wadi Qelt entlang, in das wir ab und an aus schwindelerregender Höhe hinabblicken konnten... Die Schlucht öffnet sich plötzlich an einer Wegbiegung etwa zwei Meilen oberhalb der Einmündung des Tals in die Ebene, und der Reisende sieht sich einem gähnenden Abgrund von vielleicht fünfhundert Fuß gegenüber, dessen Flanken von zahlreichen unzugänglichen Einsiedlerhöhlen gleichsam durchbohrt sind, darüber ein steiles, zerklüftetes Felsmassiv... Als wir schließlich die Höhe erreichten, von wo aus der Weg sich vom obersten Rande der Schlucht hinabwindet, genossen wir einen der großartigsten Ausblicke, die Südpalästina zu bieten hat. Zu unseren Füßen breiteten sich leuchtendgrüne Wälder aus. Dahinter eine weitgedehnte braune Fläche – die trostlose Ebene, die diesen Wald vom Jordan trennt, dessen Lauf sich in der Ferne als durch eine von grünen Bäumen gesäumte Senke abzeichnete.*

Auf seinem Weg zum Haus des Lazarus, in dem auch dessen Schwestern Maria und Marta wohnten, folgte Jesus der von Tristram beschriebenen Route allerdings nicht in ihrem oberen Abschnitt, sondern er bog, als er sich dem Ölberg näherte, links nach Betanien ab. Heutigen Besu-

Rechts: Das Dorf Betanien war in neutestamentlicher Zeit die Heimat der beiden Schwestern Maria und Marta sowie ihres Bruders Lazarus, den Jesus von den Toten auferweckte.

Oben: Eine aus dem 12. Jahrhundert v. Chr. stammende Olivenpresse aus Betanien. Der Holzstab im Bildhintergrund wurde in die Mittelöffnung des Rollsteins eingefügt, der dann mittels dieses Stabs in Bewegung gesetzt wurde.

chern von El-Azarija wird ein »Lazarusgrab« gezeigt, das zu jenem ursprünglichen Teil des Dorfes gehört, der schon zur Zeit des Alten Testaments existierte. Aber es bleibt nach wie vor ungewiß, ob Lazarus wirklich dort beigesetzt worden war.

Alle vier Evangelisten verlegen die letzten vier Tage Jesu nach Jerusalem. Er war zum Passahfest des Jahres 30 gekommen und wohnte wieder in Betanien (Markus 11, 11; Johannes 12, 1). Johannes zufolge muß Jesus schon sechs Tage vor dem Fest nach Betanien gekommen sein. Die anderen Evangelisten vermitteln eher den Eindruck, er sei nach einem ununterbrochenen Ritt auf einem Esel von Jericho her in Jerusalem eingezogen. Johannes 12, 1–8 verlegt auch die Salbung Jesu durch Maria Magdalena in das Haus von Maria und Marta. Bei Markus 14, 3–9 dagegen salbt eine ungenannte Frau Jesus im Hause Simons des Aussätzigen in Betanien. Nach Johannes fand die Salbung vor, laut Markus nach dem triumphalen Einzug Jesu in Jerusalem statt, wo ihn eine große Volksmenge mit Hosiannarufen empfing und Kleider auf seinem Weg ausbreitete.

Dieser Triumphzug begann in Betfage, so Matthäus 21, 1. Weniger klar sind die Details bei Markus 11, 1 und Lukas 19, 29, die Betanien neben Betfage erwähnen, während bei Johannes 12, 12 jegliche Ortsangabe fehlt und man davon ausgehen muß, Jesus sei direkt von Betanien gekommen. Wir wissen auch nicht genau, wo Betfage lag, doch wahrscheinlich zog Jesu Prozession durch das auf dem Ölberggipfel gelegene Dorf (heute Et-Tur), bevor sie sich hinab ins Kidrontal und dann wieder hinauf nach Jerusalem bewegte. Den Symbolgehalt dieses Einzugs Jesu in die Stadt, in der er leiden und den Kreuzestod sterben sollte, verdeutlichen Matthäus 21, 5 und Johannes 12, 15 durch ein Zitat aus dem Buch Sacharja, wo es heißt (9, 9–10):

Frohlocke laut, Tochter Zion! Jauchze, Tochter Jerusalem! Siehe, dein König kommt zu dir; gerecht und siegreich ist er und reitet auf einem Esel, auf dem Füllen einer Eselin. Er wird die Streitwagen ausrotten aus Efraim und die Rosse aus Jerusalem; ausgerottet werden auch die Kriegsbogen. Er schafft den Völkern Frieden durch seinen Spruch, und seine Herrschaft reicht von Meer zu Meer, vom Euphrat bis an die Enden der Erde.

Jerusalem zur Zeit Jesu

Unten: Diese Stufen fand man bei der Kirche St. Peter in Gallicantu (»Zum Hahnenschrei«), wo möglicherweise das Haus des Hohenpriesters Kajafas stand. Die Stufen, die vom Westhügel ins Mitteltal hinab und dann wieder auf den Felssporn mit der Davidsstadt hinaufführten, stammen vermutlich aus den Anfangsjahren der christlichen Zeitrechnung.

Rechts: Der Plan gründet sich auf den archäologischen Befund, doch ist der Standort zahlreicher Bauten ungesichert, so etwa der genaue Verlauf der Stadtmauern.

Von der Stadt, wie Jesus sie kannte, hat auf den ersten Blick wenig überdauert – kaum überraschend angesichts ihrer wechselvollen Geschichte, der mehrmaligen schweren Zerstörungen (insbesondere durch die Römer 70 und 135) und der anschließenden Wiederaufbauten. Beispielsweise beherrschte der Tempelbezirk, auf dem jetzt der prachtvolle islamische Felsendom steht, damals den Nordostteil Jerusalems, die Davidsstadt lag noch innerhalb der Befestigungsmauern und nicht außerhalb wie heute, und der Felssporn, auf dem sie sich erhob, sowie die Hügel westlich davon waren dazumal wohl wesentlich dichter besiedelt. Besucher, die etwas von dem Charakter des neutestamentlichen Jerusalem erfahren wollen, brauchen vor allem Geduld, Einfühlungsvermögen und sachkundige Führung, denn trotz der Nachfolgebauten über die Jahrhunderte sind zahlreiche Relikte erhalten geblieben. So stammen etwa die mächtigen Quader im unteren Drittel der Westmauer (Klagemauer), die als einziger Teil der Tempelanlage die Zerstörung im Jahr 70 überstanden hat, ebenso aus jener Zeit wie der sogenannte Davidsturm der Zitadelle unmittelbar am Jaffator oder auch die Stufen bei der Kirche St. Peter in Gallicantu *(siehe rechts oben)*, über die der Überlieferung nach Jesus in der Nacht des Letzten Abendmahles gegangen ist. Auch einige der Hauptstraßen in der Altstadt verlaufen noch so wie im 1. Jahrhundert, und man hat bewußte konservatorische Anstrengungen unternommen, indem zum Beispiel herodianisches Straßenpflaster neu verwendet wurde.

Oben: Im Zuge des Neubaus der Tempelplattform schuf Herodes der Große eine massive Mauer an der Südwestseite. Heute ist die West- oder »Klagemauer« der dem alten Tempel nächste Punkt, wo strenggläubige Juden ihre Andacht zu verrichten pflegen.

Rechts: Die Aufnahme vom Anfang unseres Jahrhunderts zeigt den Blick auf das Damaskustor vom Stadtinneren aus. Der heutige Torbau datiert aus dem Jahr 1537, allerdings erkennt man an seiner Basis noch immer Überreste des Vorläuferbaus aus dem 1. Jahrhundert n. Chr. An diesem Tor beginnt die Landstraße, die Jerusalem mit Damaskus verbindet.

Oben: Hier ist erneut zu sehen, wie sich die archäologischen Schichten Jerusalems im Lauf der Jahrtausende verändert haben. Zur Zeit Jesu befanden sich die Teiche von Betesda auf Bodenniveau. Spätere Erbauer byzantinischer und kreuzzugszeitlicher Kirchen mußten die gewölbten Unterbauten ihrer Gotteshäuser tief in diese einstigen Teiche einlassen.

Rechts: Münze aus der Zeit des Kaisers Tiberius (14–37 n. Chr.).

Oben: Diese bemerkenswerte Aufnahme, die während der jüngsten Ausgrabungen entstand, zeigt, wie man eine Straße oder einen Hof über Gebäuderesten einer früheren Bauphase anlegen konnte und wie Jerusalems archäologische Schichten mit der Zeit immer höher wurden.

Links: Der Teich Schiloach liegt an dem der Gihonquelle entgegengesetzten Ende des Schiloach-Tunnels. In den Tagen Jesu gab es am Fuß der Davidsstadt einen unteren Teich sowie den oberen Teich, den die Fotografie zeigt.

Gartengrab
0
100
200
300 m
0
500
1000 ft
Vermutliche Stadtmauern
Vermutlicher Verlauf der herodianischen Straßen
Nachweisbare herodianische Straßen
Platz der Heilung des Lahmen (Joh. 5)
Schafteich (Teich von Betesda ?)
Antonia (Prätorium ?) Ort von Jesu Prozeß vor Pilatus
Grabeskirche
Golgota ?
Tempel
?Ort der Versammlung, in der Jesus verurteilt wurde
Hasmonäerpalast Ort, wo Jesus vor Herodes erschien (Lukas 23, 6-12)
Herodes' unterer Palast ?
nach Getsemani
Herodes' oberer Palast (Prätorium ?) Ort von Jesu' Prozeß vor Pilatus
Gihon
Haus des Kajafas (Caiphas) ? Ort von Jesu Gefangennahme und Petrus' Verrat
Haus, wo Jesus seinen Jüngern erschien (Lukas 24, 36; Joh. 20, 19)
Oberer Teich Schiloach (Siloa)
Königsteich
Unterer Teich Schiloach (Siloa) Ort der Heilung des Blinden (Joh. 9, 7)

Die Heilige Woche

Was den Ort der Ereignisse während der letzten Lebenswoche Jesu angeht, so reicht unser Wissen von sicherer Kenntnis bis zu fragwürdiger Spekulation. Sicher lokalisiert sind Jesu Lehrtätigkeit im Tempel, seine Predigt auf dem Ölberg über den Untergang Jerusalems und der Welt (Markus 13), sein Gebet im Garten Getsemani sowie schließlich seine Gefangennahme. Wir wissen aber nicht genau, wo Jesus innerhalb des Tempels lehrte, auch nicht, an welchem Punkt des Ölbergs er sich aufhielt, als er seine große eschatologische Predigt hielt, und schließlich sind die Stellen im Garten Getsemani nicht bekannt, wo er betete und von der mit Schwertern und Stöcken bewaffneten Menge gefangengenommen wurde. Aber wir können wenigstens die Orte dieser Ereignisse angeben. Zu spekulieren vermögen wir dagegen nur über den Ort des Abendmahlsaals, den Treffpunkt des Hohen Rates in der Residenz des Hohenpriesters sowie die Stätten des Todes und der Auferstehung Jesu.

Heutigen Jerusalempilgern zeigt man die angebliche Stätte des Letzten Abendmahls im Coenaculum auf jenem Hügel, der heute fälschlich als »Berg Zion« bezeichnet wird. Man zeigt ihnen den Garten Getsemani am Fuß des Ölbergs, die Kirche St. Peter in Gallicantu (»Zum Hahnenschrei«), wo vielleicht die Ratsversammlung stattfand, und die traditionelle »Schmerzensstraße« *(Via Dolorosa),* die vom Platz der ehemaligen Festung Antonia zur Kirche des Heiligen Grabes (Grabeskirche) führt. Auf diese Weise verfolgen die Pilger den Leidensweg Christi bis hin zur Stätte seines Todes und seiner Auferstehung. Im Verlauf dieses Wegs werden sie Sehenswertes erblicken – beispielsweise in der Kirche St. Peter in Gallicantu eine prächtige Zisterne, die auch als Gefängnis diente (vgl. Jeremia 38, 6) und die gesehen zu haben sich auf jeden Fall lohnt, ganz unabhängig davon, ob Jesus nun dort als Häftling vor (oder nach) seiner Einvernahme durch den Hohen Rat einsaß oder nicht. Von den jetzigen 14 Kreuzgsstationen werden in den Evangelien nur 8 genannt, die übrigen hat man erst im Lauf der Jahrhunderte festgelegt.

Daß man die *Via Dolorosa* als den Leidensweg Jesu ansieht, ist darauf zurückzuführen, daß Pilatus in der Festung Antonia an der Nordwestecke des Tempelplatzes residierte. Heutige Gelehrte stimmen jedoch weitgehend darin überein, daß Pilatus sich eher in Herodes' Palast in der Oberstadt (wo sich heute die Zitadelle am Jaffator befindet) aufgehalten haben dürfte. Wenn dies aber zutrifft, verläuft die überlieferte »Schmerzensstraße« um 90 Grad in die falsche Richtung! Fraglich ist auch, ob sich die heutige Grabeskirche tatsächlich an den Stätten der Kreuzigung, des Grabes und der Auferstehung Jesu befindet. Allerdings ist die Überlieferung, die Jesu Grab und Auferstehung mit der Stätte der heutigen Grabeskirche in Verbindung bringt, denkbar stark. Sie reicht bis zur »Entdekkung« dieses Grabes zur Zeit Konstantins des Großen (325 n. Chr.) zurück, und schon vor 135 n. Chr. dürfte man diesen Ort als Stätte der Auferstehung des Messias verehrt haben.

Ungewiß bleibt dennoch, wo zur Zeit der Kreuzigung Jesu Jerusalems zweite Nordmauer verlief, obwohl die überwiegende Mehrheit der Gelehrten sich für einen Verlauf südlich der heutigen Grabeskirche ausspricht. Wenn dies zuträfe, hätte die traditionelle Stätte des Grabes Jesu damals tatsächlich außerhalb der Stadtmauern gelegen. Weiter besteht Unsicherheit darüber, wie weit Jesu Richtplatz und Begräbnisstätte voneinander entfernt waren. Bei Johannes 19, 40–42 heißt es:

Da nahmen sie den Leib Jesu und banden ihn samt den Gewürzen in leinene Binden, wie es bei den Juden Sitte ist zu begraben. Es war aber an dem Ort, wo man ihn gekreuzigt hatte, ein Garten und in dem Garten eine neue Gruft, in die noch nie jemand gelegt worden war. Dahin legten sie nun Jesus wegen des Rüsttages der Juden, weil die Gruft nahe war.

Die anderen Evangelien sagen nichts aus über die Entfernung zwischen Grab und Kreuzigungsstätte. In der Grabeskirche jedoch beträgt sie nur 38 m. Die Frage ist, ob ein von einem Gärtner betreuter Garten (Johannes 20, 15) mit einem noch unbenutzten Grab so nahe an einer öffentlichen Hinrichtungsstätte gelegen haben kann. Einige Forscher vertraten die Meinung, daß keinerlei Anlaß für die Annahme bestehe, Jesus und die beiden Schächer seien an einem öffentlichen Richtplatz gekreuzigt worden. Soviel auch für diese Annahme sprechen mag, so wäre es doch sehr verwunderlich, hätten die Römer nicht über eine öffentliche Hinrichtungsstätte verfügt oder bei Jesus eine Ausnahme gemacht. Die Überlieferung, die Jesu Hinrichtung mit der als Kalvaria (»Schädelstätte«) bezeichneten Stelle innerhalb der Grabeskirche verbindet, ist weit weniger glaubhaft als diejenige über sein Grab. Kaum einer der frühen Pilger, die nach 325 die Konstantinische Basilika aufsuchten, dürfte eine Vorstellung davon gehabt haben, wo Kalvaria lag. Auch wenn hier noch nicht das letzte Wort gesprochen ist, dürfen wir davon ausgehen, daß sich in bezug auf die Grabstätte und die Auferstehung Jesu in der Jerusalemer Grabeskirche Überlieferung und Wirklichkeit decken, was auf die Kreuzigungskapelle wohl nicht zutrifft. Es gibt noch einen Platz, der den Anspruch erhebt, Jesu Grab- und Auferstehungsstätte zu sein: das »Gartengrab« in der Nablus Road; es lohnt einen Besuch. Dasselbe gilt auch für die »Gräber der Herodes-Familie« beim King-David-Hotel sowie die Grabanlage der Königin Helena von Adiabene (»Königsgräber«) unweit der St.-Georgs-Kathedrale.

Der Ort, an dem der Überlieferung nach der auferstandene Christus seinen Jüngern erschien und zu Pfingsten der Heilige Geist über sie kam, befand sich an der Stelle der heutigen »Entschlafungskirche« *(Dormitio).* Von Interesse ist die Frage der Lokalisation von Emmaus, wohin am ersten Ostertag zwei Jünger unterwegs waren. Der Auferstandene begleitete sie, doch sie erkannten ihn erst am Brechen des Brotes (Lukas 24, 13–35). Die beiden Jünger kehrten darauf unverzüglich nach Jerusalem zurück, um den anderen von dem Ereignis zu berichten.

Die früheste Ortsbestimmung von Emmaus, die sich bis ins 4. Jahrhundert zurückverfolgen läßt, setzt es mit dem heute nicht mehr bewohnten Dorf Nikopolis, 31 km von Jerusalem entfernt, gleich. Allerdings dürften die Jünger, nachdem sie ihr Ziel erreicht und zu Jesus gesagt hatten: *»Bleibe bei uns, denn es will Abend werden, und der Tag hat sich schon geneigt!«* (Lukas 24, 29), kaum noch in der Lage gewesen sein, die 31 km bis nach Jerusalem zurückzugehen.

Es kann sich bei Emmaus aber auch um El-Qubeibe und Abu Gosch handeln – zwei nur 11 km von Jerusalem entfernt liegende Orte, die seit der Kreuzfahrerzeit als Emmaus gelten. Ihre Entfernung von Jerusalem stimmt mit der Angabe bei Lukas 24, 13 überein, daß Emmaus 60 Stadien von Jerusalem entfernt war, zu deren Überwindung aber ein Fußmarsch von annähernd drei Stunden nötig war. Manche Gelehrte sehen im alten und auch neuen Moza, an der Hauptstraße von Jerusalem zur Küste gelegen, den Ort Emmaus. Bei den Griechen hieß es Ammaous (vermutlich eine Gräzisierung seines hebräischen Namens). Allerdings entspricht seine Entfernung von Jerusalem (6 km) nicht den bei Lukas vermerkten 60 Stadien.

Das Goldene Tor beherrscht die aus dem 16. Jahrhundert n. Chr. stammende östliche Stadtmauer Jerusalems oberhalb des Kidrontals. Wie das Gemälde zeigt, ist die Torhalle durch monolithische Säulen in zwei Gänge gegliedert.

Das letzte von Jesus berichtete Ereignis, die Himmelfahrt, wird gewöhnlich auf den Ölberg verlegt. Lukas 24, 50 schreibt jedoch, Jesus sei »in der Nähe von Betanien« von ihnen »geschieden«, und die Apostelgeschichte 1, 9–12 erwähnt überhaupt keinen bestimmten Platz, abgesehen von der Bemerkung: *Da kehrten sie nach Jerusalem zurück von dem Berge, welcher Ölberg heißt, der nahe bei Jerusalem ist, einen Sabbatweg weit.* Nimmt man beide Passagen zusammen (man kann davon ausgehen, daß sie vom gleichen Autor stammen), so läßt sich der Schluß ziehen, daß Jesus bei Betanien von seinen Jüngern schied und diese dann über den Ölberg nach Jerusalem zurückkehrten.

In der Apostelgeschichte ist Jerusalem der Ort, an dem die christliche Botschaft zuerst verkündet wurde. Allerdings sind die Detailangaben ungenau. Beispielsweise heißt es vom Aufenthaltsort der Apostel am Pfingstfest nur, daß sie alle an einem Ort beisammen waren (Apostelgeschichte 2, 1). Außerdem wird erwähnt, daß die auswärtigen Jerusalem-Besucher die Jünger ihre Sprachen sprechen hörten. Wir erfahren aber nicht, wo dies war. Auch wissen wir nicht, wo Petrus zum Volk predigte. Einige der frühesten Predigten (Apostelgeschichte 3, 1–4, 4) wurden im Tempelbereich oder vor dem Hohen Rat gehalten (Apostelgeschichte 4, 5–22; 6, 9–7, 53), und einige der Jünger warf man ins Gefängnis (Apostelgeschichte 4, 1–4; 5, 17–20), doch wieder steht nicht genau fest, wo dies geschah. In byzantinischer Zeit verlegte man den Platz, auf dem man Stephanus steinigte, in den Norden vor das Damaskustor, das damals den Namen Stephanstor erhielt. Vor dem Tor entstand dann die Stephanskirche. Die anschließende Verfolgung vertrieb manche der Jünger aus Jerusalem. In der Apostelgeschichte 9, 36–10, 8 vernehmen wir, daß sich Petrus in Jaffa (Joppe) aufhielt, doch in der Apostelgeschichte 11 finden wir ihn dann wieder in Jerusalem, wo er erklärt, warum er ausgezogen war, um Nichtjuden zu predigen. Petrus wurde in Jerusalem von Herodes Antipas verhaftet (Apostelgeschichte 12, 1–17). Die Gemeinde trat zusammen und beriet sich, welche Verpflichtungen des mosaischen Gesetzes man Nichtjuden, die zum Christentum übergetreten waren, auferlegen sollte (Apostelgeschichte 15).

Das letzte Mal wird Jerusalem in der Apostelgeschichte 21, 17–23, 35 erwähnt. Paulus war nach seiner dritten Missionsreise in Jerusalem eingetroffen und mit vier Begleitern, die Gelübde einzulösen hatten, in den Tempel gegangen. Auch er mußte einigen Pflichten als Jude, der er noch immer auch war, nachkommen. Sein Erscheinen im Hauptheiligtum der Juden verursachte Aufruhr, da man ihm unterstellte, Nichtjuden mit in den Tempel gebracht zu haben (Apostelgeschichte 21, 27–29). Ein entschlossener römischer Offizier rettete Paulus, der das römische Bürgerrecht besaß, vor der erregten Menge. Paulus wandte sich an das Volk, das ihn zu lynchen drohte, und tags darauf auch an den Hohen Rat – doch vergebens. Die Römer retteten ihn zwar vor der Ermordung, überführten ihn jedoch bei Nacht in ein neues Gefängnis – nach Caesarea, wo der Statthalter residierte.

Die Kreuzwegstationen

Für alle Christen ist es von höchster Bedeutung, wo Jesus litt und aus dem Grabe erstand. Nachdem sich Kaiser Konstantin der Große Anfang des 4. Jahrhunderts dem Christentum zugewandt hatte, gab man sich große Mühe, die im Neuen Testament erwähnten Stätten ausfindig zu machen. Der Ansatz des Grabes und der Auferstehung an jenem Platz, wo sich künftig die Grabeskirche erheben sollte, bedeutete ja nur, daß man einen festen Punkt für die Vollendung des Leidens Jesu gefunden hatte. Die Festlegung der übrigen Leidensstationen schwankte jedoch im Lauf der Jahrhunderte. Der Kreuzweg, den heutige Jerusalempilger abschreiten, geht auf das 13. Jahrhundert zurück (wobei die meisten der Stationen allerdings erst gegen 1540 endgültig bestimmt wurden) und beruht auf der Annahme, daß Jesus in oder bei der Festung Antonia von Pontius Pilatus sein Urteil vernahm. Die jetzigen 14 Kreuzwegstationen von der franziskanischen Geißelungskapelle bis hin zur Grabeskirche, in der sich die Stationen X bis XIV befinden, sind durch Kapellen, Säulen und Mauerinschriften markiert und stammen aus der Mitte des 19. Jahrhunderts. Allerdings gab es derartige Stationen an diesem Weg bereits seit dem 13. Jahrhundert. Heute ist man überwiegend der Auffassung, daß Jesus in Herodes' oberem Palast von Pilatus verurteilt wurde. Dies verkürzt den Kreuzweg ganz erheblich, wenn Jesus tatsächlich in der Nähe der Stelle gekreuzigt wurde, wo heute die Grabeskirche steht. Ziemlich sicher ist man, was den Ortsansatz des Gartens Getsemani, wo er gefangengenommen wurde, und der Versammlungsstätte des Hohen Rates angeht. Andere Örtlichkeiten jedoch, beispielsweise der Saal des Letzten Abendmahles oder das Haus des Hohenpriesters Kajafas, sind noch umstritten.

Rechts: Die rote Linie zeigt den Kreuzweg Jesu, wenn man als Ort seiner Verurteilung durch Pilatus die Burg Antonia zugrunde legt, die blaue Linie die Route, falls die Verurteilung im oberen Palast des Herodes stattfand – wie heute viele Gelehrte glauben. Die grüne Linie schließlich zeigt den Weg, auf dem Jesus vom Garten Getsemani zum Haus des Kajafas geführt wurde.

Unten links außen: Blick von den Dächern Jerusalems auf den Kreuzweg vom Praetorium zum Kalvarienberg. In der Bildmitte ist der sogenannte *Ecce-Homo*-Bogen nahe dem Konvent der Schwestern von Zion zu sehen. Dort soll Pilatus die auf Jesus gemünzten Worte gesprochen haben: »Sehet, welch ein Mensch!« *(Ecce homo)* – so jedenfalls will es die heute gängige Überlieferung.

Unten: Unter dem Konvent der Schwestern von Zion befindet sich römisches Kalksteinpflaster. Man hat diesen Platz als die Stätte identifiziert, wo nach Johannes 19, 13 Pilatus über Jesus zu Gericht saß.

Gartengrab

0 100 200 300 m
0 500 1000 ft

Vermutlicher Verlauf der herodianischen Straßen
Vermutlicher Verlauf der Stadtmauern
Mögliche Routen des Kreuzwegs

Schafteich (Teich von Betesda?) Ort der Heilung des Lahmen (Joh. 5)
Ort der Verurteilung durch Pilatus?
Antonia (Prätorium?)
Grabeskirche
Golgota?
Tempel
Versammlungsort des Hohen Rates?
Hasmonäerpalast Ort, wo Jesus vor Herodes erschien (Lukas 23, 6 - 12)
Herodes' unterer Palast?
nach Getsemani
Herodes' oberer Palast (Prätorium?) Ort der Verurteilung durch Pilatus?
Gihonquelle
Haus des Kajafas (Caiphas)? Ort von Jesu Gefangennahme und Petrus' Verrat
Haus, wo Jesus seinen Jüngern erschien (Luk. 24, 36; Joh. 20, 19)
Oberer Teich Schiloach (Siloa)
Königsteich
Unterer Teich Schiloach (Siloa)

Unten: Die dritte Kreuzwegstation liegt in der Valley Road gegenüber dem Österreichischen Pilgerhospiz. Sie erinnert an Jesu ersten Sturz unter der Last des Kreuzes. Er stürzte noch zwei weitere Male, obwohl Simon aus Kyrene ihm helfen mußte, das Kreuz zu tragen.

Links: Das Aussehen der Grabeskirche hat sich kaum verändert, seit der schottische Maler David Roberts (1796-1864) sie 1839 zeichnete. Nur das Gelände ringsum ist jetzt viel dichter bebaut. Ihre heutige Gestalt erhielt diese Kirche 1810, nachdem sie 1808 durch eine Brandkatastrophe zerstört worden war.

Rechts: Die traditionelle Stätte des Gartens Getsemani, in dem tausendjährige Ölbäume stehen. Heute erhebt sich in einem Teil dieses Gartens die »Kirche der Nationen«, die dem Gedächtnis der Todesangst Jesu geweiht ist.

Oben rechts: In Jerusalem und Umgebung sind noch eine ganze Reihe von Gräbern wie jenes erhalten, in das man Jesu Leichnam bettete. Hier sehen wir noch die Art von Rollsteinen, mit denen man wahrscheinlich das Grab Christi verschloß.

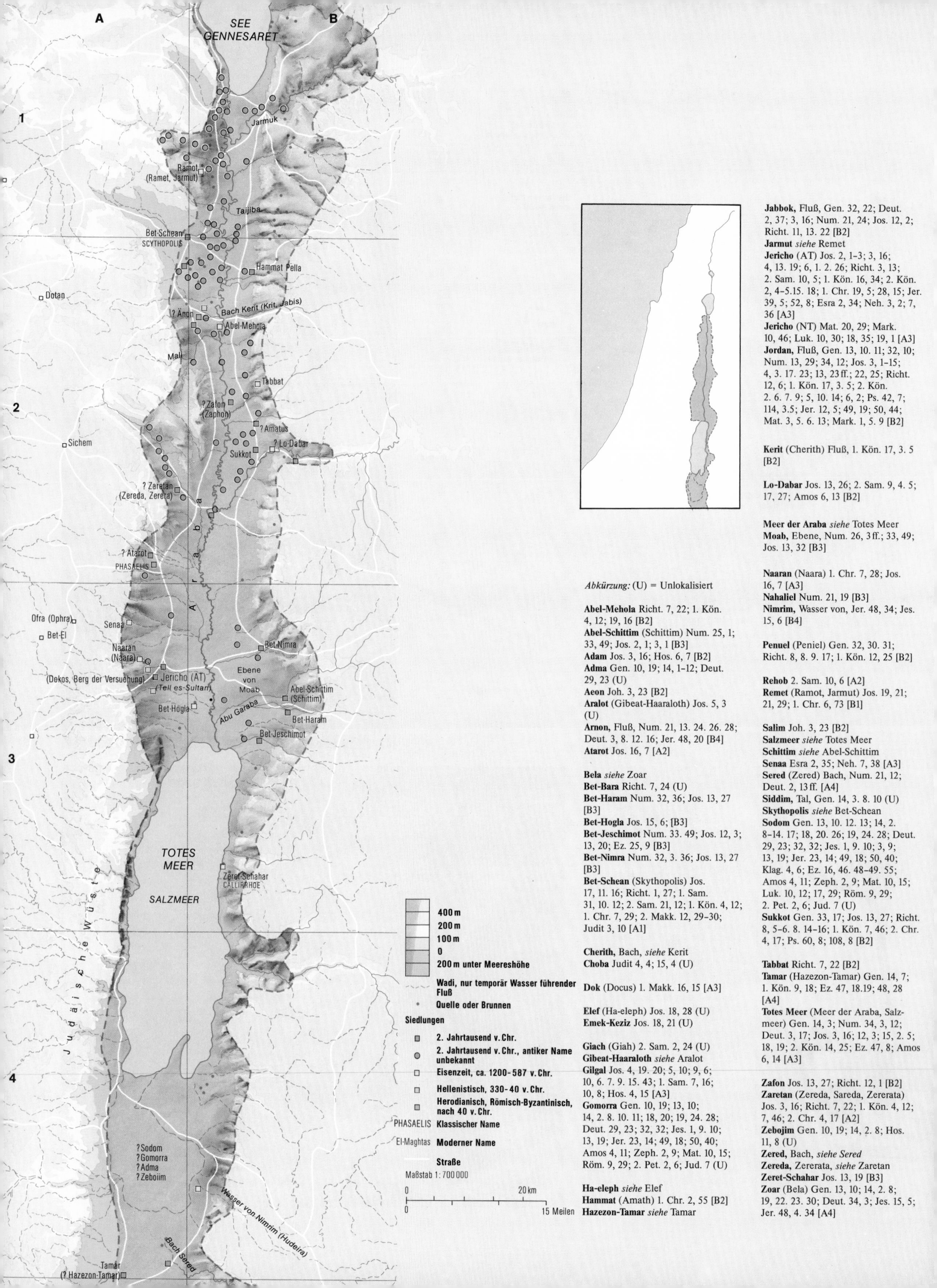

Abkürzung: (U) = Unlokalisiert

Abel-Mehola Richt. 7, 22; 1. Kön. 4, 12; 19, 16 [B2]
Abel-Schittim (Schittim) Num. 25, 1; 33, 49; Jos. 2, 1; 3, 1 [B3]
Adam Jos. 3, 16; Hos. 6, 7 [B2]
Adma Gen. 10, 19; 14, 1–12; Deut. 29, 23 (U)
Aeon Joh. 3, 23 [B2]
Aralot (Gibeat-Haaraloth) Jos. 5, 3 (U)
Arnon, Fluß, Num. 21, 13. 24. 26. 28; Deut. 3, 8. 12. 16; Jer. 48, 20 [B4]
Atarot Jos. 16, 7 [A2]

Bela *siehe* Zoar
Bet-Bara Richt. 7, 24 (U)
Bet-Haram Num. 32, 36; Jos. 13, 27 [B3]
Bet-Hogla Jos. 15, 6; [B3]
Bet-Jeschimot Num. 33. 49; Jos. 12, 3; 13, 20; Ez. 25, 9 [B3]
Bet-Nimra Num. 32, 3. 36; Jos. 13, 27 [B3]
Bet-Schean (Skythopolis) Jos. 17, 11. 16; Richt. 1, 27; 1. Sam. 31, 10. 12; 2. Sam. 21, 12; 1. Kön. 4, 12; 1. Chr. 7, 29; 2. Makk. 12, 29–30; Judit 3, 10 [A1]

Cherith, Bach, *siehe* Kerit
Choba Judit 4, 4; 15, 4 (U)

Dok (Docus) 1. Makk. 16, 15 [A3]

Elef (Ha-eleph) Jos. 18, 28 (U)
Emek-Keziz Jos. 18, 21 (U)

Giach (Giah) 2. Sam. 2, 24 (U)
Gibeat-Haaraloth *siehe* Aralot
Gilgal Jos. 4, 19. 20; 5, 10; 9, 6; 10, 6. 7. 9. 15. 43; 1. Sam. 7, 16; 10, 8; Hos. 4, 15 [A3]
Gomorra Gen. 10, 19; 13, 10; 14, 2. 8. 10. 11; 18, 20; 19, 24. 28; Deut. 29, 23; 32, 32; Jes. 1, 9. 10; 13, 19; Jer. 23, 14; 49, 18; 50, 40; Amos 4, 11; Zeph. 2, 9; Mat. 10, 15; Röm. 9, 29; 2. Pet. 2, 6; Jud. 7 (U)

Ha-eleph *siehe* Elef
Hammat (Amath) 1. Chr. 2, 55 [B2]
Hazezon-Tamar *siehe* Tamar

Jabbok, Fluß, Gen. 32, 22; Deut. 2, 37; 3, 16; Num. 21, 24; Jos. 12, 2; Richt. 11, 13. 22 [B2]
Jarmut *siehe* Remet
Jericho (AT) Jos. 2, 1–3; 3, 16; 4, 13. 19; 6, 1. 2. 26; Richt. 3, 13; 2. Sam. 10, 5; 1. Kön. 16, 34; 2. Kön. 2, 4–5.15. 18; 1. Chr. 19, 5; 28, 15; Jer. 39, 5; 52, 8; Esra 2, 34; Neh. 3, 2; 7, 36 [A3]
Jericho (NT) Mat. 20, 29; Mark. 10, 46; Luk. 10, 30; 18, 35; 19, 1 [A3]
Jordan, Fluß, Gen. 13, 10. 11; 32, 10; Num. 13, 29; 34, 12; Jos. 3, 1–15; 4, 3. 17. 23; 13, 23 ff.; 22, 25; Richt. 12, 6; 1. Kön. 17, 3. 5; 2. Kön. 2. 6. 7. 9; 5, 10. 14; 6, 2; Ps. 42, 7; 114, 3.5; Jer. 12, 5; 49, 19; 50, 44; Mat. 3, 5. 6. 13; Mark. 1, 5. 9 [B2]

Kerit (Cherith) Fluß, 1. Kön. 17, 3. 5 [B2]

Lo-Dabar Jos. 13, 26; 2. Sam. 9, 4. 5; 17, 27; Amos 6, 13 [B2]

Meer der Araba *siehe* Totes Meer
Moab, Ebene, Num. 26, 3 ff.; 33, 49; Jos. 13, 32 [B3]

Naaran (Naara) 1. Chr. 7, 28; Jos. 16, 7 [A3]
Nahaliel Num. 21, 19 [B3]
Nimrim, Wasser von, Jer. 48, 34; Jes. 15, 6 [B4]

Penuel (Peniel) Gen. 32, 30. 31; Richt. 8, 8. 9. 17; 1. Kön. 12, 25 [B2]

Rehob 2. Sam. 10, 6 [A2]
Remet (Ramot, Jarmut) Jos. 19, 21; 21, 29; 1. Chr. 6, 73 [B1]

Salim Joh. 3, 23 [B2]
Salzmeer *siehe* Totes Meer
Schittim *siehe* Abel-Schittim
Senaa Esra 2, 35; Neh. 7, 38 [A3]
Sered (Zered) Bach, Num. 21, 12; Deut. 2, 13 ff. [A4]
Siddim, Tal, Gen. 14, 3. 8. 10 (U)
Skythopolis *siehe* Bet-Schean
Sodom Gen. 13, 10. 12. 13; 14, 2. 8–14. 17; 18, 20. 26; 19, 24. 28; Deut. 29, 23; 32, 32; Jes. 1, 9. 10; 3, 9; 13, 19; Jer. 23, 14; 49, 18; 50, 40; Klag. 4, 6; Ez. 16, 46. 48–49. 55; Amos 4, 11; Zeph. 2, 9; Mat. 10, 15; Luk. 10, 12; 17, 29; Röm. 9, 29; 2. Pet. 2, 6; Jud. 7 (U)
Sukkot Gen. 33, 17; Jos. 13, 27; Richt. 8, 5–6. 8. 14–16; 1. Kön. 7, 46; 2. Chr. 4, 17; Ps. 60, 8; 108, 8 [B2]

Tabbat Richt. 7, 22 [B2]
Tamar (Hazezon-Tamar) Gen. 14, 7; 1. Kön. 9, 18; Ez. 47, 18.19; 48, 28 [A4]
Totes Meer (Meer der Araba, Salzmeer) Gen. 14, 3; Num. 34, 3, 12; Deut. 3, 17; Jos. 3, 16; 12, 3; 15, 2. 5; 18, 19; 2. Kön. 14, 25; Ez. 47, 8; Amos 6, 14 [A3]

Zafon Jos. 13, 27; Richt. 12, 1 [B2]
Zaretan (Zereda, Sareda, Zererata) Jos. 3, 16; Richt. 7, 22; 1. Kön. 4, 12; 7, 46; 2. Chr. 4, 17 [A2]
Zebojim Gen. 10, 19; 14, 2. 8; Hos. 11, 8 (U)
Zered, Bach, *siehe Sered*
Zereda, Zererata, *siehe* Zaretan
Zeret-Schahar Jos. 13, 19 [B3]
Zoar (Bela) Gen. 13, 10; 14, 2. 8; 19, 22. 23. 30; Deut. 34, 3; Jes. 15, 5; Jer. 48, 4. 34 [A4]

JORDANTAL UND TOTES MEER

Oben: Luftaufnahme des Jordantals.

Die Landschaft

Am Südende des Sees Gennesaret setzt der Jordan durch die tiefe Talsenke seinen Weg hinunter zum Toten Meer fort, wobei er offensichtlich früher etwa 1 km nördlich der heutigen Stelle aus dem See austrat. Der windungsreiche Flußlauf von hier bis zur Einmündung ins Tote Meer ist 322 km lang, bei einer Luftlinie von nur 105 km. Während die Breite des Flußtals zwischen 5 und 22,5 km variiert, ist der Jordan selbst im allgemeinen nicht breiter als 31 m und nicht tiefer als 3 m.

Der See Gennesaret bildet mit dem Jordan und Jarmuk annähernd ein Dreieck. Der Jarmuk fließt in nordwestlicher Richtung und mündet ca. 7 km südlich des Sees in den Jordan. Von allen Abschnitten des Jordantals hat sich dieses Dreieck seit der biblischen Periode am meisten gewandelt, wobei alle landschaftlichen Veränderungen in diesem Jahrhundert stattfanden. Zwischen 1927 und 1932 entstand am Zusammenfluß von Jordan und Jarmuk ein Wasserkraftwerk, das die Errichtung von Staudämmen und Stauseen nötig machte. Auf der Westseite des Dreiecks wurden mehrere landwirtschaftliche Siedlungen gegründet, deren berühmteste die Kibbuze Deganja A (gegründet 1909) und Deganja B (gegründet 1921) sind.

Das Siedlungsmuster des 2. Jahrtausends v. Chr. auf der Karte zeigt, daß das Dreieck zu jener Zeit agrarisch genutzt wurde. Südlich davon war Bebauung jedoch nur dort möglich, wo es größere Täler mit Wasserläufen gab. Das wichtigste war das Bet-Schean-Tal, denn es war nicht nur sehr breit, sondern gestattete auch den Zugang zur Jesreelebene. Die Ballung der Niederlassungen im Bet-Schean-Tal sowie südlich davon ist offenkundig. Im Süden des Wadi Mali bis hin zum Tal des Wadi Faria findet man keine nennenswerten Ortschaften auf der Westseite des Jordan, sehr viele hingegen auf der Ostseite, wo das Wadi Zarqa das Tal erreicht. Das Wadi Faria diente als bedeutende Ostwestroute zwischen dem Jordantal und dem

Rechts: Nabi Musa (wörtlich »Prophet Mose«) liegt etwa 6 km südlich von Jericho im Jordangraben. Während das Alte Testament Moses' Grab ans Jordan-Ostufer verlegt, fand er nach islamischer Überlieferung hier seine letzte Ruhestätte. Im Vordergrund erblickt man das aus dem 15. Jahrhundert stammende islamische Pilgerheiligtum. Im Hintergrund erkennt man das Tote Meer und die Berge von Moab.

Links: Das Jordantal liegt zur Gänze unter dem Meeresspiegel, und die Erosionen haben eine bizarre Landschaft geformt, durch die sich der Jordan vom See Gennesaret bis zu seiner Mündung in das Tote Meer in vielen Mäandern windet. Das seit je her dicht besiedelte Gebiet stellt zugleich eine wichtige Nordsüdverbindung dar.

Hochland von Samaria. Es ist überraschend, daß es nicht dichter besiedelt war; nahe seiner Mündung in den Jordan hat es eine Reihe von Salzsümpfen entstehen lassen sowie weiter stromaufwärts in seinem breiten Tal ein von Erosionen zerfressenes Flußbett geschaffen.

Auffälligerweise liegen an beiden Ufern des Jordan südlich des Wadi Faria nur wenige Siedlungen, die zudem weit voneinander entfernt sind. Das läßt sich zum Teil dadurch erklären, daß die durchschnittliche Regenmenge am Toten Meer auf 100 mm pro Jahr sinkt und die Niederschläge im Hochland von Judäa niedriger sind als weiter im Norden. Jericho, die berühmteste Stadt im südlichsten Abschnitt des Jordantals, verdankte ihr Entstehen einer Quelle, die im Arabischen Ein es-Sultan heißt. Der Volksmund nennt sie Elischas-Quelle nach der Geschichte, die im 2. Buch der Könige berichtet wird. Nach Elijas Himmelfahrt nahm sich Elischa dessen Mantel und bewies, daß er Elijas Nachfolge als Führer der Prophetenjünger angetreten habe, indem er den Mantel zur Überquerung des Jordan benutzte. Die Bewohner von Jericho versicherten sich schnell seiner Kräfte, um das Wasser der Stadt »gesund« zu machen. Elischa vollbrachte dies, indem er Salz in die Quelle warf und erklärte (2. Könige, 2,21): *So spricht der Herr: Ich mache dieses Wasser gesund; es soll davon künftig weder Tod noch Fehlgeburt kommen.*

Der windungsreiche Lauf des Jordan endet im Toten Meer oder (um den biblischen Namen zu gebrauchen) im Salzmeer (Genesis 14, 3). Es ist heute etwa 80 km lang und ungefähr 17,5 km breit. An seiner Oberfläche liegt es 400 m unter dem Spiegel des Mittelmeers. Es gibt keinen Ausfluß, der Wasserzustrom wird durch den hohen Verdunstungsgrad bei Temperaturen von mehr als 40° im Juli und August und 20° in den Wintermonaten ausgeglichen. Unter den gegebenen geologischen Bedingungen steigt dadurch der Salzgehalt auf über 26%, während der durchschnittliche Salzgehalt der Weltmeere 3,5% beträgt. Dies macht jede Art von Leben im Toten Meer unmöglich. Zwischen seinem oberen Teil und seinem südlichen Drittel springt von Osten eine Landzunge vor, die den Namen El-Lisan (die Zunge) trägt. Auffällig ist, daß nördlich davon das Tote Meer etwa 400 m tief ist, während es im Süden nur eine Tiefe von ungefähr 6 m aufweist. Wir gehen davon aus, daß in biblischer Zeit die Region südlich der Landzunge arid war, und daß die Städte der Ebene im östlichen Teil dieses Dürregebiets lagen.

Das Wadi Qelt verdankt seinen Namen einer der drei Quellen, die in hellenistischer Zeit Jericho mit Wasser versorgten. Es ist ein riesiges Sammelbecken für die Niederschläge, die östlich der Wasserscheide zwischen Mittelmeer und Jordansenke niedergehen. Sein Ostteil wird zur wildromantischen Schlucht, bevor das Tal in den Jordangraben einmündet. Etwa 2 km oberhalb der Wadi-Mündung liegt das St.-Georgs-Kloster. Es wurde Ende des 5. Jahrhunderts gegründet und ist eines der wenigen Überbleibsel (es sind nur mehr drei) der zahlreichen monastischen Gründungen, die hier unter den Byzantinern ihre Blüte erlebten.

Der biblische Bericht

Genesis 10, 19 beschreibt, wie weit sich das Gebiet der Kanaanäer erstreckte und erwähnt dabei vier Städte: Sodom, Gomorra, Adma und Zebojim. Zusätzlich wird bei Genesis 13, 10 noch Zoar genannt. Als Abraham Lot die freie Wahl ließ, das Territorium unter ihnen beiden aufzuteilen, sah Lot, »daß die ganze Jordanaue ein wasserreiches Land war,... wie der Garten des Herrn, wie das Land Ägypten, bis nach Zoar hin«. Daraufhin zog Lot »mit seinen Zelten bis gegen Sodom« (Genesis 13, 12).

Die Gegend von Sodom verdient heute kaum die Beschreibung als eines »Garten des Herrn«, und demzufolge überrascht es nicht, daß man die fünf »Städte der Ebene« nördlich des Toten Meers gesucht hat, wo die Oase von Jericho das Bild üppiger Fruchtbarkeit glaubhafter macht. Es scheint jedoch, daß die Ostküste des Toten Meers südlich der Landzunge mit Wasserläufen und an einigen Stellen auch mit Quellen gut versorgt war, weshalb die Mehrzahl der Gelehrten die Ansicht vertritt, daß die »Städte der Ebene« sich irgendwo in diesem Raum befanden. Lots Gefangennahme in Sodom durch die vier Könige, die gegen die »Städte der Ebene« kämpften, veranlaßte Abraham, wie sich Aram jetzt auf Gottes Geheiß (Genesis 17, 5) hin nannte, einen Feldzug bis Dan und über Damaskus hinaus zu unternehmen, um Lot zu befreien und die vier Könige zu besiegen (Genesis 14, 1–16).

Das bekannteste Ereignis südlich des Toten Meers ist die Zerstörung von Sodom und Gomorra (Genesis 19). Zwei der drei Boten des Herrn, die Abraham in Hebron aufsuchten (Genesis 18), kamen auch nach Sodom, wo sie von Lot gastlich aufgenommen wurden. Doch die gottlosen Männer der Stadt, die von der Ankunft der Fremden gehört hatten, verlangten von Lot, daß er sie ihnen zum Zweck des Sexualverkehrs übergebe. Die Gäste schlugen daraufhin die Leute, die sie mißbrauchen wollten, mit Blindheit. Am anderen Morgen ermöglichten die Engel Lot und seiner Familie die Flucht, bevor Sodom (und Gomorra) durch Schwefel und Feuer zerstört wurde. Lots Weib aber drehte sich auf der Flucht um und erstarrte zur Salzsäule (Genesis 19).

Es gab zahlreiche Versuche, die Zerstörung dieser beiden Städte zu deuten, wobei man die bizarre Eigenart der

Sehr häufig findet man im Alten Testament für das Tote Meer die Bezeichnung »Salzmeer«. In der Antike war es nicht nur wegen des Salzes berühmt, das man aus ihm gewann, sondern auch wegen des Asphalts, den es lieferte, so daß man es auch »Asphaltmeer« nannte. Der Name »Totes Meer«, der gleichfalls antiken Ursprungs ist, hängt wahrscheinlich damit zusammen, daß es wegen des hohen, durch Verdunstung bedingten Salzgehalts keinerlei Leben in diesem Binnenmeer gibt. Hier sieht man mächtige Salzablagerungen an seinem Südende.

Landschaft am Südende des Toten Meers zugrunde legte. Eine dieser Interpretationen geht davon aus, daß sich das Gebiet südlich der Landzunge absenkte, woraufhin die Region überflutet wurde. Allerdings ist in der Bibel von einer Überschwemmung nicht die Rede, und es besteht auch Grund zur Annahme, daß diese Gegend bis zur Zeit der Kreuzzüge arid war. Wenn man nach einer natürlichen Erklärung für das Ereignis sucht, bietet sich noch am ehesten eine umfassende geologische Verschiebung an, die möglicherweise den Berg Sodom von der Landzunge abgetrennt hat. Falls dies in historischer Zeit stattfand, hätte es die Grundlage für die Schilderung vom Untergang Sodoms abgeben können, selbst wenn Abraham und Lot viel später lebten.

Doch was auch immer der Hintergrund der Erzählung in Genesis 19 gewesen sein mag, sie wurde im Alten Testament zu einem machtvollen Symbol für Gottes Strafgericht über die Sünde. Im 8. Jahrhundert beschrieb Amos einige der Unglücksfälle, die über Samaria kamen, mit den Worten (4, 11): »Ich habe eine Zerstörung unter euch angerichtet, wie Gott einst Sodom und Gomorra zerstört hat.« Jesaja (1, 10–17) hingegen spricht die Herrscher Jerusalems an, als ob sie die Führer der gottlosen Städte wären:

Höret das Wort des Herrn, ihr Fürsten von Sodom! Horch auf die Weisungen unseres Gottes, du Volk von Gomorra! Was soll mir die Menge eurer Schlachtopfer? spricht der Herr. Satt habe ich die Brandopfer von Widdern und das Fett der Mastkälber, und das Blut der Stiere und Lämmer und Böcke mag ich nicht. Wenn ihr kommt, mein Angesicht zu schauen, wer hat das von euch verlangt, daß ihr meine Vorhöfe zertretet? Bringet nicht mehr unnütze Gaben – ein Greuelopfer ist es mir. Neumond und Sabbat, Versammlung berufen – ich mag nicht Frevel und Feiertag. Eure Neumonde und eure Feste haßt meine Seele; sie sind mir zur Last geworden, ich bin's müde, sie zu ertragen. Und wenn ihr eure Hände ausbreitet, verhülle ich meine Arme vor euch; auch wenn ihr noch so viel betet, ich höre es nicht. Eure Hände sind voll Blut; waschet, reiniget euch!

Tut hinweg eure bösen Taten, mir aus den Augen! Höret auf, Böses zu tun, lernet Gutes tun! Trachtet nach Recht, weiset in Schranken den Gewalttätigen; helfet der Waise zum Rechte, führet die Sache der Witwe!

Auch Jesus nahm Bezug auf Sodom, als er Kafarnaum, das er zum Zentrum seines Wirkens machte, wegen seines Unglaubens verdammte:

Und du, Kafarnaum, wirst du bis zum Himmel erhoben werden? Bis zum Totenreich wirst du hinabfahren. Denn wenn in Sodom die machtvollen Taten geschehen wären, die bei dir geschehen sind, stände es noch heute. Ja, ich sage euch: Dem Lande Sodom wird es am Tage des Gerichts erträglicher ergehen als dir.
(Matthäus 11, 23–24)

Jericho

Ungefähr 13 km nordöstlich vom Toten Meer befindet sich die fruchtbare Oase Jericho, die im Alten Testament auch »Palmenstadt« genannt wird (Richter 3, 13). Tell es-Sultan, das Jericho des Alten Testaments, war schon Jahrtausende vor der Einnahme durch Josua (Josua 6) bewohnt, und Besucher der Ausgrabungsstätte können einen Steinturm der neolithisch-präkeramischen Epoche sehen, der 7000 Jahre v. Chr. errichtet worden war. Wo die ursprüngliche Stadt genau lag, ist unbekannt. Bei den durchgeführten Ausgrabungen hat man sie bislang nicht entdeckt.

Unsicherheit besteht auch über die Lokalisierung von Gilgal, das nach dem Buch Josua als Stützpunkt für die israelitischen Heere diente, die in das Land Kanaan eindrangen. Es befand sich an einer Stelle, wo zwölf Steine aufgerichtet wurden, nachdem die Israeliten den Jordan überschritten hatten (Josua 4, 19–24). Gilgal wird zumeist in Khirbet el-Mafjir vermutet, was den Angaben bei Josua 4, 19 entspricht, wonach der Ort an der Ostgrenze von Jericho zu suchen ist. Das alttestamentliche Jericho und der mutmaßliche Standort von Gilgal befanden sich nahe dem Wadi Makkuk. Von hier aus verläuft eine Route aus dem Jordantal zu den Anhöhen von Bet-El und zur Stadt Ai, die die Israeliten anfänglich nicht besiegen konnten, weil Achan die Anweisung nicht befolgt hatte, daß nichts von dem »Gebannten« in Jericho zum persönlichen Nutzen behalten werden durfte (Josua 7).

Bei der Verteilung des Landes kam Jericho zum Gebiet des Stammes Benjamin (Josua 18, 21). Die »Palmenstadt« war der Ausgangspunkt für die Keniter, als sie mit den Judäern in den südlichen Teil der judäischen Wüste zogen (Richter 1, 16). In der Periode der Richter brachte Eglon, der König der Moabiter, die »Palmenstadt« in seinen Besitz (Richter 3, 12–13). Eglon wurde von dem Benjaminiter Ehud erstochen, der sich durch eine List Zugang bei ihm verschafft hatte.

Die Davidserzählung enthält einen Hinweis auf Jericho als den Ort, wo auf Davids Geheiß seine gedemütigten Leute warten sollten, bis ihre Bärte nachgewachsen waren. Als David sie ausgeschickt hatte, um Hanun, dem König der Ammoniter, zum Tod seines Vaters sein Beileid auszusprechen, waren sie beleidigt worden, indem Hanun ihre Bärte zur Hälfte abscheren und ihre Gewänder bis an das Gesäß abschneiden ließ (2. Samuel 10, 1-5). Der Text berichtet, daß David aufbrach, sie zu treffen, vermutlich in Jericho, durch das man heute noch kommt, wenn man von Jerusalem nach Amman, der alten Metropole der Ammoniter, fährt. Diese feinfühlige Haltung Davids spricht in hohem Maß von seiner Loyalität gegenüber senen Männern. In der Umgebung Jerichos fuhr – wie erwähnt – auch Elija gen Himmel. In 2. Könige 2 lesen wir,

Jericho

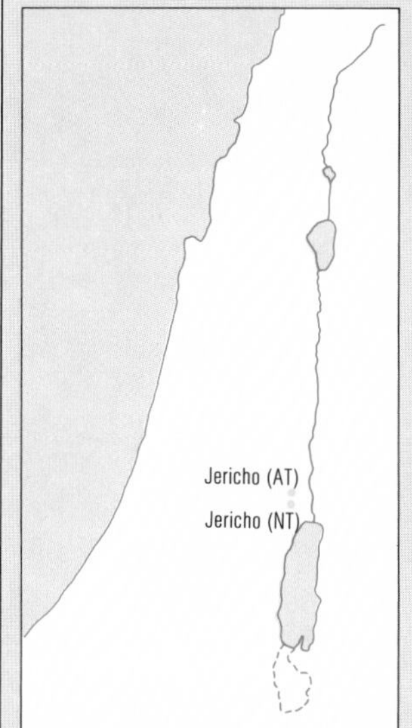

In der Antike gab es zwei Städte namens Jericho, nicht nur eine. Das alttestamentliche Jericho, Tell es-Sultan, geht bis zum 10. Jahrtausend v. Chr. zurück. Die Spuren einer ortsfesten und dauernd bewohnten Siedlungsstätte lassen sich bis zum 8. Jahrtausend v. Chr. zurückverfolgen. Am Fuß des Tell entspringt ein reicher Quell, heute nach 2. Könige 2, 19–22 als »Elischa-Brunnen« bezeichnet. Als die Israeliten um 1250 v. Chr. Jericho angriffen, bestand die Stadt bereits mehr als 6000 Jahre. Das neutestamentliche dagegen war eine separate Stadt südlich vom Tell es-Sultan, wo das Wadi el-Qelt in das Jordantal einmündet. Es war ursprünglich eine Festung, die unter den Hasmonäern angelegt wurde, um die Straße zu schützen, die durch das Wadi el-Qelt hinauf nach Jerusalem führte. Herodes der Große baute diese Stadt großzügig aus.

Rechts: Ansicht aus der Luft, aufgenommen südlich von Tulul Abu el-Alaiq, der Stätte des neutestamentlichen Jericho. Dort, wo das Wadi el-Qelt eine scharfe Krümmung macht, erblickt man einen kleinen Wasserlauf, der an der Klippenflanke entlangführt. Der Hügel im Vordergrund rechts ist Teil des hasmonäischen Gebäudekomplexes, bei dem es sich um den ursprünglichen Winterpalast handelte. Die tiefe Ausschachtung links davon ist ein ausgegrabenes Schwimmbecken. Herodes der Große überbaute diesen Hasmonäerpalast und legte hier wohl seine Privatvilla an. Unmittelbar unterhalb des Wadibettes erkennt man den Nordflügel des später hier von Herodes geschaffenen Palastes. Dieser Palast setzte sich an der gegenüberliegenden Seite des Wadi fort, und ein wenig nach rechts hin liegt ein niedriger Ruinenhügel. Dort befanden sich einst Bäder oder eine zum Palast gehörige Halle.

Unten: Einer der bemerkenswertesten Funde in Jericho ist der im 8. Jahrtausend v. Chr. entstandene Turm aus dem präkeramischen Neolithikum. Dieser aus Steinblöcken geschichtete Rundturm mißt 8,5 m im Durchmesser, und seine Überreste sind noch immer fast 8 m hoch. Er besaß eine Tür und eine Innentreppe. Außerhalb der damaligen Stadtmauer gelegen, war er wahrscheinlich ein Wachtturm.

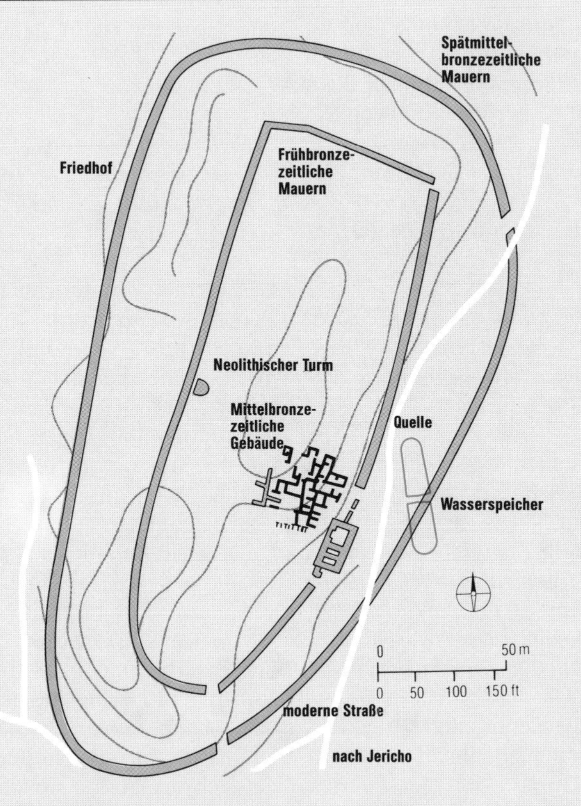

Links: Plan des Tell es-Sultan, des alttestamentlichen Jericho. Die heutige Straße durchschneidet den Ostrand des Tell. Man erkennt den Turm aus dem präkeramischen Neolithikum, und die unterschiedliche Lage der frühbronzezeitlichen und spätmittelbronzezeitlichen Stadtmauern läßt Rückschlüsse auf das Wachstum der Stadt zu.

PALAST DES HERODES, NÖRDLICHER FLÜGEL

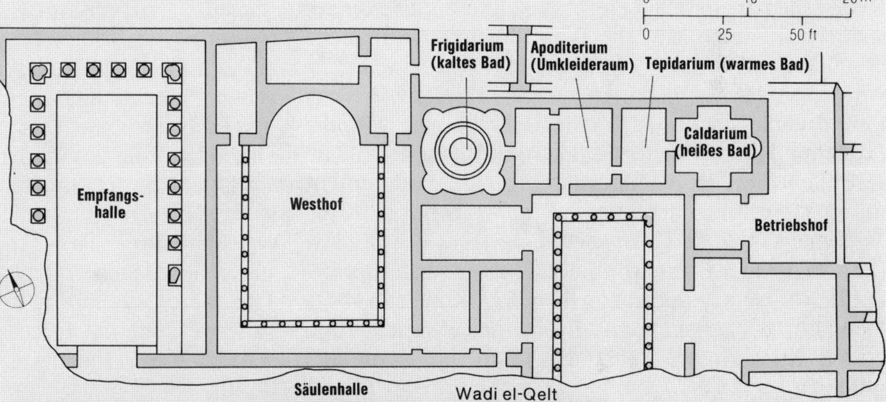

Oben: Der Nordflügel des Herodespalastes im neutestamentlichen Jericho.

Links: Eine kopfförmige Urne aus einem Grab des 18.–16. Jahrhunderts v. Chr. in Jericho.

wie er und Elischa von Gilgal (vermutlich eine Stadt in den Bergen und nicht das Gilgal bei Jericho) nach Bet-El und von dort nach Jericho wanderten. Sie kamen dann zum Jordan und überquerten ihn durch die Kraft von Elijas Mantel. Als sie weitergingen, erschien ein feuriger Wagen mit feurigen Rossen und fuhr mit Elija davon. Nur sein Mantel blieb zurück.

Als Josua Jericho einnahm und zerstörte, belegte er es mit einem Fluch:

> *Verflucht vor dem Herrn ist der Mann, der sich aufmacht und diese Stadt wieder baut; wenn er ihren Grund legt, koste es ihn seinen erstgeborenen, und wenn er ihre Tore setzt, seinen jüngsten Sohn* (Josua 6, 26).

Wenn die oben erwähnten Stellen aus Richter 3 und 2. Samuel 10 zutreffen, wurde Jericho jedoch bald instandgesetzt und von Israeliten bewohnt. 1. Könige 16, 34 greift auf Josuas Fluch zurück: *In seinen Tagen* [der Zeit Ahabs, 871–852] *baute Hiel von Bet-El Jericho wieder auf. Es kostete ihn seinen Erstgeborenen Abiram, als er ihren Grund legte, und seinen jüngsten Sohn Segub, als er ihre Tore einsetzte, nach dem Worte, das der Herr durch Josua, den Sohn Nuns, geredet hatte.*

Zuweilen wird darauf hingewiesen, daß unter den frühesten Bewohnern Jerichos manche ihre Toten unter ihren Häusern bestatteten, und daß die zitierten Bibelstellen an diese Sitte erinnern könnten. Es ist indes wahrscheinlicher, daß Hiels Tat heidnische Bräuche erneuerte, die unter der Regierung Ahabs gefördert wurden. Hierzu gehörten auch Kinderopfer bei Grundsteinlegungen. Außer der Erwähnung, daß »die Leute von Jericho« Nehemia halfen, die Mauern und Tore Jerusalems um 445 v. Chr. neu zu errichten, informiert uns der einzige andere Verweis auf Jericho im Alten Testament über die Gefangennahme von König Zidkija (Zedekia) in der Ebene von Jericho, als er versuchte, 587 v. Chr. vor Nebukadnezzar zu fliehen (2. Könige 25, 4–7). Denn trotz der babylonischen Belagerung war Zidkija und seinen Kriegern bei Nacht die Flucht aus Jerusalem gelungen.

Zur Zeit des Neuen Testaments lag Jericho nicht in Tell es-Sultan, sondern weiter südlich, wo das Wadi Qelt das Jordantal erreicht. Die Stadt war von Herodes dem Großen (zum Teil auf hasmonäischen Fundamenten) und von den römischen Statthaltern erbaut worden. Wegen ihres milden Klimas war sie ein beliebter Winteraufenthaltsort. Die ersten drei Evangelien, die Jerusalem nur mit einem Besuch Jesu während seines öffentlichen Wirkens in Verbindung bringen, erwähnen Jericho aus Anlaß der Reise, die ihn von Galiläa das Jordantal entlangführte. Markus (10, 46–52) überliefert, daß die Heilung des blinden Bettlers Bartimäus stattfand, als Jesus Jericho verließ, bei Lukas 18, 35–43 dagegen näherte er sich gerade der Stadt. Matthäus (20, 29–34) stimmt mit Markus überein, daß die Heilung beim Auszug aus Jericho erfolgte, doch ist hier von zwei Blinden die Rede, die wieder sehend wurden. Nur bei Lukas steht die Geschichte vom Oberzöllner Zachäus, der zu klein war, um über die Köpfe der Volksmenge hinwegzuschauen, und wahrscheinlich zu unpopulär, als daß er sich unter die Menge hätte mischen können (Lukas 19, 1–10). So groß war sein Verlangen, den Messias zu erblicken, daß er auf einen Maulbeerfeigenbaum kletterte – vermutlich ein unwürdiges Unterfangen für einen wohlhabenden Oberzöllner. Doch Jesus erkannte den aufrichtigen Willen des Mannes, sein bisheriges Leben zu ändern. Er lud sich selbst in das Haus des Zachäus ein (was die Menge murrend aufnahm), wo dieser erklärte, daß er alle entschädigen würde, die er betrogen habe, und daß er die Hälfte seines Besitzes den Armen vermachen werde. In Jericho also geschah es, daß Jesus sprechen konnte:

> *Heute ist diesem Hause Heil widerfahren, wie denn auch er ein Sohn Abrahams ist. Denn der Sohn des Menschen ist gekommen, um das Verlorne zu suchen und zu retten.* (Lukas 19, 10)

Das Gebiet von Jericho ist auch traditionell mit dem Wirken Johannes des Täufers, der Versuchung und der Taufe Christi verknüpft. Die ersten drei Evangelien machen keine genaue Ortsangabe darüber, wo Johannes taufte. Markus (1, 4–5) erwähnt einfach »die Wüste« und den »Jordanfluß«, während Matthäus (3, 1) »die Wüste« mit der Wüste von Judäa gleichsetzt. In Johannes 1,28 wird Betanien jenseits des Jordan genannt, aber Origenes war in der ersten Hälfte des 3. Jahrhunderts nicht in der Lage, dieses Betanien zu finden. Daß Johannes im Gebiet von Jericho wirkte, wird durch den Umstand belegt, daß »das ganze jüdische Land ... und alle Bewohner von Jerusalem« kamen (Markus 1, 5). Es wurde schon an anderer Stelle vermerkt, daß die Hauptstraße von Jerusalem zum Jordantal in Jericho endete, und es ist unwahrscheinlich, daß Johannes einen Ort gewählt haben sollte, der unbequem erreichbar im Norden lag. Der Tradition nach befindet sich die Stelle, wo die Taufe Jesu erfolgte, in El-Maghtas, 9 km südöstlich von Jericho. Als die christliche Verehrung des Taufplatzes einsetzte, lokalisierte man ihn am Ostufer des Jordan. Später wurde er an das Westufer verlegt, um eine Flußüberquerung zu vermeiden. Neben der Taufe Jesu gedachte man an dieser Stelle auch der Überschreitung des Jordan durch die Israeliten zur Zeit Josuas und der Himmelfahrt des Elija. Der Verknüpfung von Elija, Johannes dem Täufer, der dem Elija gleich ist (vgl. Matthäus 11, 14, dagegen aber Johannes 1, 21), und Jesus an diesem einen Ort kam starke Symbolkraft zu. Das Johannesevangelium berichtet, daß unmittelbar vor der Auferweckung des Lazarus Jesus eine Zeitlang an dem Platz blieb, »wo Johannes zuerst getauft hatte« (Johannes 10, 40).

Durch seine Taufe suchte Jesus die Identifikation mit jenen, die sich dieser Zeremonie als Zeichen ihrer Buße unterzogen. Nach der Darstellung der Evangelien handelte es sich dabei allerdings nicht um eine Abkehr von der Sünde, sondern um die Hinwendung zu seiner Sendung. Er erhielt eine innere Bestätigung von Gottes Segen und Auftrag, bevor er vom Geist Gottes in die Wüste geführt wurde, um vierzig Tage lang (die konventionelle Zeitspanne) versucht zu werden (Markus 1, 12–13). Das Wüstengebiet nahe bei Jericho – nicht weit vom Ort der Taufe – gilt der Tradition nach als äußerer Rahmen der Versuchungen, und Besucher von Tell es-Sultan (dem alttestamentlichen Jericho) haben einen ausgezeichneten Blick auf den sogenannten Berg der Versuchung, auf dessen Gipfel Jesus alle Reiche der Welt angetragen wurden, wenn er den Teufel anbeten würde (Matthäus 4, 8–10). Ein arabischer Name für den Berg, Jebel Qarantal ist anscheinend über die Kreuzfahrer vom französischen Wort *quarante* (vierzig) abgeleitet.

Das Jordantal

Wenn wir das Gebiet von Jericho nach Norden verlassen, kommen wir in die Stadt Sukkot (das heutige Tell Deir Alla) auf der östlichen Seite des Jordan, wo das Tal des Wadi Zarqa abzweigt (vgl. Richter 8, 4–9 und 13–16). Nach seinem Sieg über die Midianiter im Harodtal verfolgte Gideon die Feinde das Jordantal hinab, bis er und seine Männer Sukkot erreichten. Sein Ersuchen an die

Vom Tell es-Sultan genießt man eine großartige Aussicht auf den Jebel Qarantal, den »Berg der Versuchung«. Auf halber Höhe der Felswand ist das zwischen 1895 und 1905 erbaute Kloster Qarantana zu sehen. Oben auf dem Gipfel des Berges umschließt eine moderne Mauer unterschiedliche bauliche Überreste aus byzantinischer Zeit. Seit dem 4. Jahrhundert n. Chr. bis zur Eroberung

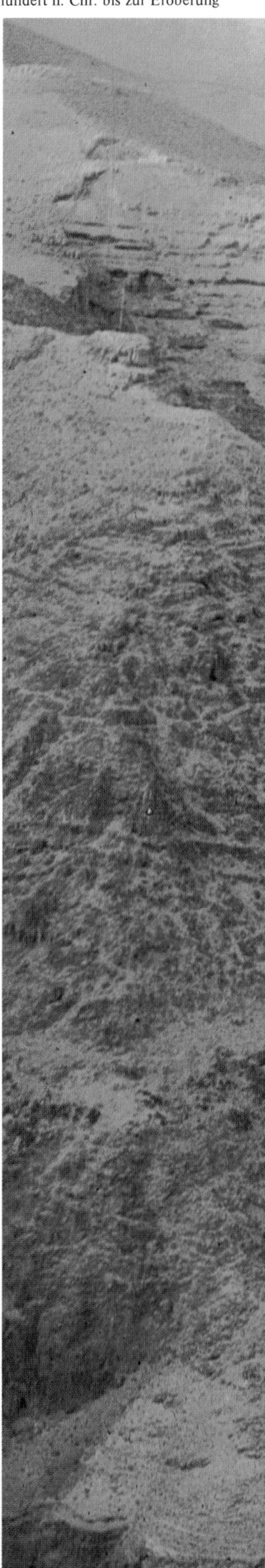

durch die Perser 614 n. Chr. wohnten zahlreiche Mönche und Eremiten auf diesem Berg. Die Überlieferung, die ihn mit der Versuchung Jesu in Zusammenhang bringt, geht bis auf das 7. Jahrhundert der christlichen Ära zurück.

Obersten der Stadt, seine Leute zu verpflegen, wurde abgelehnt. »Hast du denn die Faust Sebachs und Zalmunnas schon in deiner Gewalt, daß wir deinem Heer Brot geben sollten«, lautete ihre Weigerung. Vielleicht fürchteten die Obersten, daß Gideons Feldzug fehlschlagen könnte und daß die Midianiterkönige Sukkot für die Versorgung von Gideons Truppen bestrafen würden. Gideon seinerseits drohte, sie mit Wüstendorn und Stacheldisteln zu schlagen, wenn er erfolgreich zurückkehren würde – eine Drohung, die er später auch wahrmachte.

Der andere Abschnitt des Jordantals, der in der Bibel erwähnt wird, liegt am Ausgang des Bet-Schean-Tals. Hier erhob sich auf einer Anhöhe die prächtige Stadt Bet-Schean (Baithsan). Sie wird in der Stelle (*siehe Seite* 151) genannt, wo die Nachkommen Josefs beklagen, daß ihr

Gebiet so stark bewaldet ist und daß die Kanaanäer in der Ebene über eiserne Streitwagen verfügen.

Für die Bewohner Bet-Scheans und der umliegenden Dörfer war es ganz selbstverständlich, Pferde und Wagen einzusetzen, um den Zugang zum Jordan- und Jesreeltal zu kontrollieren. Die vergleichsweise offene Landschaft der Täler war dafür ideal geeignet. Die Israeliten besaßen kein Mittel gegen diesen militärischen Vorteil, weshalb es nicht überrascht, daß es im Buch der Richter (1, 27) heißt, der Stamm Manasse habe die Bevölkerung Bet-Scheans und seiner Nebenorte nicht vertreiben können.

Zur Zeit Sauls herrschten die Philister über Bet-Schean oder standen in Bündnissen mit seinen kanaanäischen Bewohnern. Nach Sauls Niederlage und seinem Tod am Hang des Berges Gilboa (1. Samuel 31) spießten die Philister seinen Leichnam an die Mauer von Bet-Schean (1. Samuel 31, 10). In 2. Samuel 21, 12 dagegen lesen wir, die Körper von Saul und Jonatan seien auf dem großen Platz von Bet-Schean aufgehängt worden. Ihre sterblichen Überreste wurden vor weiterer Schmach bewahrt, als die Männer von Jabesch-Gilead, die Saul von dem Ammoniterkönig Nahasch (1. Samuel 11) befreit hatte, die Leichname bei Nacht heimlich holten und in Jabesch begruben. David schließlich überführte die Gebeine in das Familiengrab im Land Benjamin (2. Samuel 21, 13–14). Während der Regierung Salomos befand sich Bet-Schean in israelitischer Hand und gehörte zu einem der zwölf Verwaltungsbezirke (1. Könige 4, 12).

In der alttestamentlichen Periode lebten in dem für das Jordanufer charakteristischen Urwald Löwen, wie aus der Klagerede über Edom bei Jeremia 49 hervorgeht, wo auch das Bild von Sodom und Gomorra beschworen wird:

> *Deine Fruchtbarkeit hat dich betört, der Hochmut deines Herzens, der du in Felsenklüften wohnst und Bergeshöhen besetzt hältst. Wenn du gleich horstest hoch wie der Adler, ich stürze von dort dich herab, spricht der Herr. Edom soll zum Entsetzen werden; ein jeder, der es durchwandert, wird sich entsetzen und spotten ob all seiner Plagen. Wie nach der Zerstörung Sodoms und Gomorras und seiner Nachbarn, spricht der Herr, so soll dort niemand wohnen, kein Mensch darin weilen. Siehe, wie ein Löwe, der aus dem Hochwuchs des Jordan heraufsteigt zur Aue der Widder, so treibe ich sie im Nu aus dem Lande und bestelle meinen Erwählten darüber. Denn wer ist mir gleich? wer will mich vorladen? wo wäre der Hirt, der mir standhielte? Darum höret den Ratschluß, den der Herr über Edom beschlossen, und die Pläne, die er wider die Bewohner von Teman geplant hat: Fürwahr, es sollen weggeschleppt werden die Hirtenbuben! Fürwahr, es wird sich über sie entsetzen ihre Aue! Vor ihrem lauten Fall erbebt die Erde; ihr Schreien hört man am Schilfmeer. Siehe, wie ein Adler steigt's empor und fliegt heran und breitet seine Flügel aus über Bozra; da wird das Herz der Helden Edoms werden wie das Herz eines Weibes in Wehen.*
> (Jeremia 49, 16–22)

Die Bildersprache des Alten Testaments kann gegensätzlich interpretiert werden. Sacharja 11, 3 schildert das Gericht über Edom folgendermaßen: *Horch! es brüllen die Löwen; denn verwüstet ist die Pracht des Jordan.* Im Gegensatz zu dieser Vorstellung verheißt Ezechiel 47 zukünftigen Segen, indem das Wasser des Toten Meers durch den lebenspendenden Fluß, der vom Tempel kommt, gesund wird. Obgleich Jordantal und Totes Meer in der Bibel als geographische Begriffe keine große Rolle spielen, trugen sie zur biblischen Metaphorik für Gericht und Segen bei und gaben den Rahmen für die öffentlichen Predigten Jesu und seine Gedanken über den künftigen Weg.

Unten: In Bet-Schean gefundene goldplattierte Bronzestandarte aus der Zeit um 1500–1200 v. Chr.

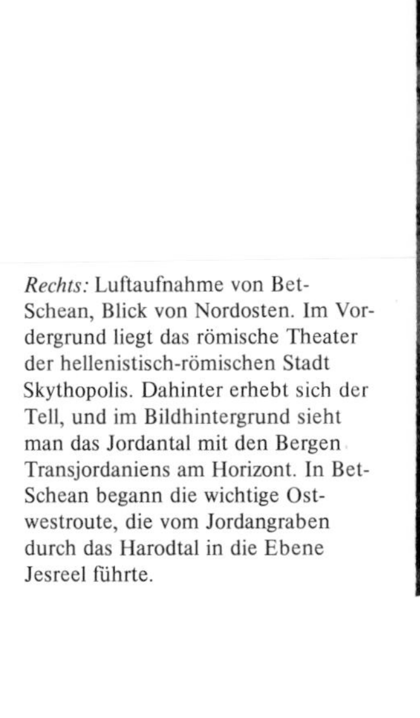

Rechts: Luftaufnahme von Bet-Schean, Blick von Nordosten. Im Vordergrund liegt das römische Theater der hellenistisch-römischen Stadt Skythopolis. Dahinter erhebt sich der Tell, und im Bildhintergrund sieht man das Jordantal mit den Bergen Transjordaniens am Horizont. In Bet-Schean begann die wichtige Ost-westroute, die vom Jordangraben durch das Harodtal in die Ebene Jesreel führte.

TRANSJORDANIEN

Oben rechts: Luftaufnahme des Seil el-Mojib (Arnon), der durch eine grandiose Schlucht in Richtung Totes Meer fließt. Im Altertum bildete er die natürliche Nordgrenze von Moab, obwohl energische Moabiterkönige wie Mescha ihr Herrschaftsgebiet auch über diese Schlucht hinaus ausdehnten.

Die Landschaft

Wenn wir nun ganz Transjordanien in einem Kapitel behandeln, könnte das den Eindruck erwecken, im Vergleich zum Westjordanland sei die östliche Seite eher unbedeutend. Tatsächlich wurde sie archäologisch nicht so intensiv erforscht wie die westlichen Gebiete. Dennoch muß aber betont werden, daß das Gewicht Transjordaniens in der Geschichte der nahöstlichen Kulturen und Religionen nicht unterschätzt werden darf. Was unseren Bibelatlas betrifft, kann diese Bedeutung kurz zusammengefaßt werden. Erstens waren dort kleinere Nationen – Aram-Damaskus, Ammon, Edom und Moab – beheimatet, die immer wieder das Leben Israels beeinflußten. Sie werden oft in prophetischen Äußerungen über die benachbarten Völker erwähnt. Zum zweiten lebten seit der israelitischen Besiedelung bis zum 8. Jahrhundert v. Chr. Israeliten in Transjordanien, vor allem in der bewaldeten Hügelregion zwischen den Flüssen Nahr ez-Zarqa (Jabbok) und Nahr el-Jarmuk (Jarmuk). Drittens spielte sich die Schlußphase der Wüstenwanderung und der erste Abschnitt der Landnahme östlich des Jordans ab. Und viertens umfaßte Transjordanien zur Zeit des Neuen Testaments wichtige jüdische und hellenistische Landstriche, die in den Evangelien eine Rolle spielen.

Transjordanien kann von Nord nach Süd grob in fünf Gebiete unterteilt werden. Nördlich des Nahr el-Jarmuk erhebt sich ein breites, hohes Plateau, das in nordöstlicher Richtung nach Damaskus verläuft. An seiner westlichen

Abkürzung: (U) = Unlokalisiert

Abel-Keramim Richt. 11, 33 [C2 C3]
Afek 1. Kön. 20, 26 ff.; 2. Kön. 13, 17 [C2]
Alema *siehe* Helam
Almon-Diblatajema (Almondiblathajim, Beth-Diblathaim) Num. 33, 46–47; Jer. 48, 22 [C3]
Ammon Gen. 19, 38; Deut. 3, 16; Richt. 20, 7 ff.; 2. Sam. 10, 1f; 11, 1 ff.; Amos 1, 13 [C2 D2]
Ar Num. 21, 28; Deut. 2, 9; Jes. 15, 1 [C3]
Aroer Num. 32, 34; Deut. 2, 36; 3, 12; 4, 48; Jos. 12, 2; 13, 9. 16; 2. Sam. 24, 5; Jer. 48, 19; 1. Chr. 5, 8 [C3]
Aroer Jos. 13, 25; Richt. 11, 33 [C3]
Aschtarot (Beeschtera) Deut. 1, 4; Jos. 9, 10; 12, 4; 13, 12. 31; 21, 27; 1. Chr. 6, 71 [D2]
Aschterot-Karnajim *siehe* Karnajim
Atarot Num. 32, 3. 34 [C3]
Atrot-Schofan Num. 32, 35 (U)
Awit Gen. 36, 35; 1. Chr. 1, 46 (U)

Baal-Gad Jos. 11, 17; 12, 7; 13, 5 [C1]
Baal-Pegor (Baal-Peor) *siehe* Bet-Pegor
Bamot-Baal Num. 21, 19. 20; 22, 41; Jos. 13, 17 [C3]
Baschan (Region) Num. 21, 33–35; Jos. 13, 30; Jes. 2, 13; Ez. 27, 6; 39, 18 [C2 D2]
Baskama 1. Makk. 13, 23 [C2]
Beeschtera *siehe* Aschtarot
Beon *siehe* Bet-Baal-Meon
Bet-Arbeel Hos. 10, 14 [C2]
Bet-Baal-Meon (Beon) Num. 32, 3. 38; Jos. 13, 17; 1. Chr. 5, 8; Jer. 48. 23 [C3]
Bet-Gamul Jer. 48, 23 [C3]
Beth-Diblathaim *siehe* Almon-Diblatajema
Betonim Jos. 13, 26 [C3]
Bet-Pegor (Baal-Peor) Num. 25, 3. 5; Deut. 3, 29; 4, 3. 46; 34, 6; Jos. 13, 20; Ps. 106, 28; Hos. 9, 10 [C3]
Bet-Schitta Richt. 7, 22 (U)

Bezer (Bozra) Deut. 4, 43; Jos. 20, 8; 21, 36; 1. Chr. 6. 78; Jer. 48, 24 [C3]
Bosor 1. Makk. 5, 26. 36 [D2]
Bozra *siehe* Bezer
Bozra Gen. 36, 33; 1. Chr. 1, 44; Jes. 34, 6; 63, 1; Jer. 49, 13. 22 [C4] Amos 1, 12 [D2]

Caesarea Philippi (Paneas) Mat. 16, 13; Mark. 8, 27 [C1]
Carnaim, Carnion *siehe* Karnajim
Casphor, Caspin *siehe* Kaspin
Charak 2. Makk. 12, 17 (U)
Chaspho *siehe* Kaspin

Damaskus Gen. 14, 15; 15, 2; 2. Sam. 8, 5. 6; 1. Kön. 11, 24; 15, 18; 19, 15. 15; 20, 34; 2. Kön. 8, 7. 9; 16, 9–12; 1. Chr. 18, 5. 6; 2. Chr. 16, 2; 24, 23; 28, 5. 23; Jes. 7, 8; 8, 4; 10, 9; 17, 1. 3; Jer. 49, 24; Amos 1, 3.5; Apg. 9, 2. 3. 10. 19; 22, 5. 6–11; 26, 12. 20; 2. Kor. 11, 32; Gal. 1, 17 [D1]
Datema (Diatema) 1. Makk. 5, 9 [D2]
Dibon Num. 21, 30; 32, 3; 32, 34; 33, 45. 46; Jos. 13, 9. 17; Jes. 15, 2. 9; Jer. 48, 18. 22 [C3]
Dinhaba Gen. 36, 32; 1. Chr. 1, 43 (U)
Di-Sahab (Dizahab, Me-Sahab) Gen. 36, 39; 1. Chr. 1, 50; Deut. 1, 1 (U)

Edom, Region, Exod. 15, 15; Num. 20, 14 ff.; 24, 18; Jos. 15, 1. 21; 1. Sam. 14, 47; 2. Sam. 8, 12. 14; 1. Kön. 9, 26; 11, 14 ff.; 22, 47; 2. Kön. 3, 8 ff.; 8, 20; 14, 10; 16, 6; 1. Chr. 18, 13; 2. Chr. 25, 20; Ps. 60, 10. 11; 83, 6; 108, 10. 11; 137, 7; Jes. 11, 14; 34, 5 ff.; Jer. 9, 26; 25, 21; 49, 7; Ez. 25, 12. 14; 32, 29; Joel 3, 19; Amos 1, 6. 9; 2, 1; Ob. 1 ff. [C4]
Edrei Deut. 1, 4; Jos. 13, 31; Num. 21, 33 [D2]
Efron 1. Makk. 5, 46; 2. Makk. 12, 27 [C2]
Eglajim Jes. 15, 8 [C3]
Eglat-Schelischija (Eglatsalesia) Jes. 15, 5; Jer. 48, 34 (U)

Eleale Num. 32, 3. 37; Jes. 15, 4; 16, 9; Jer. 48, 34 [C3]

Gadara Mat. 8, 28 [C2]
Gerasa Mark. 5, 1 [C2]
Gergesa Mark. 5, 1; Luk. 8, 26. 37 [C2]
Gilead Gen. 31. 23. 25; Num. 32, 1. 39–40; Deut. 3, 12–13.15; 34, 1; Jos. 12, 2. 5; 17, 1; 22, 13; Richt. 10, 4.8. 17; 11, 1–12, 7; 20, 1; 2. Sam. 2, 9; 17, 26; 1. Kön. 4, 13. 19; 17, 1; 2. Kön. 10, 33; 15, 29; Ps. 60, 9; 108, 9; H. L. 4, 1; 6. 5; Jer. 8, 22; 22, 6; 50, 19; Hos. 6, 8; 12, 11; Amos 1, 3. 13; Ob. 19; Sach. 10, 10 [C2]
Golan Deut. 4, 43; Jos. 20, 8; 21, 27; 1. Chr. 6, 71 [C2]

Ham Gen. 14, 5 [C2]
Hazar-Enan (Hazar-Enon, Asarenon) Num. 34, 9; Ez. 47, 18; 48, 1 (U)
Helam (Alema) 2. Sam. 10, 16–17; 1. Makk. 5, 26 [D2]
Heschbon Num. 21, 25–34; 32, 3. 37; Deut. 1, 4; 2, 24. 26. 30; 3, 2. 6; 4, 46; 29, 7; Jos. 9, 10; 12, 2. 5; 13, 10. 17. 21. 26; 21, 39; Richt. 11, 19. 26; 1. Chr. 6, 81; Neh. 9, 22; Jes. 15, 4; 16, 8. 9; Jer. 48, 2. 34. 45; 49, 3; H. L. 7, 5 [C3]
Holon Jer. 48, 21 (U)
Horonajim Jes. 15, 5; Jer. 48, 3. 5. 34 [C3]

Ije-Abarim Num. 21, 11; 33, 44. 45 [C3]
Ijon 1. Kön. 15, 20; 2. Chr. 16, 4 (U)

Jabesch-Gilead Richt. 21, 8–14; 1. Sam. 11, 1–10; 31, 11–13; 2. Sam. 2, 4. 5; 21, 12; 1. Chr. 10, 11. 12 [C2]
Jahaz Num. 21, 23; Deut. 2, 32; Jos. 13, 18; 21, 36; Richt. 11, 20; 1. Chr. 6, 78; Jes. 15, 4; Jer. 48, 34 [C3]
Jaser (Jazer) Num. 21, 24. 32; 32, 1. 3. 35; Jos. 13, 25; 21, 39; 1. Chr. 6, 81; 26, 31; Jes. 16, 8–9 [C3]

Jogboha (Jogbeha) Num. 32, 35; Richt. 8, 11 [C2]

Kamon Richt. 10, 5 [C2]
Karnajim (Carnaim, Carnion, Aschterot-Karnajim) Gen. 14, 5; 1. Makk. 5, 26. 43–44 [D2]
Kaspin (Caspin, Chasphor, Caspho) 1. Makk. 5, 26. 36; 2. Makk. 12, 13 [C2]
Kedemot Deut. 2, 26; Jos. 13, 18; 21, 37; 1. Chr. 6, 79 [C3]
Kenat (Nobach) Num. 32, 42; 1. Chr. 2, 23 [D2]
Kerijot Jer. 48, 24; Amos 2, 2 [C3]
Kir-Heres (Kir-Hareset) 2. Kön. 3, 25; Jes. 15, 1; 16, 7. 11; Jer. 48, 31. 36 [C3]
Kirjatajim Num. 32, 37; Jos. 13, 19; Jer. 48, 1. 23; Ez. 25, 9 [C3]
Kirjat-Huzot Num. 22, 39 (U)

Lo-Dabar 2. Sam. 9, 4; Amos 6, 13 [C2]

Madmen Jer. 48, 2 [C3]
Mahanajim Gen. 32, 2; Jos. 13, 26. 30; 21, 38; 2. Sam. 2, 8. 12. 29; 17, 24; 19, 33; 1. Kön. 2, 8; 4, 14; 1. Chr. 6, 80; H. L. 6, 12 [C2]
Maked 1. Makk. 5, 26. 36 [D2]
Masreka Gen. 36, 36; 1. Chr. 1, 47 (U)
Mattana Num. 21, 18. 19 [C3]
Medeba Num. 21, 30; Jos. 13, 9. 16; 1. Chr. 19, 7; Jes. 15, 2 [C3]
Mefaat (Mepha-ath) Jos. 13, 18; 21, 37; 1. Chr. 6, 79; Jer. 48, 21 [C3]
Me-Sahab (Mezahab) *siehe* Di-Sahab
Minnit Richt. 11, 33 [C3]
Mizpe Gen. 31, 49; Richt. 10, 17; 11, 11. 29. 34 [C2]
Moab, »Stadt mitten im Tale«, Num. 22, 36; Deut. 2, 36; Jos. 13, 9. 16; 2. Sam. 24, 5 [D3]
Moab, Region, Exod. 15, 15; Num. 21, 13. 15; 22, 3 f.; Jos. 24, 9; Richt. 3, 12–30; Rut 1, 1. 4 ff.; 2. Sam. 8, 2; 2. Kön. 3, 4 ff.; Jes. 15, 1–16; Jer. 48, 1 ff.; Amos 2, 1 ff. [C3]

Nabadat 1. Makk. 9, 37 [C3]
Nebo Num. 32, 3. 38; 1. Chr. 5, 8; Jes. 15, 2; Jer. 48, 1. 22 [C3]
Noba *siehe* Kenat

Obot Num. 21, 10–11; 33, 43–44 (U)

Pagu (Pai, Phau, Pau) Gen. 36, 39; 1. Chr. 1, 50 (U)
Paneas *siehe* Caesarea Philippi

Rabba (Rabbat-Ammon) Deut. 3, 11; Jos. 13, 25; 2. Sam. 11, 1. 12. 26 ff.; 1. Chr. 20, 1; Jer. 49, 2. 3; Amos 1, 14 [C3]
Rafon 1. Makk. 5, 37 [D2]
Ramat-Mizpe Jos. 13, 26 [C3]
Ramot-Gilead Deut. 4, 43; Jos. 20, 8; 21, 38; 1. Sam. 30, 27; 1. Kön. 22, 3. 4. 6. 12. 15. 20. 29; 2. Kön. 8, 28–29; 9, 1. 4. 14; 1. Chr. 6, 80; 2. Chr. 18, 2. 3. 5. 11. 14. 19. 28; 22, 5. 6 [C2]
Rehob Num. 13, 21; Jos. 19, 28 [C2]
Rehobot-Ir Gen. 10, 11 (U)
Roglim (Rogelim) 2. Sam. 17, 27; 19, 32 [C2]

Salcha (Salecah) Deut. 3, 10; Jos. 12, 5; 1. Chr. 5, 11 [D2]
Sela 2. Kön. 14, 7 [C4]
Sibma (Selsam) Num. 32, 3. 38; Jos. 13, 19; Jes. 16, 8–9; Jer. 48, 32 [C3]

Teman Jer. 49, 7. 20; Ez. 25, 13; Amos 1, 12; Ob. 1, 9 [C4]
Tischbe 1. Kön. 17, 1; 21, 17. 28; 2. Kön. 1, 3. 8; 9, 36 [C2]
Tob Richt. 11, 3; 2. Sam. 10, 6. 8 [D2]

Zair 2. Kön. 8, 21 (U)
Zalmona Num. 33, 41. 42 [C4]

Links: Die Kette des Hermonmassivs erreicht eine Höhe von 3030 m. Ihre Gipfel sind von vielen Punkten Nordisraels aus sichtbar und fallen besonders dadurch auf, daß sie sogar im Sommer noch mit Schnee bedeckt sind. Das Schmelzwasser der tieferliegenden Schneefelder speist den Jordan. Vermutlich fand in den Bergen dieser Region die Verklärung Jesu statt.

Flanke wird es von der Gebirgskette des Hermon begrenzt, die sich ebenfalls von Südwesten nach Nordosten hinzieht. Die Region unmittelbar nördlich des Nahr el-Jarmuk heißt im Alten Testament Jaschan; sie war wegen ihrer Fruchtbarkeit berühmt. Für gewöhnlich erwähnt das Alte Testament *den* Baschan mit der möglichen Bedeutung »das glatte [und somit fruchtbare] Land«. Neben Verweisen auf das Gebiet selbst dient Baschan als Bezeichnung für etwas Wohlgenährtes, Üppiges oder Starkes. Der Psalmist beschreibt die menschlichen oder nichtmenschlichen Feinde, die ihn umgeben, als »mächtige Stiere, Büffel von Baschan« (Psalm 22, 13), während Amos den Ausdruck »Baschankühe« auf die reichen Frauen anwendet, die in den Städten Samarias ein faules, luxuriöses Leben führen (Amos 4, 1).

Der zweite Abschnitt Transjordaniens erstreckt sich vom Nahr el-Jarmuk zum Nahr ez-Zarqa und kann Gilead genannt werden, obwohl der Name Gilead mehrere Bedeutungen hat und im Alten Testament manchmal auch gebraucht wird, um das Gebiet nördlich des Nahr el-Jarmuk und südlich des Nahr ez-Zarqa bis zum Seil el-Mojib (Arnon) zu bezeichnen. Aus Gründen der Klarheit wird hier eine eingeschränkte Verwendung vorgezogen. Demnach entsprach Gilead also ungefähr dem bewaldeten Hügelland westlich des Jordans. In dieser geschützten Lage konnten die dort ansässigen Israeliten ihren Besitz behaupten, während es anderen, die sich nördlich oder südlich davon niedergelassen hatten, schwerfiel, dem Druck der sie umgebenden Völker standzuhalten. Immerhin war Ramot-Gilead, eine Stadt im offeneren Land östlich der Hauptberge Gileads, im 9. Jahrhundert ein Zankapfel zwischen Israel und Aram-Damaskus, und mindestens zwei Schlachten gegen die Aramäer wurden hier ausgefochten (1. Könige 22, 1–3; 2. Könige 8, 28).

Der dritte Abschnitt erstreckt sich vom Nahr ez-Zarqa bis zum Seil el-Mojib (Arnon) und deckt sich in etwa mit Ammon. Auch dies ist eine Vereinfachung, weil es Zeiten gab, da Ammons Westgrenze der nordwärts verlaufende Abschnitt des Nahr ez-Zarqa war, bevor der Fluß nach Westen zum Jordantal schwenkt. Außerdem befand sich das Gebiet eine Zeitlang im Besitz des Stammes Ruben und davor unter der Herrschaft des Amoriterkönigs Sihon, den die Israeliten unter Moses besiegten (Numeri 21, 21–30). Obgleich der Seil el-Mojib die nominelle Grenze zu Moab bildete, konnte dessen dynamischer König Mescha im 9. Jahrhundert v. Chr. auf Ammons Kosten seinen Machtbereich nach Norden ausdehnen. Dergestalt erwiesen sich Grenzen als fließend, und den Gebieten zwischen dem Nahr ez-Zarqa und dem Seil el-Mojib wurde im Lauf der Jahrhunderte eine verwirrende Zahl verschiedener Namen gegeben. Das Territorium von Ammon, wie es hier verstanden wird, bestand zum Teil aus schroffen Felsen und Schluchten, besaß aber in seiner Mitte auch eine sehr fruchtbare Hochebene.

Vom Seil el-Mojib nach Süden zum Wadi el-Hesa (Bach Zered) reicht das Territorium von Moab im engsten Sinne. Es wird von einem Hochplateau beherrscht, das etwa 1000 m über dem Meeresspiegel liegt, 56 km lang und 40 km breit ist. Im Innern ist das Land durch flache Wadis gut bewässert. Es war so fruchtbar, daß es im 9. Jahrhundert v. Chr. dem König von Israel *»die Wolle von 100000 Lämmern und 100000 Widdern«* als jährliche Abgabe entrichten konnte (2. Könige 3, 4). Dem Buch Rut zufolge trieb eine Hungersnot im Gebiet von Betlehem Elimelech und seine Familie nach Moab, um dort Nahrung zu suchen (Rut 1, 1–2). Obwohl Moab weiter östlich liegt als Betlehem und die Hebronberge, trifft man hier, ebenso wie im übrigen Transjordanien, kühleres Klima an.

Südlich des Wadi el-Hesa bis hin zum Golf von Aqaba reicht das Gebiet von Edom, dessen zentrale Bergkette mitunter auf 1700 m über den Meeresspiegel ansteigt. An der Ostseite des Gebirgszugs liegt in 1000–1100 m Höhe ein Plateau mit sehr kaltem Winterklima. Schnee und Fröste halten dort bis Mitte März und länger an. G. A. Smith zitiert Bemerkungen von Reisenden, die es beeindruckte, wie stark die Landschaft mancher Teile dieses Hochplateaus der in europäischen Gebieten glich: *Die karg bewachsene Kalksteingegend in so großer Höhe erinnert an Europa; es gibt Senken mit immergrünen Eichen, die einer Parklandschaft ähneln.* Aus der Vegetationskarte (*siehe Seite 63*) läßt sich ersehen, daß auf der Westseite des Jordan die mediterrane Bewaldung einige Kilometer nördlich von Beerscheba aufhört. Auf der Ostseite jedoch erstreckt sie sich auf dem Edom-Plateau bis etwa 150 km südlich der Höhe von Beerscheba.

Der biblische Bericht

Transjordanien wird im Alten Testament zuerst in der Geschichte von Jakob und Esau erwähnt. Esau sollte – nach der biblischen Auffassung über den Ursprung der Völker – der Stammvater von Edom werden (Genesis 36, 6–8). Als Jakob nach seinem Aufenthalt bei Laban in Haran (Genesis 29–31) nach Kanaan zurückkehrte, zog er durch Transjordanien, vielleicht um sich mit Esau zu versöhnen, der in Edom lebte. Auf jeden Fall aber floh Jakob vor Laban, seinem Schwiegervater: *Und er floh mit allem, was sein war… setzte über den* [Euphrat-]*Strom und nahm die Richtung nach dem Gebirge Gilead* (Genesis 31, 21).

Rechts: Am Hirtenleben in Transjordanien hat sich seit biblischer Zeit kaum etwas geändert.

Dort holte ihn Laban ein, vermutlich zwischen Jarmuk und Nahr ez-Zarqa (Jabbok), und die beiden Männer schlossen mit einem Vertrag Frieden (Genesis 31, 43–54). Jakob wanderte darauf weiter nach Süden und trug am Jabbok den merkwürdigen Ringkampf mit dem Engel aus, der zur Änderung seines Namens von Jakob in Israel (Gottesstreiter) führte (Genesis 32, 22–32). Jakobs Einigung mit Esau fand der biblischen Erzählung zufolge bald nach der Durchquerung des Jabbok statt; denn Jakobs erstes Ziel nach der Aussöhnung war Sukkot, wo der Jabbok in das Jordantal mündet (Genesis 33, 17). Darauf »kam Jakob wohlbehalten zu der Stadt Sichem« (Genesis 33, 18) auf der anderen Jordanseite.

Der nächste wichtige Hinweis auf Transjordanien steht im letzten Teil des vierten Buchs Mose. Von Kadesch aus schickte Moses Boten an den König von Edom und bat um freien Durchzug durch dessen Land auf der sogenannten Königsstraße (Numeri 20, 17). Doch sein Ersuchen wurde abgelehnt, und die Israeliten mußten schließlich das Südende des Gebiets umgehen. Dann wandten sie sich nach Norden und hielten sich östlich der Linie befestigter Stützpunkte, die zur Wüste hin Edoms Ostgrenze schützten (Numeri 21, 4. 10–13).

Eine Zusammenfassung des Wegs der Israeliten in Numeri 33, 41–49 läßt aber darauf schließen, daß sie ungehindert durch Edom zogen. Dieser Bericht könnte, wie einige Gelehrte vermuten, die Route wiedergeben, auf der vor dem 13. Jahrhundert Israeliten nach Transjordanien kamen, als Edom und Moab möglicherweise noch weithin unbewohnt waren. Andererseits könnte auch der Reiseweg von Pilgern aus einer Zeit dargestellt sein, in der diese Länder die Durchquerung gestatteten.

Die von Moses geführten Israeliten kamen nun in »das Tal, das im Gefilde Moabs liegt, gegen den Gipfel des Pisga hin, der nach der Wüste schaut« (Numeri 21, 20). Von hier wurde eine Botschaft an den Amoriterkönig Sihon geschickt (Amoriter steht hier vielleicht als allgemeiner Begriff, gleichbedeutend mit Kanaanäer), er möge den Israeliten erlauben, durch seinen Herrschaftsbereich auf der Königsstraße zu ziehen. Auch dieses Ersuchen wurde abgelehnt. Sihon sammelte sein Heer in Jahaz, die Israeliten besiegten ihn und besetzten sein Gebiet vom Seil el-Mojib (Arnon) bis zum Narh ez-Zarqa (Jabbok). Jahaz' geographische Lage ist unbekannt, und überhaupt herrscht über die Lokalisierung des Zwischenfalls ziemliche Unklarheit. Einigen Atlanten zufolge ist der Pisga im Westabschnitt des oben genannten Gebiets zu suchen, nordwestlich von Madeba. Andererseits wird Jahaz oft in die Region von Dibon, 25 km südlich von Madeba, verlegt. Jedenfalls bedrohten die Israeliten Sihon wahrscheinlich eher aus dem Osten als von Westen. – Eine Lösung für diese Problematik kann hier nicht geboten werden.

Nach dem Sieg über Sihon zogen die Israeliten weiter nach Norden und vernichteten Og, den König von Baschan »und sein ganzes Volk« (Numeri 21, 33–35). Diese beiden Erfolge nahmen in späteren Erinnerungen an die Siege, die Gott für sein Volk errungen hatte, einen festen Platz ein. So gedenkt Psalm 135, 10–11, daß Gott »viele Völker schlug und mächtige Könige tötete: Sihon, den König der Amoriter, und Og, den König von Baschan«. Die Israeliten lagerten nun »in den Gefilden Moabs«, wie es in Numeri 22, 1 heißt –, wahrscheinlich im Jordantal gegenüber von Jericho. Den Moabiterkönig Balak beunruhigte ihre Anwesenheit an diesem Ort so sehr, daß er Boten nach Norden schickte, um den Propheten Bileam rufen zu lassen, der Israel verfluchen sollte. Die Israeliten lagerten noch fast 40 km nördlich von Balaks Nordgrenze, dem Arnon (vgl. Numeri 22, 36). Die Erzählung von Bileams

Kalksteinstatue eines Moabiterkönigs aus dem 10.–9. Jahrhundert v. Chr. Fundort: Amman.

Reise nach Moab und von seiner sprechenden Eselin war lange ein Hauptpunkt in der Diskussion zwischen gegnerischen Interpretenschulen über die Frage, wie übernatürliche Vorgänge in der Bibel zu erklären seien. Nach seiner Ankunft erwies sich Bileam für seinen Auftraggeber als große Enttäuschung. Statt die Israeliten zu verdammen, segnete er sie mit den Worten:

Wie schön sind deine Zelte, Jakob,
deine Wohnungen, Israel!
Wie Täler, die sich ausbreiten,
wie Gärten am Strom,
wie Eichen, die der Herr gepflanzt hat,
wie Zedern am Wasser.
Wasser rinnt aus seinen Eimern,
reichlich Wasser hat seine Saat.
Höher als Agag steigt sein König,
höher erhebt sich sein Königreich.
Gott, der ihn aus Ägypten geführt,
ist ihm [Waffe] *wie die Hörner dem Wildstier.*
Er frißt die Völker, seine Feinde,
und zermalmt ihre Gebeine,
er zerschmettert seine Bedrücker.
Er kauert nieder, legt sich hin wie der Löwe,
wie die Löwin; wer will ihn aufstören?
Gesegnet ist, wer dich segnet,
verflucht, wer dich verflucht!
(Numeri 24, 5–9)

Um die Beleidigung auf den Gipfel zu treiben, endete Bileam seine Rede mit Moabs Verfluchung und der Verheißung, daß Israel über Moab und Edom herrschen werde (Numeri 24, 17–18):

Es geht auf ein Stern aus Jakob,
ein Szepter erhebt sich aus Israel.
Er zerschmettert die Schläfen Moabs,
den Scheitel aller Söhne Sets.
Edom wird [Jakobs] *Besitz,*
Seir wird [ihm] *zu eigen,*
und Israel gewinnt Macht;
Jakob zertritt seine Feinde
und vernichtet die Flüchtlinge aus den Städten.

Auf den ersten Blick also war Bileam ein guter Prophet, der nur die Worte des Gottes Israels aussprach, aber Numeri 25, 1–5 überliefert, daß die Israeliten »mit den Töchtern der Moabiter zu buhlen« begannen und sich dem Gott Baal-Pegor zuwandten. Eine spätere Erwähnung (Numeri 31, 16) macht Bileam dafür verantwortlich: *Sie* [die Moabiterinnen] *gerade haben ja die Israeliten auf den Rat Bileams dazu gebracht, dem Herrn um des Pegor willen untreu zu werden* ... Die spätere Bibeltradition nahm Israels Abfall zu Baal-Pegor sehr ernst. So erinnert der Psalm 106, 28–29:

Sie hängten sich an den Baal-Pegor
und aßen Totenopfer.
Sie erzürnten ihn mit ihren Taten;
da brach die Plage über sie aus.

Im Neuen Testament wie auch in der jüdischen Literatur wird Bileam durchgehend in schlechtem Licht dargestellt. Im zweiten Petrusbrief 2, 15f. werden falsche Propheten und jene, die ihnen folgen, verurteilt: *Sie haben den geraden Weg verlassen und sich verirrt und sind dem Weg Bileams, des Sohnes des Beor, gefolgt, der den Lohn der Ungerechtigkeit liebte, aber Zurechtweisung für seine Torheit empfing.* So boten die überlieferten Erzählungen aus der Moabebene eine eindrucksvolle Sammlung symbolischer Vorgänge, die Israels Kult bereicherten und im Christentum zur Warnung dienten.

Ebenfalls in diesem Gebiet sah Moses vom Berg Nebo aus das verheißene Land, das er nicht betreten durfte (Deuteronomium 34, 1–4). Er wurde begraben »im Tale, im Lande Moab gegenüber Bet-Pegor, und niemand kennt sein Grab bis auf den heutigen Tag«. (Deuteronomium 34, 6) Bei der Verteilung des Landes erhielt dann – vereinfacht ausgedrückt, denn die Einzelheiten in Josua 13 sind nicht leicht zu klären – der halbe Stamm Manasse das früher als Gilead und Baschan bezeichnete Gebiet. Ruben und Gad teilten sich das Territorium zwischen Arnon und Jabbok, wobei Ruben den Süden in Besitz nahm. Jedoch muß erwähnt werden, daß Josua 13, 27 die Nordgrenze von Gad am unteren »Ende des Sees Kinneret [Gennesaret]« lokalisiert. Es ist anzunehmen, daß Ruben und Gad dem Druck der umliegenden Völker nur mit großer Mühe widerstanden. Schon Jakobs Weissagung über das Schicksal der Stämme besagt: *Gad wird von Drängern bedrängt; er aber drängt ihnen nach* (Genesis 49, 19). Und ein anderer Spruch bittet: *Ruben lebe, er sterbe nicht, daß seiner Männer wenig würden* (Deuteronomium 33, 6).

Die Israeliten konnten sich, wie bereits erwähnt, hauptsächlich in dem Gebiet längere Zeit halten, das wir in diesem Atlas mit Gilead bezeichnen. Diese Region brachte in der Person Jiftachs einen der bedeutendsten Richter hervor, von dessen Leistungen das Buch Richter 11, 1–12, 6 berichtet. Es beschreibt ihn als Gileaditer, den seine Halbbrüder ins Land Tob im Nordosten Transjordaniens vertrieben, wo er ein Freischärler wurde: *Dort scharten sich lose Männer um ihn, die mit ihm auszogen* (Richter 11, 3). Als die Ammoniter Gilead angriffen, rief man Jiftach zu Hilfe. Er erklärte sich unter der Bedingung bereit, daß man ihn im Erfolgsfall zum Haupt von Gilead mache. Vor dem Kampf legten die streitenden Parteien der Gegenseite durch Boten ihre Beweggründe dar. Der Ammoniterkönig fühlte sich ungerecht behandelt: *Israel hat mein Land weggenommen, als es von Ägypten heraufzog, vom Arnon bis an den Jabbok und bis an den Jordan. Nun gib es mir gutwillig wieder zurück* (Richter 11, 13). Doch Jiftach erinnerte daran, wie die Israeliten mit Gottes Hilfe den Amoriterkönig Sihon besiegt hatten: *So hat also der Herr, der Gott Israels, die Amoriter vor seinem Volke Israel vertrieben, und du, du willst es vertreiben? Nicht wahr, wen dein Gott Kemosch vertreibt, dessen Land besetzest du, und wen immer Jahwe, unser Gott, vor uns vertrieben hat, dessen Land besetzen wir* (Richter 11, 23f.). In der anschließenden Schlacht schlug Jiftach die Ammoniter. Dann mußte er gegen in Gilead ansässige Mitglieder des Stammes Efraim kämpfen, die sich beleidigt fühlten, weil er sie nicht mit zum Krieg aufgerufen hatte. Die genauen Gründe für diesen Vorfall bleiben im dunkeln.

In der Regierungszeit Sauls versuchten die Ammoniter abermals, sich auf Kosten der Israeliten in Transjordanien auszubreiten, als der Ammoniterkönig Nahasch die Männer von Jabesch-Gilead bedrohte (1. Samuel 11). Diese Stadt wird zumeist mit Tell el-Maqlub im Wadi el-Jabis gleichgesetzt, befand sich demnach nördlich des Jabbok im Herzland von Gilead. Dies legt nahe, daß Nahasch entweder bereits den südlichen Teil Gileads besetzt hielt oder daß er mit seinem Heer das Jordantal hinaufgezogen und das Wadi el-Jabis entlang mit der Absicht vorgedrungen war, von hier ins innere Gilead vorzustoßen. Sauls glänzende Befreiung von Jabesch-Gilead trug ihm die ewige Dankbarkeit der Einwohner ein.

In den israelitischen Teil Transjordaniens zog sich Sauls Feldhauptmann Abner zurück, nachdem sein König im Kampf gegen die Philister Niederlage und Tod erlitten hatte. In Mahanajim – zwei Stellen am Jabbok kommen für eine Lokalisierung in Betracht – ernannte Abner Sauls Sohn Isch-Boschet zum König »über Gilead, über Ascher, Jesreel, Efraim, Benjamin, kurz über ganz Israel« (2. Samuel 2, 9). Zweifellos bestanden die Ansprüche auf die Königsherrschaft über die westlichen Gebiete aber mehr *de jure* als *de facto*. Isch-Boschets Herrschaft endete zwei Jahre später mit seiner Ermordung, nachdem auch Abner von Joab in Hebron getötet worden war. Als David endlich die Macht der Philister brach, bekam er ganz Transjordanien von Damaskus im Norden bis Edom im Süden unter seine Kontrolle. Aber wie Isch-Boschet war er gezwungen, nach Mahanajim zu fliehen, als sein Sohn Abschalom gegen ihn rebellierte. Vermutlich rechnete David auf die Ergebenheit der hier ansässigen Israeliten, denen er durch seine Siege über ihre fremden Nachbarn Sicherheit verschafft hatte. Die entscheidende Schlacht zwischen den Heeren Abschaloms und Davids wurde im Wald von Efraim geschlagen. Alle Einzelheiten der Erzählung lassen den Wald auf der Ostseite des Jordan vermuten, und es ist höchst wahrscheinlich, daß er seinen Namen von den Efraimitern erhielt, die einst nach Gilead gezogen waren und dort Streit mit Jiftach hatten.

Unter Salomos Regierung begann der Zerfall des von David geschaffenen Reiches. In Edom und Aram-Damaskus kam es zu Aufständen (1. Könige 11, 14–25). Nach der Reichsteilung schloß Damaskus ein Bündnis mit Juda und drang in Nordgaliläa ein. In der ersten Hälfte des 9. Jahrhunderts, während der Regierungszeit von Omri und Ahab, wurde jedoch die israelitische Vorherrschaft aufrechterhalten, über Moab sogar wiederhergestellt. Bekannt geworden ist uns das durch die berühmte Mescha-Inschrift, die 1868 in Diban (biblisch Dibon, Numeri 21, 30 ff.) entdeckt wurde. Es heißt darin, daß Omri, der König von Israel, Moab viele Tage (= Jahre) bedrängte, weil der Moabitergott Kemosch seinem Land zürnte. Das stimmt mit der Mitteilung in 2. Könige 3, 4 überein, daß Mescha, der König von Moab, Israels König Tribut entrichten mußte, nämlich »die Wolle von 100000 Lämmern und 100000 Widdern«. Mescha erhebt den Anspruch, erfolgreich gegen Ahab rebelliert und die israelitischen Städte Atarot und Nebo zerstört zu haben. Die Inschrift bestätigt übrigens auch, daß sich der Stamm Gad im Land nördlich des Arnon niedergelassen hatte: *Und die Männer von Gad hatten seit alter Zeit im Lande von Atarot gewohnt.*

Der Feldzug gegen Mescha, den Ahabs Sohn Joram (Jehoram) dann unternahm, war wahrscheinlich ein Versuch, das wiederzugewinnen, was unter Ahabs Herrschaft verlorengegangen war. Dieses Unternehmen gibt uns topographische Aufschlüsse (2. Könige 3, 4–27). Israels König nahm die Könige von Juda und Edom sowie den Propheten Elischa mit sich und unternahm einen langen Umweg, um gegen die Moabiter von Osten her vorzugehen. Deren Ostgrenze war natürlich ebenfalls befestigt, aber anders als die Nord- und Südgrenzen, die durch die tiefen Täler des Arnon und Wadi el-Hesa (Sered) zusätzlich gesichert waren, bot sie keinen natürlichen Schutz gegen einen Einfall aus der Wüste. Als den Angreifern das Wasser ausging, hieß Elischa den König, Gräben anzulegen, die sich mit Wasser füllen würden. Dies geschah am Morgen, und im Widerschein der Morgensonne wirkte das Wasser wie Blut. Die Moabiter glaubten daher, daß die eindringenden Heere in blutiger Fehde lägen. Sie eilten zum israelitischen Lager, um Beute zu machen, fanden aber die Gegner unversehrt. Die Moabiter wurden geschlagen, ihr König in Kir-Heres (Kir-Hareset) eingeschlossen. Er konnte die Vernichtung nur dadurch abwenden, daß er in seiner Verzweiflung seinen erstgeborenen Sohn als Brandopfer auf der Stadtmauer darbrachte. Daraufhin »erhob sich ein großer Zorn wider Israel, so daß sie von ihm ablassen und in ihr Land zurückkehren mußten.« (2. Könige 3, 27)

Ahab und sein Sohn Joram hatten sich immer wieder mit Transjordanien herumzuschlagen. Gilead war die Heimat von Ahabs Gegner, dem Propheten Elija (1. Könige 17, 1), und der Bach Kerit (Krith), an dem Elija während der Dürre von Raben gespeist wurde, lag östlich des Jordan. Auch in Kriege mit Aram-Damaskus war Ahab während seiner Regierung verwickelt. Es ging dabei vor allem um den Besitz von Ramot-Gilead, das wahrscheinlich auf der Ostseite von Zentralgilead zu suchen ist. Ahab fiel in der Schlacht um diese Stadt (1. Könige 22), bewahrte aber durch seine Tapferkeit seine Truppen vor einer totalen Niederlage. Sein Nachfolger Joram wurde im Kampf gegen die Aramäer in Ramot-Gilead verwundet, scheint den Ort selbst aber zurückgewonnen zu haben. Während er sich von seiner Verwundung in Jesreel erholte, reiste einer der Jünger des Propheten Elischa mit einer Flasche Öl nach Ramot-Gilead und salbte damit Jehu, Jorams Feldhauptmann, zum König. Dies löste eine von den Propheten unterstützte Revolte aus, in deren Verlauf die Omridenherrschaft ihr Ende fand.

Unter verschiedenen späteren Hinweisen auf Transjordanien während der Zeit der Reichsteilung findet sich eine Mitteilung über Amazja, den König von Juda: *Er war es, der die Edomiter, zehntausend Mann, im Salztale schlug und Sela eroberte. Er nannte die Stadt Jokteel* [, und so heißt sie] *bis auf den heutigen Tag* (2. Könige 14, 7). Die Identifizierung von Sela mit es-Sela, Petra, ist nicht völlig gesichert. Die Namen Sela und Petra bedeuten beide »Felsen«, der Zugang zu Petra führt durch eine enge, Siq genannte, Schlucht; daher wäre die Einnahme ein denkwürdiges Ereignis gewesen. Eine andere Version der Schlacht im Salztal in 2. Chronik 25, 12 allerdings besagt nur, daß die Judäer weitere 10000 gefangene Edomiter auf eine Felsspitze führten und sie hinabstürzten. Von der Erstürmung Selas ist nicht mehr die Rede. Doch wenn auch nicht zweifelsfrei beweisbar, leuchtet eine Lokalisierung Selas in Petra (im südlichen Jordanien) ein; das erlaubt einen flüchtigen Blick auf diese außerordentlich bemerkenswerte Stadt. Heute noch kann man ihre markanten Fassaden aus weichem, rotem Sandstein bewundern, die dem Baustil nach zwischen dem 4. Jahrhundert v. Chr. und dem 2. Jahrhundert n. Chr. zu datieren sind. Petra war im 1. Jahrhundert n. Chr. Hauptstadt des Königreichs Nabatäa, wo der Apostel Paulus einige Jahre gelebt hat.

In den für beide Reiche glücklichen und erfolgreichen Jahrzehnten zu Beginn des 8. Jahrhunderts v. Chr. konnten Israel wie auch Juda etwas von der verlorenen Machtstellung in Transjordanien wiedererlangen. Die Ammoniter zahlten Usija, dem judäischen König, Tribut (2. Chronik 26, 8), während Jerobeam II. von Israel Damaskus und weitere Gebiete unter seine Kontrolle brachte (2. Könige 14, 23–25, 28). Indes stiegen in der zweiten Hälfte des 8. Jahrhunderts die Assyrer zu einer beherrschenden Macht auf, und 733/32 annektierte Tiglat-Pileser III. Gilead und ganz Galiläa. Als Nebukadnezzar 588 v. Chr. gegen Juda vorrückte, flohen viele Juden in Nachbarländer wie Ammon, Moab und Edom (Jeremia 40, 11). Nach dem Fall Jerusalems kehrten sie nach Juda zurück, um den Statthalter Gedalja zu unterstützen, dessen Regentschaft jedoch ein rasches Ende nahm, weil er – offenbar auf Befehl des Ammoniterkönigs Baalis – ermordet wurde (Jeremia 40, 14). Auch die Edomiter zogen aus dem Niedergang Jerusalems, das sie so oft bedrängt hatte, Nutzen und besetzten einige judäische Gebiete. Ihr Reich, südlich von Juda gelegen, erhielt den Namen Idumäa. Johannes Hyrkanus I. (135/34–104 v. Chr.) erzwang den Übertritt der

Das sogenannte »Schatzhaus« (Chasna) in Petra. In die Ruinenstätte gelangt man durch eine mehr als einen Kilometer lange, gewundene Schlucht, an deren Ende sich das Gelände öffnet. Hier steht man plötzlich vor dem »Schatzhaus«. Es trägt diesen Namen wegen der »Urne«, die oben in der Mitte der Fassade zu sehen ist. Nach der Legende deponierte hier ein Pharao seinen Schatz. In Wahrheit handelte es sich bei diesem Monument aber wohl um einen Tempel aus dem 1. Jahrhundert v. Chr. Hinter dem Eingang gelangt man in einen Zentralraum, den rechts und links zwei Nebenräume flankieren.

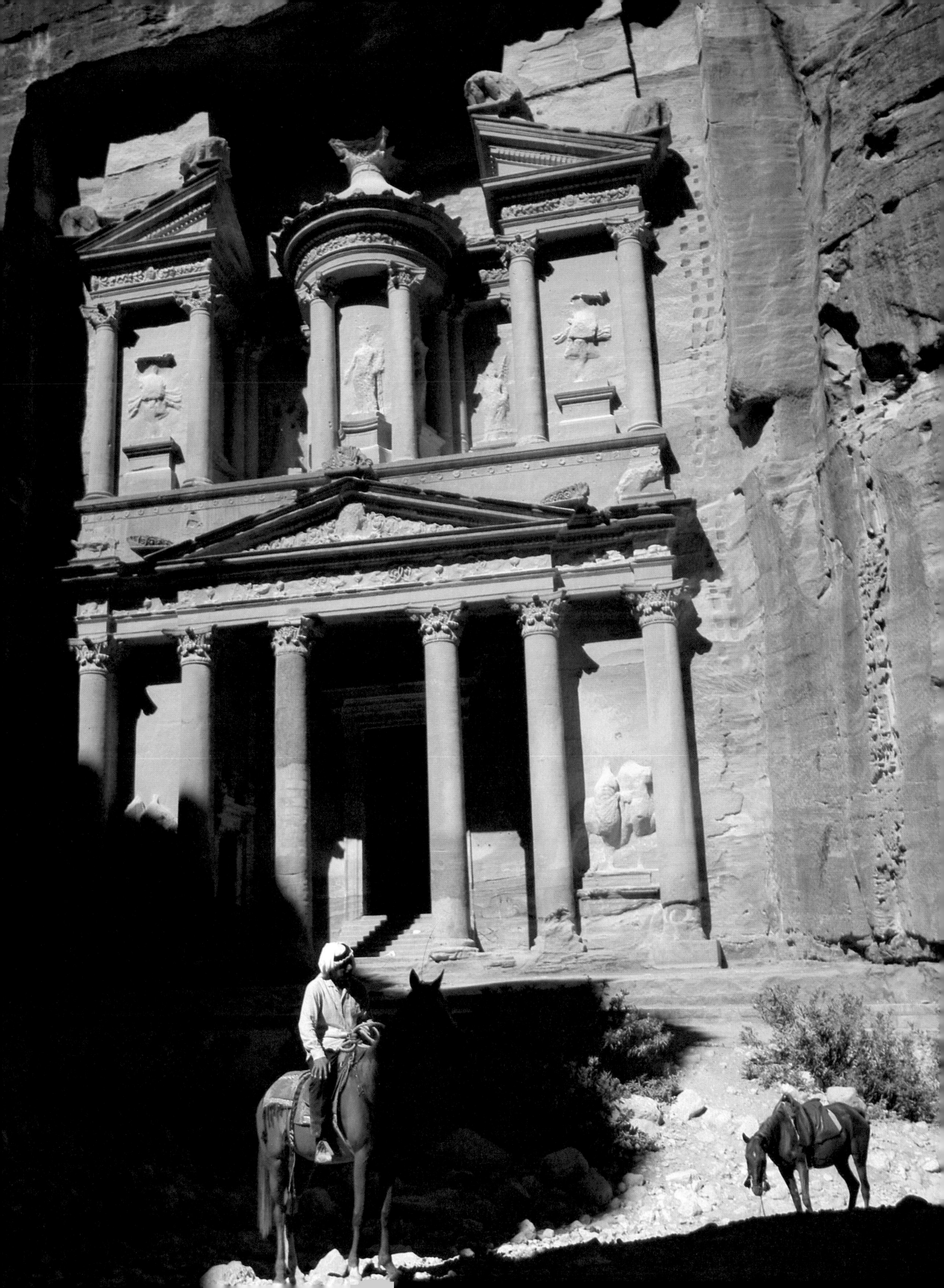

Oben: Das Forum in Jerasch, dem antiken Gerasa, einer der Städte der Dekapolis (des »Zehnstädtelandes«). Schon 2500 v. Chr. war der Platz bewohnt, doch das hellenistische Gerasa wurde wahrscheinlich erst im 2. Jahrhundert v. Chr. gegründet. An einer Handelsroute gelegen, erfreute sich die Stadt vom 1. Jahrhundert v. Chr. bis zum 3. Jahrhundert n. Chr. außerordentlichen Wohlstands. Viele ihrer noch erhaltenen Bauwerke stammen aus dem 2. Jahrhundert n. Chr. Das wohl im 1. Jahrhundert n. Chr. angelegte Forum liegt am Südwestrand der Stadt. Es bildet ein unregelmäßiges Oval, und von ihm aus führt eine von Säulen flankierte Straße etwa 600 m weit bis zum Nordtor.

Bewohner zur jüdischen Religion. Herodes der Große entstammte solch einer zwangskonvertierten idumäischen Familie.

Transjordanien zur Zeit Jesu

Zur Zeit Jesu wies Transjordanien eine neue politische Gliederung auf. Vom Arnon nordwärts zum Jabbok und möglicherweise bis zum Jarmuk lag die Region Peräa – der Name leitet sich von griechisch *peran,* »jenseits«, ab. In ihrem südlichen Teil lebte eine mehrheitlich jüdische Bevölkerung, die vielleicht auf die Besiedlung durch die Familie des Tobias Jahrhunderte zuvor zurückging. Obgleich es auf der östlichen Jordanseite lag, diente Peräa als Bindeglied zwischen Galiläa und Judäa. Wer nämlich von Galiläa nach Judäa gelangen wollte, ohne nichtjüdisches Gebiet zu betreten, der brauchte nur den Fluß zu überqueren und an der Ostseite des Tals über Peräa weiterzuziehen.

Der Nordteil Peräas überschnitt sich mit dem Gebiet der Dekapolis, einer Liga von ursprünglich zehn Städten (griechisch *deka poleis* bedeutet »zehn Städte«), deren älteste im 4. Jahrhundert v. Chr. gegründet worden war. Am bekanntesten von ihnen sind Philadelphia (an der Stelle von Rabbat-Ammon, der ammonitischen Metropole, und des heutigen Amman, der Hauptstadt Jordaniens), Gerasa (heute Jerasch mit eindrucksvollen römischen Ruinen), Pella (hierher flohen die Christen vor der Zerstörung Jerusalems 70 n. Chr.), Gadara und Skythopolis (das biblische Bet-Schean; die einzige Stadt der Liga am Jordanwestufer). Auch Damaskus gehörte zum Verbund der Zehn Städte. Ein großer Teil der von ihnen behaupteten Gebiete war im 1. und 2. Jahrhundert v. Chr. durch die makkabäischen Herrscher Jerusalems erobert worden, aber die Römer stellten ihre Unabhängigkeit (63 v. Chr.; und erneut nach dem Tod Herodes' des Großen 4 v. Chr.) wieder her. Es waren kosmopolitisch geprägte Städte, einige besaßen jüdische Gemeinden. Doch ihr geistig-kulturelles Leben und ihre Religion wurden vom Hellenismus bestimmt.

Von 4 v. Chr. bis 34 n. Chr. regierte der Tetrarch Philipp die Gebiete nördlich des Jarmuk, ausgenommen das Umland der Städte Gadara und Hippos, das der Provinz Syrien einverleibt wurde. Für unsere Darstellung ist von Bedeutung, daß zu Philipps Herrschaftsbereich Caesarea Philippi gehörte, nach ihm benannt zur Unterscheidung von Caesarea Maritima an der Mittelmeerküste. Die Stadt lag an einer der Jordanquellen; in ihrem Innern gab es seit ihrer Gründung eine Grotte, die dem »Pan und den Nymphen« geweiht war. Vor der Umbenennung in Caesarea Philippi hieß der Ort Paneas, zusammen mit dem dazugehörigen Distrikt. Der Name lebt vielleicht im heutigen Banijas weiter.

Östlich von Peräa, der Dekapolis und Philipps Tetrarchie erstreckte sich bis Edom hinunter und möglicherweise bis nach Damaskus das Gebiet der Nabatäer. Dieser arabische Wüstenstamm war offensichtlich bereits im 6. Jahrhundert in Edom eingedrungen. Unter ihrem König Aretas IV. (9 v. Chr.–40 n. Chr.) hatten die Nabatäer in Transjordanien eine starke Machtposition inne, obwohl sie 63 v. Chr. Vasallen Roms geworden waren. Ihr Reich wurde 106 n. Chr. durch Trajan als Provinz Arabia dem Imperium Romanum eingegliedert.

Berücksichtigt man die Abfolge der Geschehnisse, so tritt Transjordanien in die Geschichte des Neuen Testaments mit dem Wirken Johannes' des Täufers ein. Markus 1, 14 datiert den Beginn der Predigten Jesu »nachdem Johannes gefangengesetzt worden war«. Die Evangelien verraten nicht, wo man ihn festhielt, aber von Flavius Josephus erfahren wir, daß er in Machaerus einsaß, einer von Herodes gebauten Festung, die an Bedeutung nur von Masada übertroffen wurde. Sie wird am Westrand des Gebirges lokalisiert, etwa 14 km nördlich des Arnon, mit freier Sicht über das Tote Meer; an klaren Tagen kann man den Ölberg und Teile Jerusalems sehen. An welchem Ort Salomes berühmter Tanz vor Herodes Antipas stattfand, nachdem sie das Haupt des Täufers forderte (Markus 6, 14–29; der Name Salome kommt in den Evangelien nicht vor), ist nicht völlig klar. Herodes gab »seinen Würdenträgern und den Kriegsobersten und den Vornehmsten Galiläas« ein Gastmahl (Markus 6, 21). Er hatte also entweder, weil er ja über Galiläa *und* Peräa herrschte, seine Gäste gleich nach Machaerus eingeladen, oder wir müssen annehmen, daß das Haupt des Johannes zum Schauplatz des Festmahls irgendwo in Galiläa – vielleicht nach Tiberias – gebracht wurde.

Die erste religiöse Handlung Jesu in Transjordanien (abgesehen von dem Hinweis in Matthäus 4, 25, daß »ihm eine große Volksmenge nach[folgte] ... aus dem Gebiet der Zehn Städte«) war die Heilung eines Mannes, der von vielen Dämonen besessen war (Markus 5, 9). Die Ortsangabe für dieses Geschehen ist unsicher, Matthäus 8, 28 verlegt die Begegnung ins Land der Gadarener und spricht von zwei Besessenen, während Markus 5, 1 und Lukas 8, 26 eine »Landschaft der Gerasener« nennen, die unbekannt ist. Gadara aber liegt 10 km südlich vom See Gennesaret jenseits des Jarmuk. Indes scheint die Lokalisierung des Vorfalls in der Gegend der Dekapolis wahrscheinlicher angesichts der Tatsache, daß der Mann, nachdem er von seiner Besessenheit geheilt war, hinausging und anfing, »im Gebiet der Zehn Städte zu verkündigen, was Jesus ihm Großes getan hatte« (Markus 5, 20). Daß der Ort der Heilung nicht jüdisch war, läßt die Anwesenheit einer Schweineherde vermuten, in die bekanntlich die unreinen Geister fuhren, denn Genuß von Schweinefleisch ist Juden verboten.

Wenngleich genaue Ortsangaben fehlen, kann man aus

Rechts: Das antike Panheiligtum beim heutigen Banijas, dem neutestamentlichen Caesarea Philippi. Der heutige Name erinnert an den alten Pankult, der hier praktiziert wurde. Hier legte Petrus sein »großes Bekenntnis« ab und erklärte, Jesus sei der Messias.

Markus 7, 31–37 ersehen, daß Jesus in der Gegend der Zehn Städte einen Taubstummen heilte. Er nahm ihn beiseite, berührte dessen Ohren und Zunge und sprach zu ihm: *Ephatha, das heißt: Tu dich auf!* (Markus 7, 35).

Ein wichtiges Ereignis im Wirken Jesu fand bei Caesarea Philippi statt. Umgeben von seinen Jüngern, richtete Jesus hier die Frage an sie: *Für wen halten mich die Leute?* (Markus 8, 27). Die Jünger gaben die herkömmlichen Antworten: Für Johannes den Täufer, für Elija, für einen der Propheten. Dann fragte Jesus: *Ihr aber, für wen haltet ihr mich?* Petrus entgegnete: *Du bist der Christus* (Markus 8, 29), aber Jesus befahl ihnen, zu niemandem darüber zu reden und kündigte sein bevorstehendes Leiden und seinen Tod an. Als er nach Jerusalem aufbrach, wo seine Sendung in Erfüllung gehen sollte, nahm er den Weg »jenseits des Jordan« (Markus 10, 1), was auf Predigten in Peräa schließen läßt.

Von immenser Bedeutung für die Entwicklung der jungen Christengemeinde war die Bekehrung des Saulus von Tarsus – besser bekannt als Paulus. Auf dem Weg nach Damaskus widerfuhr ihm die Vision, die ihn blendete und den Lauf seines Lebens wie den der Kirche änderte (Apostelgeschichte 9, 3). Der Zweck seiner Damaskusreise war gewesen, dort ansässige Judenchristen aufzuspüren, auszuliefern und zu bestrafen. Statt dessen wurde Saulus, der nun nichts mehr sah, nach Damaskus geführt. Er blieb blind, bis ein Jünger namens Hananias zu ihm hinging und ihn in der Christengemeinde mit folgenden Worten willkommen hieß: *Bruder Saul, der Herr, welcher dir erschienen ist auf dem Wege, den du herkamst, Jesus, hat mich gesandt, damit du wieder sehend und mit dem heiligen Geist erfüllt werdest* (Apostelgeschichte 9, 17). Sauls christliche Predigten in Damaskus stürzten nun jene in Verwirrung, die ihn nur als Erzverfolger der Christen gekannt hatten. Drohungen gegen sein Leben wurden ausgestoßen, und er entkam nur aus der Stadt, indem man ihn in einem Korb über die Mauer hinunterließ (Apostelgeschichte 9, 25). Im 2. Korintherbrief 11, 32–33 steht ein Bericht desselben oder eines späteren Vorfalls. *In Damaskus ließ der Statthalter des Königs Aretas die Stadt ... bewachen, um sich meiner zu bemächtigen, und ich wurde durch ein Fenster in einem Korb durch die Stadtmauer hinabgelassen und entrann seinen Händen.* Wenn hier ein späteres Geschehnis beschrieben ist, dann muß es sich ereignet haben, als Paulus von einem Besuch in Arabien, der auf die Bekehrung folgte, nach Damaskus zurückkehrte (Galater 1, 17). Unter Arabien haben wir in diesem Zusammenhang wahrscheinlich das nabatäische Reich zu verstehen. Vielleicht wolle Paulus in der Einsamkeit über das nachdenken, was ihm widerfahren war. Möglicherweise predigte er auch den Juden im Nabatäerreich und verärgerte damit König Aretas, der seinen Vertreter (der Status des Statthalters und Aretas' Machtbefugnisse in Damaskus sind umstritten) anwies, ihn festzunehmen, allerdings ohne Erfolg.

Luftbild der Festung Machairos (Machaerus) am Ostrand der Jordansenke. Es war Alexander Jannäus (103–76 v. Chr.), der diesen Berg erstmals befestigte, doch Herodes der Große baute die vorhandenen Anlagen zu einer mächtigen Bergfeste aus. Von hier genießt man einen großartigen Ausblick quer über das Jordantal zu den Höhen, die Jerusalem und Hebron umgeben. Dem jüdischen Historiker Flavius Josephus (1. Jahrhundert n. Ch.) zufolge, war Johannes der Täufer in Machairos eingekerkert.

ISRAEL UND DIE ANTIKEN GROSSREICHE

Abkürzung: (U) = Unlokalisiert

Achaia, Region, Apg. 18, 12. 27; Röm. 15, 26; 2. Kor. 1, 1; 9, 2; 1. Thess. 1, 7. 8 [D3]
Addon Esra 2, 59; Neh. 7, 61 (U)
Adramyttium Apg. 27, 2 [E3]
Adriatisches Meer Apg. 27, 27 [C2]
Afek Jos. 13, 4 [G4]
Alexandria Apg. 18, 24; 27, 6; 28, 11 [E4]
Amphipolis Apg. 17, 1 [D2]
Antiochia 1. Makk. 6, 63; Apg. 11, 19 ff.; 13, 1; 14, 26; Gal. 2, 11 [G3]
Antiochia Apg. 13, 14; 14, 19. 21; 2. Tim. 3, 11 [F3]
Apius, Forum des (Forum Appii), Apg. 28, 15 [B2]
Apollonia Apg. 17, 1 [D2]
Ararat, Region, Gen. 8, 4; 2. Kön. 19, 37; Jes. 37, 38; Jer. 51, 27 [H3]
Arpad 2. Kön. 18, 34; Jes. 10, 9; Jer. 49, 23 [G3]
Arwad Ez. 27, 8. 11 [G4]
Assos Apg. 20, 13. 14 [E3]
Assur Ez. 27, 23 [H3]
Athen Apg. 17, 15 [D3]
Attalia Apg. 14, 25 [F3]
Awa (Iwa) 2. Kön. 17, 24; 18, 34; 19, 13; Jes. 37, 13 (U)

Baal-Zefon Exod. 14, 2. 9; Num. 33, 7 [F4]
Babylon (Babel) Gen. 10. 10; 11, 9; 2. Kön. 17, 24. 30; 24, 1ff.; 25, 1ff.; 25, 27; Esra 1, 11; 2, 1; 5, 12–17; 6, 1–5; 7, 6. 9; Ez. 12, 13; 17, 16; Ps. 137, 1. 8; Mat. 1, 11. 12. 17; Apg. 7, 43; Off. 16, 19; 18, 2. 10. 21 [H4]
Beröa Apg. 17, 10. 13; 20, 4 [D2]
Beröa 2. Makk. 13, 14 [G3]
Berota (Berothai, Cun) Ez. 47, 16; 1. Chr. 18, 8; 2. Sam. 8, 8 (U)
Betach *siehe* Tebach
Bet-Eden (Eden) (Region) 2. Kön. 19, 12; Jes. 37, 12; Ez. 27, 23; Amos 1, 5 [G3]
Bithynien, Region, Apg. 16, 7; 1. Pet. 1, 1 [F2]
Bus, Region, Jer. 25, 23 [G5]

Calah *siehe* Nimrud
Calno (Calne, Canneh) *siehe* Kalno
Caphtor *siehe* Kreta
Cauda *siehe* Kauda
Cherub *siehe* Kerub
Chilmad *siehe* Kilmad
Chios Apg. 20, 15 [E3]
Chobar *siehe* Kebar
Cilicia *siehe* Kilikien
Coele-Syria (Cölesyrien) (Region) 1. Esd. 4, 48; 7, 1; 2. Makk. 8, 8 [G4]
Cun *siehe* Berota
Cuthah *siehe* Kuta
Cyrene *siehe* Zyrene

Dalmatien *siehe* Illyrien
Daphne 2. Makk. 4, 33 [G3]
Dedan Gen. 10, 7; 1. Chr. 1, 9; Jer. 49, 8; Ez. 27, 20 [G5]
Derbe Apg. 14, 6. 20; 16, 1; 20, 4 [F3]
Duma Gen. 25, 14; 1. Chr. 1, 30; Jes. 21, 11 [G5]

Eden Ez. 27, 23 [I8]
Eden, Region, *siehe* Bet-Eden
Ekbatana Esra 6, 2; 2. Makk. 9, 3 [I4]
Elam (Susiana) (Region) Gen. 10, 22; 14, 9; Jes. 21, 2; Jer. 25, 25; 49, 34–39; Ez. 32, 24; Dan. 8, 2; Apg. 2, 9 [I4]
Epha Jes. 60, 6 [G5]
Ephesus Apg. 18, 19–21. 24–27; 19, 1; 20, 16; 1. Kor. 15, 32; 16, 8; Off. 1, 11; 2, 1; Eph. 1, 1 [E3]
Erech Gen. 10, 10; Esra 4, 9. 10 [I4]
Etam Richt. 15, 8. 11 (U)
Etam Exod. 13, 20; Num. 33, 7 (U)
Euphrat, Fluß, Gen. 2, 14; 31, 21; Jos. 24, 2; 2. Chr. 35, 20; Jer. 13, 4; 46, 2. 10; Off. 9, 14; 16, 12 [H4]

Galatien (Galatia) (Region) Apg. 13, 14–14, 23; 16, 1–6; Gal. 1, 2; 3, 1; 1. Kor. 16, 1; Pet. 1, 1 [F3]
Galatisch-Phrygien, Region, Apg. 16. 6; 18, 23 [F3]
Gaudos *siehe* Kauda
Gebal 1. Kön. 5, 18; Ez. 27, 9 [G4]
Gortyna 1. Makk. 15, 23 [E3]
Gosan 2. Kön. 17, 6; 19, 12; 1. Chr. 5, 26 [G3]
Goschen, Region, Gen. 45, 10; 46, 28. 29; 47, 1–6. 27; Exod. 8, 22 [F4]

Häfen, Schöne *siehe* Schöne Häfen
Hahirot *siehe* Pi-Hahirot
Halach 2. Kön. 17, 6; 1. Chr. 5, 26 (U)
Halikarnaß (Halikarnassos) 1. Makk. 15, 23 [E3]
Hamat (Amathus) 2. Kön. 14, 28; 17, 24; 18, 34; 23, 33; Jes. 11, 11; Amos 6, 2; Sach. 9, 2 [G4]
Hanes Jes. 30, 4 (U)
Haran Gen. 11, 31; 27, 43; 28, 10; 2. Kön. 19, 12; Ez. 27, 23 [G3]
Hauran, Region, Ez. 47, 16. 18 [G4]
Hazarmawet, Region, Gen. 10, 26; 1. Chr. 1, 20 [I8]
Helbon Ez. 27, 18 [G4]
Heliopolis (On) Jer. 43, 13 [F4]
Hierapolis Kol. 4, 13 [E3]

Idumäa, Region, 1. Makk. 4, 61; 5, 3; Mark. 3, 8 [F4 G4]
Ikonium Apg. 13, 51; 14, 1; 19, 21; 16, 2; 2. Tim. 3, 11 [F3]
Illyrien (Dalmatien, Illyricum) Röm. 15, 19; 2. Tim. 4, 10 [C2]
Immer Esra , 259; Neh. 7, 61 [U]
Iwa *siehe* Awa
Jawan, Region, Gen. 10, 2. 4; Jes. 66, 19; Ez. 27, 13 [E3]
Joktan, Region, Gen. 10, 25 [H6]

Kadesch 2. Sam. 24, 6 [G4]
Kalno (Calno, Calne, Canne) Jes. 10, 9; Ez. 27, 23; Amos 6, 2 [G3]
Kappadozien, Region, Apg. 2. 9; 1. Pet. 1, 1 [G3]
Karien (Caria) (Region) 1. Makk. 15, 23 [E3]
Karkemisch 2. Chr. 35, 20; Jes. 10, 9; Jer. 46, 2 [G3]
Kasiphia Esra 8, 17 (U)
Kauda (Cauda, Gaudos) Apg. 27, 16 [D4]
Kebar (Chobar), Fluß, Ez. 1, 1–3; 3, 15. 23; 10, 15. 20. 22; 43, 3 [I4]
Kedar, Region, Gen. 25, 13; Jes. 21, 16–17; 60, 7; Jer. 2, 10; 49, 28; Ez. 27, 21 [G4]
Kenrechäa Apg. 18, 18; Röm. 16, 1 [D3]
Kerub-Addon (Cherub) Esra 2, 59; Neh. 7, 61 (U)
Kilikien (Cilicia), (Region), Apg. 6, 9; 15, 23. 41; 21, 39; 22, 3; 27, 5; Gal. 1, 21 [F3]
Kir, Region, Jes. 22, 6; Amos 9, 7; 2. Kön. 16, 9 (U)
Kittim (Cyprus) Gen. 10, 4; Num. 24, 24; Dan. 11, 30 [F3 F4]
Knidos Apg. 27, 7 [E3]
Kolossä Kol. 1, 2 [E3]
Korinth Apg. 18, 1–18; 1. Kor. 1, 2; 16,5–6; 2. Kor. 1, 1. 23; 12, 14; 13, 1; 2. Tim. 4, 20 [D3]
Kos Apg. 21, 1 [E3]
Kreta (Caphtor) Apg. 27, 7. 12–13. 21; Titus 1, 5 [D3 E3]
Kue, Region, 1. Kön. 10, 28; 2. Chr. 1, 16 [G3]
Kusch, Region, Gen. 2, 13; 10, 6–8; 1. Chr. 1, 8–10; Ez. 38, 5 [F6]
Kuta 2. Kön. 17, 24 [H4]

40°
H
45°
I
50°
J
55°
K
2
3
4
5
6
7
8
35°
30°
25°
20°
KASPISCHES MEER
I A (Kappadozien)
A R A R A T
A S S Y R I A (A S S U R)
Gosan
Haran
T-EDEN
Ninive
Nimrud (Kalach)
Euphrates
Habor
Rezef
Assur
Nuzu
Ekbatana
MEDIEN (MEDES)
Rhagae
MESOPOTAMIA (PADDAN-ARAM)
Tigris
PEKOD (PUQUDU)
Eschnunna
E L A M (SUSANA)
Kuta
Babylon
Kisch
Nippur
B A B Y L O N
Schuruppak
Lagasch
Umma
Erech
(C H A L D E A)
Susa
Ur
Eridu
Persepolis
P E R S I A (P E R S I S)
Duma
B U S
Tema
Persischer Golf
A R A B I A
J O K T A N
O F I R
Usal
S C H E B A (S A B A)
Timna
H A Z A R M A W E T
? Kanne
Eden
2000 m
1000 m
500 m
0
Unter Meereshöhe
In der Bibel erwähnter Ort
Bedeutende Handelsstraße
Maßstab 1:12 000 000
0
400 km
0
300 Meilen

Auf die Geschichte Israels in biblischer Zeit wirkten in erheblichem Maß mächtige Reiche im Süden und Nordosten ein. Im Süden war Ägypten ein permanenter politischer Machtfaktor, mitunter als Verbündeter, dann wieder als Gegner. Nirgends wird die Unbeständigkeit der Beziehungen zum Pharaonenreich besser geschildert als im Bericht von der Übersiedlung nach Ägypten und dem Exodus. Die Josefsgeschichte (Genesis 37, 38–39) erzählt, wie Josef, der nach Ägypten in die Sklaverei verkauft worden war, dort zum Verwalter des Landes aufstieg, so daß seine Familie mit großer Ehrerbietung empfangen wurde. Die Beschreibung des Auszugs (Exodus 1–14) informiert darüber, wie die Israeliten, die von Josefs Familie abstammten, in Knechtschaft gerieten und laut ihre Freilassung forderten. Zur Regierungszeit Salomos wiederum schloß Ägypten durch Heirat ein Bündnis mit dem König, bot aber dessen Widersachern Schutz (1. Könige 9, 16; 11, 17–22). Ein Dynastiewechsel in Ägypten änderte die Beziehungen zu Israel nicht grundlegend. Ob das Land am Nil von Ägyptern, Äthiopiern oder Ptolemäern regiert wurde, stets zwang es Israel seine Oberherrschaft auf, wenn sich Gelegenheit dazu bot. Doch es war immer bereit, die Israeliten zu unterstützen, wenn diese von den Reichen im Norden bedroht wurden, weil es fürchtete, ein Zusammenbruch des kleinen Nachbarn könnte es selbst in die Schußlinie bringen.

Im Nordosten war Assyrien von der Zeit der Königsherrschaft bis 605 v. Chr. die Macht mit beherrschendem Einfluß. Namentlich im 9. und 8. Jahrhundert sah man in Assur den Hort schreckenerregender Heere, deren Feinde keinerlei Gnade erwarten durften. Im 8. Jahrhundert entwickelte Assyrien die Politik, Würdenträger eroberter Gebiete zu deportieren und durch Männer zu ersetzen, die sich den Eroberern gegenüber loyal verhielten. Dank dieser Strategie konnte Assyrien 721 v. Chr. die Unabhängigkeit des Nordreichs Israel beenden. Die Verdrängung der Assyrer durch die Babylonier machte aus Israels Sicht wenig Unterschied. Auch wenn die Babylonier anscheinend ein wenig humaner waren, so duldeten sie bei abhängigen Völkern keine Rebellion und trieben die Oberschicht von Jerusalem und Juda 597 und 587 ins Exil. Mit dem Sieg der Perser änderten sich jedoch 540 v. Chr. die politischen Verhältnisse entscheidend. Ein Dekret des Kyrus gestattete den Exilierten die Heimkehr nach Jerusalem (Esra 1, 1–4), und im darauffolgenden Jahrhundert erhielten Esra und Nehemia königliche Unterstützung bei ihren Versuchen, der jüdischen Gemeinde in Juda zu neuem Leben zu verhelfen (Esra 7; Nehemia 2, 1–8). Die Eroberungen Alexanders des Großen 333 v. Chr. brachten Juda dann ein Regime, das nicht auf Unterdrückung bedacht war, sondern die Sitten der verschiedenen Völker respektierte. Unglücklicherweise waren Alexanders Nachfolger nicht imstande, diese Ideale in die Tat umzusetzen. Das Römische Reich schließlich, das zur Zeit des Neuen Testaments den Schauplatz beherrschte, gehörte ursprünglich natürlich nicht zu den unmittelbaren Nachbarn Israels. Doch um die Zeitenwende hatte Rom die Macht über Ägypten und Gebiete nördlich von Israel erlangt: Somit gehörte die Bedrohung durch eine Invasion von Süden oder Norden der Vergangenheit an.

Man darf von einem Bibelatlas erwarten, daß er Karten Ägyptens, Mesopotamiens und der griechisch-römischen Welt enthält, um den Einfluß dieser Imperien auf das Land der Bibel aufzuzeigen. Solche Karten fanden auch Aufnahme (*siehe Seiten* 34 f.), doch drücken sie nichts darüber aus, wie die Verfasser der Bibel jene Reiche sahen. Bis zur Blütezeit des römischen Imperiums waren Reisen in der Alten Welt mühsam und gefährlich. Wenige Israeliten hatten wohl eine wirkliche Vorstellung von Ägypten

Ganz oben: Diese Skizze fertigte David Roberts im November 1838. Sie zeigt den größeren der beiden Tempel von Abu Simbel mit seinen vier Kolossalstatuen Ramses' II., daneben die wesentlich kleineren Statuen von Mitgliedern der königlichen Familie. Die Kolossalstatuen sind nicht weniger als 21 m hoch. Ramses II. gilt allgemein entweder als jener Pharao, unter dessen Regierung die Israeliten Ägypten verließen, oder als der »Pharao der Unterdrückung«, der unmittelbar vor dem Exodus herrschte. Zwischen 1964 und 1968 wurden die beiden Tempel wegen des Baus des Assuan-Hochdammes ab- und an einer neuen Stelle wieder aufgebaut.

Oben: Auf der Insel Elephantine bei Assuan, ganz in der Nähe des ersten Nilkataraktes, gab es im 5. Jahrhundert v. Chr. eine jüdische Kolonie. Es handelte sich um Juden, die unter den damals über Ägypten herrschenden Perserkönigen als Grenztruppen Dienst taten. Sie hinterließen aramäische Schriftzeugnisse, aus denen unter anderem hervorgeht, daß sie einen Tempel errichtet hatten und das Passahfest begingen.

Rechts: Boote auf dem Nil. Die Israeliten, die über keinen vergleichbaren Strom verfügten, der ihren Handelsverkehr erleichterte, betrachteten den Nil und seine Boote geradezu als »Wahrzeichen« ägyptischen Lebens.

oder Mesopotamien, bevor ihr Volk deportiert und fern der Heimat angesiedelt wurde. Im folgenden soll versucht werden, aufgrund der Aussagen in den biblischen Texten ein Bild dieser mächtigen Nachbarn aus israelitischer Sicht zu geben.

Ägypten

Ägypten muß ein wesentlich fruchtbareres Land gewesen sein als Israel. Das läßt sich aus den Fällen erschließen, da Hungersnöte die Israeliten zwangen, ihre Heimat zu verlassen und nach Ägypten zu ziehen, wo sie Korn kauften oder sich gar niederließen. So wird von Abraham berichtet, daß er wegen einer Hungersnot nach Ägypten ging (Genesis 12, 10), und auch die Brüder Josefs machten sich wegen Nahrungsmangels dorthin auf. Die Israeliten wußten sehr wohl, daß Ägyptens Fruchtbarkeit vom Nil abhing. Im Traum des Pharao, den Josef deutete, stiegen die sieben fetten und die sieben mageren Kühe aus dem Nil als Sinnbild dafür, wie sehr das Land mit seiner Agrarstruktur von einem Strom abhing. Auch Jeremia verwendete die jährliche Überschwemmung des Nils als Symbol, wenn er Ägypten zum Kampf auffordert:

Wer ist's doch, der anstieg gleich dem Nil, daß Wasser wie Ströme wogten? Ägypten stieg an gleich dem Nil, daß Wasser wie Ströme wogten. Es sprach: Ich will ansteigen, das Land bedecken, will verderben seine Bewohner! Heran, ihr Rosse! Raset einher, ihr Wagen! Rückt aus, ihr Helden, Nubier und Putäer schildgewappnet, und Luditer bogenbewehrt! Jener Tag aber ist dem Herrn, dem Gott der Heerscharen, ein Tag der Rache, daß er sich räche an seinen Feinden. Das Schwert wird sich satt fressen und sich berauschen an ihrem Blute; denn ein Schlachtfest hält der Herr, der Gott der Heerscharen, im Lande des Nordens am Euphratstrom. Ziehe hinauf nach Gilead und hole Balsam, jungfräuliche Tochter Ägypten! Umsonst brauchst du Heilmittel die Menge, es gibt keine Genesung für dich! Die Völker hören dein Rufen, und die Erde ist voll deines Wehgeschreis; denn Held an Held ist gefallen, beieinander liegen sie da.
(Jeremia 46, 7–12)

Daß der Nil für die Schiffahrt genutzt wurde und Papyrusboote (Rohrkähne) auf dem Wasser zu sehen waren, zeigt Jesaja 18, 1–2. Hier wird des Zusammentreffens judäischer und äthiopischer Gesandter gedacht, die angesichts eines gemeinsamen Feindes im Norden geeint sind:

Ha! Land des Flügelgeschwirrs jenseits der Ströme Äthiopiens, das Boten auf dem Strome sendet in Rohrkähnen über das Wasser! Gehet hin, ihr schnellen Boten, zu dem hochgewachsenen und blanken Volke, zu der Nation, gefürchtet weit und breit, zu dem Volke der Vollkraft und Zertretung, dessen Land Ströme durchschneiden!

Bei konkreten Hinweisen auf ägyptische Orte werden einige wichtige Niederlassungen erwähnt, auch die Einteilung in Ober- und Unterägypten ist bekannt. Eine Stelle bei Ezechiel (30, 13–19) nennt nicht weniger als acht Städte, darunter Theben, Memphis und Heliopolis.

Ägyptens Unzuverlässigkeit als Bundesgenosse stellt die Bibel anläßlich verschiedener Ereignisse fest. Der heftigste Vorwurf wird dem assyrischen Heerführer in den Mund gelegt, der 701 v. Chr. Jerusalem belagerte. Er schmäht Hiskija: *Siehe, du verlässest dich auf diesen geknickten Rohrstab, auf Ägypten, der einem jeden, der sich darauf stützt, in die Hand dringt und sie durchbohrt. So macht es der Pharao ... mit allen, die sich auf ihn verlassen.* (2. Könige 18, 21). Ein Vers in Jesaja 30, 7 besagt: *Ägypten, dessen Hilfe eitel und nichtig ist. Darum nenne ich es »das zum Schweigen gebrachte Ungetüm«.* Doch obwohl das Land am Nil als unzuverlässiger Bundesgenosse galt, erkannte man die Klugheit seiner Herrscher und ihr Geschick in Verwaltungsangelegenheiten an. Wenn Salomos Weisheit gepriesen wird, dann deshalb, weil er darin die Pharaonen übertraf. Auch David orientierte sich wahrscheinlich an ägyptischem Sachverstand, als er sich anschicken mußte, sein neu erobertes Reich zu regieren. Jüngere Forschung betont die Ähnlichkeit zwischen Teilen alttestamentlicher und ägyptischer Weisheitsliteratur; die Weisheit von Amen-en-ope beispielsweise ist manchen Kapiteln der Sprüche auffallend ähnlich.

Für die Verfasser der Bibel verkörperte Ägypten ambivalente Vorstellungen: Es war ein reiches, fruchtbares und mächtiges Land, das da an seinem großen Strom lag, Weisheit und Wissenschaft wurden gepflegt. Das Volk Israel verdankte dem Wegzug von dort seinen Ursprung; im übrigen war Ägypten stets ein Land, von dem Hilfe erbeten werden konnte – wenn auch manchmal vergeblich –, und wo Menschen Zuflucht fanden. Seine Kultur wirkte exotisch; vor allem die Äthiopier mit ihrer hohen Statur und schwarzen Hautfarbe erregten Staunen. Den Propheten jedoch bot Ägypten immerzu eine Zielscheibe für ihren Tadel, und keiner drückte sein Urteil drastischer aus als Ezechiel in seiner Verkündigung: *Die Nilarme werde ich trockenlegen und das Land in die Gewalt böser Menschen geben* (30, 12).

Assyrien

Im Vergleich zu Ägypten taucht Assyrien im Alten Testament seltener auf, und es finden sich wenig Anhaltspunkte, daß man überhaupt irgendeine Vorstellung davon hatte, wie das Land aussah. Das ist um so erstaunlicher angesichts der überlieferten Hinweise, daß die Vorfahren der Hebräer aus dem nördlichen Mesopotamien stammten (Genesis 11, 27–30). Daß Mesopotamien von den beiden großen Flüssen Tigris und Euphrat durchzogen wurde, war bekannt, aber sonst werden kaum Ortsnamen genannt. Auch die prophetischen Bücher enthalten keine Weissagungen zur Verdammung Assyriens, die den Prophezeiungen über Ägypten und Babylonien gleichkämen. Die Bücher Jona und Nahum befassen sich mit Ninive, einer der großen assyrischen Städte, wenngleich unsicher ist, ob die Verfasser sich wirklich jemals dort aufhielten. Im Buch Jona, das von Ninives Reue handelt, als der Prophet vor der bevorstehenden Vernichtung warnt, finden sich keine genaueren Angaben, als daß es eine »große Stadt [war], drei Tagesreisen zu durchwandern« (Jona 3,3). Jona 4,11 gibt ihre Bevölkerung mit 120000 Menschen an.

Auch das Buch Nahum, das sich in ähnlicher Weise auf Ninive bezieht, besitzt kaum Informationswert. Sätze wie: *Durch die Gassen rasen die Wagen, rasseln über die Plätze ... Er* [der König] *erinnert sich seiner Edlen, aber sie straucheln auf ihren Bahnen; sie eilen hin zur Stadtmauer...* (Nahum 2, 5–6) setzen nicht unbedingt eine Kenntnis der Stadt voraus, weder beim Verfasser noch beim Leser. Wo Nahum detaillierter wird, beschreibt er die assyrische Form der Kriegführung. Wenn der Passus in Jesaja 5, 27–29 auf Assyrien gemünzt ist (wofür einiges spricht), entwirft der Prophet ein schreckenerregendes Bild dieses Reiches:

> *... kein Müder, kein Strauchelnder in ihm, nicht schläft noch schlummert es; keinem geht auf der Gurt seiner Lenden, keinem zerreißt der Riemen seiner Schuhe. Seine Pfeile sind geschärft und alle seine Bogen gespannt; die Hufe*

Oben: Sklaven wurden von den Assyrern beim Holztransport eingesetzt. Dieses Relief stammt aus dem Palast Sargons II. in Chorsabad. Sargon beansprucht für sich den Ruhm, im Jahr 722/21 v. Chr. Samaria, die Hauptstadt des Nordreichs Israel, erobert zu haben.

Rechts: Assurbanipal (669–629 v. Chr.), dessen Fähigkeiten als Löwenjäger hier verewigt werden, war der vorletzte Herrscher des Assyrerreichs. Während seiner Regierungszeit hatte er unentwegt Aufstände zu bekämpfen, und nach seinem Tod ergriff Joschija (640–609 v. Chr. König von Juda) die Gelegenheit, angesichts der schwindenden Macht Assurs wieder die Unabhängigkeit zu erlangen und sich des Südteils Samarias zu bemächtigen.

seiner Rosse sind wie Kiesel zu achten und seine Wagenräder wie der Sturmwind. Sein Brüllen ist wie das der Löwin, es brüllt wie junge Löwen und knurrt, packt den Raub und schleppt ihn fort, und niemand rettet.

Babylonien

Sieht man als gegeben an, daß 597 und 587 v. Chr. Einwohner von Juda nach Babylon verbannt wurden, und daß manche ihrer Nachfahren später in ihre Heimat zurückkehrten, sollte man zahlreiche Verweise auf diese Stadt erwarten. Tatsächlich aber wird sie weit weniger oft erwähnt als Ägypten, und obschon sich Einzelheiten zur Geographie und Lebensweise in Babylonien finden, ergeben diese nur ein allgemeines Bild, das ebensogut auch zu einem anderen Ort passen würde. Die bekannteste Stelle über Babylonien stammt aus dem Psalm 137:

An den Strömen Babels,
da saßen wir und weinten,
wenn wir Zions gedachten;
an die Weiden im Lande
hängten wir unsere Harfen.
Denn dort hießen uns singen, die uns hinweggeführt,
hießen uns fröhlich sein unsre Peiniger:
»Singt uns eines von den Zionsliedern!«
Wie könnten wir des Herrn Lied singen
auf fremder Erde?
Vergesse ich deiner, Jerusalem,
so müsse meine Rechte verdorren!
Die Zunge müsse mir am Gaumen kleben,
wenn ich dein nicht gedenke,
wenn ich nicht Jerusalem setze
über meine höchste Freude!
Denke, o Herr, den Söhnen Edoms
an den Tag Jerusalems,
die da sprachen: »Nieder, nieder mit ihr
bis auf den Grund!«
Tochter Babel, Verwüsterin!
Wohl dem, der dir vergilt,
was du uns getan!
Wohl dem, der deine Kindlein packt
und am Felsen zerschmettert!
(Psalm 137, 1–2)

Die genannten Ströme sind die Kanäle und Flüsse der Stadt selbst oder des Landes Babylonien. Diese Wasserläufe waren für Bewässerung und Verkehr bedeutsam. An einem der Kanäle, dem Kebar, an dem die Masse der Exilierten angesiedelt wurde, sah Ezechiel »göttliche Gesichter« (Ezechiel 1,1), in denen dem Propheten der Ruhm und die Gegenwart Gottes bei seinem Volk in der Verbannung enthüllt wurden.

Die Erzählungen sagen mehr über die Stadt Babylon aus als über das Land, doch selbst hier müssen bestimmte Erklärungen notwendig gewesen sein, um die Anspielungen voll zu verstehen. Heute wissen wir, daß die jährliche Götter-Prozession ein Höhepunkt des religiösen Jahres in Babylonien war. Dabei wurden die Götterbilder von Lasttieren durch die Stadt geführt. Die Anspielung auf dieses Ereignis bei Jesaja ist jedoch voller Ironie, da der Prophet die Götzen, die von Tieren gezogen oder getragen werden müssen, mit dem Gott Israels vergleicht, der sein erwähltes Volk getragen hat:

Bel bricht zusammen, es krümmt sich Nebo;
ihre Bilder werden dem Lastvieh aufgelegt,
aufgeladen als Bürde dem müden Saumtier.
Allzumal krümmen sie sich, brechen zusammen,
vermögen die Last nicht zu retten ...
(Jesaja 46, 1–2)

Auch um den Hinweis auf die Türen und Riegel der Stadt Babylon zu verstehen, benötigt der Leser eine gewisse Hilfe, wenn es heißt: *Ich ... will eherne Türen zerbrechen und eiserne Riegel zerschlagen* (Jesaja 45, 2). Ebenfalls in Babylon spielen die ersten fünf Kapitel des Buches Daniel, doch über die Stadt selbst findet sich darin kaum eine Einzelheit.

Vielleicht ist es gar nicht so überraschend, daß wir nur so wenige Informationen über Babylon erhalten. Als die Verbannten in ihrem Exilort ankamen, müssen sie von den neuen Eindrücken geblendet gewesen sein. Das Babylon zu Beginn des 6. Jahrhunderts v. Chr. galt als eines der Wunder der Alten Welt. Einiges von seinem Glanz kann man heute noch dank der vorzüglichen Rekonstruktion der Prozessionsstraße und des Ischtar-Tors im Ostberliner Pergamon-Museum bewundern. Doch mö-

Nimrud war eine Stadt am Tigris, südlich vom heutigen Mossul. Im Alten Testament trägt es den Namen Kelach *(Genesis* 10, 11). Seit der ersten Hälfte des 9. Jahrhunderts war es königliche Residenz. Als Sir Robert Ker Porter die Ruinen in den dreißiger Jahren des 19. Jahrhunderts zeichnete *(links),* hielt man Nimruds Überreste für die Ruinen des Turms zu Babel. Seit 1845 von A. H. Layard durchgeführte Ausgrabungen lösten dann die Rätsel dieser Trümmerstätte. *Oben* sieht man Layards Rekonstruktion des königlichen Palastes.

Rechts: Der Euphrat, neben dem Tigris der zweite große Strom Mesopotamiens, hat während der Jahrtausende mehrmals seinen Lauf geändert. Zur Zeit des Alten Testaments lag Babylon an einem der Hauptkanäle des Euphrat. Heute verläuft der Euphrat-Hauptarm etwa 20 km westlich der Stadt.

gen auch gewöhnliche Israeliten von der Pracht der Stadt beeindruckt gewesen sein, die Propheten waren es nicht. Babylon wird ständig wegen seines Götzendienstes, seiner Abhängigkeit von den Astrologen und seiner Schätze getadelt. Bemerkenswert ist, wie das Buch Jeremia mit den Babyloniern ins Gericht geht. Diese Nation, die Gott einst erhöhte, um das auserwählte Volk zu bestrafen, wird zum Gegenstand von Schmähungen, und alles, was groß an ihrer Metropole ist, wird mit Zerstörung bedroht. Die Verdammung bei Jeremia 50, 36–39 zählt die wichtigsten negativen Attribute auf, die man mit Babylon verknüpfte:

Das Schwert über die Wahrsager,
daß sie zu Narren werden!
Das Schwert über seine Helden,
daß sie verzagen!
Das Schwert über seine Rosse und Wagen!
über alles fremde Volk in seiner Mitte,
daß es zu Weibern wird!
Das Schwert über seine Schätze,
daß sie geplündert werden!
Das Schwert über seine Wasser,
daß sie vertrocknen!
Denn es ist ein Land voll Götzen,
mit Schreckbildern treiben sie es toll.
Darum sollen Wüstentiere darin hausen
und Strauße darin wohnen,
und man wird es nimmermehr besiedeln
und in Ewigkeit es nicht wieder bewohnen.

Persien

Die Juden lebten von 540–333 v. Chr. unter der Herrschaft der Perser. Diese Periode spiegelt sich am stärksten in den Büchern Esra, Nehemia und Ester wider. Das letztgenannte Buch behandelt Ereignisse in der Hauptstadt Susa, berichtet aber wenig über den Charakter der Stadt selbst, außer daß sie einen großen Platz hatte und daß im Garten des Königspalastes »feine Baumwolltücher, weiße und purpurblaue, hingen vermittelst Schnüren von Byssus und rotem Purpur in silbernen Ringen an Marmorsäu-

Oben: Rekonstruktion des um 580 v. Chr. von Nebukadnezzar errichteten Ischtar-Tors von Babylon.

Links: Relief eines Stiers vom Ischtar-Tor. Es besteht aus emaillierten farbigen Ziegeln.

Rechts: Das Grab Kyrus' des Großen bei Pasargadae im heutigen Iran. Kyrus, König der Meder und Perser, eroberte Babylonien 540/39v. Chr. und gestattete den dortigen Exiljuden die Rückkehr nach Jerusalem. Allerdings machte vielleicht nur die Hälfte von diesem Anerbieten Gebrauch.

Rechts: Relief eines persischen Kriegers aus dem Palast des Darius (Dareios) in Susa (um 500 v. Chr.). Die Perser übernahmen von den Babyloniern das Verfahren der Herstellung farbiger Emailziegel.

len. Ruhebetten von Gold und Silber standen auf einem Mosaikboden von Alabaster und weißem Marmor und Perlmuttersteinen und dunklem Marmor« (Ester 1, 6).

Wenn Persien in der Bibel Gestalt gewinnt, dann betrifft es mehr die Verwaltung des Landes als seine geographischen Eigenheiten. Es entsteht der Eindruck eines riesigen Herrschaftsbereichs, der von einem gewaltigen Beamtenapparat verwaltet wird. Ester 9 spricht von königlichen Sendschreiben, die in 127 Provinzen verschickt wurden; Kapitel 8 unterstellt sogar, daß diese Provinzen sich von »Indien bis Äthiopien« erstreckten und durch Satrapen, Statthalter und Vorsteher regiert wurden. Dazu bedurfte es leistungsfähiger Kommunikationswege. Man setzte berittene Kuriere ein, deren schnelle Pferde im königlichen Gestüt eigens für diesen Zweck gezüchtet wurden. Offizielle persische Briefe im Buch Esra lassen darauf schließen, daß man sich in der Hauptstadt auch für unbedeutende Details der Regierung und Verwaltung selbst in entlegensten Landesteilen interessierte.

Nachdem Kyrus per Edikt die Rückkehr und den Wiederaufbau des Jerusalemer Tempels gestattet hatte (Teile dieses Edikts sind in Esra 3-5 überliefert), zog bald eine erste Welle von Israeliten nach Palästina. Eine detaillierte Liste der Heimkehrer findet sich in doppelter Ausführung bei Esra 2 und Nehemia 7: hier ist jeweils von 42 360 Menschen die Rede. Aus der Tatsache, daß sie über 7000 Sklaven mit sich führten, kann man ersehen, daß manche beträchtlichen Wohlstand erworben hatten, und dies ist auch der Grund dafür, warum viele es vorzogen, ihre gesicherte Existenz zu behalten und in Mesopotamien zu bleiben.

Griechenland und Rom

Nach der Schlacht von Issus (333 v. Chr.) eroberte Alexander der Große Syrien, Palästina und Ägypten. Doch abgesehen vom Buch Daniel enthält das Alte Testament kaum Hinweise auf die Nachwirkungen dieser Siegeszüge. Versteckte Anspielungen auf Alexanders Aufstieg, die Aufteilung des Reichs nach seinem Tod unter seinen Generälen und auf die Kämpfe zwischen ihren Nachfahren finden sich in Daniel 11. Die Herrschaft Antiochus' IV. (175-164) und dessen Judenverfolgung bilden den geschichtlichen Hintergrund für die Symbolik von Daniel 7. Es gibt jedoch keinen Versuch, Teile des hellenistischen Reiches zu beschreiben.

Erst im Neuen Testament stehen Verweise auf griechische Städte: besonders in der Apostelgeschichte und in der Offenbarung des Johannes. Zu den bekanntesten da-

Ganz links: Mosaikdarstellung des Apostels Paulus in der Peterskirche in Rom. Nach der Überlieferung wurde Paulus in Rom enthauptet, nachdem man seinem Ersuchen stattgegeben hatte, als römischer Bürger vor ein römisches Gericht gestellt zu werden.

Links: Korinth (hier sieht man den Apollo-Tempel aus dem 6. Jahrhundert v. Chr.) erlangte im Neuen Testament als eine jener Städte Berühmtheit, an deren Christengemeinden der Apostel Paulus mehrere Briefe schrieb.

von zählen Antiochia, das Zentrum der Heidenmission, Ephesus mit seinem berühmten Artemis-Tempel, Athen, wo Paulus auf dem Areopag predigte, und Korinth, wo er sich 18 Monate aufhielt.

Die ausführlichsten Informationen über griechische Städte stammen aus den ersten drei Kapiteln der Offenbarung des Johannes. Hier muß man die Lage und Eigenart einiger Orte kennen, um die Anspielungen richtig würdigen zu können. So ist zum Beispiel die Verheißung an die Gemeinde von Philadelphia, daß, »wer überwindet«, zu einem Pfeiler im Tempel Gottes gemacht werde (Offenbarung 3, 12), als ein Versprechen ausgelegt worden, das im wohlüberlegten Gegensatz zu den Erdbeben zu sehen ist, die häufig die Gegend verwüsteten. Hält man sich vor Augen, welche Verheerungen solche Naturkatastrophen anrichten können, wird deutlich, wie das Bild von der Säule im Tempel, einem Symbol für Sicherheit, auf die äußeren Umstände abgestimmt ist.

Die Stadt Rom selbst wird nur im Schlußteil der Apostelgeschichte erwähnt. Ausdrücklich genannt sind zwei Stätten: das Forum des Appius und die Tres Tabernae (Apostelgeschichte 28, 15). Das Römische Reich jedoch gehörte zur Zeit des Neuen Testaments zur Alltagserfahrung. Die Juden in Judäa kannten die römischen Soldaten, sie mußten an Caesar Steuern zahlen und mit römischen Münzen umgehen. Die Verkehrswege innerhalb des Imperiums waren schneller und sicherer denn je, und selbst ein Jude wie Saulus von Tarsus konnte die Vorteile der römischen Staatsbürgerschaft nutzen. Die Schriften des Neuen Testaments verraten eine durchaus ambivalente Einstellung zu Rom. Als Paulus den Römern riet, der Obrigkeit zu gehorchen, da diese von Gott eingesetzt sei (Römer 13, 1), dachte er zweifellos daran, daß der römische Staat die Macht besaß, Gesetz und Ordnung durchzusetzen und Gerechtigkeit zu garantieren. Eine ganz andere Haltung gegenüber Rom nimmt die Offenbarung des Johannes ein. Hier wird es – veranlaßt durch die Christenverfolgung – als ein Reich des Bösen geschildert, und es ist interessant, daß Babylon der Deckname für das römische Imperium ist.

Zuletzt sei eine Schlußfolgerung gestattet. Die verschiedenen Länder dienen im Alten wie im Neuen Testament als machtvolle theologische Symbole. Das Land der Bibel selbst war ein Sinnbild für Gottes Vorsehung und deren Zurückweisung durch sein Volk. Gott hatte es aus der Knechtschaft geführt und ihm ein eigenes Land gegeben, worauf es sich anderen Göttern zuwandte und ihm die Gefolgschaft kündigte. Der Verlust des verheißenen Landes in der Verbannung ließ sich dann höchst wirksam als Metapher verwenden, um die Allmacht und Vorsehung Gottes zu zeigen. Es ist kein Zufall, daß die Rückkehr aus dem Exil mit Worten geschildert wird, die der Beschreibung der ursprünglichen Wüstenwanderung in das Gelobte Land entlehnt sind. Auch die Reiche, die Israel umgaben, figurieren als Symbole. Die Tatsache, daß sie den Gott Israels nicht anerkannten und oft die nackte Existenz des erwählten Volks bedrohten, machte sie zum passenden Gegenstand für Darstellungen der Allmacht Gottes. Er konnte sich dieser Staaten bedienen, um sein Volk zu züchtigen. Im Gegenzug bestimmte er aber auch ihr Schicksal, denn er war imstande, sie zu strafen. Die Kenntnis der geographischen Verhältnisse allein – so wichtig sie auch sein mag – kann nicht zu einem tieferen Verständnis der biblischen Welt führen. Geographie und Theologie sind in der Bibel gleichsam untrennbar miteinander verknüpft.

Unten links: Zwei Jahre lebte und wirkte der Apostel Paulus in Ephesus. Sein Erfolg als Missionar schmälerte die Einnahmen der Handwerker, die für die Besucher des heidnischen Artemis-Tempels Votivgaben anfertigten (Apostelgeschichte 19). Die Aufnahme zeigt die Straße, auf der bei den Festen der Artemis die Prozessionen entlangzogen.

Unten: Eine Statue der vielbrüstigen Artemis von Ephesus aus dem 2. Jahrhundert n. Chr.

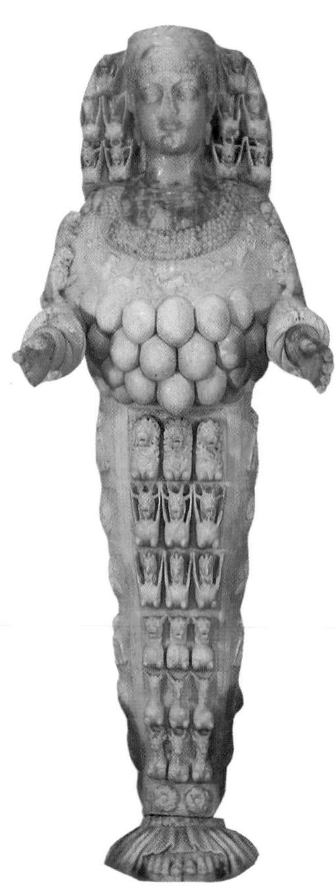

BILDQUELLENVERZEICHNIS

Stadtpläne von John Brennan, Oxford; Inkwell Studios, Oxford.

Abkürzungen: o = oben, ol = oben links, or = oben rechts, M = Mitte, u = unten usw.
PA = Pictorial Archive, Jerusalem; BM = British Museum, London; WB = Werner Braun, Jerusalem; DH = David Harris, Jerusalem; SH = Sonia Halliday, Weston Turville, Bucks; RK = Rolf Kneller, Jerusalem; GN = Garo Nalbandian, Jerusalem; RN = Richard Nowitz, Jerusalem; ZR = Zev Radovan, Jerusalem; JF = John Fuller, Cambridge; DB = Dick Barnard, Milverton, Somerset; JB = John Brennan, Oxford.

Innenspiegel: Jerusalem, von Bernhard von Breitenbachs Karte des Heiligen Landes, 1483: British Library, London (Foto: Fotomas Index, London).
Umschlag Vorderseite: GN

Seite
2-6. Steinrelief mit Propheten und Aposteln sowie der Verkündigung, Bamberger Dom (Foto: Bildarchiv Foto Marburg, Marburg).
8-9. JF.
13. Schreiber Eadwine, Miniatur aus der Canterbury-Kopie des Utrechtpsalters: Master and Fellows of Trinity College, Cambridge MS R.17.1,f.283v.
14. Bücher der Bibel: DB.
15. Der Evangelist Markus, wie er - inspiriert vom Heiligen Geist - sein Evangelium verfaßt; Blatt aus einem französischen Manuskript von 1146, von einem englischen Künstler illustriert: Musée de la Société Archéologique, Avesnes-sur-Helpe.
16ul. Frühe Manuskripte: JB.
16ur. Schreiber Sanheribs, assyrisches Relief: BM (Foto: Michael Holford).
17ol. Tafel von Jamdat Nasr, ca. 2900 v. Chr.: BM (Foto: Michael Holford).
17M. Kyrus-Zylinder: BM Inv.Nr. 90920.
17or. Gläsernes römisches Tintenfaß aus der Zeit des Zweiten Tempels: Israel-Museum, Jerusalem.
17M. Fragment der Septuaginta, 2. Jh. n. Chr.: John Rylands University Library, Manchester, Papyrus Rylands GK 458.
17u. Inschrift vom Tempelberg: Dept. of Antiquities, Jerusalem (Foto: ZR).
18o. Konstantin von Tischendorf, Lithographie von Schneller: BM.
18M. Codex Sinaiticus: BM MS Add 43725.
18ul. Codex Sinaiticus, Ende des Johannesevangeliums: BM ebenda. f. 260.
18ur. Bibliothek des Katharinenklosters, Sinai: Jerusalem Publishing House.
19. Katharinenkloster, Sinai: WB.
20u. Bibliothek von Nag Hammadi: Institute for Antiquity and Christianity, Claremont, Kalifornien.
20r. Erste Seite des Thomasevangeliums: ebenda.
20Ml. Fragment des Johannesevangeliums, erste Hälfte des 2. Jahrhunderts: John Rylands University Library, Manchester, Papyrus Rylands GK 457.
21. Erste Seite des Matthäusevangeliums, Evangelienhandschrift von Lindisfarne: British Library, MS Cott. Nero Div. f. 27.
22or. Luther von Lucas Cranach d. Ä.: Uffizien, Florenz (Foto: Mansell Collection, London).
22ur. Päpstliche Bulle gegen Luther: *Bulla Contra Errores Martini Lutheri et Sequarium,* 1520.
22M. Titelblatt der ersten vollständigen deutschen Bibel, 1534: Universitätsbibliothek der Karl-Marx-Universität, Leipzig.
22l. Titelblatt der englischen »Großen Bibel«, 1539: British Library c.18 d.l.
23. Moses auf dem Berg Sinai, Pariser Psalter f.422: Bibliothèque Nationale, Paris.
44ol. Moses auf dem Berg Sinai: British Library MS. Add 54180 f.5b.
44ul. Lots Frau verwandelt sich in eine Salzsäule, aus der Sarajevoer Haggada: Sarajevo-Museum.
44-45o. Volk Israel in Ägypten, von Sir Edward Poynter: Guildhall Art Gallery, London (Foto: The Bridgeman Art Library).
44-45uM. Josef empfängt seine Brüder, aus der Wiener Genesis, 6. Jahrhundert: Österreichische Nationalbibliothek, Wien, E.1176-C cod.theo.graec. 31 f.37.
45ur. Die Opferung Isaaks, Radierung von Rembrandt: BM H.283.
46-47. Szenen aus der Simson-Geschichte, aus der Maciejowski-Bibel, französisch, 13. Jahrhundert: Pierpont Morgan Library, New York, MS 638ff. 14v, 15v, 15r.
48Ml. Jael und Sisera, nach dem Meister von Flémalle: Herzog-Anton-Ulrich-Museum, Braunschweig.
48O. David mit dem Kopf Goliats, von Lorenzo Ghiberti: Detail eines Bronzereliefs von den Türen des Baptisteriums in Florenz (Foto: Phaidon Archives, Oxford).
49o. Jona und der Wal, hebräisches Manuskript aus La Coruña, Spanien: British Library, MS Kennicott 1, f.305.
48-49u. Die Königin von Saba besucht Salomo, Fresko von Piero della Francesca: San Francesco, Arezzo (Foto: Scala, Florenz).
49or. Sandro Botticelli, Judit: Uffizien, Florenz (Foto: Scala, Florenz).
50l. Verkündigung und Geburt (Ausschnitt), Lindenholz-Relief des Ottobeurener Meisters: Klostermuseum Ottobeuren.
50o. Der verlorene Sohn, Radierung von Rembrandt: BM H. 147.
50u. Der gute Samariter, Radierung von Rembrandt: BM H. 101.
51o. Einzug Christi in Jerusalem, von Pietro Lorenzetti: Unterkirche San Francesco, Assisi (Foto: Scala, Florenz).
51u. Verspottung Christi, Fresko von Fra Angelico: San Marco, Florenz (Foto: Scala, Florenz).
52-53. *Maestà* (Ausschnitt), von Duccio di Buoninsegna: Museo dell'Opera del Duomo, Siena (Foto: Scala, Florenz).
54-55. Kreuzabnahme Christi, von Rogier van der Weyden: Prado, Madrid (Foto: Scala, Florenz).
55r. Die Büßerin Maria Magdalena, Holzskulptur von Donatello: Baptisterium, Florenz (Foto: Scala, Florenz).
56ol. Petrus' Kummer über seine Verleugnung des Herrn, aus einem äthiopischen Manuskript des Oktateuch, 17. Jahrhundert: British Library, Oriental MS 481 f. 104b.
56r. Ausgießung des Heiligen Geistes, von El Greco: Prado, Madrid (Foto: Scala, Florenz).
56M. Die Bekehrung des Paulus, von einem karolingischen Manuskript, 9. Jahrhundert: Phaidon Archives, Oxford.
57. Madaba-Mosaik: aus dem bei Elsevier erschienen *Atlas of Israel,* 1970.
64Ml. Neubabylonische Tontafel: BM.
64ul. Madaba-Karte: Custodia Terra Sancta, Museum Studium Biblicum Franciscanium, Jerusalem.
64-65. Ebstorf-Weltkarte, ca. 1235: Equinox Archive, Oxford.
65or. Karte des Heiligen Landes von Matthew Paris: British Library Cotton MS Nero DV.
65ur. Karte des Palestine Exploration Fund: aus dem bei Elsevier erschienenen *Atlas of Israel,* 1970.
66or. Pfau: Bodleian Library Oxford, MS Ashmole 1511 f.72.
66Mr. Drei Hunde: ebenda.
66Ml. Vögel: ebenda, MS Bodley 764 f.73v.
66uM. Löwen: ebenda, MS. Ashmole 1511 f.10v.
66ur. Hyrcus, der Widder: ebenda, MS Bodley 764 f.36v.
67l. Die Schöpfung der Tiere: ebenda, MS Ashmole 1511 f.6v.
67or. Bär mit Jungen: ebenda, MS Bodley 764 f.22v.
67Mr. Dachse: ebenda, f.50v.
67u. Bienen: ebenda, MS. Ashmole 1511 f.75v.
67ur. Stier: ebenda, MS Bodley 130 f.84.
68-69. Pflanzen der Bibel: Crown Copyright, Reproduktion mit Erlaubnis des Aufsehers von Her Majesty's Stationery Office und des Direktors, Royal Botanic Gardens, Kew.
70-71. Fischer, Galiläa: SH.
72o. Akko, Lithographie von David Roberts: Fotomas Index, London.
72u. Nahe der Kischonmündung, Lithographie von David Roberts.
72M. Terrakotta-Figur einer Schwangeren, Achsib, ca. 7. Jahrhundert v. Chr.: Israel-Museum (Foto: DH).
74t. Phönizischer anthropoider Marmorsarkophag: Ny Carlsberg Glyptothek, Kopenhagen.
74l. Römische Ruinen, Tyrus: ZR.
75r. Sarkophag des Königs Tabnit von Sidon: Equinox Archives, Oxford.
75c. Luftaufnahme von Tyrus: Französisches Archäologisches Institut, Beirut.
75ol. Steingefäß mit Melkart-Ritus: JP.
76. Marschland bei Caesarea: PA.
78l. Dor: WB.
78c. Hellenistischer Männerkopf: ZR.
80. Philistäische Plastik einer sitzenden Frau, Aschdod, 12. Jahrhundert v. Chr.: Israel-Museum (Foto: DH).
81o. Gaza: Bible Scene, Barnet.
81u. Joppe/Jaffa: SH.
82-83. Aquädukt: SH.
83ur. Luftaufnahme von Caesarea: WB.

83or. Münzen: JF.
83M. Passage mit Spitzbögen, Caesarea: RK.
83or. Mauerwerk an der Küste von Caesarea: RN.
84. Zora und Eschtaol: DH.
86. Die Schefela: Bible Scene, Barnet.
88Mo. Entenkopf aus dem Grabentempel, Lachisch: Israel-Museum.
88Mu. Assyrische Rampe, Lachisch: Universität Tel Aviv (Foto: Weinberg).
89u. Lachisch: Bible Scene, Barnet.
89ol. Gefäße aus Lachisch: Lachish Expeditions, Universität Tel Aviv (Foto: A. Hay).
89Mr. Lachisch-Briefe: Equinox Archive, Oxford.
90–91. Rekonstruktion von Lachisch: DB.
90. Belagerung von Lachisch: nach A. H. Layard.
91. Sanherib auf seinem Thron: nach A. H. Layard.
92–93. Nach A. H. Layards Stichen nach assyrischen Reliefs.
94. Judäische Hügel: DH.
96. Blumen in der Wüste: RN.
98M. Pflügen bei Hebron: ZR.
98u. Das Dorf Ein Sinia bei Hebron: DH.
99. Grab der Patriarchen, Hebron: WB.
100–101u. Betlehem, von Holman Hunt: Privatsammlung, Großbritannien.
100Ml. Geburtskirche, Betlehem: SH.
101r. Betlehem: GH.
101oM. Gassen in Betlehem: SH.
102–103. Herodium: GN.
103u. Luftaufnahme von Herodium: Zefa Picture Library, London (Foto: WB).
104u. Wüste Juda: ZR.
104oMl. Beduinen in der Wüste Juda: GN.
106–107. Sturm über der Wüste Juda: PA.
108. Palmen, En-Gedi: Jamie Simpson, Brookwood.
109or. Ziegen: RN.
109ol. Schatzfund aus einer Höhle: Israel-Museum (Foto: DH).
109M. Wasserfall: Prof. J. Rogerson, Sheffield.
110–111. Luftbildaufnahme von Masada: SH.
110b. Synagoge, Masada: aus Y. Yadin, *Masada.*
111. Fresken, Masada: ebenda.
111M. Steingeschosse einer römischen Balista, Masada: Linda Proud, Oxford.
111u. und ur. Sandalen, Korb, Bronzetiegel und Krug: JF.
112–113M. Ansicht der Höhlen von Qumran: Palphot, Jerusalem.
113Mr. Krüge, Qumran, 1. Jahrhundert n. Chr.: Israel-Museum (Foto: DH).
113ur. Jesaja-Rolle, 1. Jahrhundert n. Chr.: Israel-Museum.
115. Berg Sinai: RK.
116o. Wüstenszene: DH.
116–117. Sinaiwüste von einer Höhle aus fotografiert: RN.
118M. Tonscherbe: aus *Arad Excavation Report.*
118Mu. Fragment eines Gefäßes, Arad: JF.
118u. Siegel, Arad: JF.
1190. Tell Arad: WB.
119ur. Das Allerheiligste, Arad, 9. Jahrhundert v. Chr.: Israel-Museum (Foto: DH).
119ul. Modell von Arad: Israel-Museum, Jerusalem.
120–121. Tell Beerscheba: PA.
121u. Statuette aus Beerscheba: Prof. Herzog, Universität Tel Aviv.
122–123. Wadi el-Qudeirat: PA.
124o. Wüste Sin: ZR.
124u. Ezjon-Geber: DH.
125Mr. Kupferschlange aus Timna: Dr. Benno Rothenburg, Tel Aviv.
125M. Fragment von einer Darstellung Hathors, Timna: ders.
125ur. Timna: DH.
125ul. Kupferminen, Timna: WB.
126–127. Sinaiwüste: WB.
127r. Jebel Musa: ZR.
128l. Dan: GN.
131. Untergaliläa: PA.
132–133. Tiberias, Lithographie von David Roberts: Fotomas Index, London.
134u. Tell Hazor: PA.
134–135. Löwenorthostat: Israel-Museum (Foto: DH).
135or. Maske aus Hazor: ebenda.
135ur. Ausgrabungen in Hazor: Prof. Y. Yadin.
137. Nazaret: GN.
138M. Luftaufnahme von Kafarnaum: RN.
138u. Bundeslade: GN.
139ul. Ölpresse: SH.
139ur. Reibsteine: DH.
140. Berg Tabor: RK.
141o. Mosaik von Tabga: GN.
141u. Chorazin: WB.
142u. Dreschen mit dem Dreschschlitten, Galiläa: ZR.
142o. Worfeln von Getreide: WB.
143ul. Pflügen im Olivenhain: GN.
143or. Schäfer: GN.
143ur. Taboon (Brotofen): ZR.
144l. Ölpresse: DH.
144or. Öllampe, hellenistische Zeit: ZR.
144Ml. Grabeingang: SH.
144Mr. Ossuarien, zwischen 50 v. Chr. - 70 n. Chr.: Israel-Museum (Foto: DH).
144u. Knochenwürfel, römische Zeit, Jerusalem: Hebräische Universität, Jerusalem (Foto ZR).
145ol. Münzform, römische Zeit, Jerusalem: Dept. of Antiquities, Jerusalem (Foto: ZR).
145oM. Kosmetikutensilien aus Ton, Stein und Knochen, römische Zeit, Masada: Hebräische Universität (Foto: ZR).
145or. Tönerner Bierkrug, philistäische Zeit, Tell Quasila: Dept. of Antiquities, Jerusalem (Foto: ZR).
145Ml. Judäischer Denar: Custodia Terra Sancta, Studium Biblicum Franciscanum, Jerusalem.
145M. Steingewichte: DH.
145Mr. Bratpfanne aus Lachisch: JF.
145ul. Figurine einer badenden Frau, kanaanäische Zeit: Dept. of Antiquities, Jerusalem (Foto: DH).
146. Jesreeltal: RK.
150o. Wadi Faria: PA.
150u. Zugang nach Nablus, Lithographie von David Roberts: Equinox Archives, Oxford.
153. Kopf einer Figurine, kanaanäische Zeit: ZR.
154–155o. Samaria: ZR.
155or. Sphinx in Lotusdickicht, 9. Jahrhundert v. Chr., Elfenbeinarbeit aus Ahabs Palast: Israel-Museum, Jerusalem.
155u. Beitin: RK.
156. Hörneraltar: DH.
157Ml. Herrscher bei der Parade der siegreichen Soldaten, Elfenbein: Dept. of Antiquities (Foto: DH).
157Mr. Jaspis-Siegel, Megiddo: ZR.
157u. Megiddo: PA.
157ur. Widder und Affe: ZR.
157Mr. Tunnel in Megiddo: GN.
159. Samariter: WB.
160oM. Stelen, Geser: ZR.
160or. Stier: Israel-Museum (Foto: DH).
160ur. Stelen-Tempel in Hazor: Israel-Museum (Foto DH).
161l. Golddolch, kanaanäische Zeit, Geser: Dept. of Antiquities, Jerusalem (Foto: ZR).
161or. Statuetten der Astarte: DH.
161uM. Philistäischer anthropoider Sarkophag: Dept. of Antiquities (Foto: GN).
161ur. Dämon: JF.
164–165. Jerusalem vom Ölberg aus, von Edward Lear, 1859: Christies, London (Foto: The Bridgeman Art Library).
166–167. Gibeon: PA.
170–171. Jeba, Wadi Suwenit: PA.
172–173: Die Altstadt von Jerusalem: RN.
174ur. Luftaufnahme der Davidsstadt, Jerusalem: PA.
174or. Grab Davids: WB.
174Ml. Köpfe: ZR.
174ul. Gefäße, römische Periode, Davidsstadt: ZR.
176. Grab Abschaloms: ZR.
178–179o. Anata: ZR.
178–179M. Inschrift am Schiloach-Tunnel: Dept. of Antiquities, Jerusalem (Foto: ZR).
179u. Schiloach-Tunnel: SH.
181lo. Ein Karim: GN.
181u. Mosaik, Ein Karim: Custodia Terra Sancta, Museum Studium Biblicum Franciscanum, Jerusalem.
182–183. Tempel des Herodes: DB.
184–185o. Ölpresse, Betanien: SH.
185or. Betanien: Custodia Terra Sancta, Museum Studium Biblicum Franciscanum, Jerusalem.
186oM. Klagemauer: Camerapix-Hutchinson, London.
186or. Stufen, Jerusalem: SH.
186Mr. Damaskustor, Diapositiv aus dem 19. Jahrhundert: Sammlung von Professor J. Rogerson.
186uM. Schiloach: SH.
186ur. Ausgrabungen in der Davidsstadt: Israel Exploration Society (Foto: Prof. Avigad).
186u. Schiloachteich: SH.
186u. Münze: JF.
189. Goldenes Tor, Jerusalem: nach einem Aquarell von H. G. Gray, aus *Jerusalem, The City Plan,* 1948.
190Mr. Konvent der Schwestern von Zion: GN.
190ul. Via Dolorosa: SH.
190–191uM. Die Grabeskirche: Lithographie von David Roberts.
191or. 3. Kreuzwegstation: Jerusalem Publishing House.
191Mr. Grab mit Rollstein: SH.
191ur. Garten Getsemani: SH.
193u. Nebi Musa: WB.
193o. Luftaufnahme des Jordan: GN.
194. Wadi Quelt: ZR.
195. Salzablagerungen am Toten Meer: WB.
196–197. Tulul Abu el-Alaiq: PA.
197Ml. Neolithischer Turm, Jericho: DH.
197ur. Kopfförmige Urne, 16. Jahrhundert v. Chr., Jericho: DH.
198–199. Kloster auf dem Berg der Versuchung: SH.
200. Golplattierte Bronzestandarte aus Bet-Schean, 1500–1200 v. Chr.: Israel-Museum.
200–201. Tell Bet-Schean: PA.
203. Seil el-Mojib: PA.
204. Hermonmassiv: SH.
205. Schafhirt mit Herde: ZR.
206: Kalksteinstatuette eines Moabiterkönigs: Custodia Terra Sancta, Museum Studium Biblicum Franciscanum, Jerusalem.
209. Petra: Zefa Picture Library, London.
210. Jerasch: ebenda.
211. Caesarea Philippi: SH.

212–213. Machaerus: PA.
216–217o. Ramses II, Abu Simbel: aus *Sketches in Egypt and Nubia* von David Roberts, 1838.
216M. Insel Elephantine: A. A. M. van der Heyden, Amsterdam.
217. Boote auf dem Nil: ebenda.
218. Relief aus dem Palast Sargons II. in Chorsabad: Louvre, Paris (Foto: Scala, Florenz).
218–219. Assurbanipal bei der Löwenjagd: BM.
220o. Palast von Nimrud: aus *Monuments of Niniveh* von A. H. Layard (Foto: Ashmolean Museum, Oxford).
220u. Ansicht von Nimrud, von Sir Robert Ker Porter: British Library, London.
221. Der Euphrat bei Babylon: Robert Harding Picture Library, London.
222o. Ischtar-Tor, Babylon: Berlin, Museumsinsel.
222u. Stier, Relief: ebenda.
223o. Grab von Kyrus dem Großen: E. Bohm, Mainz.
223l. Persischer Soldat, Relief: Berlin, Museumsinsel.
224ol. Mosaik des Paulus in der Krypta des Petersdoms in Rom: Scala, Florenz.
224or. Apollotempel, Korinth: SH.
224ul. Straße in Ephesus: W. Wilkinson, London.
224ur. Statue der Artemis von Ephesus: SH.

Viele der beeindruckenden Luftbildaufnahmen in diesem Buch sind zum ersten Mal veröffentlicht und wurden dankenswerterweise durch das Pictorial Archive, Jerusalem, zur Verfügung gestellt, das umfangreiches Material (Dias, Landkarten, Satellitenfotos) zum Land der Bibel besitzt. Interessenten wenden sich bitte an das Pictorial Archive (Near Eastern History), The Old School, PO Box 19823, Jerusalem.

Für ihre Hilfe in Israel möchten wir danken: Pater Michele Piccirillo vom Studium Biblicum Franciscanum, Jerusalem, Yosh Gafni vom Jerusalem Publishing House, Harold Harris von Zefa Ltd. sowie der Leitung und den Mitarbeitern der St.-Georgs-Kathedrale, Jerusalem.

BIBLIOGRAPHIE

Gesamtdarstellungen jüdischer Geschichte

Alt, A., *Zur Geschichte des Volkes Israel,* 2. Aufl., München 1979.

Ben-Sasson, H. H. (Hg.), *Geschichte des jüdischen Volkes,* 3 Bde., München 1978–80.

Dubnow, S., *Weltgeschichte des jüdischen Volkes,* 10 Bde., Berlin 1925 ff.

Fohrer, G., *Geschichte Israels,* 2. Aufl., Heidelberg 1979.

Gamm, H. J., *Das Judentum. Eine Einführung,* 2. Aufl., Frankfurt a. M. 1981.

Graetz, H., *Geschichte der Juden von den ältesten Zeiten bis auf die Gegenwart,* 11 Bde., Leipzig 1855–76 [neu bearb. 1896 bis ca. 1923].

Lange, Nicholas de, *Jüdische Welt,* München 1984.

Maier, J., *Das Judentum von der biblischen Zeit bis zur Moderne,* 2. Aufl., München 1973.

Noth, M., *Geschichte Israels,* 7. Aufl., Göttingen 1969.

Roth, C., *A Short History of the Jewish People,* London 1948 [erw. illustr. Ausg. London 1969]; dt. *Geschichte der Juden. Von den Anfängen bis zum neuen Staate Israel,* Teufen 1954.

Biblische Geschichte

Aharoni, Y., u. Avi-Yonah, M., *The Bible Atlas,* New York 1968; dt. *Der Bibel-Atlas,* Hamburg 1981.

Albright, W. F., *Archaeology and the Religion of Israel,* 3. Aufl., Baltimore 1953; dt. *Die Religion Israels im Lichte der archäologischen Ausgrabungen,* München/Basel 1956.

Bright, J., *A History of Israel,* 3. Aufl., Philadelphia 1981; dt. *Geschichte Israels. Von den Anfängen bis zur Schwelle des Neuen Bundes,* Düsseldorf 1966.

ders., *Early Israel in Recent History Writing,* London 1956; dt. *Altisrael in der neueren Geschichtsschreibung,* Zürich/Stuttgart 1961.

Bruce, F. F., *New Testament History of Israel,* London 1969; dt. *Zeitgeschichte des Neuen Testaments,* T. 1.2, Wuppertal 1975–76.

Geus, C. H. J. de, *The Tribes of Israel,* Amsterdam 1976.

Gordon, C. H., *The World of the Old Testament,* New York 1958; dt. *Geschichtliche Grundlagen des Alten Testaments,* Einsiedeln/Köln 1961.

Grollenberg, L. H., *Kleiner Bildatlas zur Bibel,* 2. Aufl., Gütersloh 1982.

Gunneweg, A. H., *Geschichte Israels bis Bar Kochba,* Stuttgart/Berlin 1981.

Hengel, M., *Judentum und Hellenismus,* 2. Aufl., Tübingen 1973.

ders., *Die Zeloten,* 2. Aufl., Köln/Leiden 1976.

Hoheisel, K., *Das antike Judentum in christlicher Sicht,* Wiesbaden 1978.

Jepsen, A., *Die Quellen des Königsbuches,* 2. Aufl., Halle a. S. 1956.

Maier, J., *Grundzüge der Geschichte des Judentums im Altertum,* Darmstadt 1981.

Meyer, E., *Die Israeliten und ihre Nachbarstämme,* Halle a. S. 1906.

Neusner, J., *A History of the Jews in Babylonia,* 5 Bde., Leiden 1965–70.

Noth, M., *Das System der zwölf Stämme Israels,* Stuttgart 1930.

ders., *Das Amt des »Richters Israels«,* in: *Gesammelte Studien zum Alten Testament,* II 1969, S. 71–85.

Rost, L., *Die Überlieferung von der Thronnachfolge Davids,* Stuttgart 1926.

Safrai, S., *Das jüdische Volk im Zeitalter des Zweiten Tempels,* Neukirchen-Vluyn 1980.

Seebass, H., *David, Saul und das Wesen des jüdischen Glaubens,* Neukirchen-Vluyn 1980.

Schlatter, A., *Geschichte Israels von Alexander dem Großen bis Hadrian,* 3. Aufl., Stuttgart 1925.

Schürer, E., *Geschichte des jüdischen Volkes im Zeitalter Jesu Christi,* 3 Bde., Leipzig 1901–09.

Soggin, J. A., *Das Königtum in Israel,* in: *Zeitschrift für die alttestamentliche Wissenschaft,* Beiheft 104, Berlin 1967.

Stemberger, G., *Das Klassische Judentum,* München 1979.

Täubler, E., *Biblische Studien. Die Epoche der Richter,* Tübingen 1958.

Weber, M., *Gesammelte Aufsätze zur Religionssoziologie,* Bd. 3: *Das antike Judentum,* 6. Aufl., Tübingen 1976.

Weippert, M., *Die Landnahme der israelitischen Stämme in der neueren wissenschaftlichen Diskussion,* Göttingen 1967.

Allgemeine und historische Geographie Israels, Reiseberichte, Archäologie

Aharoni, Y., *The Land of the Bible. A Historical Geography,* London 1968; dt. *Das Land der Bibel. eine historische Geographie,* Neukirchen-Vluyn 1984.

Baly, D., *Geographical Companion to the Bible,* London 1963.

Ben-Arieh, Y., *The Rediscovery of the Holy Land in the Nineteenth Century,* Jerusalem/Detroit 1979.

ders., *The Changing Landscape of the Central Jordan Valley,* Jerusalem 1968 (Scripta Hierosolymitana, Bd. 15, Studies in Geography, Pamphlet no. 3).

Bliss, F. J., *Excavations at Jerusalem 1894–1897,* London 1898.

Dalman, G., *Orte und Wege Jesu,* 4. Aufl., Darmstadt 1967.

Donner, H., *Pilgerfahrt ins Heilige Land. Die ältesten Berichte christlicher Palästinapilger* (4.–7. Jahrhundert), Stuttgart 1979.

Glueck, N., *The Other Side of the Jordan,* New Haven 1952.

ders., *Rivers in the desert. A history of the Negev,* New York 1959.

Gorys, E., *Das Heilige Land,* Köln 1984.

Haag, H., *Land der Bibel,* 2. Aufl., Aschaffenburg 1979.

Karmon, Y., *Israel, a Regional Geography,* London 1971; dt. *Israel, eine geographische Landeskunde,* Darmstadt 1983.

Keel, O., Küchler, M., Uehlingen, C., *Orte und Landschaften der Bibel,* 3 Bde., Zürich/Göttingen 1982 ff.

Kenyon, K. M., *Archaeology in the Holy Land,* 4. Aufl., London/New York 1979; dt. *Archäologie im Heiligen Land,* 2. Aufl., Neukirchen-Vluyn 1976.

ders., *Jerusalem. Excavating 3000 Years of History,* London 1967.

ders., *The Bible and recent Archaeology,* London 1978; dt. *Die Bibel im Licht der Archäologie,* Düsseldorf 1980.

Magnusson, M., *BC The Archaeology of the Bible Lands, London 1975;* dt. *Auf den Spuren der Bibel. Die berühmtesten Überlieferungen des Alten Testaments – von der Archäologie neu entdeckt,* München/Gütersloh/Wien 1978.

Noth, M., *Aufsätze zur biblischen Landes- und Altertumskunde,* 2 Bde., Neukirchen-Vluyn 1971.

Otto, E., *Jerusalem – die Geschichte der Heiligen Stadt,* Stuttgart 1980.

Runciman, S., *A History of the Crusades,* 3 Bde., Cambridge, 1951–54; dt. *Geschichte der Kreuzzüge,* 3 Bde., München 1957–60.

Salibi, K., *Die Bibel kam aus dem Lande Asir,* Hamburg 1985; provokante Darstellung, basierend auf dem Vergleich biblischer und arabischer Ortsnamen, die das Gelobte Land ursprünglich im südwestarabischen Asir lokalisiert.

Smith, G. H., *The Historical Geography of the Holy Land,* 26. Auflage, London 1935.

Thompson, T. L., *The settlement of Sinai and the Negev in the Bronze Age,* Wiesbaden 1975 (Beihefte zum Tübinger Atlas des vorderen Orients, Reihe B, Nr. 8).

ders., *The Settlement of Palestine in the Bronze Age,* Wiesbaden 1979 (Beihefte zum Tübinger Atlas des vorderen Orients, Reihe B, Nr. 34).

Thomson, W. M., *The Land and the Book; or, Biblical Illustrations drawn from the Manners and Customs, the Scenes and Scenery of the Holy Land,* London 1905.

Tristram, H. B., *The Land of Israel: a Journal of Travels in Palestine, undertaken with special reference to its Physical Character,* 3. Aufl., London 1876.

Wolf-Crome, E., (Hg.), *Pilger und Forscher im Heiligen Land – Reiseberichte aus Palästina, Syrien und Mesopotamien vom 11. bis zum 20. Jahrhundert in Briefen und Tagebüchern,* Wettenberg 1977.

Wright, G. E., *Biblical Archaeology,* revid. Auflage, Philadelphia 1962; dt. *Biblische Archaeologie,* Göttingen 1958.

REGISTER

Kursiv gesetzte Seitenangaben weisen auf Bilder bzw. Bildlegenden hin. Arabische Artikel wurden bei der Alphabetisierung nicht berücksichtigt.

REGISTER GEOGRAPHISCHER NAMEN

Alle feststellbaren Orte, die in der Bibel erwähnt werden, sind im folgenden aufgeführt. Die **halbfett** hervorgehobenen Zahlen und Buchstaben beziehen sich auf Lageangaben auf den topographischen Landkarten im Teil drei. Die darauffolgenden Ziffern betreffen Seitenangaben von anderen Landkarten, wo diese Orte ebenfalls zu finden sind. Weitere Namensformen sind desgleichen angegeben.